長編国際謀略サスペンス

龍の契《ちぎ》り

服部真澄

祥伝社ノン・ポシェット

目次

プロローグ

一九九二年――。

ハリウッドの二月は、いつにもましてさまざまな思惑《おもわく》が渦巻く季節だ。俳優たちの過剰な自意識、監督やプロデューサーの野心、配給会社宣伝部の厚かましいくらいの「手配」――、そのすべてがアカデミー授賞式に向けて、加速度を増していく。

テレビで授賞式を見た人々の半数以上は、一ヵ月、いや悪くすれば一週間もすると受賞者を忘れてしまうだろう。しかし、映画制作関係者にとっては、オスカーは今なお、大きな獲物《えもの》だった。オスカーの像は一万ドルの値打ちしかない金メッキにすぎないと、ショーン・コネリーが言ったとしても、その付加価値は下がらなかった。

ノミネーションが発表されると、喧騒は止《とど》まるところを知らなくなる。ノミネートが決まった俳優は、全世界に衛星中継される自分の映像を少しでも魅力的に見せようと、ビヴァリー・ヒルズのカマリやラピドスといった高級ブティックで、少なくともその月のうちの四日を費《つい》やし、俳優のエージェントはにわかに持ちかけられる広告代理店からの意味ありげなアプローチを捌《さば》くのに多忙を極《きわ》める。プロデューサーは、もしも自分の作品が栄光を手に入れたら、ジャック・ニコルソンとハリソン・フォードを共演させて大作を撮《と》ろうとひそかに誓うのだ。

だが、美酒を味わうことができるのは、限られた数人にすぎない。期待に胸をふくらませた者のうち、残りの大多数は映画芸術科学アカデミーに失望し、聞くに耐えない悪口を胸のなかで呟《つぶや》くことになるだろう……満面に笑《え》みをたたえ、勝者への拍手を送る演技を続けながらも。

アディールは、最優秀主演女優賞受賞者の名前が読みあげられた瞬間、顔を上げた。

カメラがとらえた女優の顔のクローズ・アップは、この年いちばんの華々《はなばな》しい映像になった。

カメラスタッフは、迷わずアディールの席を映《うつ》し出した。彼女の髪は目立つブロンドではなかったが、ライトを浴びると濡れたような光沢《こうたく》を放つブラウンで、そんな髪の持ち主を、映像のプロたちが見誤るはずもなかった。

髪をブロンドに染め変えなかったことは、東洋系三世の彼女が、女優になって唯一持ち続けた、アジアン・アメリカンとしての誇りであり、抵抗だった。栗色の髪以外に、彼女の外観から東洋の匂いを嗅《か》ぎわけることは困難だったろう。いわゆるアメリカの基準で、彼女は美しかった。だからこそ、ほかのあらゆることは曲げても、彼女はヘアダイをしないことにこだわったのだ。

アディールは、ゆっくりと立ち上がった。白いストラップレスのシルクのドレスは、ファッション関係者が見れば、スキャパレリのアンティークということに気づいたかもしれない。だが、たいていの視聴者は、ドレスが際立《きわだ》たせている彼女の見事な肢体のほうに気をとられた。ここ十数年、アディールは完璧なプロポーションを維持しており、テレビの前で交《か》わされる会話はきまっていた。

「アディールは、いくつだったかしら、メリル・ストリープより、いくつかは下……？」

画面が再びアップになって、女優の笑顔がディスプレイいっぱいに広がると、魅力はさらに増した。額《ひたい》の生《は》え際の柔らかな巻き毛や、絶えず表情を変える瞳に、視線が吸い寄せられてしまう。

候補の一人だったジュリア・ロバーツの表情が一瞬、映《うつ》し出された。二億七八〇〇万ドルという、記録に残る興行成績を収めたというのに評価されなかった彼女は、落胆を匿《かく》してさりげない微笑《ほほえ》みを浮かべていた。

アディールは、拍手が湧き起こるなかを演壇に向かった。近くの席から、スタッフがキスを贈る。プロデューサーのピート・クーパーが、アディールを抱擁して囁《ささや》いた。

「初めてのオスカー、おめでとう」

初めてのオスカー――。あでやかに微笑み、ステージに進みながら、アディールはその言葉のなかに、もう一つの意味をかみしめていた。アカデミー賞主演女優賞は、アディール個人にとって初めてのオスカーだったが、それは同時に、アジアン・アメリカンにもたらされた、初めての主演女優賞でもあった。

――ハリウッドの人種の壁は、歴然としている。

彼女は、一九八七年のアカデミー賞を思い出した。

その年は、アジアをテーマに撮《と》られた、英中伊合作の素晴らしい映画が、多くの賞を攫《さら》った。中国最後の皇帝、溥儀《ふぎ》を描いた『ラストエンペラー』は、九つもの部門でノミネートされ、そのすべてで賞を獲得した。イタリア人の監督ベルナルド・ベルトルッチは、作品賞、監督賞を獲《と》ったことに舞い上がり、興奮してこう言ったものだ。

〝――イタリア人として、アカデミー賞はじつに遠い存在だ。しかし、こうして実際に貰うと、オスカーに夢中になってしまった。いまでは、オスカーにひれ伏したい気持ちだ〟

このエピソードを思い出すたび、アディールは頭に血が昇った。

何をバカな――彼女は思った。

『ラストエンペラー』は九つの賞を獲ったのに、主演男優のジョン・ローンは、賞を貰うどころか、ノミネートすらされなかったのよ。東洋系の彼が、晴れ舞台で感受性豊かな中国人の皇帝を好演したからこそ、あの映画があったのじゃないの？

誰も口に出しては言わないが、ジョン・ローンがオスカーを獲れなかったのは、彼がアジア系だからだ、とアディールは信じていた。

彼女自身の歩んできた道が、それを物語ってもいた。いまではハリウッドではトップといっていい経歴の彼女だったが、アジア系というバック・グラウンドが好結果をもたらしたことはほとんどなかった。ハリウッドでは、アジア系の役者がいい役につくことは稀有《けう》と言っていい。

アディールの場合、幸いだったのは、彼女の容姿が完全にアメリカの価値観でいう美の基準に合っていたことだ。人々は彼女の完全にアメリカナイズされた容姿に、彼女が東洋系であることを忘れ、彼女が演じる役のなかの美女に魅《み》せられた。

彼女は、役柄も選んだ。東洋を感じさせる作品には一切出なかったし、ある時期をヨーロッパで過ごしたために、エレガントな物腰がすっかり身についていて、その点でも非のうちどころがなかった。優雅にふるまう彼女の胸の深くに、東洋への思いが沈潜しているのに気づく者は誰もいなかった。

だが、そのじつ、彼女の頭のなかには、大胆な行動の青写真が浮かんでいた。

女優が演壇に上ると、賞賛の拍手が一段と高くなった。長年の目標であったオスカー像をうわの空で受け取りながら、彼女は決意していた。

私は、今日までのキャリアを捨てる——。

オスカー像など、もはや何の意味もない。アディールには、ハリウッドを——いや、世界の映画ビジネスさえも一変させてしまいかねない、ある計画があった。今ならまだ、時間がある。一九九七年になる前に。彼女の決意しだいで、巨額のアジアン・マネーが動く可能性があった。

第1部
発端
―英国・ロンドン

封筒

一九八二年――。

ダヴィナがそのオーディションの話を耳にしたのは、『ヴィダル・サスーン』の店で髪をカットさせているときだった。『サスーン』の新しいヘア・カットの技術は、八〇年代に入ってますます磨きがかかり、ロンドンのモデルたちの間に、相変わらずセンセーションを巻き起こしていた。サロンには、『ヴォーグ』や『バザール』で見かける顔がいくつかあったし、そのほかにも、ジェーンだの、ミランダだのという、ありふれたファーストネームだけで仕事をしているモデルが、切れ目なく訪れていた。

ダヴィナの名前も、もちろん営業用の通り名だった。いかにもロンドンっ子というニュアンスの名前を、彼女は選んでいた。

「君の髪は、とても光沢《こうたく》があって、きれいだけど……ブロンドに染めておくのはどうかな。地の色を生かしたほうが、顔の雰囲気に合うと思うけど……？」

しなやかな手をした、男のヘア・スタイリストが、うんざりしているダヴィナの機嫌をとるように囁《ささや》いた。彼らはいつだって〈女同士〉のふりをする。それが顧客を増やす常套《じょうとう》手段から、いつの間《ま》にかただのトレードマークになってしまっているのに、気づいていないのかもしれなかった。

ダヴィナは彼を無視して目を閉じた。やれやれと思う気さえない。このところ、モデル・エージェンシーからは、いい仕事が回ってこない。ダヴィナのマネジャーは、彼女のほかにもう一人、ほとんどティーンエージャーに見えるモデルを担当していて、その娘と恋仲だった。もう少しまともな仕事にありつくために、髪型を変えて、新しいポートレイトを撮《と》って次のエージェントを捜《さが》す潮時《しおどき》だった。

ヘア・スタイリストは、ダヴィナがおしゃべりに乗ってこないのを見極《みきわ》めると、カット作業に没頭し始めた。真っすぐに鏡を睨《にら》みつけている彼女の頭の形が、珍しいほど完璧なので、彼は久しぶりに口をつぐんで腕をふるう気になったのだ。座っているだけでタフな感じの漂《ただよ》うモデルが珍しくもあった。

鋏《はさみ》は羽のように微《かす》かな音しか立てず、ダヴィナはようやく、眉間《みけん》の皺《しわ》をのばして目を閉じた。

「………のオーディションがあるの」

だしぬけに、耳に飛び込んできた会話に、ダヴィナは興味を惹《ひ》かれた。目を開けて、さりげなく隣を窺《うかが》うと、ほっそりとしてきれいだが、とりたてて個性を感じさせない、若い娘が座っていた。娘は、髭《ひげ》を生やした若いヘア・スタイリストに、自分の希望を伝えるのに余念がなかった。

「エキゾチックな感じにメイクしてほしいのよ。『マリー・クヮント』化粧品の新しいシリーズは『東洋』がコンセプトなんですって。次のキャンペーン・モデルに採用されたら、世界のどの街にも、イメージ・ガールとして私のクローズ・アップが載《の》るんだわ」

よく言うわ――ダヴィナは内心思いながら、聞き耳を立てた。『マリー・クヮント』は人気の高いコスメティクス・メーカーだったし、エキゾチックなモデルを欲《ほっ》しているのなら、彼女にも関わりがないではない。

「仕上げは完璧にしてね。もう一時間しかないから、急いで……」

若い娘は言い、隣席の美容師は、しぶしぶカットの速度を上げながら聞いた。

「オーディション会場はどちらですか。『マリー・クヮント』の本社？」

「違うの。今日は写真を試し撮りするのよ。大手のエージェンシーから、それぞれピック・アップされた子が来るの。フォトグラファーは、デヴィッド・デイよ。凄《すご》いでしょう？ 彼に一度、撮ってもらいたかったの。でも彼、まだスタジオを持っていないんですって。だから、『ブラザー&ブラザー』の、古いほうのスタジオで撮るのよ」

ちょうどその時、ダヴィナのほうはセットが終わった。ヘア・スタイリストは、満足のいく仕事に、誇らしげな顔をした。

鏡のなかには、瞳をいたずらっぽく輝かせ、自信に溢《あふ》れた生意気そうな女が微笑《ほほえ》んでいた。染めたブロンドだって、そう悪くはないじゃないの、とダヴィナは胸のなかで呟《つぶや》いた。

立ち上がると、八号サイズのぴったりしたジーンズに包まれた脚の線が際《きわ》立ち、サロン中から敵意のこもった視線が、いっせいに彼女に向けられた。同業のモデル達は、これ以上ないほどの精確さでお互いに自慢の肢体を値踏《ねぶ》みしあう。さりげなく目を伏せたほうが、負けなのだ。ダヴィナは目を伏せる必要を感じなかった。居合《いあ》わせた客達は、自分をもっと美しく見せるようにと、こっそりと担当美容師にせがむのが関の山だった。

何とかなるかもしれない――ダヴィナは思った――エージェントが仕事を取ってくれないのなら、自分で見つけよう。そりゃ、私はイギリスに来て間もないし、ちょっぴり英語に訛《なま》りはあるけど、大丈夫よ。ポスターから訛りが聞こえるってわけじゃないもの。

サロンを出た彼女の足は、『ブラザー&ブラザー』のスタジオへと向いていた。


「これこそが、ロンドンで最高に不便なフォト・スタジオだよ」

デヴィッド・デイは、古めかしい建物を見上げて言った。全く時代がかったそのビルは、外観からいえば、スタジオというよりも、むしろシャーロック・ホームズの探偵事務所といった趣《おもむき》だった。両脇から、これもいまにも崩れ落ちそうな建物が迫り、間口《まぐち》の狭い、やせ細ったビルを、さらに細長く見せかけていた。

このスタジオの所有者が、イギリスでも超一流の広告代理店、『ブラザー&ブラザー』であることが、一部の業界人たちにとっては頭痛の種となっていた。クライアントの要請で、彼らはしばしばこのスタジオに出向いて、ポスターやパンフレットの撮影に精を出さなければならなかった。

いちばんの問題は、ビルのある通りが極端に狭く、車の乗り入れができないことで、カメラマンの助手は写真機材を、スタイリストは家具や洋服を、遠くに停《と》めた車から運び込む必要に迫られた。

もっとも、この不便さが、撮影に立ち会うスポンサーたちからもしだいに不評を買い、最近では、『ブラザー&ブラザー』がいくつも建てた近代的な新しいスタジオに、撮影の中心は移されていた。それでも、この巨大代理店の経営者は、創成期の思い出がつまった古いスタジオをなかなか手放そうとしなかったので、制作部はここを、主にモデルのオーディション会場として利用していた。

広告写真家のデヴィッド・デイは、『マリー・クヮント』の新しい化粧品シリーズのために起用され、今日は数人の新しいモデルを試し撮りすることになっていた。ファッション・フォトグラファーとして、彼はすでに名声を得ていたが、まだ自分のスタジオを持つには至ってなく、少々不便でも、ここでオーディションをこなすことに決めていた。

「たしかに不便なスタジオだ。だが評価すべき点もある」

デイはアシスタントに向かって言った。

「不便さゆえに、スポンサーがあまり来たがらないんだ。おかげで気ままに仕事ができる。今日だって、『マリー・クヮント』からの担当者は一人しか来ないよ。それも、きっと遅れて来るだろう。今日の担当は、新顔だっていうし……スタジオの場所がわからなかった、とか何とか言いながら、な」

アシスタントはうなずいた。デイのアシスタントは、イタリアからやって来た少年のジーノに新しく代わったばかりだったので、気の利《き》いた受け答えは無理な話だった。ジーノは写真の機材を山のように抱え、とまどいながらもデイに続いて古いスタジオに入って行った。

デイとは顔なじみのスタジオ管理人が、彼らに気づいて顔を出した。

「あんた方は三階を使ってくれ。今日はもう一件、撮影が入っているんだ」

「珍しいな。やっぱり何かのオーディションかい」

最近では、ここで本番の撮影をするチームはめったにない。

「何を撮るかは聞いていないんだが、なんでも極秘の撮影らしいよ。ずいぶんものものしい感じだった。オーディションではないんじゃないかな？　モデルが誰も来てないから」

「新製品撮りかな？」

デイは、首をひねった。

広告代理店は、発表前の新製品を撮影するときには、商品の内容やデザインがライヴァルメーカーに洩《も》れないよう神経を尖《とが》らせる。大きいクライアントを幾つも抱える『ブラザー&ブラザー』では、意匠が盗まれないよう、洗剤や菓子のパッケージ一つを撮影するにも気を使った。

デイは、このスタジオの最上階、つまり五階が、小さな新製品の撮影にはうってつけなのに気づいていた。このスタジオにはエレベータがなく、階段も一つきりしかない。品物の搬入には面倒だが、誰かを階段で見張らせておけば、撮影の内容が外に洩れる気づかいはなかった。

「さあね。とにかく、あんた方も四階から上には上がらないようにしてくれ」

管理人は、商品撮影には興味がなかった。それよりも、毎日のように入れ替わり立ち替わりオーディションにやって来る、モデルやモデル志願の女の子を見ているほうが好きだった。『P&

G』の歯磨き粉や、『シュエップス』や、『ブルータス』のジーンズ、『クローネンブルク』のラガービールなどのモデルに使ってもらうために、若くて歯並びがよく、脚が長くて笑顔の印象的な女性が一ダースの一〇倍もやって来る。彼はこの職場が気に入っていた。

「デイ、あんたは、今日も女の子のオーディションなんだろう。あんたの専門は、ファッションだからな」

一流の広告写真家は、写真なら何でも撮るというわけではない。商品、ファッション、料理、風景と、それぞれスペシャリストがプロの腕前を発揮するのが慣《なら》いで、他人の専門分野には立ち入らない。それぞれが職人気質で仕事をするため、さらに専門は細分化されて、有名人のポートレイトなら誰、ビールのポスターなら誰と、代理店やスポンサーから名指しで仕事を貰う写真家もいる。彼らのテクニックは、年老いた有名人の皺をライトの調光によって完璧なまでに減らしたり、ビールの泡を、用具を使って美しく盛り上がらせることにまで及んでいた。管理人は、ファッション専門のデイをよく覚えていた。デイのオーディションには、いいモデルがやって来るからだ。

「今日はエキゾチックな娘が六人だ。いつものように、メイク・ルームに通してくれ。それから、『マリー・クヮント』の女性担当者が来るから、丁重《ていちよう》にお通ししてほしい。それはそうと、上のカメラマンは誰だい？　商品撮影なら、トマス・サイクスか、アルフレッド・カッセルか……？」

デイは商品を専門に撮る数人のカメラマンの名前を挙《あ》げたが、管理人は首を振った。

「初めての顔だよ。それに、スタッフも見たことがない。上がって行ったのは、三人。スタッフ二人と、カメラマンだけだ」

管理人はつまらなそうに答えた。華やかなモデルがいないチームは、彼の関心を少しも惹《ひ》かない。たとえスタッフが女性で美人でも、化粧っ気がないのでは問題外だというわけだった。デイもおしゃべりをやめた。仕事にかかる潮時《しおどき》だった。

デイはアシスタントのジーノに、写真機材を階上に運ぶように命じた。

ジーノはイタリアから出て来たばかりで、英語が完璧には理解できなかったが、ボスが〈上へ〉と言ったのを聞き取って、階段をどんどん上がって行った。

四階まで上がると、階段の踊り場に屈強そうな男が陣どっており、ジーノを見るやいなや、詰め寄って来た。

「この上は立入厳禁だ、坊や」

彼はあきらかに緊張しており、構えには隙《すき》がなく、ジーノを一歩たりとも進ませまいとしていた。いかにも広告マン、というラフなスタイルにもかかわらず、撮影スタッフというには、あまりにも素早い身のこなしの男に阻《はば》まれて、ジーノはうろたえた。

「ごめんなさい、階を間違え……」

彼は慌《あわ》てて、早口のイタリア語で言い訳した。

しかし、男は構わず怒鳴った。

「とっとと階下へ戻るんだな！」

どやしつけられて、ジーノは階段を駈け戻った。小心で繊細な芸術家志望の少年は、さっそく自分がしでかしたミスに赤面し、ますます無口になっていった。

「まったく、なんでこんな場所を選んだのか……大事な撮影なのに?」

闖入者《ちんにゅう》のジーノを階下に追い払った男に、仲間の〈チャーリー〉がいらだたしげに尋ねた。騒ぎを聞きつけて、上階から降りて来たのだ。彼らは、この場所には全く似《に》つかわしくないチームだった。二人はイギリス外務省の情報部員で、機密書類撮影のガード役を命じられていたのだ。もちろんカメラマンも、撮影技術に長《た》けた情報部の人間だった。

スタジオの選択に文句をつけたのは、仲間うちでは〈チャーリー〉の名で呼ばれる優秀な情報部員だった。チャーリーはいつも、細い眉をしかめて何かに挑みかかるようなけわしい表情を浮かべていた。荒々しいが美しく削《けず》られた顔つきが、ときに人の興味をそそり、胸を打ったが、ブロンドの波打つ額《ひたい》の下の冷たい瞳には、頑《かたく》なで入り込めないところがあった。

「サッチャーの命令さ」

もう一人の部員、ローレンス・アボットが、ジーノを怒鳴ったときとはうって変わって、穏やかな声で言った。チャーリーの激しさと向き合うと、彼は自然となだめ役に回ってしまう。ローレンスは、今回の仕事のチーム・リーダーだった。省内でも将来を嘱望されている彼は、重要な任務をしばしば任《まか》されていた。ローレンスの人あたりのいい微笑と、冗談めかした語り口に対してだけ、すべてに挑みかかる鷲《わし》のようなチャーリーの眼がふと緩《ゆる》み、逆に心を開き過ぎるかのような表情になる瞬間があるのだが、ローレンスはそんなときにさえ、何かに絡《から》まれるような執拗《しつよう》さを部下に感じてしまう。それでも彼とチャーリーは、チームとしては相性がいいほうの組み合わせと見なされているのだ。

チャーリーは、なおも詰め寄った。

「サッチャー首相がここを紹介したって？　この狭い、壊れそうなスタジオを？」

「サッチャーは、このスタジオの持ち主と仲がいいのさ。持ち主は、『ブラザー&ブラザー』広告代理店の社主だが、同時に優秀なアート・ディレクターでもあるんだ。サッチャーがまだ野党首だった時代に、彼女の冴《さ》えない風貌を、あっちこっちいじって変身させたアドバイザリー・スタッフが彼なんだよ。彼は彼女のヘアスタイルとファッションをシックに変えさせ、政見放送での効果的な話し方を教えた。それに、七九年の選挙を覚えてるかい」

チャーリーはうなずいた。それは、サッチャーが保守党を大勝させて、労働党から政権を奪い、首相としてダウニング街十番地の住人になった選挙だった。

「あのときも、『ブラザー&ブラザー』代理店が、サッチャーの宣伝を引き受けたんだ。『労働党は働いていない』というタイトルのポスターを作って、イギリスじゅうの話題になった……覚えてるだろ」

チャーリーは、失業手当を貰う労働者の行列が、長々と続くポスターの絵柄を思い出した。労働党は、このポスターのせいで、さんざんに負け、サッチャーに政権を譲る羽目《はめ》になったのだ。ローレンスは続けた。

「サッチャーと、『ブラザー&ブラザー』の蜜月は、それ以来続いている。今回の撮影は、そもそも彼女の要請だから、このスタジオを使うのも彼女のコネでなんだ」

チャーリーは納得しなかった。

「なんで情報部のなかで撮らない？　ストロボを持ち込めば、どんな建物のなかででも撮れるのに」

「精密さを要求されているんだよ。すべてをはっきりと写したいんだ。それには、相応の設備と機材がいる。それに……」

ローレンスはさらに声をひそめた。

「最近、情報部内で妙な噂があるんだ。誰かが部内の機密事項を外に洩らしているのではないかと……。その意味では、ここのほうがましなんだ。まさかこんなところで、情報部が撮影を行なっているとは、誰も思わない。代理店の上部にはアップル社のコンピュータの新しい部品の撮影ということで通しているし、俺達は、誰が見たって、少々イカレた広告クリエイターのいでたちだ」

が、チャーリーの疑問は止《とど》まらなかった。

「いったい何を撮ろうと……？」

ローレンスは首を振った。

「古い外交文書だ、ということしか教えられないな。これの存在すら、知るものは少ないんだ。内容を知らせるわけにはいかない。君は、見張りを全《まっと》うするための要員だ」

「でも、カメラマンは読んでしまう。見なければ撮影できない」

「あいつは外国語は読めない……」

思わず言ってしまって、ローレンスは顔をしかめた。サッチャーが来月英国を離れる予定になっていることに、チャーリーが気づかないはずがない。この部員の嗅覚の鋭さを、彼はよく知っていた。それに、チャーリーは語学の天才なのだ。もし、文書を眼にしたら、一目で内容はおろか、秘密の背景までも読み取ってしまいかねない。しかし、ローレンスは気を取り直した。内通者はチャーリーではない。数カ月に及ぶ徹底した行動調査の結果で、この仕事にチャーリーを選んだのだ。チャーリーは徹底した愛国主義者だった。

「もう君の質問には答えないぞ。とにかく警戒を続けよう。さっきのような慌《あわ》て者が、また紛《まぎ》れ込まないとも限らない」

二人はそれきり、沈黙を続けた。

「ほんとにミラノから来たのかい？　それにしちゃあ……」

デヴィッド・デイは助手をむやみに叱《しか》りつけたりはしないタイプだったが、ジーノの呑み込みの悪さには音《ね》を上げていた。ジーノはまた、ストロボ用の入り組んだ延長コードにつまずいていた。

フィルムの感度や、撮り終えたフィルムのナンバリングを間違えることは、プロフェッショナルの写真家にとって致命的なミスになる。『ヴォーグ』に渡すはずのアヴァンギャルドなファッションの写真と、『モード』用のお嬢様ファッションの写真をとり違えたら、二度と信頼してもらえなくなる。いくら言っても、ジーノは混乱した。

デイは、つねに自分で最終チェックをしなければ仕事が進まないことに気づき、ジーノを助手に決めてしまったことをいまさらのように後悔していた。この少年が面接に持参してきたポートフォリオを気に入ったのが運の尽きだった。安い一眼レフで撮りだめしたプリントは、一瞥《いちべつ》して、テクニックの不十分さが目立った。しかし、ファッションの本場ミラノ生まれならではの、全体に光彩に溢れた小品にまとまっているのに、デイは目を惹かれた。

——こいつは、芸術家肌だからなあ。広告カメラマンは、作品だけ良くてもやっていけないぞ。スポンサーをうまく丸め込んだり、ギャラの交渉をする器用さが必要なんだ。

不器用なうえに、ジーノは英語をうまくあやつれなかった。

——やっぱり、俺の助手は無理だな。

とりあえず今日の仕事はこのコンビでこなすとしても、ジーノに替わるアシスタントを入れることに、内心もう決めていた。

デイは、ストロボの調光をジーノに指示した。

「モデルのバックに、渋いベージュのトーンをかけたいんだ。モデルの顔のナチュラルな色を生かして、背景だけがベージュになるように、ライトをセッティングしてくれ」

それだけ言うと、デイは香りの濃いコーヒーのカップを取り上げ、スタジオと狭い通路でつながっている奥のメイク・ルームに向かった。そろそろモデルをスタンバイさせなくては。

ジーノは額に汗を流しながら、濃いベージュ色のセロファンをライトに取り付けようと躍起《やっき》になっていた。

「ほんとに狭いメイク・ルームね。こんなところでオーディションなんて、いい加減にしてほしいわ」

一人のモデルが言った。

なるほど、部屋は美女たちでごった返して窮屈なほどで、みな心のなかではその意見に同意したものの、賛意を口にするものは一人もいなかった。それよりも、鏡のなかの自分に磨きをかけることに懸命になっていたのだ。

全員が、自分の容姿に絶対的な自信を持っていた。時折、お互いをチラと盗み見はしたが、すぐに自己陶酔に戻っていく。

ダヴィナは、ごく簡単に、このメイク・ルームに紛《まぎ》れ込んでいた。

オーディションは、もともと知らない者同士の集まりだもの、誰が来たってわかるわけがないわ、と彼女は思った。書類はあるかもしれないけど、それまでに自分を見せつけてしまった者が勝ちだわ。スタジオの管理人なんて、ちょっときれいな女の子は、みんなモデルだと思い込んでいるし、いちいち名前なんか聞かないで通すもの。『サスーン』にいた子も、私を横目で睨《にら》んだだけだったし。

デイがメイク・ルームに乗り込むと、女の子たちは、いっせいに、この有名なファッション・フォトグラファーに秋波《しゅうは》を送った。

デイはいつもながら、この儀式に笑いをこらえるのに苦労した。モデルはつねに、カメラマンには自分の自信のある横顔を向ける。数人の美女が、号令に応じたかのように右か左を向いて、しなをつくる図は見物《みもの》だった。

——何人かは、期待のもてる子がいるな。

写真家ならではの眼で、デイはモデル達を一瞥した。

だけど、撮ってみなければわからないぞ。実物はよくても、写真にすると、お呼びじゃないのもいる。もちろん、その逆も。

モデルを眺めるうちに、デイは違和感を覚えだした。何かが違う——メイク・ルームが狭すぎるのかな——いや、違う。モデルの数だ。今日の予定は六人のはずなのに、なぜだ？——これではフィルムが足りないぞ。八人もいる。二人も多いとは……。

ジーノはスタジオで、ボスに言われたとおりの作業を、なんとかこなしていた。順調だった——少なくとも、ジーノはそのつもりだった。しかし、彼はフィルムを並べるのに気を取られて、ストロボが少しずつ熱くなりすぎているのに気づかなかった。

問題は、三台のストロボそれぞれにかぶせられた、ベージュのセロファン紙だった。じりじりと過熱するストロボに、やがて一枚のセロファンが焦《こ》げた。焦げ始めると、紙が炎を上げるのは驚くほど速い。燃えながらセロファンはストロボから剝《は》がれ、スタジオの床に落ちた。

ジーノが焦げた紙の匂いに気づいた瞬間には、すでに三台それぞれのストロボから、炎と化した燃えるセロファンが床に転げ落ちていた。なお悪いことに、スタジオの床には、モデルがハイヒールの靴跡を残さないようにと、一面にケント紙を敷いてあった。床は、瞬《また》く間に炎の海と化した。

ジーノの失敗はそれに止まらなかった。彼は、ストロボを消すために、手当たりしだいに電源を切り、慌てたあまり、階全体の照明スイッチをも切ってしまった。写真スタジオには窓がない。瞬間的にあたりは闇となり、呆然とするジーノをよそに、炎だけが床を嘗《な》める音を立てながら広がっていった。

突然に照明の消えたメイク・ルームはパニックになった。

「どうしたの、停電？」

「見てこよう」

扉の近くにいたデイは、手探《さぐ》りで扉を開けた瞬間、非常事態に気づいた。細い通路の向こうに、燃えさかる炎が見えた。デイは呻《うめ》き、怒鳴った。

「早く出ろ！　火事だ！」

モデル達は悲鳴をあげ、一つしかない出口に殺到した。

「おい、焦げくさいぞ」

四階では、まずローレンスが異変に気づいた。彼は階段を半分駆け降り、叫んだ。

「火事だ！　三階のスタジオが燃えてる！　早く五階に知らせろ！　文書を……」

ローレンスは、言うなり自分も再び階段を駆け上がった。チャーリーは、そのときすでに、もっと上まで駆け上がっていた。

一九八二年八月『ザ・タイムズ』

〈美女の大量焼死――『ブラザー&ブラザー』社所有のスタジオが全焼――有名カメラマンも死亡〉

昨日、ロンドン市内バービカンの火事で八名が焼死、三名が重軽傷を負った。

出火元は、大手広告代理店『ブラザー&ブラザー』社がバービカンに所有するビルの三階。同社は当ビルを写真スタジオとして利用していた。火事を通報したのは、同ビル一階に常駐する管理人ニック・ハモンド氏で、同氏の話によれば、昨日は二組のチームがビル内で撮影を行なっていたもよう。出火した三階では化粧品メーカー『マリー・クヮント』がオーディションを行なっており、大手エージェントから六名のモデルが参加していたが、五名が焼死、一名が重傷を負った。また、撮影を担当したファッション・フォトグラファーのデヴィッド・デイ氏もこの火事で死亡した。

出火の原因は、デイ氏のアシスタント、ジーノ・オルシーニの過失によるものと思われる。同人は軽傷を負い、警察病院にて事情聴取中。

さらに、同ビル五階で撮影を行なっていた三名のうち、二名が死亡、一名が重傷で入院中である。

同ビルは、築七〇年の老朽ビルを、『ブラザー&ブラザー』社が一九七〇年の創業と同時に買い取ったもので、内装は木造。階段は狭いうえに一基しかなく、大部分の死亡者が階段で折り重なるように窒息死していた。

美女を失った大手モデル・エージェントと遺族は、『ブラザー&ブラザー』社のビル管理に問題があったとして同社の責任を追及する予定。

一九八二年九月『ザ・タイムズ』
〈サッチャー首相訪中――香港《ホンコン》問題は決裂〉
北京を初訪問したサッチャー首相は、二十四日、中国首脳に対し、香港島および九龍《ガオルン》市街地に対するイギリスの主権を主張した。首相は、現地にて、南京《ナンキン》条約および北京《ペキン》条約の国際法上の有効性を訴えた。しかし、中国は商業的見地から現状維持を望むであろうという当初の予想を裏切り、中国側は、香港の主権は中国にあると強く主張。イギリス政府と真っ向から対決する姿勢を見せた。中国側は、「もしもイギリス側が一九八四年までに香港の主権に関して合意しなければ、中国政府は独自の解決策をとる」と強い対応をみせた。サッチャー首相は、香港の綱引き交渉の緒戦からつまずく、さんざんな結果となった。

ダヴィナは、ケガ一つ負わずに助かった。

他のモデル達と同じように慌ててメイクアップ・ルームを飛び出す前に、暗がりのなか、彼女は手探りでゴミ箱を探しあてた。カサリという音がして、ビニール袋が手に触れた。ダヴィナは袋の中味を床にぶちまけ、すっぽりとビニール袋を頭からかぶった。それから、手近にあったボトル入りミネラル・ウォーターをシャツとジーンズに振りかけた。

火事でいちばん怖いのは窒息だ。しかし、ビニール袋は人間の呼吸を三分間助けてくれる――ダヴィナはこの知識を授《さず》けてくれた『コスモポリタン』誌に感謝した。

細く狭い通路には、もう倒れている者もいた。焼死するまえに、火事のほとんどの犠牲者は窒息死するのだ。火の勢いを恐れているうちに、呼吸ができなくなる。ダヴィナは思い切って、スタジオを走り抜けた。濡れたジーンズが、たちまち熱くなって焦《こ》げた。だが、濡れた木綿《もめん》は、意外なほど火に強かった。これが合成繊維だったら、ちりちりにただれて皮膚に貼りついていたところだ。

ビニール袋をかぶっていても、息苦しくなってきた。激しい動きは、酸素を消耗する。階段まで辿《たど》りついて、ダヴィナは望みを失いかけた。狭い降り口に数人が折り重なって倒れ、出口をふさいでおり、かき分けて出るのが困難に思えたからだ。

炎は確実に背中から迫って来る。苦しい、もう駄目――。

その刹那《せつな》、彼女は、暗いなかにぼんやりと動く人影を見つけた。顔にかぶったビニール袋と煙で、人物の姿は見えなかったが、渾身《こんしん》の力を振り絞って人垣を力強くかき分けようとする人影は、出口を作ろうとしていた。ダヴィナが力を貸せば、突破口ができそうに見えた。彼女は必死で、ぐったりして重くなった人々の体をよけた。二人の人間の、死に物狂いの努力の結果、どうにか一人が通れそうな隙間ができたが、そのときすでに、人影は息も絶えだえの様子だった。ビニール袋なしで、ここまで保《も》ったのすら超人的な体力なのだ。

ダヴィナの苦しさも、もう限界を超《こ》えていた。最後の力を振り絞り、彼女は隙間に這《は》い込んで人垣を抜けると、手を人垣に差し込んで後ろの人間に差しのべ、人垣から重い体を引き抜こうとした。ダヴィナの差し出した手を意外なほどの力が残っているしなやかな長い指がつかみ、彼女は思い切りその人物を引き抜いた。

その瞬間、人垣のなかから黒革製の薄く固い封筒が落ちた。ダヴィナには、自分が引き抜いたのがさっきの人間だったのかどうか、確認する余裕はもうなかった。人垣のなかの誰かを引きずり出しただけなのかもしれない。もうどうでもよかった。苦しくて、それどころではなかった。彼女はビニール袋をかなぐり捨て、代わりに封筒を拾った。ノートくらいの厚みしかない革袋でも、ビニール袋同様、少しでも呼吸の足しになるかもしれないと、瞬間的に思ったのだ。彼女は、中身を床に捨てようとして袋の口を開けかけた。

だが、それよりもいい方法を、唐突《とうとつ》に思い出した。『コスモポリタン』のオフィス防災の記事には続きがあった。階段では――そう、階段では火事になっても最後まで、窪《くぼ》みに空気が残っているんだった！

男か女か、誰かが唸《うな》ったような気がしたが、ダヴィナはもう振り向かなかった。彼女は階段のL字型の奥に口をつけ、僅《わず》かに残った新鮮な空気を吸い込んだ。目眩《めまい》を感じながら、呼吸を助ける最後の望みに封筒をお守りのように抱え、ダヴィナは階段に腹這いになり、窪みの空気を一段一段、啜《すす》るように吸いながら這い降りた。

途方もなく長い時間が経《た》った気がした。

一階まで降りて、彼女は自分の幸運を神に感謝した。頭が割れるように痛かったが、とにかく助かったことは確かだった。ここには空気がふんだんにあった。管理人はすでに逃げたのか、いない。助けも、まだ到着していない。

いちばん近い出口に走り出てみると、そこがたまたま裏口だったのが幸いして、ダヴィナは誰にも出会わず、表通りまで出ることができた。

――もう、こりごりだわ――ダヴィナは偶然自分の身に降りかかった災難を、警察に話すつもりはなかった。

もともと、私は、このスタジオにいるはずじゃなかったんだもの。

彼女はふらふらする頭で、ぼんやりと考えていた。ロンドンではツキがないのかもしれない……いっそ、アメリカへ行ってみようかしら?

一九八二年のその週末、彼女はダヴィナという名前を捨てて、ロサンゼルスへ発《た》った。

それから二年後の一九八四年九月二十六日午前十時、北京の人民大会堂西大広間で、英中外交史の記録に残る合意文書の仮調印が行なわれた。香港は、一九九七年七月一日をもって中国へ一括返還されることになった。合意文書は、同日、北京とロンドン、香港で同時に公表された。さらに一年後、サッチャー首相と、趙紫陽《チャオシーヤン》首相の間で本調印が行なわれ、サッチャーとイギリスは、完全に香港を失うことになった。

微動

一九九二年——。

「香港《ホンコン》返還の日まで、あと五年を残すのみになった。だが、私は中国に、このままあっさりとこの香港を渡したくない」

一九九二年八月——、上海《シャンハイ》香港銀行の影の実力者・包輝南《パオフエイナム》は、窓の外に広がる香港市街を眺めて言った。

上海香港銀行は、香港の最も古いメイン通り、クイーンズ・ロード・セントラルに聳《そび》え立つ高層ビルのうちの一つを本拠地にしていた。イギリスの建築家、ノーマン・フォスターがデザインした四八階建てのビルは、鉄骨がシンメトリーに配されたその印象がカニに似《に》ているところから、地元では「蟹《ハイ》ビル」と呼ばれている。

一八六五年、香港の英国商社の協力で設立された上海香港銀行は、中央銀行のない香港で、発券銀行としての役割を果たしている。香港におけるその発券高シェアは九〇パーセントに達し、香港政庁の銀行諮問委員会の有力なメンバーでもある。香港産業界に対しても、絶大な影響力を持っているこの銀行は、イギリス側の利益を代表し、つねに香港総督およびイギリス政府との緊密な関係を保ってきた。香港で「ザ・バンク」と言えば、それは上海香港銀行のことなのだ。イギリスは、今日までつねに香港に君臨してきており、その伝統を、上海香港銀行は受け継いできていた。

上海香港銀行が、ハイテクを集結して建てたこのビルの最上階に、頭取をはじめとした幹部のブースがある。頭取室の脇には、役員専用エレベータと専用の階段があり、階段の脇に目立たないドアがあった。廊下からは、入口が見えない。ネームプレートもないこのドアを、ほとんどの行員は見過ごしていた。もっとも、最上階に用がある者自体、数が限られていた。

このドアが、香港きっての財閥パオ・グループの総帥《そうすい》、包輝南のブースに続いていることは、ごくひと握りの者しか知らなかった。ドアの奥は意外なほど広く、続き部屋になっていて、手前の部屋にはイギリス人の女性秘書が控えていた。

包輝南は、イギリス人が大勢《たいせい》を占《し》める上海香港銀行で、一目《いちもく》も二目《にもく》も置かれている唯一の中国人だった。香港の主要商社・企業の代表で構成されている重役会の会長として、中国人でありながら、彼はイギリスと利害を同じくしていた。いまやパオ・グループは上海香港銀行の最大の得意先であり、パオはグループの会長を退《しりぞ》いてからも、ここにセカンド・オフィスを構えていた。

とはいっても、ここを使うのは頭取との内密の打ち合わせのときに限られていた。頭取室とは一見、離れている小部屋に見えて、じつは通じている造りになっていた。

頭取のエドワード・フレイザーに、パオは背を向けていた。彼は相変わらず、窓の外を見ていた。外は晴れて、空は青かったが、パオはきっと不機嫌な顔をしているに違いない、とフレイザーは思った。窓の外、パオの視線の先には、もう一つ、際立って背の高い超高層ビルがあった。

「頭取」

パオのしわがれた声は、やはり不機嫌に響いた。

「中国も、なかなかやりおるの」

「そのようですね」

フレイザーは、しぶしぶうなずいた。

「この上海香港銀行ビルを建てるにあたって、五〇億香港ドルは優にかかった。頭取も知ってのとおり、私のパオ・グループも、ずいぶんと援助をした。あのとき、プロジェクトのコンセプトは何だったかね？」

「それは……」

フレイザーは、答えに窮した。

「たしか、こうではなかったかね？　今後五〇年間は、香港最高層を維持できるビル……」

包輝南は、窓を向いたまま続けた。

「ところが、七年も経たぬうちに、しかもこのすぐ隣に、より高いビルができるとは！」

「予想もしませんでした……。しかし……」

「しかし？」

「中国人は『面子《メンツ》』を重んじますから……」

包輝南も中国系であることを、フレイザーは一瞬、忘れていた。

上海香港銀行の左隣に、昨年、地上七〇階のビルを竣工したのは、中国銀行だった。三角錐をいくつも重ねながら天に伸びていく形のビルは、中国系アメリカ人の建築家、I・M・ペイの作品で、さながら天に聳える竹を思わせた。

「われわれに対する挑戦的なデモンストレーションだ。返還後のイニシャティヴは、すべてに関して中国が握るというアピールだよ」

パオの声は怒りを含んでいた。

「中国銀行は、一九九七年以降、確実に、紙幣発行銀行に加わる。あるいは、もっと早くそうなるかもしれない。いままでは、わが行がリーダーシップをとってきたが、今後はそうはいかなくなる。それで十分じゃないのか？　なのに、彼らは、これでもか、というようにわれわれの上海香港銀行を見下ろしにかかった。より高いビルを新築することで、彼らは『面子』を立てたのだ。しかし、それではわれわれの『面子』はどうなる？　それに『面子』のみならず、『風水《フォンソイ》』も……」

パオは耳慣れない言葉を口にした。

「フォンソイ？」

フレイザーは聞き返した。

「市民の噂を知らないのか。占いの話を」

「占い……ですか」

「家や墓の吉凶を占う風水という占いがある。風水は、いわゆる方角とでもいう意味かな。あんた方には馬鹿げてみえるだろうが、香港では縁起をかつぐ。事業でも何でもだ。風水師という占い師が、こちらでは徳を認められている予言者でな」

「………」

「その風水師のなかでも、かなり信奉されておる林某《リム》が、とあるビルの吉凶を占ったという」

「それは、この上海香港銀行と……」

「そう、隣に新築された中国銀行だな。その占いはこうだ。『昔は風水に恵まれていた上海香港銀行だが、中国銀行が建って相が凶に変じた……』」

包輝南はやっと、フレイザーのほうに向きを変えた。

声に怒りは残っていたが、包輝南は柔和《にゅうわ》な紳士の顔に戻っていた。

「信じるかね？」

フレイザーは、この世界屈指の船舶王の品のよさに、いつも感服させられていた。香港の実業家として、英国王室から「サー」の称号を贈られたのは、パオを含む僅か七名だ。

彼のパオ・グループは、彼が一代で築きあげたものだった。彼はもともと上海出身だったが、中華人民共和国が成立する直前に香港に移住し、小さな貿易商を始めた。その貿易業で得た僅かな利益で、彼は貨物船「サンライズ」を手に入れて日本の海運会社に貸し出した。当時、日本の海運業が日の出の勢いであったことが幸いして、この目論見《もくろみ》はあたり、パオは次々と中古船を買っては、貸し出すことで財を増やしていった。事業は順調に伸び、彼は中古船のレンタルから新造船へと歩を進めていった。

パオはこのとき、上海香港銀行から資本を借り入れた。上海香港銀行は、パオの事業の手堅《てがた》さを評価した。若い日のパオにしてみれば、香港経済を牛耳《ぎゅうじ》る上海香港銀行の信頼を勝ち取ったことは幸運であった。

パオは大型タンカーを大量に造り、長期用船に貸し出して財をなした。上海香港銀行は、この間、パオを財政面でつねに支援してきた。いまやパオ・グループは海運のみならず、不動産、流通、ホテル、航空を傘下に持つ一大コングロマリットとなり、オーナーのパオは、上海香港銀行とは共同事業を行なうパートナーとなった。サーの称号を得たこともあって、彼は香港経済界でも、最も英国寄りの実力者と見做《みな》されていた。

(包輝南は、サッチャーを助けたこともあった……)

フレイザーは思い出した。サッチャー政権のイギリスが、不況にあえいでいるときに、パオはイギリスに造船を発注して、彼女の苦境を救った。サッチャーは、当時フォークランド紛争中で多忙にもかかわらず、ニューカッスルにある彼の造船所を訪れ、貨物船の進水式で、自ら礼を述べた。彼は、それほどの成功者なのだ。

そのパオが、たかがビルの高さ程度のことで不機嫌になっているのではないことを、フレイザーもわきまえていた。

パオは、対立勢力の順潤《シュンルン》グループを気にかけているのだった。

順潤グループは、中国資本系の企業を代表する企業だった。中国銀行と手を結んだ順潤の総帥、張招潤《チャンチャオルン》は、農産物の輸出から貿易を拡大したやり手だ。

（サー・パオには、田舎者《いなか》が気に入らないのだろう……）

パオも中国出身だが、長い年月をかけてここまで台頭したのだ。ところが順潤グループのみならず、香港経済には中国寄りの新興勢力が、香港返還の機に乗じて、急激に力を伸ばしてきた。パオにすれば、心中穏やかでないはずだ。フレイザーにしても、ここまで攻勢に出てきた中国銀行の動きを、見過ごしにするつもりはなかった。イギリスが香港を返還したとしても、上海香港銀行は香港に君臨するべきだと、この頭取は信じていた。

フレイザーは、話の核心に入った。

「バラ園計画のことですが――」

香港の経済界はいま、「バラ園計画」の話題でもちきりであった。

パオはフレイザーを正面から見据《みす》えた。

「すでにわれわれは、その件でも中国側に大きくリードされている」

フレイザーはうなずいた。

バラ園計画とは、「新空港・港湾計画」の愛称だった。公共事業としては香港最大のこの計画には、巨額のプロジェクトがいくつも付随しており、利権が渦を巻いていることを二人とも承知していた。

現在、香港の玄関口となっているのは、九龍《ガオルン》にある啓徳《カイタック》国際空港である。周辺に高層ビルが林立するという、恵まれない立地条件に加えて、空の過密ダイヤ。パイロット達には、世界でも離着陸の難しい空港に数えられており、新空港建設の声があがるのは時間の問題と言われていたが、中国への返還をにらんで一気に建設計画が具体化していた。

香港島の西にあるランタオ島北部のチェク・ラプ・コク地区が建設予定地となった。新空港を建設するだけでも大きいが、この計画は、都心と新空港を結ぶハイウエイと海底トンネル、その他の交通施設、産業・住宅・工業用地、コンテナターミナルなどの都市整備、インフラ建設を含む大がかりな開発計画なのだ。二〇〇六年まで動き続けるこのプロジェクトのイニシャティヴを、誰が握るかが問題だった。

フレイザーは表情を動かさずに言った。

「中国政府は返還決定以来、強引です。香港のあらゆる問題に、はさめるだけの口をはさんでいる。返還以後も五〇年間は、香港の現状の社会・経済体制を維持すると約束しておきながら……。ともかく、バラ園計画の指揮権に関しても、イギリス政府は綱引きに負けている。計画のための準備金を、中国政府に二五〇億香港ドルも用意してやるなんて、クレイジーですよ。そしてそれを、われわれが大部分、肩代わりしてやるのだから」

「用意してやるんではない。用意させられたのだろう」

パオは椅子《いす》に掛け、背もたれを深く倒した。

「なぜそんなに、イギリス政府は中国に対して弱腰だったんだね」

「表向きの理由は、あなたもご存じのはずでしょう。植民地政策を続けていれば、もはや世界にうしろ指をさされかねない。だから、香港を返すことにした」

「そうとも。だが——」

パオはかぶりを振り、デスクから葉巻を取り出して、ゆっくり火を点《つ》けた。

「それだけではない」

フレイザーはうなずいた。

パオは、自分に言い聞かせるように呟《つぶや》いた。

「実際には、国際世論が理由ではない……。イギリスは……、中国に対する有利なカードを見失っていたんだ。それがもし存在すれば、一気にわれわれの綱引きは逆転する。それほど効力のある切り札なのだ。イギリスはそれを失い、香港を返す羽目《はめ》になったんだ。だが……」

フレイザーは、引き込まれるように訊《き》いた。

「だが、何です？」

サー・パオは、言った。

「そのジョーカー紛失に関わった者が、ようやく口を利《き》きだしたんだ。われわれにも、万が一の勝機が出てきた……」

彼は謎めいた微笑《ほほえ》みを浮かべていた。

サー・パオがフレイザーと向き合っている上海香港銀行から、三キロと離れていない跑馬地《ハッピーバレー》では、新華社《シンホアシャー》通信社員の李竣敏《リーシュンミン》が、支社長に呼ばれていた。

リーは、通信社員でありながら、記事を書いたことがなかった。

〝香港の新華社通信には、ペンを持たないジャーナリストが何人もいる〟と、香港市民は噂していたが、あながち、これは噂に止《とど》まらなかった。

リー自身は、ペンを走らす代わりに別の才能を自負していた。彼は、すべての任務を、ごく秘密裏に、しかも迅速《じんそく》に行なう自信があった。特別工作員としては、とりわけ優秀な男だった。

新華社は、表向きは他の通信社同様、ニュースを配信するマスコミであったが、じつは、単なる中国国営通信社ではなく、もう一つの顔を持っていた。表立ってそうとは言えないが、中国政府の意を受けて香港での政治・経済の工作をすすめる裏の大使館としての顔である。

いずれ返還されることが決まっているとはいえ、香港は、一九九七年まではイギリスの統治下にあり、大中国といえども表立った代表部を置くことができない。そこで、苦肉の策として案出されたのが、表向き「通信社」、その実《じつ》は政府の工作機関である新華社通信香港支社の設置なのだ。

通信社の看板を隠れみのに、実際は中国系の銀行や企業を完全に支配下に置く――、それが中国政府の狙《ねら》いだったし、その狙いどおりに、事は運んだ。そのため、看板どおりのジャーナリスト達のほかに、秘密のベールに包まれたさまざまな工作機関が置かれ、部員がいる。しかし、その部員数は、いまだに把握されたことがない。新華社通信の歴代の支社長は、FBI長官に匹敵する実力者とさえ言われているのだ。

リーは、支社長直属の工作員で、そのポストが非公開の部員の一人だった。特別優秀な人間だけが、そこに配属される。リーの仕事は、北京からの指令がほとんどだが、従来は支社長を通じて詳細な指示があった。しかし、今回の仕事は様相が違っていた。

「急務だ。北京に飛んでほしい」

支社長は言った。普段はエリート支社長にふさわしい豪快な男の顔に、珍しく焦燥があった。

「何かありましたか」

その表情を敏感に察し、リーが訊く。

「途方もなく大きな、重大問題――らしい」

「らしい？」

リーは、支社長の曖昧《あいまい》なもの言いにこだわった。支社長は、苦虫《にがむし》を嚙み潰したような口調で言った。

「指令を伝えてきた国務院のお偉方にも、それだけしかわからないそうだ。あとは、〝長老〟が説明するという……」

「――なんですって！」

支社長の言葉に、一瞬、リーはわが耳を疑った。

「〝長老〟が北京で話すんだそうだ」

支社長は、複雑なものを視線に込めながら繰り返した。

想像もつかないことだった。

長老――、それは、耳にはしても、リーには通常ならば生涯、出会うことのあるはずがない最高権威者なのだ。国家主席にさえ、いまでは人を通じてしか指令をしないという存在。中華人民共和国を毛沢東《マオツォトン》とともに築き、国家体制をつくりあげてきた「建国の長老」はいまだに現政権に睨《にら》みを利《き》かせている。

「それほどのことが……起きたんでしょうか」

「中国にとって大きなダメージ、それも香港のことで最大の危機だそうだ。それが起きるのを防がなければいけない。わかっているのはそれだけだ」

「なぜ、理由を……」

――話さないのですか、と言いかけて、リーは口を噤《つぐ》んだ。特別工作員には無駄な質問は許されていなかった。厳しく訓練されたリーが、瞬間それを忘れるほど、中国人にとって、長老という存在は大きいのだ。

秘密は、知る者の数が多ければ多いほど洩れる。知り過ぎれば誰かが、情報を流すことにもなりかねない――。最少の情報、最少の伝達……、想《おも》いがそこまで行くと、リーは白刃を突きつけられたようにきりりと神経が引き締まるのを感じた。長老から、秘密の片鱗《へんりん》でも聞くことのできるのは、実行員のリーだけだった。

リーは時を措《お》かず、北京に飛んだ。長老の指令の、的確な実行者として。


ビデオの中では、素晴らしい脚線美の女がしなやかに動いていた。

これが娯楽映画か何かだったら、よっぽど楽しかったのに……と、老人は思った。

実際には、老人は全く楽しむどころではなく、不快ですらあった。彼は瞬《まただ》くことさえせず、画面の隅から隅までを、食い入るように見つめた。普段は柔和に垂《た》れ下がった瞼《まぶた》に隠された、鷲《わし》のように険《けわ》しい目が時折あらわになり、黒い瞳のなかを、モニターの映像が燃えるように流れていった。

送りつけられてきたビデオは短かった。

だが、老人の気を滅入《めい》らせるには、十分な内容だった。

女は選択を迫ってきたのだ。これ見よがしに証拠をひけらかして。

生きているかぎり見たくも聞きたくもない、あれが、どうしてこの女のもとにあるのだ？

——毛大兄《マオたいけい》、あの事をやり損《そこ》なったね。そう、イギリスとの件だ。香港の綱引きだ。来たよ、しっぺ返しが。今度は始末をつけなければいけないだろう。一九九七年まで、あと少しだというのに。

毛沢東は眠っている——毎日大勢の観光客が訪れる記念堂のなかに。五星紅旗《ごせいこうき》に覆《おお》われ、水晶の柩《ひつぎ》に守られて。

——だが、わしはまだ生き長らえている。

長老は自身の皺だらけの指に目をやった。

「香港……」

あのちっぽけな街がいまでは、人口一二億の大中国の動向をも決める重要なファクターなのだ。

もともと、清朝《しんちょう》があの一帯を、アヘン戦争の代償として、イギリス側の香港正貿易監督官チャールズ・エリオット大佐に渡したときには香港は単なる「不毛の島」にすぎなかった。人家もまばらで、陸海軍の根拠地としての用もなさない不便な辺境。長引いたアヘン戦争にもかかわらず「不毛の地」しか領有できなかったイギリス側の責任者エリオットは、のちにその引責で、本国に更迭《こうてつ》されたほど――、それほど香港は未開の地だった。

南京条約当時の香港の人口は七五〇〇名足らず。清朝は、敗戦にこそ打撃を受けたが、香港を手放すことにはさほどの痛みを感じなかっただろう……。

それに、あのときも――。

革命を成功させ、大国を掌握し、中華人民共和国を建国したばかりの毛沢東とわし、党幹部、それに周恩来《チョウエンライ》は、難民のひしめく香港など、気にもとめていなかったのだ――。

今日の状況を、誰が予測し得ようか？

あのときの仲間は、皆逝《い》ってしまった。いまだにあの事が、残ったわしを困らせているとは、誰が――。

いまや、香港はアジアきっての経済センターに成長し、中国にとってはまさしく「ドル箱」であった。

――一九八四年、鄧小平《トンシャオピン》がわしの命を受けて、イギリスのサッチャーから香港返還の合意をようやく取りつけたときには、正直、染《し》みついていた澱《おり》が洗い流されたように安堵したものだった。

香港が、間違いなく中国に還《かえ》って来ることが、やっと約束された。だからこそ、香港に重点を置く政策をとってきたのだ。香港という窓口を通して流れ込む資本と技術で、隣接する広東省《カントン》を発展させる。広東省が成功すれば、中国全土の経済発展のモデルになることは確実だった。経済が発展し、国が豊かになれば、「社会主義＝貧しさ」という固定観念を、打ち破ることができる。香港は、そのための核なのだった。イデオロギーに関しては譲ることのない頑固な長老も、経済的発展の必要性は認識していた。すでに、中国の香港に対する依存度は、後戻りできないところまで来ていると言ってよかった。

しかし……！

もしあの事が明るみに出たら、何もかもが後戻りする。広東省と香港に投資した莫大な予算はフイになりかねない。国際的な混乱も避けられまい。イギリスは揺り戻しをかけてくるだろう。

今頃になって、なぜ出てきたんだ？

嗚乎《ああ》……！

長老は天を仰《あお》いで嘆息し、それから隣室に続く扉を凝視《ぎょうし》した。ある男が長老の指示を待っているはずだった。

あの女を、イギリス側につかせてはならない……どうしても、知られてはならない……。そう、どんな犠牲を払っても、だ。

疑問

キーファ助教授の講義は、オクスフォードの男子学生に、圧倒的な人気を誇っていた。タリア・キーファの専門は、国際関係論のなかのアジア地域研究という、どちらかというと地味な分野だった。にもかかわらず、多くの学生たちは、そのことに気づきもしなかったに違いない。タリアの授業は、視覚的には、じつに楽しかったからだ。タリアは経済学部の最年少助教授で――どう見ても二十代に見えた――鉄錆《てつさび》色のスウェードのショートジャケットにコーデュロイのパンツで教壇に立つと、学生にとっては、助教授というよりも理想のガールフレンドといった趣《おもむき》だった。キーファ助教授を眺めることだけに、学期のほとんどを費《つい》やしてしまった学生も、少なからずいた。

タリアが講義に入ると、こんどは彼女の内面が学生たちを魅了した。品よくセクシーで奔放な女らしさと、深い知識が、話のなかに程《ほど》よいバランスで見え隠れする。学生にとって残念なことがあるとすれば、助教授の人柄があまりに印象的すぎて、肝心《かんじん》の講義内容がさっぱり頭に残らないことかもしれなかった。

いまも、教室は満員だった。講義を受けている八〇人のうち、六割が自分のまっすぐな脚を、二割が蜂蜜色のブロンドを熱心に眺め、あとの一割が声だけを聞いているのに、タリアはいつ頃からか気づいていたが、講義内容には自信があったし、いざ試験ともなれば学生たちが猛烈に追いあげてくるのを知っていたので、講義スタイルを変える気はなかった。

残りの一割のほとんどは、純粋に勉強熱心な女子学生だったが、ごく例外的に、タリア自身でなく、講義内容に興味を示す男たちがいた。あからさまな賛嘆の眼差《まなざ》しが向けられないだけに、教壇からは、容易に見分けがつく。

このクラスでは、日本からの聴講生が、その一人だった。前から六列目、右から五番目。タリアは、目立たぬように、その学生の姿を確認した。

学生というには、大人びた男が、そこにいた。おそらく、タリアと同年配――三十そこそこ――だろう、男の目には、時折、タリアをからかうような不遜《ふそん》さが浮かんだ。

タリア・キーファは、香港の話をしていた。キーファ助教授の、今学期のテーマは、中国への返還を目前にした香港の変貌だった。

「香港が、一九九七年六月三十日をもってわが英国植民地に別れを告げ、返還後の七月一日より、中華人民共和国特別行政区となることは、皆さんすでにご承知でしょう」

タリアは言った。

「イギリスの主権下では、アジアの金融センターとして、香港は繁栄を謳歌《おうか》してきました。香港総督によれば、〝香港の一人当たり所得はオランダ並み、貿易総額はフランスに匹敵する〟とのことです。その香港が、中国返還後も同様な発展を遂《と》げられるのかどうか、世界の注目が集まっているのです」

速いペースで、彼女は今日のカリキュラムに入っていった。

「さて、香港の行方を占うには、まず、中国がこの問題をどう考えているかを、分析する必要があるでしょうね。そこで、今回は中国側の公式見解、つまり一九八四年の英中合意声明のなかで述べられた、未来の香港に対する基本政策を見ていきましょう」

言いながら、スライド・プロジェクターのスイッチを入れ、あらかじめ用意されていた資料を、スクリーンに大きく映《うつ》しだした。このシステムができてから、教授たちは、板書《ばんしょ》ということばが死語になったと感じていた。

タリアがまとめた返還後の、香港に対する中国側の基本的政策の要点一二項目を、学生たちはノートし始めた。それは、およそ次のようなものだった。
一、中華人民共和国の憲法第三十一条にのっとり、香港特別行政区を設置する。
一、中央政府が直轄し、外交・防衛以外、香港特別行政府は高度の自治権を持つ。
一、香港特別行政府は、行政管理権、立法権、独立した司法権、最終裁判権を持ち、現行の法律は基本的に変わらない。
一、政府は香港人で構成し、行政長官は選挙あるいは協議で選出され、中央政府が任命する。
一、香港で現在行なわれている社会制度、経済制度、生活方式は変わらない。人身、言論、出版、集会、結社、旅行、住居移転、通信、ストライキ、職業選択、学術研究、宗教・信仰などの権利と自由を保障する。個人財産、企業所有権、相続権および海外からの投資も法律で保護する。

一、自由港および独立した関税区としての地位を保障する。

一、国際金融センターとしての地位を保持する。外国為替、証券、商品市場を開放し、資金の出入りは自由で、香港ドルは引き続き流通し、兌換《だかん》も自由。

一、財政は独立し、中央政府は香港から税金を徴収しない。

一、香港でのイギリスおよび各国の経済利益を配慮する。

一、返還後は「中国香港（Hong Kong China）の名で、単独に世界各国や国際機関と経済・文化関係を保持・発展でき、関係協定を結べる。独自に旅行証明書を発行できる。

一、治安は香港特別行政府が責任を負う。

一、以上の政策・方針は、五〇年間不変とする。

「――これをお読みいただくとわかると思うけれど、中国政府は返還後少なくとも五〇年間、香港の資本主義経済体制を維持すると明言しているの。この約束は、香港の将来に不安を抱いていた外国資本と香港住民に、一応の安堵感を与えたわ。宣言の発表当時の恒生《ハンセン》指数が――これは香港の株価指数ですが――好感を示したことからも、それは読み取れます。ですが――」

タリアは、そこで反語を強調した。

「知識人たちの一部は、いまもって、この中国側の公約に懐疑的なの。一部の人々は、香港の未来に、まだまだ根強い不信と不安を抱いている。そもそも、この『特別行政区』ということばだけれど……」

彼女は、話しながら、学生たちがスクリーン上のテキストを書写するスピードを確かめた。学生のほとんどが、スクリーンからテキストをノートに書き写しているなかで、あの男は、一人だけ顔を上げていた。机には、ノートがなかった。持っていないのだ。タリアと目が合うと、例の、やや不遜な感じの笑《え》みを洩《も》らした。

彼女は、それでも気を取り直して、講義を続けた。

「特別行政区ということばが、中国の新憲法に加えられたのは、中英合意の二年前、つまり一九八二年の十一月のことよ。『中華人民共和国は、必要に応じて特別行政区を設置できる』という、新憲法三十一条のこの規定は、当時は香港でなく、別の地域を想定して憲法に盛り込まれたと思われていたの」

「それは、どこですか？」

熱心な学生が訊《たず》ねる。タリアは、優等生に微笑《ほほえ》みを返した。

「台湾《タイワン》です。中国が、いまもって、台湾は自国の一部であるという見解を固持しているのは、皆さんもご存じよね？　当時は、台湾を合併しようという動きが強い時期だったから、『特別行政区』は、台湾を合併することを想定して作られたと、中国ウォッチャーは、そう見ていたのよ。けれど、案に相違して、政府の狙いは香港だった。合意の二年前から、中国政府は着々と、返還のシナリオを書いていたというわけなの。見方を変えれば、特別行政区は、来たるべき国際的非難を躱《かわ》すための便法とも読めるということよ」

タリアは、スクリーンを振り返って、講義を進めた。

「この公約を鵜呑《うの》みにするわけにはいかないわ。たとえば、ここには香港人の言論、出版、集会、信仰の自由を保障するとある。ぜひ知っておいてほしいのだけれど、中国本土の憲法第三十五条や三十六条にも、それらの自由は明記されているのよ。でも、実際には、反体制の発言は厳しく抑圧されている。この例だけでも、約束が空回《から》りする可能性は大いにあるといえる。また、これが適切な例と言えるかどうかは別として、歴史上には、建国直後に、いったんはチベットの政治・社会・宗教制度の維持を誓う〈十七条協定〉を結んでおきながら、わずか数ヵ月後にチベットを武力解放したという事実もあるわ。しかも、鄧小平が一九八二年にこんなことを言っているの――〝われわれがその気になれば、今日、香港に入り、占領することだってできる〟と」

クスリ、と誰かが笑った。

助教授には、誰が笑いを洩らしたのか、はっきりとわかっていた。タリアは、頭にカッと血がのぼるのを感じた。彼女らしくないことだったが、そのとき、この男を今日の犠牲者に選ぼう、と決めた。

「サワキくん、何か疑問点でもあるの」

学生たちは、ざわめいた。タリアは、階段教室を、ひと渡り見回して、自然な間《ま》をつくり、それから沢木喬《さわきたかし》に視線を戻した。

沢木は、悪びれる様子もなく、立ち上がった。

「イギリスは――」

ややハスキーな、しかし完璧なアクセントの英語を、彼は話した。

「イギリスは、香港を失いたくないようですね。返還が迫った今となっても」

「どういうこと？」

タリアは、色をなした。

「助教授、あなたの見方は、少しアンフェアじゃないでしょうか？　西洋の見方、というのかな。話を聞いていると、香港人はイギリスの統治下のほうが自由で安全極《きわ》まりないということになるんじゃありませんか？　失礼だけど――」彼は続けた。「イギリス植民地としての香港での制度と比べてみてほしいものです。イギリスの統治下で、香港の首長は、選挙どころか、英国政府の指名制――つまりイギリスのツルのひと声で決まってしまう。さらに、立法機関さえないんです。適用される法は英国法、それも英文だ。香港人の九〇パーセント以上が広東《カントン》語しか話せないのに、裁判所での尋問が英語だから、被告も陪審員も、通訳を通してでなければ、主張も傍聴もできないという妙な審理がまかり通っている。そのうえ、単独での国際協定への参加は、原則として不可なんです。中国政府と比べて、果たして、どちらが香港を縛《しば》っているのだろう？」

短い沈黙。イギリス人が大勢を占めるオクスフォードだけに、教室には複雑な空気が流れた。

「もちろん、人権の点では中国政府に問題があるのも事実だが、中国だけを、野蛮な国のように教えるのはアカデミックじゃない。イギリスだって、もし香港に独立されるとしたらどう出ただろう？　フォークランドのように対処したかもしれない」

中国人にも見える、少なくとも東洋人ではある男が、刺激的な発言を始めたことに、教室の雰囲気が少なからず強張《こわば》ったものになりつつあったが、タリア・キーファは、まだ落ち着いていた。

「あなたの見解を続けてちょうだい」

「続けます。ただ……」沢木は前置きした。

「僕は、イギリスを非難しようというわけではない。公平な考え方をしたいだけです」

何人かが、緊張を緩《ゆる》めた。

「史実のなかで、イギリスは香港に君臨してきた歴史があります。一八〇〇年代前半から、イギリスは中国市場への進出を目論《もくろ》んでおり——売り捌《さば》きたい商品は、インド産のアヘンでしたが——その代償として、銀を得ようとしました。しかし、清朝がアヘンを禁止したため、業《ごう》を煮やして一八四〇年、清朝にアヘン戦争をしかけた結果、四二年南京条約で香港島の割譲を決めたのが手始めです」

沢木は、滑《なめ》らかに続けた。

「さらに第二次アヘン戦争の結果として、イギリスは北京条約により九龍市街地を得、一八九八年には列強の中国侵略のどさくさに乗じて、新界地区を加えた現在の『香港』を、香港境界拡張専門協約によって、租借期限九九年で借り受けました。以来ずっと、手塩にかけて、巨大な貿易・金融都市に育て上げてきた。一九一〇年には金銀貿易所を設立し、一九三五年には管理通貨制を敷いて、上海香港銀行券を安定通貨にした。英国系商社も、こぞって香港に投資を続けました。一九七三年には為替管理法を撤廃し、外国金融機関が急増する結果となりました」

彼の頭には、疑いもなく、香港に関する情報が、整理されてファイリングしてあるようだった。国際条約名や、細かい年号まで、はっきりと。

「イギリスは、香港をただの荒涼たる漁港から、長い時間をかけて宝の山に育てあげました。助教授も先刻おっしゃいましたが、〝フランスなみの貿易総額〟を持つ、国際金融拠点になったのです。世界に散らばる華僑の投資センターでもあり、極東・太平洋地域の保険業の中心地であり、オフショア・バンキングのメッカ……。苦労して作り上げたそんな香港を、中国にそっくり差し出さなくてはならないイギリスとすれば、面白《おもしろ》いはずがないでしょう。イギリスの手を離れた香港の将来に、暗雲が漂《ただよ》っているという主張をしたくもなる」

「そうね」

沢木の首根っこをつかまえてやろうというあてが外《はず》れたタリアは、顔を僅かに紅潮させ、しぶしぶ言った。

「その点は、認めなくてはいけないわね。私の話し方に、英国人としてのアイデンティティから生じた語弊《ごへい》があったかもしれない。偏《かたよ》った講義を押しつけるつもりはないわ。こうカリキュラムを組み立てていたの。香港の将来に対する、ウォッチャーの見方は、二つある——一つは、香港が中国のシステムに呑み込まれ、中国と同化して魅力が薄れ、単なる地方都市に転落するという悲観的な見方。もう一つは、改革・開放路線の徹底により、香港は、現在のパワーを保ちつつ、台頭する華人経済圏の中心地になるという楽観的な予測——。とりあえず、今日の講義では、一つ目を解説しただけ。それは納得してほしいの」

タリアは、このショーをお開きにしたくなった。どのみち、彼がノートをとる必要がないことは、これでわかった。

「ありがとう、もう座っていいわ」

しかし、沢木は座ろうとはせず、タリアを真っすぐ見て、言った。

「近代外交史上、もっとも大きな疑問のひとつは――」

沢木の口調が、自問自答に近くなっているにもかかわらず、タリアは、引き込まれるのを感じた。

「イギリスが、精魂込めて宝の山に育て、いま、まさにたわわに実った香港を、なぜ、あっさりとあきらめたかということです」

教室が、ざわめきに満ちた。沢木の疑問が的《い》を射ていたからというだけでなく、その言葉を耳にしたとたんの、タリア・キーファの狼狽《ろうばい》ぶりが極端だったからだ。

「イギリスと中国の間に、返還問題が持ち上がったのは、一九八二年、当時の首相、サッチャーの北京訪問がきっかけでしたが――当初イギリスは、香港を返すつもりがまったくなかった――、これは、当時の報道を見ても明らかです。ところが、なぜか、その後、二年間にわたって持たれた両国の会談のなかでイギリス側が折れ、一九八四年、返還の合意に至っています。強気に出ていたはずのイギリスは、いつの間にか、主権を中国に戻すことを譲歩していた。その経緯《いきさつ》を、はっきりと指摘できる専門家を、僕は知らない」

美人助教授は、いまや、卒倒せんばかりに蒼《あお》ざめていた。教壇にもたれかかることができなければ、その場にくずおれていたかもしれない。沢木の問いが、なぜこれほど助教授を動揺させたのか、誰にもわからなかった。沢木自身が、わが目を疑っていた。沢木は、ただ、長年来の疑問を、口にしてみただけだったからだ。

やがて、タリアは、息も絶えだえというように、ヒステリックな調子の言葉を絞り出した。

「あなたは……外交史に興味があるの」

態勢を立て直すための質問を、タリアは試みたつもりだった。

しかし、沢木が答える前に、教室の後方の学生が、立ち上がって言った。

「キーファ助教授、サワキは日本の外交官なんですよ」

驚きが、こんどは教室じゅうに広がった。

ダナ・サマートンのこぢんまりしたフラットでは、午前四時にチック・コリアのモーツァルトが炸裂した。タイマーで目覚まし代わりにセットされたジャズふうの旋律は、最大限のヴォリュームのせいで、繊細さのかけらもなくなっていたが、ダナを寝床から叩き出すには何の不都合もなかった。眠りを断ち切るために彼女があげる唸《うな》り声も、お世辞にも音楽的とは言えなかった。

四時から七時までの間に、苦《にが》いコーヒーを二杯飲み、前日の分のインタビューを読み返し、テープを起こす。フラットに引っ越して半年の間に、この習慣がすっかり自分のリズムになっていた。いつまで経《た》っても終わらない隣のビル工事が、きっかり七時に始まる。テープ起こしには、この時間しか充《あ》てられなかった。

キッチン・テーブルには、読みこなさなくては仕事にならない膨大な資料が積み上げられていた。その山を目にするたび、ダナは目覚めたときと同じ唸り声を繰り返した。

仕事に行き詰まると、彼女は慰めに時々、評判になった「ワシントン・ポスト」の自分のコラムのファイルを取り出して見入った。ほんの二年前まで、ボーイスカウトやソフトボール大会、よくて自殺の記事しか書かせてもらえなかったことを思い出して、彼女は自分を奮《ふる》い立たせた。フェミニストの女性を取材するのが、嬉しくて仕方なかったっけ。いまでは彼女は「有名な」ライターだった。

ダナのジャーナリストとしての出発点は、ローカルテレビ局のニューズ・セクションだった。小さな局だけに、殺人、政治からトピックスや人物インタビューまでのすべてを取材する。ダナは使い走りのデータ記者をしているうちに、もっと事件や事象を掘り下げて捉《とら》える新聞社への転職を考えるようになった。彼女はテレビ局で取材した素材をもとに、いくつかの新聞社にドキュメントを送った。失った家族を探す女性のレポートが、運よく小さな地方新聞に採用され、初任給週一八〇ドルで働きだしたが、半年も経たぬうちに失望した。ダナの女性上司は、何年も同じコーナーを担当していた。「青年の素顔」と題したそのページは、お世辞にも画期的とは言えなかったし、このままではそのページを次の一〇年間、ダナが担当させられてしまうことは確実だった。

二年前の春、休暇をロスの自宅で過ごしたダナは、ふと手にしたローカル紙にワシントン・ポストの有名な女性ジャーナリスト、メイミ・タンのインタビューが載《の》っているのに気づいた。メイミはこう語っていた。

「そりゃあ、なかには新しいスタッフを歓迎しないジャーナリストがいることは確かよ。毎日のように送られて来る新人ライターの原稿やフォトグラファーのポートフォリオには正直、うんざりさせられるものね。私たちはいつだって仕事に追われているし、それを理由に、積み上げられた履歴書を顧《かえり》みようとしないの。だけど、私は違う。私の忙しさには『超』がついてる。しかも、私の体は一つしかないの。誰かに、手伝ってもらわざるを得ないのよ。優秀なスタッフは、多いほどいいの。私には人よりたくさんの、素晴らしいスタッフがいるわ。そのおかげで、ここ何週間というもの、私は自分で原稿を書いたことがないくらいよ」

ダナにとって幸運だったのは、このインタビューがそれほど目立たない地元紙に載っていたことだった。ロスのチャイナタウン出身のメイミが、地元の著名人を紹介する「タトラー」欄で語ったもので、これを読んで勇んでメイミにレポートを送った芽の出ない記者は、一〇〇人に満たなかった。

メイミにとっても、これは幸運だった。彼女は、熟《う》れたスモモをつまむような手つきでダナのレポートを拾いあげたのだ。

七時ちょうどに、ダナは深夜の分の留守番電話を再生する。短い伝言が入っていた。

「メイミよ。八時にまた連絡するわ」

この電話は、最初のときから同じだ。連絡はいつもメイミから。ダナからの連絡にはポケットベルを使う。メイミはライターをなかなか表に出したがらなかったが、代わりにエージェント役もこなしてくれるので、ダナは助かっていた。紙面でのダナ・サマートンはどんどん有名になっていったが、彼女のプライバシーは守られていた。これまで、ダナは私生活を干渉されるのが嫌いだった。

過去とは向き合いたくなかったのだ。とくに、あのときのこととは……。それを思い出しかけると、彼女は身慄《みぶる》いした。自分がこうして平穏に暮らしていることが、罪のようにさえ思える。あのときの、あの女の、突き刺すような憎しみのこもった眼が脳裏《のうり》に浮かび、ダナは慌《あわ》ててその映像を頭から振り払った。

一〇年間、何もなかったのだ。もう、忘れてもいい頃ではないか？　陰の部分で自分を生かすことに、ダナは飽き飽きし始めていた。振り返ることは、もう止《よ》そう。幸い、仕事は超のつくほど、順調なのだ。そろそろ少しずつ、殻《から》を脱け出す頃合いかもしれなかった。新しい仕事、新しい恋……、そんなことに、臆するのはもう、たくさんだ。メイミ・タンの言ってくる仕事が何であれ、ダナはとりあえず引き受けるつもりだった。

学生街の静かな駅も、朝はビジネスマンで賑《にぎ》わう。オクスフォード駅を八時台に出るロンドン行きに乗り込むのは、通勤客がほとんどで、ダーク・ブルーのブレザーにジーンズ姿のカジュアルな服装の男は、そのなかで、やや目立った。男が東洋人であることも、目立つ一因だった。稀有《け う》なことに、それは、彼のアカデミックな雰囲気を壊すどころか、いくぶんか謎めいて見せていた。

一万八〇〇〇人の学生と、一五〇〇人の教師が生活する大学都市は、静かだが、ややもすれば退屈な面もある。カレッジ周辺の落ち着きに飽きた者は、しばしば、一時間をかけてロンドンに出ることがあった。男も、少なくとも大学の関係者に見えた。ロマンチックな女性なら、どこかのカレッジのハンサムなアジア系助教授が、ロンドン・ナショナルギャラリーの開館時間に間に合うように、この列車を選んだのだと夢想しかねなかった。

男は、今日は美術館に行くつもりはなかった。三年間の駐英生活で、美人キュレーターとすっかり顔馴染《な じ》みになるほど通った芸術の宝庫は、彼の目的地と、一キロも離れていなかったのだが。

パディントン駅に着くと、無駄な飾りのない黒塗りのセダンが待っていた。車の後部座席に乗り込み、シートにもたれると、彼は任務のことを考え始めた。

三十三歳の沢木喬は、外務省に入省して、五年目を迎えようとしていた。

I種試験に合格して、外交官になったキャリア組のなかでも、沢木の経歴は異色といってよかった。

I種、すなわち外務公務員I種試験は、将来の大使、公使、総領事など、キャリアと呼ばれる幹部候補者の採用試験だ。キャリア組の合格者は毎年、三〇名弱と、少数精鋭。最も多い合格者を出すのは東大で、法学部出身者が多く、教養学部、経済、文学部などからも合格者を出す。残りの出身校はばらつくが、国立大学の法学部が大勢を占める。私大卒はどちらかといえば例外的な存在だった。

沢木は、私大出身で、しかも、その年の受験者のなかでは、最年長だった。Ⅰ種試験を受けられるぎりぎりの年齢は、二十七歳なのだ。さらに、沢木には、すでに職歴があり、全国紙の外報部記者という職を辞して外務省に挑んでいた。

採用班の事務官が睨《にら》んだとおり、沢木は入省後も、在野精神をいかんなく発揮して、平均的な優等生の省員とは一線を劃《かく》した。

外交官は、採用されると、三ヵ月の国内研修の後、一年間は本省に勤務する。その後、在外研修を二〜三年にわたって受けた後、あらためて配属がある。沢木のイギリスでの研修生活は、三年目の大詰めにきており、異動が近かった。

勤務は、どこになるだろう?

沢木は、できれば本省のアジア局か、アジアの在外公館に行きたかった。が、研修がイギリス、しかも三年間と長いことから、このままイギリス大使館に配属される可能性のほうが大きい。だが、それは、沢木の本意ではなかった。

——アジアでなければ、意味がない。

三年間、抑《おさ》えていた歯痒《はがゆ》さが、むずむずと蘇《よみがえ》ってくる。

任地や仕事の内容にこだわる外交官は、本流から外《はず》れるケースが多いことはわかっていた。一般的に、外交官は、数年という短い期間で、職場を転々と異動する。幹部コースを進むキャリアほど、他の官庁と同様に、オールマイティな能力が求められるのだ。

――いっそ、ノン・キャリア組のように、出世を望まず、アジア地域の在外勤務に徹すると申し出ようか？

ノン・キャリア外交官のなかには、任地に根を生《は》やし、その国や地域に関して学者なみの専門家になる者も多い。が、もちろん、それは、それ止まりだった。

出世を望むわけではないし、ためにする人生を送るつもりはない。だが、その反面、組織の中枢《ちゅうすう》から外れれば、思うような仕事ができるはずもなかった。

もう一つ道があるとすれば、実力で陽《ひ》のあたるポストを勝ち取り続けることだった。国内勤務は条約局から主要な地域局（北米局、アジア局など）、在外勤務は国連代表部や一定の地域関係国などの重要ポストを歩き続けて、辣腕《らつわん》を振るう幹部になることだ。ほんのひと握りのエリート。その席を争う競争に巻き込まれることを、覚悟すべきなのだろうか？　しかも、たとえ勝ち抜いたとして、そのとき自分は、幾つになっているだろう。

無駄な回り道をせずに、外交の現場で力を発揮することはできないのだろうか？

車は、ハイド・パークに沿って、ベイズウォーター通りからパークレーンに入って、スピードを上げた。

「危ないッ！」突然、沢木は鋭く叫んだ。

運転手は、何が何だか、わからなかった。道路上には異変の兆候が何もないと、外務省のベテラン運転手は、瞬間思った。だが、体が勝手に反応して、セダンは速度をぐい、と下げた。次の瞬間には、凄《すご》い勢いで無鉄砲な路線変更をした小型ビークルが、毛筋ほどの差で脇をすり抜けていった。車と車の擦《こす》れる悲鳴のような音がいまにも聞こえそうで、運転手は思わず目を閉じた。

「――無茶な」

運転手は、声を尖《とが》らせ、去っていくビークルに悪態をついた。悪態は、尖りながらも、事故が未然に防がれたことへの安堵で掠《かす》れていた。それから、沢木に礼を言った。

「助かりました――あと一秒、いや数分の一秒でもブレーキが遅れていたら、少なくとも前をやられていた。危ないところでした」

運転手はしばらく黙り、数秒おいてから、不思議そうに言った。

「それにしても――、あの車が折れるとは見えなかった」

さらに数十秒、彼は黙り込み、とうとう、訊《き》いた。

「あなたには、見えたんですか？」

「眼がいいんだ」沢木は答えた。

「自慢じゃないが、私も視力はいいほうです」運転手は、首を傾《かし》げた。「それに、十分あたりに気を配っていたつもりです。しかし、わからなかったな」

「眼がいいんだ。よくあることさ」沢木は、繰り返した。それきり、二人は黙った。

車は、ウェリントン・アーチを、静かにグリーン・パーク方向に折れた。

すぐに目的の建物が見え、車は停《と》まった。沢木は身分証明書を提示して、日本大使館に入って行った。

学園都市からロンドンに自分を呼んだ大使の用件が何なのか、沢木には見当もつかなかった。

だが、呼ばれたのだ。それだけは確かだった。


「オクスフォードでの君の研修期間は、来月で切れる」

駐英大使は、ようやく切り出した。

大使は、完璧に抑制された声音《こわね》で話し、まったく感情というものを表に出さない。この人物の前では、およそ、興奮して話すなどということはできそうになかった。

大使が自分をロンドンに呼んだからには、何かあるに違いない、と沢木は思っていた。

在外公館のなかで、アメリカ、中国に次いで大所帯の駐英大使館は、およそ五〇名の館員を擁《よう》しており、それ以外にも、約五〇名の現地スタッフが忙しく働いていた。

なかでも、大使は激務で、イギリス政府要人や与野党議員、財界有力者、市民団体とのネゴシエーションに、一日の大半を費《つい》やしている。その大使が、研修中の一省員を自室に呼ぶのは、異例のことだった。沢木のように研修中の省員は、一応、公館に副理事官として籍を置いてはいるが、原則として館務には就《つ》かないため、大使と会う機会は限られている。

「君は――」

言いながら、大使は磨き込まれたデスクに広げられたファイルと、沢木自身を、交互に見比べた。ファイルには、目の前の若い外交官に関する情報が、余すところなく納まっていた。

「一九八七年の入省だったね？」

念を押すまでもなかった。外務省の資料は正確さを誇っている。人物調査は、とにかく徹底していた。国家の最高機密を取り扱うことが仕事の一つである以上、スタッフの状況は、つねに把握されている。

「そうです」

大使は、沢木を吟味《ぎんみ》するように眺めまわして、いま気づいたというように言った。

「スーツを着ていない――そういう男らしいな、君は。しかし、いかにもオクスフォードのフェローに見えるのは、悪くない。ジャーナリスト出身だそうだが……」

再びデスクに、大使は目を落とし、すぐにまた彼を見据《みす》えた。

「なぜ、辞《や》めた？」ずばりと訊《たず》ねた。「記者が似合いの柄に思うがね」

以前にも一度、その質問をどこかで聞いたことがあったのを、沢木は思い出した。入省してすぐの国内研修のときか――その後一年の本省勤務の際、上司に尋ねられたのだったか？　いずれにしても、大使の手にしたファイルに、その答えは記載されているのに違いない。

「識《し》りたかったからです」彼は、当時と同じ答えを繰り返した。「外務省は、警戒が厳しくて、記者に本当のことを教えません。公開情報は限られていて、歯痒かった」

「そこで、入省して訊ねまわろうというわけか」

「活動や交渉における秘密性が、国益を守ることにつながっていることは承知です。ぼくは、固

い ガードのなかに入って、事情を識りたかった。外務省の最も基本的な機能は調査と分析です。だとすれば、日本という国がどこへ行くのかについて好奇心旺盛な記者は、この職に適しているはずです」

「うむ」大使は、おもむろに言った。「それで、収穫はあったのかな——つまり、君の好奇心は満たされたのかね？」

「残念ながら、ぼくはまだその立場にありません。ただ、四年あまり省に籍を置いた印象で言うならば、省には情報収集機能強化が必要ではと……」

「なぜ、そう思うのだね？」

そう問われて、沢木は、これから述べる意見は新たにファイルされるのだろうか、と苦笑した。

「一つには、一人一人が多忙すぎること。資料整理や決裁の持ち回りに時間を割《さ》かなくてはならず、本省では誰のデスクの上にも書類が山積みされています。その結果、死蔵されている情報も多い。大使館でも日常業務に追われて、情報収集という、本来の仕事が滞《とどこお》りがちなのではないでしょうか。もう一つは、任期です。異動の周期が二、三年と短いですから、異動命令が出て半年は、現地理解に精一杯となり、戦力となれる期間が短くなってしまいます」

大使の眉が、ぴくりと上がった。

「要するに、君は、情報管理——さらに言えば危機管理に、もっと優秀で専門的な人員と予算を振り向けろという意見の持ち主なわけだ」

沢木は、大使に先回りされたことに赤面を覚えた。言わずもがなのことだったろうか?

彼と大使の経験の差は、歴然としている。

が、意外にも、大使はこう言った。

「本省にも、そういう意見はある」

会話が、そこで途切《とぎ》れた。大使がデスクの上のファイルを繰《く》る音が部屋に響いた。戸惑いながら、沢木は次の言葉を待った。

「総じて、君の評価は高いな。国内研修、その後の本省勤務、さらに在外研修の成績は、申し分ない。ただ……」

沢木は、大使の顔を見た。

「君には、同期のライヴァルがいるな。入省以来、いや、採用試験以来、君は僅差で負け続けているそうじゃないか」

「たしかにそうですが」沢木は即座に反論した。「必ず追い抜いてみせますよ。数年、いや、一年のうちに……」

ライヴァルのこととなるとむきになる沢木を、大使は静かに遮《さえぎ》った。

「外交官は、感情を剝《む》きだしにしないのがルールだ」

言いながらも、彼の唇の端には、先程まではなかった薄い笑みが浮かんでいた。

「私は、君のライヴァルとは面識がある。素晴らしい人物だよ。初めて会ったのは、あの子がまだ二歳のときだったが……」

大使の笑みは、いっそう深まった。

「いっぺんで惹《ひ》きつけられたよ。人懐《なつ》こくて、父親の大使よりも、人気があった。生まれついての外交官だな」

外務省には、外交官二世のサラブレッドが多い。ライヴァルも、その一人だ。

「あの子が外務省にトップ合格したときも、私は祝った……成績は、パーフェクトだ。人柄にすぐれ、知的レベルは、特Aクラス。それに、小さい頃から父親と一緒に諸国を巡っていただけに、欧米のマナーを心得ている」

大使の賞賛は手放しだったが、沢木は口を挟《はさ》まなかった。たしかに、相手は魅力的な人物なのだ。

「君にとって、時には、苛立《いらだ》ちの原因でもあっただろうな——あの子が女性であるということは？」

沢木を凌《しの》いで、同期でトップの実力と見做《みな》されているのは、才媛の女性外交官だった。しかも、最年長合格の彼よりも、彼女は数歳年下だ。そのことで、沢木を揶揄《やゆ》する者がいるのも事実だった。

「彼女は、ただの女性じゃありません。本物の人間、本物の外交官ですよ」

負け惜しみではなかった。彼女の才能と手腕を、当初、沢木は甘くみていたが、しだいに好敵手として一目《いちもく》置くようになり、いまでは、感服さえしている。彼女の存在は、沢木にとって刺激だった。比較されてむきになるのは、自分の至らなさを恥じるからだ。

大使は、沢木を見つめ直した。

「彼女が君を信頼しているわけが、わかる気がするよ」

大使は、ファイルを閉じると、のっそり立って、普段は鍵の掛かっているキャビネットから薄いケースを取り出してきた。

彼は、眉根を寄せて箱を見つめると、沢木にそれを差し出した。

「本省から届いた――君へだ」

不審そうにケースを受け取る沢木に、大使は、吐息とともに、さらに思いがけないことを告げた。

「これからは、君が一九八七年入省組のトップということになる」

沢木は、何のことだか量《はか》りかねて、大使を凝視《ぎょうし》した。大使は、自分の気持ちを区切るように、スパッと割り切る言い方をした。

「彼女は、結婚退職するんだ」

意外すぎる言葉だった。意味が呑み込めるまで、数秒かかった。

「結婚……退職？」

沢木は心外さと動揺を隠しきれなかった。

「そんな……まさか？　彼女が仕事を辞めるなんて、あり得ません。生涯、外交の仕事を続けると、彼女自身から聞いたことがありますし……周囲からも将来を嘱望されて、女性大使は間違いないというのに？」

「外交はやめない」

「どういうことです？　外務省を辞職して、民間外交でもすると？」

いつの間にか、沢木は詰問口調になっていた。

「……いずれ、君もその理由は知るだろうが……彼女は、結婚によって、ある特別な地位に就《つ》くことになる。いま、それを口にはできない。ただ、これだけは確かだ。彼女は結婚し……外務省には生涯、戻ってこない。そこで」

大使の改まった口調は、沢木に疑義を挟ませない、上司のそれに変わっていた。

「ここからが本題だ。君を呼んだのは、ほかでもない。彼女に振り向けられるはずだった仕事を、引き継いでほしいのだ」

「引き継ぎを……ですか」

沢木は戸惑った。

「君の疑問はわかっている。それをなぜ、正式な辞令の前に指示するのか、と言うのだろう。一介の省員の人事を、と」

そのとおりだった。彼女は、沢木より一年早くオクスフォード留学を終えて東京の本省に戻り、北米局に配属されている。その彼女の引き継ぎ役として、本省の人間でなく、研修中の沢木が選ばれるのも妙だった。

「これは、私でなく、本省の意志だ」

大使は静かに言った。

「君には……情報調査局に行ってもらう」

——情報調査局。

沢木は、口のなかで呟いた。外務省内で、最も神秘のベールに包まれているセクション。外部の人間のなかには、ここを日本のCIA、KGBと噂する者もいる。表向きには、幅広い分野の情報処理、分析、調査、政策企画等を行なっていることになっているが、実際には、その機能は省内でも把握されきっていない局だ。

「君も知ってのとおり、情報調査局は、主として、外交上重要と思われる問題を極秘裡《り》に調査している。次の異動で、彼女はそこに配属され、あるケースを追う予定だった。そのケースは、君に担当してもらうことになる。最終学期が終わったら、早速《さっそく》、日本に戻ってもらう」

有無を言わせぬというように、大使は命じた。

「わかりました」

アジア地域での勤務を熱望していた彼にとって、少なくとも日本に帰れることは有難かった。が、もうひとつ、疑問があった。沢木は訊ねた。「しかし、なぜ、ぼくを？」

その答えは大使の頭に、すでに用意されていたようだった。

「その答えは、三つある。一つには、上層部が君を、情報調査局にふさわしい、優秀な資質の持ち主と判断したこと。もう一つは——彼女の推薦だ。君がこのケースに興味を持つだろうと、彼女は言ったそうだ。三つめは、君の——特技が考慮されたということだそうだ」大使は、面白いことを聞き出そうとするように眼を細めた。「特技があるそうだね？」

ぴんとこなかった。あのことを指《さ》しているのだろうか？

「君は、技に磨きをかけるために、スポーツ・ジムでトレーニングを欠かさないそうじゃないか」

やはり、あれだ、と沢木は思った。それにしても、私生活の隅々《すみずみ》まで、省の調査が徹底していることに舌を巻いた。

「あのトレーニングが、仕事の役に立つのでしょうか」

彼は問い返した。

「たぶん。少なくとも、君の新しい上司は興味を示している。私には専門外だがね」大使は言った。「それにしても珍しい、テニスや射撃、それに稀《まれ》に空手や柔道を嗜《たしな》む省員はいるが……私も初めて聞く例だな。後学のために聞くのだが、どんなことをするんだね？　そのスポーツビジョン・トレーニングとかいうのは」

沢木喬は、もう六年も、そのトレーニングを積んでいた。きっかけは、ごく些細《ささい》なことだった。記者時代、先輩に勧《すす》められて速読術をマスターした。新聞記者には、資料を素迅《すばや》く読み込み、情報を取り捨てることが必要だったからだ。速読は、それに役立つ。

「ビッグ・マネーを稼《かせ》ぐプロ・スポーツ選手……大リーガー、テニス・プレーヤー、ゴルファー、フットボール・プレーヤーなどの多くが、強化プログラムにスポーツビジョン・トレーニングを組み入れています。簡単な眼のエクササイズを通して、視覚機能を鍛《きた》えることで、飛躍的に運動能力を高めることができると言われています」

速読の訓練によって、沢木自身、五～一〇秒間に三〇〇語を読み取れるようになっていた。その面白さが、スポーツビジョンに取り組む契機になった。

「能力が、飛躍的に高まる……マジックのようにかね?」

「視覚機能の幾つかは後天的な能力ですので」沢木は言った。「なかには目覚ましい向上を遂《と》げる場合もあります。例えば、動体視力という能力です。優《すぐ》れた野球の打者は、ピッチャーの手からボールが離れた瞬間に、球の回転から球種を当てることができます。このボールのように対象が動いているときの視力、つまり動体視力は、もちろん生まれつき優れている選手もいますが、適切なトレーニングによって確実に向上します。特殊能力ではなく、ある程度は、誰もが持っている能力を鍛えることができるのです」

「どんなエクササイズを?」大使は訊ねた。

「ごく単純です——回転しているターンテーブルに乗せたディスクに書かれた文字を読んだり、トランポリンで跳《と》びはねながら、遠くの壁に貼られたグラフを読み取ったり」

「他には?」

「深視力《しんしりょく》といって、物体の距離や位置を判断し、立体を認識する能力——外野手がフライを処理する捕獲率を上げたり、バスケットのシュート成功率を高めるのに必要な力です——、また周《まわ》りの状況を幅広く見て取る周辺視力、視覚情報を迅速に行動に変える視覚反応時間など、それぞれの機能に応じて、機能を高めるプログラムがいろいろあります」

求めに応じて説明を続けながら、沢木は五年前を思い返していた。結局は、速読に習熟したことが、逆に記者を辞めるきっかけを作ったのかもしれなかった。

資料を読み込む速度が上がるにつれて、情報が雪崩《なだれ》のように彼のメモリに流れ込み、蓄積する。日々、それは取捨され、整理されていき、やがて沢木のなかに、ある核のようなものを形づくっていった。

最初は、疑問だった。

日本は、誇るに足らない国への道のりを歩んでいるのではないか——？　西洋化しようとして捨ててきた、いや、いまも捨てつつあるものの大きさに、気づいていないのではないか？

あらゆる国の情報が集まるなかで、彼は東洋文化の持つスケールやソフトの磁力に惹かれたし、そのなかの日本という国にも、誇りを持つことを禁じ得なかった。繊細で、柔軟で、温厚で美《うま》し国。

にもかかわらず、少なくとも自分の世代が受けてきたごく一般的な教育という枠《わく》のなかで、日本という国の素晴らしさが、結局は少しも語られてこなかったことに、彼は気づき、あきれた。いつの間にか、西洋を至上としてきたその原因の多くは、高度成長期にあるのではないだろうかという思いが、心の底に引っ掛かりはじめた。終戦を契機に、西洋文化が押し寄せて来たあの時代、日本は目覚め方を誤っていたのかもしれなかった。日本の生まれ持つ、たくさんの美点と誇りを持ち長らえながら、合理主義のよい点だけを選ぶこともできたはずだった。

それに気づかず、貴重な日本らしさをいまも捨て続けていこうとする国に、彼の歯痒さは募《つの》っていった。

沢木の父が死んだのは、その頃だ。

彼の生家は東京の下町で、昔ながらの小さな竹細工店を営んでいた。父は腕のよい職人として六代目を継承し、他に兄弟を持たぬ沢木が、本来なら七代目を継ぐ順であった。が、伝統を嫌う若者の常として、彼もまた、家業よりも華々しい記者の道を選んでいた。その選択を父は咎《とが》めず、むしろ応援してくれるようにさえ見えた。

職人のいなくなった仕事場に何年ぶりかで足を踏み入れると、父が手がけていた作品のいくつかと、先祖伝来の古い竹製品が残っており、沢木はその精緻《せいち》な手技と、比類のない形の美に、あらためて目を見瞠《みは》った。子どもの頃から見なれたものであったが、無性に新鮮だった。暮らしのなかで絶えず使われる実用品にさえ、手をかけて粋《すい》を凝《こ》らし、しかも、自然の理にもかなっている。竹の買物籠は、コンビニのビニール袋よりも何十倍も美しく堅牢で、長年月の使用に耐え、不要になってもやがては土に還《かえ》る。沢木がそこに見たものは、合理的という響きのよい言葉の陰で、日本人がどこかに置き忘れてきたものの名残《なごり》なのかもしれなかった。

仕事場の片隅に、数本のビデオ・テープがきちんと並べられているのに、沢木は気づいた。父の手で、几帳面《きちようめん》に番号が振られたそのビデオは、家に伝わる竹編《たけあ》みの秘技の数々を父が演じ、母に撮《と》らせたものであった。いつか沢木が家業を振り向いてくれたら、とそう思っていたのだろう。父の手になった竹は、手品のように撓《しな》り、細《こま》やかに編まれて、無のように見えた空間に、見る間《ま》に空気を取り込んだ優しい形となっていく。ビデオに録《おさ》められた父の姿に、沢木はまたも、日本が失ってしまいかけている何かを視《み》ていた。

折しもそんなとき、彼に中国を取材する機会がめぐってきた。

取材した当時の中国は、天安門《てんあんもん》事件の数年前だったが、すでに開放路線と民主化のはざまで揺れており、隣国の若者が、自分の国の行く末を担《にな》おうとしてもがく姿に共感を覚えた。

かの国には、東洋的な文化の源《みなもと》となる文物や思考が、色濃く残っている。沢木は同じ東洋人としてそれに誇りを感じ、だからこそ、中国には妙に西洋化してほしくはなかった。

――眠れる獅子は、いま、目覚めようとしている。

中国の目覚め方によっては、新しい東洋の時代が拓《ひら》ける。場合によっては、いつかアメリカよりも強い国になる。そのとき、日本は、そしてアジアは――？

沢木喬の歯痒さは、そう考えたとき頂点に達した。誇り高いアジアを築くことに、自分も一石を投じてみようと決めたのだった。彼は社を辞し、外交官となった。

「それで、君自身の視覚機能は、向上したのか――そのスポーツビジョン・トレーニングによって？」

大使の声で、沢木はわれに返った。

「まあまあです」

「ふむ――まあいい」

実際には、スポーツ・ジムでの機器を使用したトレーニングと、日常生活のなかでアトランダムに行なうエクササイズで、彼の視覚機能は確実に向上していた。もともと、素質もあったものらしい。大使は、それを見越しながら何食わぬ顔をしているようだった。

「万が一の危険を避けるには、最適の特技かもしれん」

沢木は、おやと言うように顔を上げた。

「ぼくは、何を調べるんでしょうか」

「詳細は、そこにある」大使は、沢木の手に渡ったフロッピー・ケースを示した。

特種《スクープ》

ワシントン・ポスト編集局の『ビジネス&ファイナンス』セクションには、三人の女性が働いていた。

『ビジネス&ファイナンス』は、編集局のなかでも、ニューズルームに次いでパワフルな部署で、いきおい、記者の力も問われる。

だが、女性編集長のマギー・クインは、その重圧を楽しんでいた。

彼女が記者を志《こころざ》していた六〇年代には、ジャーナリズムは圧倒的に男性に支配されていた。もちろん現在でも、編集面で力を持つ幹部は、大半が白人男性という不本意な状況に変わりはない。しかし、マギー自身は、幸運なことに、出世という競争で同僚男性にひけをとったことは一度もなかった。彼女はつねに、ハード・ニューズ専門にやってきた。先日の昇進で『ビジネス&ファイナンス』セクションの編集長職に加えて、局次長というポストに昇格したマギーは、ますます意気盛んというわけだった。

マギーは自分がもう、時間ばかり食う社交パーティなどには出なくてもいいポジションを得たのに気づくとほっとした。招待を断わっても、大丈夫でいられる基盤を、彼女は築いたのだ。彼女はもう若くなかったし、華やかな容貌というわけでもなく、自慢できる服装の趣味も持ちあわせていなかったので、仕事の時間を割《さ》かれるお義理の交際の時間などいらなかったのだ。それよりも、仕事、それにさらなる昇進に野心があった。

マギーの信頼しているのは、ジュディス・デューア、メイミ・タン、二人の女性スタッフだった。彼女はものごとを、つねに自分を基準に考える癖があったので、自分同様に仕事に野心を燃やす女性のほうが、男性スタッフよりも扱いやすいのだった。

ジュディスは、このセクションにエヴィアンのミネラル・ウォーターを持ち込んだ最初の記者だった。蠱惑《こわく》的な肢体と美貌に惹《ひ》かれた男性スタッフが、何人もライト・コークからエヴィアンに宗旨がえをさせられていた。彼女の武器は、美貌を知性でくるんだ女優ふうの容姿だけではない。ジュディスはボストンきっての名家出身で、社交欄に登場するほとんどの名士と面識があった。その交際範囲は広く、ヨーロッパにまで及んでいた。彼女は社交嫌いのボスの代わりに、パーティに赴《おもむ》く役を仰せつかっていた。これはまさに適役だった。企業経営者の退屈な妻達から洩れてくるＭ＆Ａの裏話、どの上院議員がどの企業に肩入れしているか、どんな法案を支持しているのか――、パーティを楽しむふりをしながら、ジュディスは耳をそばだてていた。カクテルドレスを着たままで送信するナマの情報もあり、彼女の記事には迫力があった。

メイミのほうはといえば、ジュディスとは対照的に地味な仕事ぶりだった。チャイナタウン育ちの彼女は、いつも薄荷《はっか》のガムの香りをさせていた。香水をつけていないだけに、その香りがいっそう、強く感じられた。礼儀ただしく、真面目《まじめ》な外観は女教師を思わせた。メイミは必要以上のことを口にしないタイプで、それだけに彼女が持ってきた情報は的確で信頼するに足りた。数多い『ビジネス&ファイナンス』記者のなかで、彼女がトップのフォーリン・ウォッチャーだった。中東、ロシア、アジア。メイミの知識は多岐にわたり、情報は詳細だった。彼女は独自の情報源を抱え、固くガードしていて、他の記者につけ込む隙を与えなかった。それがボスのマギーの評価につながった。ボスは野心を持つ女性に好感を抱いていた。

メイミはライターの発掘もうまかった。彼女が連れて来たライターの連載が、好評シリーズとなり、マギーはその余勢をかって、局次長に昇進したのだ。

マギーはカフェインレスのコーヒーを二つ秘書に言いつけると、メイミを編集長ブースに呼んだ。

前任者のカートライト編集長の好みを、マギーは完全に排除していた。カートライト氏は、能率第一をモットーに一切の装飾を排していた。

ブースにあるものといったら、シャープなラインのデスクに、人間工学を応用したジャパニーズ・チェア、整然と秩序づけられたファイルボックスのみ。オフィスレイアウトのカタログのような部屋に慣《な》れっこになっていたスタッフたちは、マギーがこのブースを日に日に雑然とさせていくのを、倦《あ》くなき探究心で見守り続けた。

デスクやキャビネット類は、すべて古ぼけた木製のものに替えられ、一週間もしないうちに、ブースは無秩序の城と化していた。書類ファイルは到るところに積み重ねられていたし、ブルーグレーの壁には隙間なく、系統だっていない絵画や何人もの家族の写真が掛《か》けられた。それにもかかわらず、かえってミスター・カートライトよりもミズ・クインの論法のほうが秩序だっていると評判だった。

「メイミ、すてきな知らせがあるの」

秘書に運ばせたコーヒーを勧《すす》めながら、マギーは身を乗り出した。

「朗報と言ってもいいわ」

この笑顔が曲者《くせもの》だった。母親のように柔らかな微笑《ほほえ》みには、つねに冷静な計算が隠されていることに、メイミは気づいていた。

「どんなことです?」

メイミも微笑みを返した。まるで、私があなたの娘です、とでも言うような。

「あの連載のパートIIを始めてほしいのよ」

やっぱり、とメイミは思った。会社があの人気コーナーを見逃すはずがないもの。

「あのコーナーが、どこに行っても評判だそうよ。とくに、エスタブリッシュ層に人気が高いの」

——それも「フィランソロファー」にね、とメイミは思った。フィランソロファーとはあらゆる事象のスポンサーになれる立場にいる、ひと握りの人々だった。財団の理事や、文化評議会の評議員、あるいは個人なら、スーパーリッチと呼ばれる富豪。

——昔ならパトロン、いまは格好つけて、フィランソロファーってわけ。

「どうかしら？　あなたなら続けられるでしょう。私、あなたには感謝してるのよ。あなたの見つけてきたあの……ダナに、続けて書いてもらえるわね？」

　このボスを局次長に押しあげたのには、間違いなくあのコラムが一役買っていると、メイミは思った。ほんの偶然から、彼女はあの無名ライターを拾いあげた。メイミ自身、こんなヒット・コラムが誕生するとは思っていなかった。

「こんどは経歴を聞かせてもらえるのかしら。ダナ・サマートンというペンネームは別にして。編集長として、連載陣のプロフィールを知らないなんて、おかしいでしょ？」

　マギーがたたみかけるように訊いてきた。メイミの常で、持ち駒はいつも、彼女だけに管理されている。ボスが次は局長のポスト、あわよくば取締役を狙《ねら》っていることにメイミは気づいていた。マギーだって、自分の駒を増やしたいのだ。

　社交に出ないんだから、そんなことは訊かれもしないでしょうよ、と心の中でメイミは呟いたが、それとは逆ににっこりと、彼女はボスに言った。

「彼女に聞いてみます」

　ボスは嫣然《えんぜん》と笑い、メイミの心を見透《みす》かすように、釘《くぎ》をさしてきた。

「デスクのポストが一つ空《あ》きそうなのよ。私としては、あなたかジュディスをと考えてるの――気心知れた、女性をね。こんなことを言うと、性差別になるかしら」

　床に脱ぎ捨てられたイヴニングドレスが、しなやかに波打ち、絹の緋色が、淡いフット・ライトの下で光沢を放っていた。

乱れたアッパー・シーツから、完全無欠な女の脚がのぞく。大きな男の掌《てのひら》がまろやかな膝頭から伸びきった太腿へと、滑《すべ》るように動いた。その動きは、静かな波のように根気よく繰り返され、女の感覚の目覚めを待った。

やがて、女が、堪《た》え切れなくなったようにシーツを噛んだ。しかし、次に女の洩らした吐息は、男の期待とは違う種類のものだった。

「悔《くや》しいわ……」

男は手を止めた。さっきまで奔放で抑制を知らなかった女に、クールな感情がもどってきているのに、彼は気づいた。女が、快楽の相手から、ワシントン・ポストきっての女性記者、ジュディス・デューアにゆっくりと変貌していくのを、男は意地悪く観察した。

知性の戻ってきた彼女の表情は、悔しいという言葉が嘘のように穏やかだった。ボストンの旧家で生まれた娘なら誰でも、僅か九歳にして、すでに意味ありげな微笑のコツを身につけている。ジュディスはそのうえに、記者特有のポーカーフェイスを学んでいた。取り繕《つくろ》った表情が、上品なくせに思わずふるいつきたくなるほど扇情的なのは、彼女にとって大きな財産だった。

「パーティで、嫌なことでもあったのか？」

男は、知っていながら、わざと的外《まとはず》れのことを口にした。どのみち、彼女との関係は、知恵比べのようなものなのだ。彼はジュディスの、かなり信頼の置ける情報源だった。その代わりに、彼は彼なりに、得になるように動いていた。しかも、二人は、もしおおっぴらに交際しているとしても、釣り合わなくもない家柄のカップルだった。しかし、もちろん、二人は損得に長《た》けていたので、逢瀬《おうせ》の痕跡を隠すのに熱心だった。

ジュディスは、彼の前では、けなげな女性記者を演じていた。たとえ互いの心の内に気づいていたとしても、何かを演じるのが礼儀というものだった。

「先週ボスに呼ばれたの。デスクにはあなたかメイミ・タンを考えているからって……ボスはとっても勿体《もったい》ぶっていたわ」

「メイミはかなり評価が高いってわけか」

「マギーは彼女を買ってるらしいの……私よりも。例の連載が効《き》いたのね」

「〈インビジブル・パワーズ（見えない権力）〉だろう。あれを話題にすることは、名士の証になってるらしいじゃないか」

「そう。着眼点が大したものなの。誰でも知っていることでしょうけど、世界に影響力をもっているのは、ほんのひと握りの選ばれた機関や雑誌でしょう。もちろん、グローバルな観点から見て、ということね。そこに目をつけたのよ。まず、政策シンクタンクの米国国際経済研究所。それに、雑誌の『エコノミスト』、民間機関なのに、実際には大統領の意見を左右しているという外交評議会。要するに、国際的知識人に〝見えない影響〟を与えるさまざまな機関そのものを、深く掘り下げて取材していったわけ」

「ハードそのものだが、エスタブリッシュの自尊心と好奇心を両方くすぐる内容だな。メイミは君よりも優れたジャーナリストなのじゃないか」

男の誘い水にのって、彼女は語調をつよめた。

「聞いて呆《あき》れるわ。彼女ったら、もう何年も自分の足で取材してないのよ。電話や通信がなかったら、何一つできないんじゃないかしら。彼女の仕事は、コンピュータのディスプレイとのやりとりが八割なんだから。たくさんいるらしい情報源からデータが入るのよ。その裏をとって、掲載するだけ。こんどの記事だって、ダナ・サマートンとかいう、例の新人ライターの企画だっていうし」

「でも、もう連載は終わったんだろう」

「それが……」

ジュディスは言い淀《よど》んだ。これから先の記事について、部外者に洩らすことは避けたかったのだが、内容さえぼかせば、と考え直した。

「また連載するの。こんどはもっと大きな組織にチャレンジするらしいわ」

「じゃあ、君に勝ち目はないな。それが本当なら」

「でも、こんどは危険かもしれないわ……」

ジュディスの呟きを、男は聞きのがさなかった。深入りすると、危険な組織——どこなんだ？国連か？　原子力庁か？　男の目が鋭くなったので、口を滑らしすぎたことに気づいたジュディスは、彼の気を逸《そ》らそうと、話題を変えた。

「それよりも、メイミのことなんだけど……さっきの話じゃないけれど、彼女は世界中の情報を、不思議なほど素早く手に入れてるのよ。いいえ——やっかみじゃないわ。彼女、なんだか怪しい気がするの。どうして彼女は情報源をあんなにガードしているのかしら。私、彼女宛《あ》てのファクスを、追跡してみたことがあるの。それが、おかしいの。いつだって個人のオフィスからではなく、ホテルから送信されてるの。いくら優秀なスタッフでも普通、そこまで隠すかしら？」

「さあ……君のように警戒心の強い記者もいるだろうしな」

本当は、猜疑《さいぎ》心と言いたかったところを抑《おさ》えて男は言った。そう言いながらも、興味を惹《ひ》かれたようだった。

ジュディスは、きっぱり言った。

「調べてみせるわ。私だって、『ポスト』の一員なんだから」

メイミ・タンがいつもレストランの奥まった席を選ぶのは、あまり目立ちたくもないし、込み入った話に都合がいいせいだった。

しかし、ダナ・サマートンが約束に少し遅れて入って来ると、メイミの期待は裏切られた。ダナは、隠しても人目を惹いてしまう女性だったからだ。

ダナは高額のギャラが入っても、自分のスタイルを全く変えようとしなかった。女子学生が着るような、ルーズフィットのセーターと、洗いざらしのジーンズ。にもかかわらず、人々の目はダナに集中した。メイミは仕事柄、美貌だけに生きている女性を何人も目にしてきていたが、ダナにはそれだけでなく、周《まわ》りの空気を染める存在感が備わっていた。メイミはダナを迎えながら、自嘲まじりに言った。

「あなたといると、まるで私、魅力的なチアリーダーを叱っている女教師に見えそうね」

「まさか。あなたはどこから見たって、知的職業人って感じよ。まあ、私は〈ダナ・サマートン〉には見えないでしょうけど」

ダナはクルミとエビの炒《いた》めものを、メイミはキュウリの鶏油《けいゆ》炒めを、それぞれオーダーし、ぬるい青島《チンタオ》ビールを一本あけた。

メイミは本題に入る前にあまり時間をかけなかった。

「連載のことだけど」

彼女は切り出した。

「〈インビジブル・パワーズ〉のパートIIをマギーから頼まれたわ。もちろん引き受けてくれるでしょ？」

ダナは新しい対象に取りかかれることを考えると、ワクワクした。疲れるけど、仕事は刺激的だ。彼女なりのプランを、ダナは口にしてみた。

「前から考えていたんだけど――ハリウッドなんかどうかしら？　誰がどんな映画に自分の思想をインプットしているか、ヒット映画の裏側と人脈という切り口で……」

「柔らかすぎるわ」

メイミはズバッと切って捨てた。

ダナは、少々がっかりした。じつはハリウッドの裏側を、彼女は下調べし始めていた。でもあの資料は、いつか生かせばいいわ、と彼女は気をとり直した。

メイミは諭《さと》すような口調で続けた。

「パートIIでは、これまでよりも、もっともっと大きな『権力』を持つ機関や団体を取り上げたいの。読者って、どんどんエスカレートするものなのよ。読者があなたに期待しているのは、例えば兵器産業の黒幕とか、ダイヤのシンジケートなんかの話よ」

ダナはいたずらっぽく、メイミを睨《にら》んだ。

「まるで、私ったらスパイもどきね」

緑がかったダナの瞳は輝いて、吸い込まれそうに魅力的だった。

「メイミ、隠さないで教えて。あなた、もう取材テーマを考えているのね」

「仰せのとおりよ。じつは…………をとりあげたいの」

メイミがダナの耳に唇を寄せ、囁いた組織の名を聞いて、ダナは思わず息を呑んだ。

「そんなの、大役過ぎるわ……」

信じ難《がた》いという表情のダナとは対照的に、メイミは平然としていた。

「あなたが連載するのは『ワシントン・ポスト』なのよ。ローカル紙でなく。チャレンジは当然だわ」

「マギーは……編集長は知っているの」

「言ってないわ」

ダナは考える顔になった。たしか、マスコミの上層部にはあの『組織』に動かされている人が多いらしいけど、『ポスト』はどうなのかしら？

ダナの沈黙を、逡巡《しゅんじゅん》ととったメイミは、こうつけ加えた。

「あなたがパーフェクトな取材をしてくれれば、必ずマギーも喜んで掲載するはずよ。マギーったら、あなたに会わせてくれって、しつこいくらいなのよ」

ダナは困惑の表情になり、すまなそうに言った。

「私……まだ、お目にかかりたくないの」

メイミはダナが私生活を守るたちであることに感謝した。メイミでさえ、ダナの記者生活の前の暮らしを知らない。無名だったダナの大学時代やハイスクール時代を知ったとしても、メイミには何の得にもならなかった。それでもメイミは、もしも、このままダナが売れていくようであれば、調査機関にダナのプライバシーを調べさせるつもりだった。小さな傷でもあれば、めっけもので、メイミはそれを武器に、情報源やライターとのコネを強化してきていた。

「あなたって、本当に謙虚ね。有名になって顔を売りたいライターは多いのに」

「私にだって、野心はあるわ」

ダナは、むきになった。

「ただ、まず仕事で評価してほしいの」

メイミは、ここぞとばかりに言った。

「だったら、よけいにこのターゲットには食指が動くはずよ。あなたなら、できるわ」

「一人じゃ難しいと思うけど」

「信頼できる助手をつけるわ」

メイミは用意周到《ようい しゅうとう》だった。ダナはだんだんと、持って生まれた探究心が頭をもたげるのを感じた。彼女は、決心を告げた。

「お引き受けするわ」

メイミは魚を釣り上げたときの満足感を感じていた。それに、彼女なら成功する可能性が大なのだ。

メイミは、青島ビールをもう一本頼んだ。この薄暗いチャイニーズ・レストランには、契約成立の乾杯にふさわしい飲み物が他になかったからだ。

「さっそくだけど、いいかしら。例の組織に関連して、調べてほしいことがあるのよ」

メイミの要求は、いつも矢継ぎ早だった。

「香港へ行ってほしいの」

「香港？　なぜ」

その問いに対するメイミの答えは、ダナの予想を遙かに越えていた。

「確かなの？」

「これでも私の情報は、精度が高いのよ」

「信じられない……」

メイミはテーブルに肘《ひじ》をつき、言い含める口調で言った。

「あなただって、いままでの経験でわかっているくせに。いつだって、最初は『信じられない』ものなのよ」

覚醒

沢木喬は、二年ぶりに煙草に火を点《つ》けた。冷えたままの狭いフラットのなかを、煙草を燻《くゆ》らす匂いが流れる。

大使から手渡されたケースには、数枚のフロッピー・ディスクが、丁寧にパッキングされていた。中身を窺《うかが》わせるようなタイトルやメモは、どこにもない。

沢木は、ノートタイプのパーソナル・コンピュータにフロッピーをセットすると、大使から伝えられたキーワードを打ち込み、いくつかの操作を加えて、文書にかけられていたプロテクトを外した。

僅《わず》かに間《ま》をとって、ディスプレイに資料が表示されはじめた。

＊＊＊一九九〇年以来、株式市場は低迷を続けており、政府はこれに強い危機感を抱いている。この状態が長期化すれば、やがては平成金融恐慌を招く恐れが……

——金融恐慌？　たしかに、バブル景気ははじけたが、日本の経済状態はそこまで深刻な状態にさしかかっているのだろうか？

一九八六年から一九九一年にかけ、土地や株などが異常に値上がりして、バブル景気と呼ばれる長期の好況が続いた。だが、一九九〇年二月二十一日に株価が急落し、続けて五月、日銀が金融引き締めを行なったこともあって、資産は下落を始め、景気は不況に転じた。俗にいう、平成不況の始まりだ。

このバブル崩壊は、バブルの弊害に危機感を持った大蔵省と日銀によるコントロールの一環であり、それが起きてしかるべきものだったという見方もある。だが、株価は適正と思われる線で維持されず、なおも値下がりを続け、株の下落が地価の下落を呼び、景気は悪化していた。そこで、あらためて日銀は、今度は金利を引き下げ、事態の収拾を図《はか》った。

しかし、金融引き締めにはあれほど素早く市場に反映された日銀の意図は、なぜか今回まったく無視され、効果がなかった。……。

＊＊＊金融政策によってこの状況を打開できる、とした確信的目論見《もくろみ》が外れたことにより、政府は、日本経済が直面している危機状況が「見えざる手」によって意図的に演出され続けているという疑念をいっそう深め……

――見えざる手？

意外な単語に、沢木は目を止めた。

――日本バッシングを意図的に行なう誰かがいるというのか？　それともこれは、何かの比喩にすぎないのだろうか？

ディスプレイをスクロールし、彼は先を急いだ。断片的な単語が、次々と彼のメモリに刻まれ、次第にひとつの筋書きが浮かび上がってきた。

この平成不況に、通常の景気浮揚策は通用しない。それは、世界的なあるグループが、長いスパンで、日本経済の浮沈を自在に操《あやつ》ろうとしているからにほかならない。

一九八〇年代にアメリカで起こった現象を意図的に日本に再現し、経済に打撃を与えようと、彼らは躍起《やっき》になっている。

八〇年代のアメリカでは、ドル高に乗じて輸入を増やしすぎたため、米国内の輸出企業が価格競争力を失い、生産コスト削減のためメキシコや東南アジアに生産拠点を移す現象が起こった。しかし、海外に高賃金の仕事を回しすぎたのが災いして、米国内には低賃金の仕事しか残らず、しかも大量にレイオフを行なったために、企業の競争力が弱まってしまった。産業が空洞化してしまったのである。それでもなお輸入を続けたため、貿易収支が赤字となり、ドル相場の崩落を引き起こした。

彼ら組織は、この現象を日本にも引き起こそうと企図《きと》している。

そのための条件である円高は、プラザ合意と日本の国際競争力のおかげで、すでに下地ができていた。だが、終身雇用の慣習や規制という壁に阻《はば》まれ、ただ指をくわえて待っているだけでは、なかなか日本にこの崩落現象は起こらないと彼らは見た。

そこで彼らが選んだ手段は、株であった。

海外機関投資家を操《あやつ》り、組織はまず日本株を上げ始めた。もちろんすべてはダミーを通じての投資で、組織の存在は徹底して隠されている。株価は上がり始めた。これが、バブルの始まりだった。

投機家は、組織の資金を効率的に利用し、市場に弾《はず》みをつけた。巧妙なリスクヘッジを行ないながら、円高によって日本が得ていた差益が株に流れるよう、先鞭をつけていったのだ。

——地道な設備投資よりも、株のほうが手っ取りばやく儲かる——そう感じた日本の企業や金融機関が、実態のない投機活動に巻き込まれるのに、時間はかからなかった。資金を投じきったところを見越して、組織は、日本株を下げにかかった。バブル崩壊のきっかけとされる一九九〇年二月の、急激な株暴落である。このときは、強い下げ材料がなかったにもかかわらず、瞬《また》く間に株が下落したため、機関投資家の関与が取り沙汰《ざた》された。

この恐ろしい企《たくら》みを仕掛けた組織自身は、思ったほど損を被《こうむ》らなかった。彼らは片手で日本株を売り、もう片方の手で、日本円とアジア関連の株を買い続けたからだ。複雑な手口で、痕跡を隠しながら……。

一見、矛盾しているかのようなこの行為は、資金面でリスクを回避し、そのうえ、じりじりと日本を締め上げるのに役立っていた。

株や土地の下落で企業の資産価値が目減《めべ》りし、不良債権が増え、金融機関の資金は逼迫《ひっぱく》していく。さらに、急激な円高が日本経済の大黒柱である輸出企業に打撃を与え、生産拠点を海外に移すケースが続出し始めたのだ。日本企業は、東南アジアや中国で現地生産を始める。当初の計画どおり、日本で産業の空洞化が起こり始めているのである。さらに、日本の投資によってアジア関連株が上がり、組織が潤《うるお》うというおまけまでついて――。

――これは、現実なのだろうか？

ディスプレイを、次々と文書やグラフが流れていく。

日本経済が、ある一つの意志によって破綻《はたん》させられかけているという指摘。それを裏づける、オプション取引きやレバリッジの追跡データ。

そんな資金力のある組織とは……どこだろう？　資金の源泉は……何だろうか？

日本の平均株価の防衛ラインは、一万五〇〇〇円と言われ、その段階で企業の含み益はなくなると言われる。さらに、一万二〇〇〇円にまで落ち込めば、金融機関の含み益もなくなるという判断がある。同時に、脆弱《ぜいじゃく》さを孕《はら》みながら過大評価を受けている円高は、行き着くところまで――つまり輸出産業を壊滅させるまで続けば、一転急落し、現在ドルが直面しているような大幅な円安に振れる。

まさにそのとき、産業の空洞化によって翼をもがれ、国際競争力を失った日本は墜落し、社会不安は極限に達するだろう。

平成金融恐慌も、大袈裟《おおげさ》な警句ではなかったことを、沢木は知った。

日本が失速すれば、隆盛しかけたアジアの国々は、道連れになる。彼が描く、東洋の時代、誇り高いアジアは、夢で終わる。

そう気づくと、彼は憤《いきどお》りを覚えた。

――そうはさせない。

深く潜行し、ゆるゆると静かに進められている日本バッシングのシナリオのなかで、彼は組織の資金源に触れた記述を読み返した。
＊＊＊組織の資金の多くが香港でロンダリングされたブラック・マネーで……
組織が投機活動をしたからといって、誰もそれを責めることはできない。それがたとえ日本の弱体化を企図したものであっても、それは法の範囲内なのだ。

だが、ロンダリング（洗浄、浄化）は違う。香港で行なわれているマネー・ロンダリングの過程と流れを解明し、不正を証拠だてることができれば資金源を断《た》つことに繋《つな》がる。

与えられた仕事が、その調査なのだということを、沢木はすでに読み取っていた。

仕事に対する彼の闘志と、組織に対する好奇心と怒りは、いやがうえにも増した。

ついに組織の名が明示された一文にさしかかったとき、彼は思わず、声を洩らした。

世界的に有名な財閥を、文書は名指ししていた。


長い長い眠りだった。

どこまで行っても、砂粒ほどの色も見えない暗闇。果てしない時間は、流れたのか、それともただ止まっているのか？

自分の体は、浮かんでいるのか、それとも沈んだのか……自分？　自分とは何なのだ？——意志と呼べる実体がここにあるのなら、この底無し沼から逃れなくてはならない——。

疼《うず》くような熱さをどこかに感じたのは、気のせいか？　知りたいという欲望に反して、周囲は無とも似た沈黙に戻る——いけない！　いけない！　まだ、その時ではない！

麻痺にも似た安らぎに、平穏を求めるべきではない——この桎梏《しっこく》にとどまるな！　再び微《かす》かに熱感があった。急げ、つかまえろ！　炎を……挫《くじ》けてくずおれる前に！　そうだ、もっと、もっと熱く……闇を縛るこの縄を焦《こ》がせ！　熱く……あのときのように。

突然、脳裏に女の顔が明滅した。閃光に浮かび上がる一瞬の映像。天使なのか——、それとも——？　瞬時に、ほとんど灼《や》けるような熱さが蘇《よみがえ》ってくるのを感じた。炎に照らされた女が、逃げる。そうだ、あれは、天使なんかじゃない！　追うんだ、追いかけろ！　彼女は無傷で、しかも……！

意志に反して、体は凍りついたように動かなかった。炙《あぶ》られる。とり残された自分は——！

心のなかで、女への憎しみがふくれ、撓《たわ》んで、煮え滾《たぎ》り、肉体を包む暗闇の壁を、一気に突き破った。

〈チャーリー〉は、目覚めた。


「患者は覚醒しました」

電話での報告は、迅速《じんそく》に行なわれた。

「この一〇年の間、医師たちの間には二つの意見がありました——意識が戻り始めているという意見と、全《まつた》く戻る兆候はないという診断です。判定は誰にもできませんでした」

医師は、患者の身元引受人に向かって言った。

この男は、いままでに幾ら費《つい》やしたのだろう——と医師は記憶をたどった。かつぎ込まれた患者は、半身が焼け爛《ただ》れたうえ、脳の一部が圧迫されたらしく、脳機能の損傷が見てとれた。医学的には、全く不利な状況だった。だが、身元引受人は、結果はどうあれ、医師団が最善を尽くすことを強く望んだ。万が一、手術が成功しても、患者は植物人間のまま生涯を送らねばならないかもしれない。火傷《やけど》で傷ついた患者の体力が手術に耐えられる可能性は皆無に等しく——もし耐えても感染症を併発するおそれは大いにあった——無理を承知の上で、医師たちはまさしくアクロバット的な手術をやってのけた。それもこれも、唐突な上層部からの檄《げき》のおかげだ。国家の誇りにかけて——たしか院長はそう言った——技術のすべてを出し切れ、と。

「ご存じでしょうが」

医師は説明を続けた。

「手術は、かつてないほどのすばらしい出来でした。少なくとも、患者は肉体的には驚異的な回復を続け、手当と手術を繰り返した結果、皮膚もかなりの部分が再生したのです。幸いにも顔の部分は、多少の整形を施《ほどこ》すだけで済みましたし……ですが、意識は戻らなかった。これだけは、そう、脳の部分だけは、たとえ障害を手術で除いたとしても、すべてが断定できない。一般的な判断は、蓋然性《がいぜん》でしかあり得ないのです」

それでも長い間、あなたは患者を待っていた、と医師は思った。患者の家族らしい人間は、一度として彼を見舞いには来なかった。その代わりに、入院費だけは判で捺《お》したように振り込まれてきた。院長は、患者の容態に変化がありしだい連絡するようにと、ある電話番号を医師に渡した。

「それで……」

電話の向こうから、くぐもった声が発せられた。

「どの程度回復したんだ？　すぐにでも話せるのかね」

声は性急に思えた。一〇年間も待ったのだから、無理もなかろう。

「私達の診《み》たところでは……、患者はまだ、言語機能が正常に働いておりません。物の名前や人名が混乱し、数は数えられず、記憶にも欠落部分が多くあります」

相手は溜息を吐《つ》いた。医師は慌ててつけ加えた。

「しかし、言語機能はこれからじゅうぶん回復が予想されます。思考回路はほぼ、正常なように思われますから……」

「リハビリを急いでほしい」

「もちろん、できるだけのことは……。長期間の治療生活で、骨が脆《もろ》くなっていますから、身体的な回復にもかなりかかりますよ。もっとも、患者の場合は院長の指示で特別に、無意識の間もトレーナーが付いて、病人をあちこち動かしていましたがね」

医師は自分の口調が、少々皮肉っぽくなっていると思った。正直いって、彼は意識が戻らないかもしれない患者の筋力トレーニングを、馬鹿らしい気持ちで眺めていたのだ。

「完全に戻るかどうか、またその期間などの保証はできませんが、患者に猛烈な意欲があることは確かなようです。まるで……何かが患者を突き動かしてでもいるように、自分を取り戻すことに懸命ですよ。気懸かりでもあるのか、ろれつの回らない口調ですが、眠っているときにも譫言《うわごと》を……」

「譫言？」

「ええ。しきりに……」

声は焦《じ》れて急《せ》き込むように言った。

「何と……、何と言ってるんだ!?」

医者は相手の見幕にあきれていた。どのみち患者なんて、大したことなど言わないものなのだ。

「ええ、まあ……封筒だの……女がどうしただの、まあ、そんなことですよ」

沈黙があり、やがて出てきた相手の言葉に医師はわが耳を疑った。声は確かにこう言ったのだ……。

「院長に替わってくれ。患者を転院させたいんだ――今日にでも」

「チャーリーが目覚めたのは奇跡的です」

高官は、目の前の人物に、へつらうように言った。

この人物の前では、いかに高官がイギリス外務省の古強者《ふるつわもの》といっても、低姿勢にならざるを得なかった。物静かな男爵の何が、彼に威圧感を与えるのか――高官には、いくら考えてもわからなかった。男爵が着ているスーツは、この一族がずっと贔負《ひいき》にしているサヴィル・ロウの仕立屋のものだったが、それは高官が普段から愛用しているものと大差なかった。すらりとした上背も、爵位よりもミスターと呼ばれるほうが好きなのも、両者の間に違いを認めるのは難しい。

高官は、男爵が背にした優雅なピアノの上に、女王陛下夫妻のスナップ写真があるのを知っていた。しかし、その醸《かも》し出す威光より何より、彼自身は気づいていないが、この貴族が支配者であることを、高官は彼の口調によって思い知らされるのだった。

「それは――もういい――チャーリーが回復したことはわかっている――それよりも――あの不祥事について何か――チャーリーは思い出したのか」

彼は、いつも、ユダヤ教のラビの説教のような調子で、ケンブリッジ訛《なま》りのつよい英語を話した。それを耳にするたびに、高官は言い知れぬ不安感におそわれた。

それは、男爵の後ろに脈々と連なる、畏怖《いふ》すべき一族へのおそれかもしれなかった。男爵の一族について調べたいと思うなら、世界中のどこの大学でも、それについて書かれた文献を見つけることができるだろう。一族の係累《けいるい》はロンドン、パリ、ウィーン、ナポリ、そしてニューヨークに散らばり、巨額の金と卓絶した手腕で、各国の金融体制と巨大企業を支配し、あまつさえ国家運営をさえ牛耳《ぎゅうじ》っていた。一族は、何代にもわたって、世の中がまさかと思うような婚姻を繰り返し、閨閥はいまや、数百名に及ぶ。ヨーロッパ・アメリカの政治を事実上支配下に置いているのみならず、欧米の有力ジャーナリズムをもコントロールしていた。

しかも、その資産状態は、血と金の力で、幾枚もの厚いベールに覆《おお》われ、国際的なマネー・ロンダリングを経て、いまでは最高度の機密のもとに置かれている。もし真実が公開されたとしたら、一財閥による富の寡占《かせん》状態に、世界中が恐慌をきたしかねなかった。それでも彼らはさらに、資産と支配下の国を増やそうとしていた。

威圧からくる不安感を拭《ぬぐ》い去ろうと、彼は急いで男爵に答えた。

「ええ。急遽《きゅうきょ》つくった専門医療チームの努力で、断片的にですが、事故当時の状況が蘇っているようです。文書の撮影は『ブラザー&ブラザー』社所有スタジオの五階で行なわれ、チャーリーとローレンスの二人の情報部員は、四階で闖入者《ちんにゅうしゃ》のないよう、見張っていたもようです。出火に気づいた瞬間、チャーリーは自分の身よりも、守るべき書類の安全を優先しようと五階に駆け上がり、ローレンスも同じようにした……しかし、チャーリーのほうが先に五階のスタジオに駆け込み、カメラマンに火急を告げると文書を封筒に突っ込んで、あとは無我夢中で階段を駆け降りたと……」

「チャーリーは——中を——見たのか」

「記憶がないそうです。もっとも、そんな暇はなかったでしょう。とにかく生き延びるのに必死で、階段を降りたと言っています。そして、途中まではたしかに、封筒はあった、とも」

「確か——なのか？」

「シャツの下に封筒をたくし込んだらしいです。それははっきりと思い出しました。記憶が曖昧《あいまい》なのは、その後です。狭い階段に大勢の人間が倒れて進路が詰まり、チャーリーは望みを失いかけました。ローレンスもカメラマンも、いつの間《ま》にかいなかった……どうにかして進路を開こうと、チャーリーはあがいた……そして……記憶が跡切《とぎ》れた、という次第で」

「書類は——やはり燃えたのだろうか？」

貴族は憮然として言った。彼は一縷《いちる》の望みをチャーリーの覚醒に託していた。彼にとっては、単なる情報部員の命など、どうでもよかった。植物人間となった部員の生命を維持し、治療する費用は、彼の懐《ふところ》から出ていたがそれは、いまいましい事件の記憶を、チャーリーがとり戻すことを願ったからだ。あの事故によって、彼ら一族は、とり返しようのないものを失いかけている。

彼は何度となく口にした悪態をまたつきかけた。

——首相のくせに、あの間抜けな女め！　何だってあの書類をフィルムにおさめる必要があったんだ？　証拠に残すどころか、元も子もないじゃないか！　いくら、狙《ねら》われた文書だとしても――？

そうは思うものの、彼自身も、一〇年前の当時、サッチャー訪中の前には、例の文書の複写があったほうがよいと考えていたことを否《いな》めなかった。北京には北京のやり方がある……。北京に入った瞬間に、サッチャーが、強引なやり方で文書を奪われてしまう可能性は否定できなかった。その万一の場合に備えてかけた保険のはずが、とんでもない結果となった。

やはり――灰になってしまったのか？　イギリス、いや、わが一族にとってのジョーカーともいうべき一枚は――？

「残念ながら、チャーリーはそこまでしか覚えていないのです。ただ……」

「チャーリーは何度も、繰り返しているのです。取り憑《つ》かれたように……」

「ただ？」

「何と？」

「『女を見た……女を追え』と」

男爵は、射《い》すくめるような眼で高官を見、高官は理由もなく首を縮めた。

「当然だろう――あのスタジオには――女がうんざりするほどいた――例の焼死した――モデルたちが――その一人を――チャーリーは見たのだろう？」

「わかりません。あの事故で、五名のモデルが死にました……。一名のみが、命をとりとめていますが、重症で、その後一年あまり入院しています。オーディションを催した化粧品メーカー

『マリー・クワント』によれば、あの日、オーディションに招集したモデルは六名です。各モデル・エージェンシーから参加した六名すべてに関して、すでに事故当時、われわれのスタッフが一人一人の背後関係を調査しましたが、不審な点は出ていません。六名の当時のプロフィールを集め、チャーリーに照会したところ、『この中にあの女はいない』と断言しています」

「見間違いではないのか——チャーリーの記憶は確かではない——だろう」

「ところが、女の顔だけはひじょうに鮮明に焼き付いているらしく、チャーリーはその特徴を克明に描写できるそうです。そして、理由はともかく、その女を追いたいという衝動を抑《おさ》え切れぬようです」

「君は——あそこにもうひとり誰か女がいたと——言いたいのか」

「正直いって、われわれはすでに、蜘蛛《くも》の糸にでもすがりたい気持ちなんです、サー。私の希望的観測を申し上げれば、その女がどこかの国の諜報部員で、書類を奪い去ったかと……。チャーリーは、潜在的な記憶に、書類を持ち去られたという意識があって、『女を追え』と繰り返しているのではないでしょうか。火事にしても、誰かが仕掛けたものかも……」

「バカなことを言うな！」

男爵は、声を荒らげた。

「北京が持ち去ったのなら、とうに処分してしまっている！　他国のスパイなら、そのまま一〇年も捨てておくものか！　いずれにしてもそれはわれわれにとって、最悪の事態だろうが！　希望的観測が聞いてあきれる！」

高官は、がくり、と肩を落とした。

「さようですが……私が言いたかったのは、どちらにせよ、文書の行く末を調査しますには、チャーリーの僅かな記憶の糸をたぐるしかないということで……申し訳ありません。万に一つの確率で、書類が残っていないとも限りませんし……そうすれば、取り返すということも」

男爵は、息をつき、やる方ないといった様子で、贅沢な椅子に深く沈み込んだ。

「あと五年しか――ないのだぞ、一九九七年までは。チャーリーに見せて確かめるんだ――できることなら世界中の女の顔を――な。何でもいいから、もう一度――すべてを思い出させるんだ」

留学を締め括《くく》る、学期の最終日、沢木の帰国を知った数人の友人が、カレッジの食堂で歓送会を開いてくれた。

その夜、沢木の帰宅は九時をまわった。通い慣れた街を、幾分かの感傷をこめて歩きながらも、沢木の思考は、いつのまにか仕事のことに戻っていった。

日本に戻れば、任務が待っている。スコッチの酔いが醒《さ》めかけた頭で、沢木はライヴァルから自分に回ってきた仕事のことを考えていた。

世界でも指折りの財閥が、日本バッシングに動いているという事実は、思いがけなかった。しかも、そのための資金が、不正な方法で蓄《たくわ》えられているとは――？

大使から渡された資料は、裏金の流れを、かなりのところまで推測できるものになっていた。だが、確証は、沢木自身が摑《つか》まなければならなかった。

——やはり、香港か？

資料によれば、財閥の資金の多くが、香港を経由していた。もし、金の流れを証明できれば、財閥が引き起こそうとしている日本の経済恐慌《パニック》を回避し、なお有利に立つことができる。

——しかし、なぜ、日本が標的に？

優雅な財閥が、日本をとりたてて目の敵《かたき》にする理由がわからなかった。

ふと、沢木の注意が、思考からそれた。

自宅の前まで、彼は戻って来ていた。思いがけず、そこには人が待っていた。

玄関先に腰掛けた人影は、沢木に気づくとすっと立ち上がった。

白いショート・コートから、ジーンズに包まれた脚が、まっすぐ伸びている。蜂蜜色のブロンドが、闇をそこだけ、明るく輝かせていた。

「サワキくん」

「キーファ助教授……？」

沢木は、戸惑った。美人助教授のタリア・キーファと、これまでに個人的な会話を交《か》わした覚えはなかった。

タリアは、けげんそうな沢木の先まわりをして、言った。

「課外授業に来たの」

呆気にとられる沢木を、しげしげと見つめてひと呼吸おき、彼女は、わざと大きな笑い声をあげた。

「何て顔をしてるの。課外授業といっても、私のは、純粋に学問的な研究よ。アジアの現代史について、あなたの参考になりそうなことを、補習してあげようと思って。優秀なあなたなら、きっと興味があると思うの。教科書にも、資料にも載《の》っていないことだし……あなた、ラッキーよ。教えるのは、こんな美人の先生だし……それに」

玄関脇に置かれたペーパー・バッグを、タリアは示した。

「羊肉の胸のローストと、野菜のキャセロール、チーズが、おまけに付いてるの。ただし全部テイクアウトだけど。それから、ワインは、オー・メドックの赤。こんな特別待遇は、一生に一度、あるかないかよ。さあ、ドアを開けて」

沢木は苦笑した。

「歓迎せざるを得ませんね、助教授」

彼は、タリアを部屋に招き入れた。

差し迫った帰国に備えて、整理半《なか》ばの部屋は、つねよりも雑然としていた。沢木は、荷造りを終えていた箱の一つを解いて、食器とグラスを取り出し、テイクアウトのディナーを狭いキッチン・テーブルに並べた。

「ごめんなさい……手間《てま》になっちゃったわね」

「とんでもない。人が聞いたら、羨ましがりますよ。キーファ助教授と、さし向かいなんて。もっとも、誰も信じてくれないかもしれないけど。そのうえ、特別レッスンまであるんでしょう？」

沢木は、ワインをグラスに注《そそ》いだ。澱《おり》とヴァニラの香りが、静かに立った。

「さあ、名講義を期待してますよ」

彼は、わざと、からかうように言った。

タリアは、沢木の顔を見た。複雑なものが視線に込められていた。

「真剣に聞いてほしいの」

訴えるような眼差《まなざ》しだった。

「わかりました」

沢木も、改まって言った。

ひと息入れるように背を伸ばして、彼女は口をきった。

「覚えているかしら……あなたに、香港の歴史を復習《さら》ってもらった授業のことを？」

「ええ」

沢木は、そのときのことを思い返した。キーファ助教授は、授業の後半、倒れそうなほど顔色が悪かった。

助教授の変調は、ちょうど沢木がある疑問を提示してからだったので、助教授ファンの学生のなかには、沢木の質問が悪かったのだと、彼を責める者さえいた。

「あのとき……みんな気がついていたと思うけれど、私、情けないほどうろたえていたの。あなたの口にしたことに」

「中英交渉の際に、なぜイギリスは、いとも簡単に香港返還に合意したのか……、と、僕が話したことにですか？」

「そうよ。私が驚いたのは、同じ疑問を、私も繰り返し、考えていたからなの。でも、いままで、その疑問に気がついた人はいなかったわ。それを、あなたが指摘した」

「僕は、以前からおかしいと思ってました。あの当時なら、イギリスは、中国と、綱引きすらしようとせずに、宝の山の香港を手放してしまった。香港から資本主義を一気に引き上げてしまうと中国を威嚇《いかく》することもできたし、何らかの対抗措置を取れたはずです。なのに、呆気ないほど簡単に、返還が決まった。二国間によほどの裏取引きでもあったのかもしれない」

「私も、そう思うの」タリアは言って、注《つ》がれたワインをひと息に飲んだ。「思うというよりも、信じていると言ったほうがいいわ。たしかに、当時、何かがあったはずなの。取引きなのか……何なのかはわからないけど」

彼女の顔に、苦しそうな表情が浮かんでいた。沢木は、首を傾《かし》げた。いくら研究熱心な助教授といっても、現代史上の問題に、これだけこだわるのは、普通ではなかった。

「どうして、そんなに、この問題が気になるんです？」

タリアは、顔を歪《ゆが》めて、一瞬うつむいたが、やがて、言葉を押し出した。

「その問題に、関わっていると思うの……私の……肉親が」

沢木は、意表を衝《つ》かれた。

た。

タリア・キーファは、それには答えずに、首からシルバーのロケットを外し、蓋《ふた》を開いて見せた。

プラチナブロンドの髪を、短いクルー・カットにした青年が、タリアによく似たブルーグリーンの眼で微笑《ほほえ》んでいた。

「兄よ」

「凄《すご》いハンサムだ」

「凄いハンサム、だったのよ」

愛《いと》しげに写真を撫でると、タリアは蓋を閉じた。

「死んだの——一〇年前に」

「一九八二年に？」沢木は、ふと、思いあたった。

「サッチャーが、返還交渉のために、初めて訪中した年だ。一九八二年の、たしか九月に、彼女は北京に行っている」

「兄が死んだのは、八月よ。仕事中の、事故死」

「お兄さんの仕事は？」

「イギリス外務省に勤めていたの。外交官よ……あなたと同じ」

こんどはバッグから、彼女は新聞記事のコピーを取り出して、沢木に手渡した。

「〝美女の大量焼死——スタジオが全焼〟？　お兄さんは、この火事に巻き込まれたんですか？」

「香港返還に？」

「モデルたちのほうが、巻き込まれたという考え方もできるわ」

沢木は、うなずき、記事を読み進んだ。

「妙だな。お兄さんの名前は、載《の》ってないんですか？　ひょっとして、〝五階で撮影中の三名のうち、二名が死亡、一名が重傷〟とある、このこと？」

「兄は、ローレンス・アボットというの。私は離婚経験があるから、姓が別なんだけど。記事に名前がないのは……わかるでしょう？　外務省の配慮ってやつ。家族にだけは、ここで死んだと教えてくれたけど」

「ということは、残りの二名も外務省の？」

「たぶん、関係者だと思うの。その人たちのことは、知らないわ。教えられてないの。撮影スタジオなんかで、外務省の人間が何をしていたのか。何も、わからない」

沢木は、考え込んだ。三人の外務省職員が、サッチャー訪中の直前に、事故に遭《あ》っているのは、偶然だろうか？　タリア・キーファは、事故と香港返還を、どう結びつけたんだ？

「先生は——」

「タリアでいいわ。あなたは、もう生徒じゃないもの」

「タリア、あなたは……どうして、お兄さんの死と、香港返還問題に関係があると思ったんです？」

「確証はないの……でも、兄は……ローリィは事故の前、よく香港の将来について話してくれたわ。それが、妙なの。兄は、現在とはおよそ正反対の予測をしていたの。絶対に部外秘だが、香港のイギリス支配は続くと、彼は私にだけ言っていたわ。少なくともあと一〇〇年は、返還を延ばすことができるって。永久支配をほのめかすような言葉も聞いたことがあるわ。おかしいと思わない？　いくら何でも、当事国の外務省にいる人間が、交渉間近に、全く的外《まとはず》れの予測をするかしら」

たしかに妙だった。通常の政治常識ならば、首相が訪れる前に、交渉の見通しは、ある程度ついているのが、外交というものだった。

タリアは続けた。

「兄が死んだ当初は、私、彼の死にあまり疑問を持っていなかった。事故で殉職したと、信じていたわ。ところが、香港返還は兄の言ったようにはならなかった。それどころか、かなりのハイペースで、返還に向かって事態は流れていった。それで、疑問がわいてきたの」

「突飛《とっぴ》な推測かもしれませんが」沢木は言った。「お兄さんが、本気でイギリスの香港支配が続くと言っていたとしたら、イギリスは当時、中国を説得できる、あるいは脅《おど》かす何らかの材料を持っていた可能性があるのでは？」

タリアは、小刻《こきざ》みにうなずいた。

「私も、そう考えるようになったわ。そして兄の死からサッチャー訪中までの一ヵ月の間、つまり八月から九月の間に、その材料は、使えなくなったのでは、と」

「使えなくなったか……あるいは、紛失した」

「あるいは、焼失したかも？」

言葉が途切れ、タリアは沢木の眼を覗き込んだ。「そうと決めてかかることはできないけど、気がつくと、いつもそのことを考えているの。兄は、事故死でなく、殺されたのではないかって。イギリス側に有利な、何らかの材料を、誰かが狙《ねら》ったとしたら、イギリス外務省の関係者が事故に遭ったのは、偶然とは言えなくなるわ」

「それが、必然だったと仮定して」沢木は首をひねった。「イギリスに有利な材料って、何だろう」

「兄の事故を疑うようになってから、いろいろ思い返してみたんだけど、わからないわ。ただ、ひとつだけ、思い出したことがあるの。兄と、香港の話をしていたときのことなんだけど、こんなことを言ってたわ。『香港はイギリスのものであって、あの一族のものではない』」

「あの一族？」

「ゴルトシルト家よ」

沢木は、出かかった言葉を、辛《かろ》うじて抑えた。日本バッシングの首謀者、世界的な富豪の財閥。これから相手取って闘わなければならない一族の名前が、思いがけなくタリアの口から出ていた。彼女は、沢木の動揺には気づかず、先を続けた。

「あなたも知っているかもしれないけれど、もともと、中国にアヘン戦争を仕掛けたのはゴルトシルト家の祖先なの。アヘン商社で有名なJ商会は、彼らの姻戚で、一族の命を受けてアヘンを当時の清《しん》国に売りつけたのよ。あの一族と香港は、それ以来、切っても切れない関係だわ。歴代の香港総督のうち何人かは、彼らの末裔《まつえい》から出ているし、銀行も自在に動かしてる。だから、もとはと言えば、香港は、イギリス政府よりも、彼らが植民地にしたようなものなの。その意味では、香港は彼らのもの、というのは、よく言われることよ。でも、兄の言い方は、彼らが絶対的な支配権すら持っているようなニュアンスにとれたわ。そして、できればそれを否定したいようだった」

タリアは、ひと息ついて、ワインで口を湿らせた。「それで、私は思ったの。返還交渉の材料を持っている——あるいは、持っていた——のは、政府でなく、ゴルトシルト家だったのではなかったかと。兄には、それがあまり面白くなかったのかもしれないわ」

沢木は、不思議な歴史の側面に引き込まれていた。タリアの話は、仮説に満ちていたが、妙に現実感があった。ゴルトシルト家が、密《ひそ》かに日本攻略を進めていることを知っているだけに、あの一族から何が出てきても突飛ではないという気がしていた。

「それで、あなたは」彼は訊ねた。「なぜその話をぼくに？」

タリア・キーファは、彼を凝視《ぎょうし》した。

「イギリスがなぜ、簡単に香港の中国返還を決めたか、あなたは知りたがっていたから。私は、その参考になる事柄を、知っていたから。生《なま》の教材があったから、歴史の補習レッスン」彼女は、そう言いながら首を振った。「いいえ本当は、違うわ……兄の死の真相を、私、とても知りたいの。イギリスがなくした材料が何だったのか、兄は、なぜ死んだのか」

「なぜ、ぼくに？」沢木は、重ねて訊いた。

「運命だと思った……だから、偶然、私と同じ疑問を持っていたこと。あなた自身が、外交官ということ」タリアは、眼を伏せた。「もちろん、バカげてるとは思ったわ。でも、あなたなら、真相をいつか、解いてくれそうな気がした」

いつのまにか、彼女の頬を、涙が伝っていた。

「私には時間がないの」

「時間が――ない？」

タリアは、流れ落ちる涙を、懸命にこらえていた。「ガンと宣告されたわ。おそらくは、長く保《も》って一年。抗ガン剤を使わないことを選べば、もっと……短いらしいの」

言葉が見つからなかった。

タリアのように、若く、すべての若者の羨望と憧れの的で、将来を嘱望されている女性が何と酷な運命を背負わされていることか。

「重荷に思わないで」タリアは、去り際に、そう言った。「あなたが日本にもうすぐ帰ること、知ってるわ。だから、無理にでなくていいの。暇を見て、調べてもらえたら……」

沢木は、送ると言ったが、タリアは一人で帰れると聞かなかった。ひとしきり涙を流したあとの彼女は、理知的な助教授に戻っていた。

どのみち、彼女の兄の件を調べる気になっていた。タリアは知らないが、彼はいずれにせよ、ゴルトシルト家を調べなくてはならない。タリアの話が何であるにせよ、それはゴルトシルト家の暗部ではないだろうか。これから進める調査にプラスにならないとも限らない。

いったん帰国するにせよ、イギリスでも調べることはありそうだ、と沢木は思った。ゴルトシルト家は、ヨーロッパの主要国とアメリカに分家があったが、現在の本流はイギリスにあるのだ。

タリアが置いていった手掛かりを、彼は見つめた。

一〇年前の新聞記事、そして、一枚の写真。

写真には、タリアの兄、ローレンス・アボットが写っていたが、その構図は、タリアのロケットのものとは違っていた。その写真には、ローレンスの恋人らしい金髪の女性が、一緒に写っていた。

いったん見たら忘れない。それほど、印象的な女だった。写真からさえ、彼女の髪が風になびくのが感じ取れた。

人の空想力をすこぶる刺激する、尖《とが》った唇をしていた。十七から三十五歳まで、顔が変わらない、そんなタイプの女だ。キャッツアイ・タイプのサングラスで隠れている目の周囲を、どう想像で補っても、美人にしかならない。

彼女なら、もっと多くを知っているかもしれない、とタリアは言った。確かコスメティクスの仕事をしていたという兄の恋人には、ほんの数回しか会わなかったけれど、彼女には、人の重い口を開かせる何かがあったらしい。

タリアは、残念なことに、女の居所《いどころ》を知らなかった。ローレンスの死んだ日から、ぷっつり姿を見せなくなったということだった。

スパイかもしれないな。それにしては、少しばかり目立ちすぎるけれど。

沢木は、新聞記事のコピーも、数回読み返した。

〝五階の三人のうち、二人が死亡、一人が……重傷〟？　火災に遭ったイギリス外務省職員の一人は、生きているのか？　いちばんの手掛かりは、意外にそこにありそうだった。沢木は、重傷という単語に、アンダーラインをひいた。名前も、年齢さえも、そこからは読み取れなかったが。その外務省職員は、いまも生きているのか、生きていたとしても、何かを知っているのか、いないのか。

解かなくてはならない謎が多すぎた。中国とイギリスの間にあった歴史的な謎とゴルトシルト家の日本叩きは、まったく別のものと思えたが、そのどちらにも、香港がからんでいた。

——香港。

沢木は、アジアの、ほんの小さな都市に思いを馳《は》せた。いまの沢木にとって、そこは、底の知れない魔都だった。

フラットの窓をあけ、彼は夜の緩《ゆる》やかな風を室内に呼び込んだ。

その窓から三〇〇メートルも離れていない路上に、エンジンを切った車がその夜、一晩中ひっそりと停《と》まっていたことを、沢木はそのとき、知るよしもなかった。

計画《プロジェクト》

デスクの上には、二枚のプラチナ・チケットが置かれていた。

「ねえ、今シーズン最後のプレミエで、パヴァロッティとドミンゴが二人で『ラ・ボーエム』を歌うのよ」

女優のアディールは、自らセンチメンタルな一節を口ずさみ、傍《かたわ》らで縮《ちぢ》こまっているキャサリン・ゲイジに目を移した。

——豊かな黒髪、色白でスタイルがよく、若く、知的な印象。おまけに、この娘は最上の音楽にエクスタシーを感じるたちらしい。彼女にとって悲しむべきは、それだけのクオリティのものをつねに聴《き》く財力もコネも、彼女には欠けていること。でもそれが、私にとっては好都合なんだわ。

「素敵だわ。最高の演奏になるでしょうね」

キャサリンは、黒い目を細めてうっとりと言った。それからおずおずと、自分の希望を口にしてみた。

「アディール、もしよかったら……あなたがそのオペラを聴いたあとで、またご感想を伺いたいわ」

「何を言ってるの」

アディールはチケットを手に取り、立っているキャサリンを引っ張って、深いソファに並んで掛けさせた。

「いいこと、よく聞いてほしいのよ。このチケットは、あなたとあなたのボーイフレンドに上げたいの」

キャサリンは曖昧《あいまい》な笑みを浮かべた。

「まさか」

アディールがにっこりすると、キャサリンの頬がほんのり紅潮した。

「これを私に？　だってこれは……とても入手しにくいと聞いていますわ。たしか先日も、チケット獲得に奔走する有名人の記事が……」

「いいのよ。でもね」

アディールは次の言葉が、努《つと》めてなにげなく響くように言った。

「――これは買収なの」

言葉の意味がキャサリンの胸に落ちるまで数秒かかった。彼女はアディールをまじまじと見た。

「おっしゃる意味が……」

彼女のひそめた眉を見たとたん、アディールはおかしくてたまらないというように小さな笑いを洩らした。

「ごめんなさい。言葉が悪かったかもしれないわ。じつは私、劇場で知り合いをびっくりさせてやりたいの。まあ、言ってみれば――そう――ユーモアね。そのお手伝いをお願いしたいのよ」

キャサリンは安堵した。ハリウッド人種が時折、奇嬌なふるまいに及ぶのは周知のことだった。

いずれにせよ、すぐ手の届くところに、燦然《さんぜん》と輝くチケットがあるのは事実だった。彼女の眼に、子ども時代の茶目っ気が蘇《よみがえ》ってきた。

アディールが彼女の顔色を読んで言った。

「簡単なことなのよ。舞台が終わって、ほんの一〇分、それだけ。それに――劇場に行くときは、私のドレスをお貸しするわ。もちろん、あなたさえよければ」

キャサリンは、いつか垣間《かいま》見たアディールのワードローブを思い浮かべた。そこは女性たちにとって、一日さまよっても飽きない楽園だった。

「あなたのプランを教えてほしいわ」

キャサリンは、悪戯《いたずら》っぽく眉を上げ、誘惑に屈することに決めた。

アディールは立ち上がり、デスクの引き出しから『タイムズ』と、雑誌のカラーコピーらしい一枚の写真を出し、まず写真をキャサリンに示した。

「私のターゲットよ」

東洋人の男だった。年配は五十代後半、縁《ふち》なしの眼鏡をかけて落ち着いた風采の紳士。どこかのパーティで写したらしく、タキシードを着ている。東洋人には珍しく、グラン・ドゥ・プードゥル地の、仕立てのよい品を着こなしていた。ヨーロッパで過ごしたことがあるのかもしれない。

「エレガントな男性ね。私……この人の顔を見たことあるみたい」

キャサリンが記憶を探り当てるまでもなかった。アディールが差し出したタイムズのコラムタイトルに、この有名な日本人の名が記《しる》されていたからだ。

〝ハイパーソニックがメトロポリタン・オペラ・オーケストラのコンサートに出資か――西条《さいじよう》社長の優雅な趣味〟

「サイジョウ……？　ハイパーソニックのプレジデント？　アディール、本気でこの人を驚かすつもりなの？」

「そうよ……音楽通のあなたなら、どこかでサイジョウの記事を読んだことあるでしょう」

「そうだわ。彼……異色の経営者なのね？　たしか昔はプロの声楽家だったとか」

アディールは記事をさし示した。

「そこにも出てるでしょ？　クラシック・フリークなのよ。今度のコンサートには、日本から飛んで来るはずなの」

「でも、なぜ彼なの？」

「あなたも知っているでしょう……私がこのあいだオスカーを獲《と》ったこと」

「ええ、もちろん。あの晩のあなたは素晴らしかったわ」

「あの作品は、ソニック・ピクチャーズなの。ソニックの親会社は今、ハイパーソニックよ。だから彼は、私にとってはビッグ・ボス。私、彼に贈り物をしたいのよ。考えてもみて。今度のオスカーだって、彼の政治力がどれだけ力になったか」

キャサリンは首を振った。

「あなたの実力よ」

アディールは思わずニッコリした。

「かもしれないわね。でも、私がボスに少しばかり感謝の意を表わしたって悪くないと思うの。だから、お願い。いいわね。私が彼にプレゼントを渡すのを手伝ってほしいの」

「劇場で？」

「そう。印象に残る方法でね」

西条亮《とおる》は、ほんの数時間の休息の用意が万全であるかどうか、秘書に確かめた。

秘書はすでにメトロポリタン・オペラハウスへ向かうように命じた車を、正面玄関に回し終えていると答えた。ビッグ・カンパニーの社長秘書たるものが、仕事に遺漏《いろう》のあるはずもなかった。

これからの数時間は、彼が引きもきらないテレックスや膨大な書類の数々から解放される、数少ないひとときだった。社長の音楽鑑賞の趣味は誰知らぬ者のないほど有名で、西条が大切にしているこの楽しみの邪魔となる用件は、よほどのことでない限り取り次がない慣例になっている。

西条は、いつの間にか固くなっていた背筋をふっと緩《ゆる》めて、深い息を吐《つ》いた。

若い頃から鬼才を発揮してきた、エネルギッシュな彼といえども、全世界に一二万という社員の生活を背負う日々の連続は肩に負担となる。エレクトロニクスのハード分野ですでに世界のリーディング・カンパニーの座を確立した後、巨大な資金を投じてハリウッドの映画会社を買ったのは、西条の才覚だ。しかもラッキーなことに、買収後に配給した最初の映画が、オスカーを一つ獲った。

――ソフトが確実に、ハードを凌《しの》ぐ時代が来る。

彼はそう確信していた。

しかし、実際を言えば、最先端を自負する彼の会社でさえ、ソフト部門が黒字に転換するには、数年先と予想されるマーケット成熟のビッグ・ウエーブを待つ必要が見て取れた。それまでに、もう一つ新しいエレクトロニクスの大ヒット商品を創《つく》り出すか、大規模な事業取引きを成功させて資金を殖《ふ》やすことが、西条の重要課題となっていた。

――どんな方法がベストか？

彼はさまざまな分野に関心を惹《ひ》かれたが、決め手がなく、しびれを切らしはじめていた。

最近では、彼にしては珍しく、各分野の担当者を促《うなが》すこともあった。

心密《ひそ》かに、彼はしばしばこう考えることさえあった。

――一二万人も部下がいるのに、誰もいいプロジェクトを持ってこないのなら、ひとつ僕がやってみるか？

この、トップにあるまじき自問自答は、ここ一〇年というもの、彼が現在と似たような状況に置かれたときに、どこからともなく浮かび上がってくるものだったが、これまでは幸運なことに、実行には至らなかった。というのも彼の胸の塊《かたまり》がまだ小さなうちに、誰かがビッグ・ヒットの種を提案していたからだ。ウォーキング・カセットレコーダー、CD、携帯できる小型CD。あるいは、巨大なゲーム・メーカーとの提携事業。

なのに、今は誰も西条の気に入るプランを持って来ていない。

——だったら僕が……。

西条は、誘惑にかられたような手つきで電話機に手を伸ばし、ある番号を押そうとしたが、躊《ちゅう》躇《ちょ》して手を止めた。ビジネスを忘れるための時間に、仕事が食い込みかけていることに気づき、彼は席を立ち、オフィスをあとにした。

キャサリンを感激させたのは、パヴァロッティとドミンゴの二重唱だけではなかった。ゲストにバトルが登場し、ドニゼッティの華麗なアリアで場内を感動の渦に巻き込んだのだ。キャサリンがアディールのワードローブから三時間もかけて選び抜いたドレスは、胸元が深く切れ込み、『ジャクリーヌ・ド・リーブ』の新作らしく人目を惹《ひ》いた。

すべてが最高の夜だった。ただひとつの懸念を除いては。

「サイジョウはどこかしら？」

オペラハウスは広く、有名人の数はあまりにも多すぎて、目眩《めまい》を感じるほどだった。

場内が明るくなるたびに、キャサリンはオペラグラスでこっそり東洋人の姿を探した。まずスノッブの指定席になっているパルテレ・ボックスを念入りに。彼がそこにいないとなれば、彼女とボーイフレンドは、四〇〇〇もの座席を、一つ一つチェックしなければならなかった。目が痛くなるまで探しても、パルテレに彼女のお目当ては見つからない。キャサリンはしだいに焦《あせ》りはじめた。終幕までに探し出せなかったら、アディールに何と言おう？

「困ったな。いないぞ」

ボーイフレンドのエイヴァリーも、今夜の計画をサポートしてくれる予定だった。

また幕が上がり、素晴らしい音楽が場内に響き始めると、エイヴァリーはふと思いあたった。

「そうだ。きっとあそこだぞ。間違いない」

次の幕間《まくあい》、彼は話すのももどかしく、キャサリンにある座席を見るよう促した。

一階に向けたキャサリンのオペラグラスに品のよい東洋人の姿が飛び込んできた。

「ブラヴォー！　あなた凄《すご》いわ、エイヴァリー。こんなに早く彼を見つけ出すなんて。でも、なぜわかったの」

「いつか君が言ってただろう。オペラを見ない音楽ファンもいるって」

「すっかり忘れてた！　そうね。彼だったらオーケストラ席でも不思議じゃないわ」

劇よりも音楽に興味を持つひと握りの人々はしばしばオーケストラ席で、演奏を楽しむことがあるのだった。

標的を発見した二人は、それから終幕まで心おきなく舞台を楽しんだ。

メトロポリタン歌劇場の音楽監督にして偉大な指揮者、ジェームズ・レヴァインは、見ず知らずのファンに声を掛けられるのには慣《な》れっこになっていた。とくに今日のように、晴れがましいステージを終えた後では、誰も彼もが、舞台裏を支える大物の彼に敬意を表する。なかには、いきなり首っ玉にかじりついてくる熱烈な女性ファンもいた。それでも彼は、にこやかにそのレディーを遇した。自分の大物ぶりを取り巻きに見せつけるのにはそんなシーンは格好だったからだ。それに、彼がすげなくしたファンが、金持ちの某国のエスタブリッシュだったら……？　その可能性は大いにあった。オペラのフリークは、世界中にいたし、それはいつだってリッチな人々に決まっているのだ。

……今日はとりわけ妙なファンがいたな。

レヴァインは、いかにも親しげに近づいてきた黒い目の美人を思った。

……彼女は三〇秒はたっぷり、俺にまとわりついた。しかも、大声で（チャオ、パパ！　あとでね）とはね。皆が振り返っていたぞ。

だが、レヴァインは彼女を咎《とが》めはしなかった。それが彼のやり方だったし、だいいち、彼女はVIPの知り合いのようだった。その証拠に、彼の側を離れるとすぐに、有名な日本の社長に寄り添っていったではないか……？

「サイジョウさん？」

西条が振り返ると、先刻までメトロポリタンの音楽監督と談笑していた女性が、黒い目でニッコリ笑いかけて来ていた。彼女はメトロポリタンのシンボリックなシャガールの壁画と同じ、輝くようなオレンジ色のドレスを誇らしげに着こなしていた。

「メラニー・レヴァインです」

彼は、つい先刻、彼女がにぎやかに監督を祝福しているのに気づいていた。

「レヴァインさんのお嬢さんですか？　初めまして。今日は素晴らしかったですね。でもなぜ私の名を」

「父に聞きましたの」

「お父さんに？　彼が私を知っていたとは嬉しい」

メラニーはもちろん、というように首を振った。

「存じてますわ。有名な方ですもの。それに最近『タイムズ』にも記事がありましたわ。あなたはもと優れた声楽家で、いまはビジネスの面で才能を発揮していらっしゃる。あなたのポリシーは――記事の引用ですけど――『優秀な芸術家は、どんな世の中になっても食いはぐれはない』でしたかしら」

彼は破顔して言った。

「記者ってものは、人の言葉尻をとらえるのがうまいんです。もはや僕にとっては、音楽はただ、趣味で……」

娘は西条の謙遜を途中で遮《さえぎ》った。

「あら、私、存じ上げてますのよ、あなたが東京で、指揮者として東京フィルハーモニー交響楽団と共演されたこと。たしか、モーツァルトのプログラムでしたわ」

西条は機嫌よく笑った。

「あれは一種のチャリティなんですよ。僕の素人《しろうと》芸は、話題づくりのためです」

「とんでもない。プロフェッショナルが唸ったという見事な舞台だったそうね。コンサートの収益は、ザルツブルクのモーツァルテルム財団に寄付されたんですって？」

「あそこはモーツァルトの研究機関として、つとに名高く……」

「そして財布の軽さでも有名？」

メラニーがまぜ返し、二人は、こんどは声を立てて笑った。

笑いがおさまると、彼女は言った。

「あなたは……、これも記事によるとですけれど、このメトロポリタンにも出資を考えていらっしゃるそうね。父はとても、喜んでいますの。良質の後援者は、いくらあってもいいと」

「メトロポリタンの財布は、そう軽くはなさそうですがね」

先刻の笑いそのままの明るい声で、西条が応じた。西条は、オペラハウスを支援してみたかった。もちろん表向き、社のメセナ活動は年間の予算が決まっており、運用を決定するのは寄付委員会だったが、実際には西条の意志が反映される余地は十分あるといってよかった。

メラニーの声に、少しばかり真剣味が混じった。

「あなたもご存じのとおり、メトロポリタンには民間から広く後援者を募るパトロニア・システムがあって、そのメンバーたるや錚々《そうそう》たるものです。父もそれでずいぶん、助かってます。でもオペラハウスの運営は、割のいいビジネスじゃありませんわ」

オペラの制作には、実際、見た目以上に経費がかかるのだった。主役級スターの高額ギャランティもそうだが、脇を固める歌手、オーケストラの演奏料、それにバカにならないのは装置の保管とメンテナンスにかかる費用だった。メトロポリタンの装置はゴージャスで知られていたが、演目ごとにこれだけの装置を揃えるためには、費用もゴージャスにかける必要があった。

「だから父は……」

わかるでしょうという顔で、愛想よく、メラニーは西条を見た。西条はちょっと考える顔になったが、すぐに明快な親しみを込めていま気づいたというように言った。

「そうそう、レヴァイン氏にご挨拶しなければ」

彼は、すぐにもレヴァインのほうへ歩み寄ろうとした。

「待って……」

娘は静かだが強く、西条を遮った。

「いま、あなたが父と話したら、あっという間にニュースになってしまいますわ。ここは人目が多すぎます」

「なぜです？　わが社の後援は、メトロポリタンにとっても悪いニュースではないでしょう」

「ええ、ええ、も、もちろん」

メラニーことキャサリンは、ここが大切とばかりに演技に熱を入れた。レヴァインと彼を会話させるわけにはいかない。うわずりそうな口調を、彼女は辛《かろ》うじて抑《おさ》えた。

「でも、父にはもうひとつ、プランがあるんです。じつは」

彼女は声をひそめ、あたりを憚《はばか》るように囁《ささや》いた。

「父はあなたに、メトロポリタンでも指揮をお願いしたいと考えていますの」

西条は意表を衝《つ》かれ、小さな声を唇から洩らした。「メトの」彼は繰り返し、満面を笑みでいっぱいにした。一瞬だが、少年のような表情になった。

「素晴らしい。天下のメトロポリタン・オーケストラを私に？」

「でも、残念なことに」彼女は顔を曇らせた。

「決定ではないんですの。先刻も申しましたけれど、メトロポリタンの後援者たち……とくに評議員には頑固な方々が多くて」

「そうですか」落胆が声に出た。

「がっかりなさらないで……今日は私、それであなたにお話を。一時間ほどのお時間がおありですか」

「ええ……。少しなら」

メトロポリタンの指揮をするチャンスが僅《わず》かでもあるのなら、少しばかりの時間は犠牲にできた。

「じつは、評議員の実力者の一人が、このすぐ近くで、あなたを待っているんです。お目に掛かってみたいと」

西条はためらいなく言った。

「いいでしょう。僕は数十年来、何百という人を面接してきたが、面接されるのは久しぶりだ。でも、試験を拒《こば》みませんよ」

キャサリンは念を押した。

「このことはくれぐれも内密に願います。行き先もあなたの秘書には知らせないで。評議員はデリケートな方ですから」

西条は笑った。

「もちろんですとも。社長が面接に落第したら、目もあてられませんからな」

キャサリンは安堵の息を吐き、ロビーの隅を示した。

「あちらにレヴァインの秘書がおりますわ。彼がご案内致します」

彼女が指し示したのは、ダークスーツでかしこまっているエイヴァリーだった。

エイヴァリーはタクシーを呼ばなかった。西条を促《うなが》すと、歌劇場の正面玄関を出、噴水を背に左へ歩く。

「歩くのかね」

「すみません。でも、近くですから。あなたは車をどこかに待たせていらっしゃるんでしょう」

「呼ばなければいつまでも待っているさ」

趣味の時間は、西条のほうからの合図で終わる決まりだった。

一〇〇メートルも歩かないうちに、二人はリンカーン・スクウェア・ホテルに着いた。エイヴァリーが囁く。

「いいですか。もしロビーでお知り合いに出会ったら、ここのレストランで食事を摂《と》るところだと、はぐらかしてください。ここはメトロポリタンからいちばん近いホテルですから、誰も疑いません」

「例の評議員は、ここに部屋を取っているのかね」

「クレッソン夫人ですか？　ええ、ここですとも」

エイヴァリーはフロントを素通りして、そわそわとエレベータに進んだ。彼は西条を乗せるとすぐに自分も身を滑《すべ》らせ、階上へのボタンを押した。とにかくこの客人を、無事に送り届けなければ。

エレベータは七階で停まった。

目指すドアの前に歩を進め、エイヴァリーは立ち止まった。

「ちょっと待ってくれ」

西条は渋面を作り、突然身を翻《ひるがえ》すと、急ぎ足で廊下を引き返し始めた。

「あっ、どこへ？」

エイヴァリーは慌てて西条を追う。何か落度があったのか？　どこかでミスをしでかしたのか？

一瞬遅れてエレベータ・ホールに辿《たど》りついたエイヴァリーは、思わず胸を撫でおろした。西条は鏡のある踊り場で、乱れた髪を撫でつけていた。

西条が身じまいを整えると、二人はもう一度廊下を戻り、ドアをノックした。

ノブが回り、ゆっくりとドアが開いた。

ドアを開けたのは、長身の女性だった。すらりとして、運動選手のような身ごなしは年齢を感じさせない。背筋はきりりと伸び、のびやかな脚をしていた。

彼女はサングラスをかけ、まだ一言も発していなかったが、二人を迎え入れたその一挙一動には、滑《なめ》らかだが威厳があり、アメリカで最も若く、裕福で美しい未亡人という趣《おもむき》だった。西条はその優雅なふるまいに見とれた。オペラの後援者として、彼女はいかにもふさわしかった。

「クレッソン夫人」

エイヴァリーは西条に彼女を紹介した。

「西条です。お目にかかれて嬉しい」

彼は夫人が手を差し出すのを待った。

「私もですわ」この上なく洗練された声だった。

西条が会話を続けようとするのを、彼女は身振りで遮った。彼が不審を感じる暇もなく、次の瞬間夫人ははじけるような笑い声をあげた。

彼の訝《いぶか》しげな顔を尻目に、彼女はがらりと声音《こわね》を変えて言った。

「ハロー、ボス」

西条は混乱した。しげしげと、女を見つめ直す。彼女は迷わずサングラスを外した。

「私よ」

「アディール！　なんだって君が」

西条は信じ難《がた》いといった顔で、突然に現われた女優を眺めまわした。

彼女は西条の視線をはずすと、エイヴァリーに向かって満足げに言った。

「ありがとう、もういいわ。余興は上出来よ、エイヴァリー。キャサリンとデートの続きを楽しんでいらっしゃい」

彼が行ってしまうと、アディールは西条に深い革《かわ》の椅子をすすめた。彼女は未亡人の演技をやめ、本来の性分らしく、品よく垢《あか》抜けたふるまいに戻っていた。

「ごめんなさい。あなたをびっくりさせようと思ったの」

「手が込みすぎている」彼は溜息を吐《つ》いた。

「がっかりしたよ。僕は今日は、千載一遇《せんざいいちぐう》のチャンスに飛びつくつもりだったんだ。メトロポリタンの指揮を餌《えさ》に、うまく騙《だま》されたものだ」

アディールは、彼が戸惑い、落胆するのを目にした。

「誰にも気づかれず、あなたと会って話したかったの」

西条は、大企業の社長らしい落ち着きをいくぶん取り戻してはいたが、まだ心外そうな素振りが残っていた。

「いったいどうして、こんなことをしなければならなかったんだ？　君が必要ならば、いつだって僕は会う用意があるのに」

声に苛立《いらだ》ちが混じった。

アディールは微笑みを浮かべていた。

「私が普通の方法で連絡するとしたら、秘書を通すしかないわ。あなたほどの大物なら、直通番号はあるでしょうけれど、当然のことながら、それを知っているのは限られた人だけのはずよ。少なくとも、私は知らないし、誰かに訊《き》くわけにもいかない。どこかのパーティで声をかけるにはあなたも私も目立ちすぎるし、立ち話で済む内容じゃないもの」

西条は眉根を寄せ、皮肉な口調で言った。

「たしかにね。いま僕はどこにも連絡をとっていない。こんなことは滅多にない。誘拐されたも同然だよ。そうまでして、いったい何を話したい？」

アディールは眼を輝かせて言った。

「ビジネスの話よ」

「ビジネス？　それは僕ではだめだ。残念だが」彼は手を振った。

「映画の話は、ソニック・ピクチャーズの最高責任者、ピート・クーパーに任《まか》せてある。すべての権限は、彼に委譲している。僕には何の決定権もない」

「そうかしら？　半分は信じるけれど」

「誰にマネジメントを任せるかは、大切なことだよ、アディール。彼はハリウッドきっての切れ者だ。彼の手腕は、君だって知っているだろう。君を起用してオスカーを獲《と》らせたのだって、彼じゃないか。僕は彼を全面的に信頼しているよ。もし君の用件が次の映画のことか何かだったら、彼に話すほうがいい」

アディールは遮った。

「たしかに、ボスへの直訴といったら、次の主役が欲しいとかなんとか、そんな交渉よね。しかも二人きりで？　あなたの関係者が誰も知らない場所で」

アディールは自分の自慢の脚に眼をやった。トレーニングの賜《たまもの》で、彼女の脚は非のうちどころのない曲線を保っていた。彼女につられて西条は視線をいったん落とし、慌《あわ》てて眼をそらした。

「でも違うの。そんな小さな話でわざわざ、世界のプレジデントを引っぱりまわしたりしないわ。あなたの大切な夢を罠《わな》にまでして、来ていただいたんですもの」

「その代償は大きいよ」

西条は再び溜息を吐《つ》いた。

「代わりになるものがあるとは思えないが」

「天文学的な大取引きでも？」

彼は首をひねった。

「どのレベルの？　私がいつもこなしている程度のかね」

「あなたの予想をはるかに上回ると思うわ」

アディールは彼をしっかりと見据えて言った。

「ある国の市場が、あなたの思いどおりになるとしたら……？　一二億もの人民を持つ国の」

アディールの話を聞き終えると、西条は叫んだ。

「なぜ大統領に知らせないんだ？　これは重大な外交問題じゃないか！」

彼は、小一時間に及んで意表を衝《つ》かれ続けたせいで、すっかり興奮し、いまでは荒い息を継ぎながらしか話すことができなかった。

「外交？　たしかに。でも、これはあくまでも中国に関する問題だわ。アメリカは関係ないの。もちろんこの事実を知れば、政府は飛びついてくるでしょう。中国に対しても、イギリスに対しても、これ以上のカードはないんだから」

「アメリカは、いまアジアでいちばん、中国を重要視してるんだ。日本よりもずっとね。経済的結びつきは、ますます深まっている」

「私は大統領に、イニシャティヴをとらせるつもりはないわ。あくまでも自分で仕切りたいのよ」

アディールは落ち着いて言い、西条に向き直った。

「でも、助けもいるの。だからあなたに話したのよ」

「だめだ！」

西条は首を振った。

「わかっているのか、アディール。君が持っているもの、知っていることは、それだけで爆弾のようなものなんだぞ。いいか、誰もが欲しがる情報なんだ。危険すぎる。すぐにでも国務省に電話したほうがいい」

興奮した西条は、自分自身でいまにも電話してしまいそうな口調だった。

「サイジョウ」

彼女は彼を見据えた。

「あなたは〈利益〉をアメリカに取られてもいいの?」

一瞬、西条は詰まった。

「もし国務省に電話したら、こんどは私、アメリカ政府と取引きするわよ。きっと高く買ってくれるでしょうね」

〈取引き〉という言葉が、彼に、自分の背負う巨大企業を思い出させた。

彼の会社は親米の姿勢を貫《つらぬ》いていたが、最近の彼は大統領や商務長官の相次ぐ「円高期待」発言にうんざりしていた。ドルが一円安くなるごとに、会社は六〇億も損をする。その対処に、この数カ月、いや数年来、彼はうんざりしていた。

思わず本音を、彼は呟いた。

「ワシントンのおしゃべり野郎め」

アディールは続けた。

「言ったでしょう。これはビジネスなのよ。あなたビジネスマンでしょう。大きなプロジェクトだと思えばいいのよ」

「プロジェクト……」

彼はしだいに、プロフェッショナルのビジネスマンとしての思考回路を取り戻しはじめていた。彼がいま、社長として最も欲しているのは何だったか？

——誰もいいアイデアを持ってこない。誰かいいプランを持ってないか？　次の大きな事業を探せ——つい数時間前に、自分にはそれしか頭になかった。なのに、何をもたもたしているんだ？　こんなに凄い、世紀のプランを目の前にしながら？

西条は目まぐるしく考えを巡らした。

「怖いの」

アディールが問いつめた。

「いや」

彼は一気に迷いを振り捨てて答えた。

「計算していたんだ、リスクを……そして利益を」

「リスク？」

「君は遅かれ早かれ、まず中国の諜報機関の標的になるだろう。君は、中国政府と取引きするつもりなんだろう。てっとりばやく言えば……」

「ゆする」

「そう。無事に取引きを終えるまで、中国の特務機関が黙っているとは思えない。君が狙《ねら》われることは、ビジネスとしては大きなマイナス材料だ。だが」

「獲物も大きい、でしょ」

「君の話ではたしか、こうだった。この先ずっと中国人民はわが社の製品を、政府を通して買い続けることになる。しかもわが社にとって有利な条件で」

西条の頭には、必ず来るであろうマルチメディアの時代があった。開発中の新型CD－ROM機やDVDを、大量に売りたい国の筆頭が、中国であった。

彼はアディールに、決心を告げた。

「やってみよう。五分五分《ごぶごぶ》だが……。君の言うように、まず」

「先手を打つのね」

「そう。私は香港へ行く」


――遡《さかのぼ》ること二〇年、アディールは幼い頃に一度会ったきりの祖母の死を、新聞の小さなコラムで知った。

祖母は、ある意味で有名だった。アディールが、父と二人きりで暮らすことを、半ば強《し》いられたのも、祖母と母の生まれついた東洋の有名な家系のためだった。父は、そうとは知らずに、東洋人の娘と、ごく普通の恋に落ち、娘は、アディールを身籠《みごも》った。

だが、二人の結婚は、許されなかった。祖母を含めた母方の一族は、やむを得ない理由で祖国からニューヨークに移住をして来ていたものの、アメリカ人にはなってしまいたくなかった。家系の中に、異人種の血を受け入れたくなかったのだ。祖母の二人の姉妹も、この結婚を強硬に反対した。

父は、この事態を、当初、さして重大なこととは受け止めていなかった。父のほうには、東洋の娘だからと結婚に反対するような係累はなかった。孫が生まれてしまえば、頑《かたく》なな祖母の気持ちも解《ほぐ》れるだろうと、楽観的に構えていたのだ。

が、事はそう簡単ではなかった。父にすれば、唖然《あぜん》とするような出来事だった。たかが一組の国際結婚に、政府が――アメリカ政府が、介入してきたのだ。彼らもまた、この結婚を闇に葬《ほうむ》り去ろうとした。

アメリカという国にとっても、母の一族は微妙な存在だった。とくに、アディールの生まれる前後は、アメリカはこの一族と一定の距離を置きたい時期だった。一族の一人が、アメリカ人と縁を持つことが、センセーショナルに取り上げられるのではないかと、政府は恐れていた。

父は、彼らの出してきたプランから、最も穏当な一案を選ばざるを得なかった。公《おおやけ》な婚姻はしない。――代わりに、母に子を産ませ、自分が引き取って育てる。定められた機会以外、母とは会わない。――それを徹底するため、父は、母の知らない場所で、名前を変えて暮らすことになり、証人保護プログラムに準じた扱いで、新しい身分と家を得た。

アディールは、物心つくまで、自分が東洋系のハーフであることにさえ気づいていなかった。父のやもめ暮らしを、単なる事実として受け入れ、父が再婚しないのは自分を可愛がってのことだと信じていた。小さい頃から彼女の美貌は際立っており、人をすっかり魅了してしまう才能も与えられていたため、愛されることに自信があったのかもしれない。

ただ、家のなかは、東洋的な文物に満ちていた。紫檀《したん》の家具や屏風《びょうぶ》、龍文《りゅうもん》の扁壺《へんこ》、染付や青磁の壺や皿、玉器《ぎょっき》。後から思えば、母を思うよすがに父が集めたのであろう東洋の美術品に、幼いアディールは陶然と見入った。黴《かび》と香料の入り混じった香り、思わせ振りで不思議な起伏を持つ紋様のなかを、思うまま彷徨《さまよ》った。

その記憶は、彼女に、もう一軒のある家を思い起こさせた。彼女自身の家と同じように、沈んだ黒い家具のなかに、深い赤や褪《あ》せたような緑が散らばった、大きな屋敷。大きくなるまでに、彼女は父とともに何回かその家を訪れた。そこには、美しい女の人が住み、彼女たちを暖かく迎えてくれる。夜になると、アディールはいつも、屋敷の一郭にある映写室に連れて行かれ、映画を観《み》ながら眠りにつく。子ども心に、その家へ行くのが何より楽しみだった。

屋敷に住む女性が、自分の母であることをいつ知ったのかは思い出せない。が、その事実は、アディールを、もうひとつの現実といやおうなしに向き合わせることになった。自分のなかに、東洋の血が流れているという、動かしようのない現実に、アメリカ人として生きてきた、アングロサクソンの外観を持つ少女は戸惑い、悩んだ。マイノリティに向けられた、いわれなき軽視と興味本位の視線を、昨日まで向ける側だった少女が、ある日を境に向けられる側に落とされた――、そんな思いが生まれて、素姓《すじょう》をひた隠しにせざるを得ない状況をつくった。父を、恨《うら》んだ時期もあった。

しかし、自分でも驚いたことに、母がひどい病気にかかって世を去り、頼りの父も彼女が十六歳のときに夭折《ようせつ》してしまうと、アディールのなかで、東洋系であるというアイデンティティが頭をもたげ始めた。その頃、彼女は女優として成功することを夢見ていたが、芸名を名乗るときから、あえて東洋系であることを明らかにしようと誓ったのだ。

父が死ぬと、祖母は、アディールを家に呼んだ。祖母と顔を合わせたのは、後にも先にも、そのとき限りだった。その頃には、母の一族は世間に忘れ去られかけ、政府も警戒を解き、歴史の一部として埋もれようとしており、祖母も、祖母の姉妹も八十歳を超《こ》え、アディールの母に酷な運命を強いたことを悔いていた。祖母は一族の物語をアディールに余《あま》さず語り、彼女を手元に置きたいとも言った。が、アディールは一人で暮らすことを選んだ。

女優になるには、一族の名は重すぎる。アディールは、一人の東洋系の女優としての成功を望んだ。

彼女は、東洋ふうに名を変えてデビューした。が、仕事はさっぱりだった。アジア系俳優がつきあたった人種の壁に、彼女もまた、何度も阻《はば》まれた。アディールの生来の、輝くような魅力は、そのたびに曇った。

失意の彼女は、ヨーロッパに渡った。

そこで、彼女は突然に輝きを取り戻した。

アメリカに帰国したときは、東洋系の名を、芸名から外していた。髪をブラウンに戻し、こんどは素姓を隠して再び映画界に現われた正統派の美女を、世代の交代したハリウッドは、遅れて来た新人として華々《はなばな》しくもてはやした。

　とはいえ、東洋系であることへのこだわりは消えたのではなく、かえって膨《ふく》れあがっていた。胸に秘めた野望が、これまでにない謎めいた光を彼女の瞳に加えたために、表情に深みが増していた。女優は胸の奥で、ハリウッドを見返すことを決意していたのだ。自分には、それが不可能でないことを知ったとき、彼女は初めてハリウッドを見下《みくだ》すことができるようになっていた。自信は仕事を呼び、アディールはスターダムを駆け昇った。

　だが、彼女にとって、この成功は偽《いつわ》りの自分に与えられた偽りの栄光にすぎなかった。

　アディールは、もっと大きなものを望んでいた。自分のなかの血が――一族の血が、あれと引き合ったのかもしれないと、彼女は思った。

　――たとえ、危険でも。

　アディールは、それだけは変わらずに黒い瞳を、燃えるように輝かせた。

　――この取引きは、成功させなくてはならないのだ――是《ぜ》が非《ひ》でも。


〈チャーリー〉は、手にした拳銃に目を落とした。弾丸が撃ち尽くされ、弾倉は空《から》になっている。続いて、冷たい眼が的《まと》を一瞥《いちべつ》した。標的は、明らかに死んでいる――はずだった。

　肉体と精神のすべてが、急速に往時の動きを取り戻していることを、的は証明していた。人型に刻まれる弾痕は、しだいに致死部分に集中し、いまでは滅多なことでは狙《ねら》いを逸《そ》れない。

自分が申し分のないコンディションに近づいていることを意識すると、また、アドレナリンが上がり、チャーリーの脳裏《のうり》に、女の顔が点滅した。

その顔を思い出すと、チャーリーは言い知れぬ嫌悪感に襲われた。あの女の名だけが、素姓だけが、まだ思い出せない。死の瀬戸際で自分を見捨てた女。一〇年の歳月を〈チャーリー〉から奪い、のうのうと逃げのびたあの女の顔。流れるようなブロンド、透明な肌。女を見つけ、その美しい顔を恐怖で歪《ゆが》め、醜く塗り込めてしまいたい。

そして、あの文書――！　彼女が持ち去ったに違いない、あれをもう一度目にしたい。再び、この手に戻して……。

と、電話が、けたたましい音を立てた。

「チャーリーか」

「イエス・サー」

くぐもった声は、イギリス外務省の高官だった。彼は、チャーリーの短い返事を聞くと急に声高《こわだか》になり、性急に続けた。

「チャーリー、われわれが目指す〈女〉は、やはり、いたぞ！」

意表を衝《つ》かれ、チャーリーは思わず声を洩らした。

「どこで――どこで見つけたんです!?」

「いや、その顔や名前は、もちろん所在も、まだわからない」

高官は、いったん声の調子を少し落とし、それからまた抑揚を上げた。

「しかし、その〈女〉、そして、われわれの〈文書〉が存在することだけは、はっきりした。われわれは……われわれにはまだ、奪回のチャンスが残っている！」

高官の声は、〈文書〉と〈奪回〉というところで、甲高《かんだか》く裏返っていた。

チャーリーは驚いた。

「〈文書〉もですか？　どうして、それがわかったんです？　それに、そこまでわかって女の顔と名前がわからないとは……？」

「対情報工作の成果だよ、チャーリー」

高官は、自慢げに言った。

「情報源は、中国の上層部に潜入している、われわれの工作員だ。その人物の情報によれば、中国首脳が、香港に関わりの深い件で、国家的規模の脅迫のターゲットになっているらしく、脅迫者は女性だそうだ。残念ながら、その人物の立場では、いまのところ、それ以上詳しいことは知り得ない。女が誰なのかも、脅迫の内容も、知る立場にない」

「香港？」

チャーリーは、オウム返しに繰り返した。

高官は、自分が口をすべらしたことに気づいた。チャーリーは、文書の内容を知らないはずだった。もちろん、火災のときに文書の中身を目にしていないと仮定して、ではあるが。

高官は、あわてて取り繕《つくろ》った。

「例の文書は、香港関係のものだったのだよ、チャーリー。われわれとしては、潜入者がもたらしてくれた情報は、一〇年前の火災と関連があるに違いないと睨んでいるんだ。いや、関連どころか、一連のものだと。そこで、私としては、君に香港に行ってもらいたい。香港にいるわれわれの仲間とコンタクトを取り、女の正体と文書の所在を突き止めてほしい。とにかく、早急に——すぐにでも香港に発《た》ってくれ」

心の逸《はや》りは、チャーリーもまた、同じだった。あの女を追いつめる……ちらりと見えた尻尾《しっぽ》を、逃しはしない。世界の涯《はて》まで、追って、追って……チャーリーの切れ長の目は、残忍な興奮で、異常なまでに血走り、輝いていた。

第2部

集結

―香港（ホンコン）

侵入

一九九三年――。

ロンドン・ヒースロー空港の出発ロビーに、沢木喬の姿があった。

沢木の帰国は、予定よりも早まっていた。任務に関する新しい情報が、東京の本省に入り、その検討のために、急遽、呼び戻されることになった。

タリアに頼まれた事件を、調べる余裕がなくなったのが、彼には心残りだった。

「例の件は心配するな。あとは、俺が調べて報《しら》せる」

見送りに来た巌谷克巳《いわたにかつみ》が、沢木の肩を叩いた。沢木より省歴が二年長い巌谷は、イギリス大使館に配属になって三年目だった。

沢木は、タリアから聞いた事件の一部始終を、駐英大使に報告していた。事件にゴルトシルト家が絡《から》むことを知ると、大使は正式な調査を、業務として巌谷に命じた。実直で辛抱《しんぼう》強い巌谷は、調査能力を高く買われており、その意味では、沢木も心強かった。

「名前がわかっている事件関係者を探し出して、会ってみるよ。それから、イギリス外務省に当時どんなメンバーがいたかは、こちらもリストを持っているから、どのメンバーが事故に巻き込まれたかも、遠からず割り出せると思う」

「助かります。それから、タリアの病状もときどき教えていただけませんか」

巌谷は、任せろというようにうなずいた。タリア・キーファのことも、沢木は彼に話していた。

「飲みものでも買ってくるよ」

考え込みがちな沢木の気を変えようとして巌谷は、席を立った。

一人になると、沢木は、ふと、背後に誰かの視線を感じた気がした。

気になって、振り返ろうとしたとき、聞き覚えのある声がした。

「やあ」

アラン・ウィルトンだった。オクスフォードの級友で、顔を見れば、お互いに声はかけ合うといった程度の仲だった。アランは、大きなスーツケースを持っていた。

「君もこの便に乗るのかい、サワキ？　日本への帰国って、今日だったのか」

「そうなんだ。君は、日本に、旅行？」

「いや、じつは……留学するんだ」

アラン・ウィルトンは、アメリカ人で、オクスフォードにも留学で来ていた。長い金髪を後ろで束《たば》ねた、カジュアルな服装のアランは、気楽なヤッピー学生そのものだった。

「イギリスは、もう、沢山だよ。食事のひどさには、辟易《へきえき》したね」

アランは、アメリカ人らしい、大袈裟《おおげさ》なボディ・ランゲージをしてみせた。

「日本は、グルメの天国だそうじゃないか。楽しみにしてるんだ」

「どこの大学に？」

「もちろん、東京大学」

彼は、こともなげに言ってのけた。

「六本木《ろっぽんぎ》というところに住む予定なんだ」アランは言った。「そうだ、サワキ。君、街を案内してくれないか」

サワキは首を横に振った。

「ぼくもしばらく、日本に帰ってないから、勝手がわからないよ。それに、帰国したら忙しくなりそうなんだ」

「そうか」

あまりがっかりした様子はなかった。

「じゃ、ガールフレンドを紹介してくれない？　それなら、いいだろ」

沢木は苦笑しながら、うなずいた。日本での落ち着き先を書いたメモを沢木に渡すと、彼はあっさりと自分だけ、搭乗チェックに向かった。途中、振り向いて、アランは言った。

「外交官ってノーチェックなんだろ？」

沢木は、肩をすくめた。

巌谷が、息を切らして戻って来たのは、そのときだった。新聞を振りかざしていた。

「これ……これ！」

興奮のあまり、彼の顔は赤らんでいた。

「売店で買ったんだ。心臓が口から飛び出しそうになったよ」

『ザ・タイムズ』最新版の小さな囲み記事を、巌谷は示した。

〈女性外交官のフィアンセ〉という見出しの文字が、目に飛び込んできた。

〃日本で、最も有名な独身男性と、めでたく婚約を相 整《ととの》えた女性——外交官〃

まさか?

沢木の視線は、紙面のある一点に釘《くぎ》づけになった。

姓……そして、名。

驚きのあまり、声が出なかった。それは、沢木のライヴァルだった同僚女性の、あまりにも聞き慣れた名前だった。

「——信じられないな。俺、自分の目を疑ったよ」興奮さめやらぬというように、巌谷は言った。「でも、彼女なら適役だ。いや、彼女以外には選択肢がなかったんだ」自分に言い聞かすような口調だった。「大使が、あの子は結婚して辞めると言っていたのは、このことだったのか」

「——結婚退職、か」沢木は、またライヴァルに、今度はパーフェクトに出し抜かれた自分を感じながらも、彼女の度胸に、完全に脱帽していた。全く、眩《まぶ》しい女性だった。彼は呟《つぶや》いた。「おそらく、今世紀でいちばん価値のある結婚退職ですよ——おめでとうと、ぼくらは言うべきなんです」

ダナ・サマートンは、地上を見下ろしながら移動していた。いい気分だった。ヴァージン・エアラインのアッパー・クラス・シートには及ばないけれど、とダナは思った。

「二階建てバスも、なかなか捨てたものじゃないわね、ウォン」

黄永富《ウォンウインフー》は、上機嫌だった。香港は、いつもどおり、賑《にぎ》やかだった。交錯する路地が見え隠れし、広東語《カントン》と英語が混沌と溶け合って並ぶ看板が、それでなくても店で溢れた街を必要以上に込み合って見せていた。ウォンはこの光景が見たくて、地下鉄を止《や》めにしてバスを選んでいた。

久し振りに戻って来た香港の空気に、彼はすっかりほろ酔い加減になっていた。九龍《ガオルン》側を走るKMBのダブルデッカー・バスは、二年前と何も変わっていない。赤とクリーム色のツートン・カラーの車体も、車体の脇にペイントされた極彩色の広告の派手さ加減も、ウォンが故郷を後にしたとき、そのままだ。二人はバスの二階のいちばん前に陣取っていた。まるで観光客気取りだ、とウォンは思った。ともすれば浮かれがちになる自分を、ウォンは不思議に思った。やっぱり、僕はこの街が好きだったんだな。

ダナとウォンは、啓徳空港で落ち合っていた。ダナはワシントンから、ウォンはトロントから。メイミの話では、彼が今回の取材の〈信頼できる〉助手を務《つと》めるということだった。〝香港のムービー・スターに似てるの〟とメイミは言った。ダナは、啓徳空港の到着ホールで、カンフー・マスターのジャッキー・チェンが自分に向かって手を振っている光景に出くわした。本物よりも、胸板はだいぶ薄いようだけど。

挨拶代わりに、彼女は言った。

「カラテ、できるの」

「もちろん。ただし、型だけね。でも、真似《まね》には年季が入ってるよ。なにしろ、ジャッキーがデビューしてから、もう二二年目なんだから」

本物同様の下がり目で笑いながら、彼は答えた。

極彩色の看板が、バスの頭上すれすれを、飛ぶように流れていく。ぶつかるはずもないのに、ダナは首をすくめた。

「三十六計《サムサップロクガイ》、走為上策《ヂャウワイソンチャー》」

ウォンは小さく呟いた。

「何て言ったの」

ダナは訊ねた。

「三十六計、逃げるに如《し》かず、さ。天安門事件の後、香港仔《ヘンコンチャイ》は、皆、こう言っていたよ。本当は離れたくなかったけど、そうするほうが賢明に思えたんだ。返還後は、中国が、香港を大掃除してしまう可能性があるんだからね。考えてもみてほしい——僕たちは、生まれてこの方、資本主義の真《ま》っ只中《ただなか》で育ったんだぜ。世界中のどこよりもガラクタだの、お宝だのがごちゃまぜに積まれた街でね。怖くもなるよ……ルールのまるで違うゲームを強要されるとなれば。だから……だから、僕も逃げ出したのさ」

ウォンは、スタンレー・マーケットで、羽毛のジャケットを買い込んだ二年前のことを思い出した。彼の移住先のカナダは、雪に埋もれていると聞いていたから。彼はその年、カナダで、初めてのホワイト・クリスマスを体験した。

「でも、中国は、一九九七年になっても、そのあと五〇年は香港の資本主義を維持するのでしょ。一つの国に社会主義と資本主義を認めて『一国家二制度《ヤコッカイーチャイトウ》』を行なうと」

「発音がいいね」

「え」

「いや、君の広東語さ。まるで土地っ子みたいだ。君の髪は……黒っぽいし、小柄だし、こっちの人間みたいだと思って。まあ、ちょっと手足が長すぎるけど……」

ダナはウォンをいつの間にか饒舌《じょうぜつ》にしていく香港の街を、やっぱり不思議だと思った。

「『一国家二制度』はたしかに約束されてるけれど、あの国、つまり中国ってとこは、頭と手足がバラバラなんだ」

「つまり、言ったこととやることが合ってないってこと？　だからカナダに行ったの？」

「何が起こっても自由に暮らすためには、僕たちは、自分で自分を保障するしかないからね。カナダには香港系の仲間が、たくさんいる。トロントの人口の一〇パーセントくらいはいるんじゃないか。チャイナタウンは五つあるから、味のいい中華料理を選べる。いいかい、選べるってとこが大事なんだぜ」

ダナは思い出した。

「あなた、コンピュータ技師なんでしょ、ウォン。メイミがそう言ってたわ。香港では、会計士とかコンピュータ技師が、海外に頭脳流出しているって、本当なのね」

「実際はそんなことないさ。カナダにだって僕たちは、定住するとは限らないんだから。世界のいたるところに、チャイナタウンはあるからね。それに、英語圏でも僕らはじゅうぶん、やっていける。アメリカ、タイ、日本、オーストラリア……香港に帰るかもしれないし。事実、僕はカナダでまだ市民権を得てないんだ」

「どうして」

「移住して、三年間、カナダ国内に住まないと市民権は手に入らない。僕がカナダに行ったのは天安門事件のあった次の年の終わりだから、まだ取れてないんだ。それに、最近の中国の開放政策を見てきて、帰るのも悪くないな、と思ってる。香港のコンピュータビジネスは、すごい活況だからね。ビジネスをするには——それがどんな商売でも——、香港ほど面白いところはないよ。本当は帰りたいんだ……僕も」

ウォンはそこまで言うと、バスの窓枠の上を這《は》っている黒い帯を押した。いいタイミングで、目的地がもうすぐそこだった。なるほど、香港仔は機を見るに敏、というわけね……ダナは彼に促《うなが》されて、バスを降りた。

「ここが、いま、香港で日本人にいちばん人気が高い街なんだ。中環《セントラル》や、尖沙咀《ツイムシャツオイ》のように観光客向きではないけど」

ウォンは、あたりを見回しながら言った。香港のほかの街と同じように、深水埗《シエムソイポ》も、色に溢れていた。どこから手をつけていいのかわからない路地の奥行き。

「まったく謎めかしているったらありゃしない」ダナが言った。

「何かを隠すには、このほうが都合がいいことは確かなんだ——もっとも、表向きだって、いかがわしいことに変わりはないけどね。なんたって、ここは、偽コンピュータのメッカなんだから」

ダナは表通りの看板を一瞥《いちべつ》した。『電脳購物中心』『電脳市場』『香港電脳有限公司』——。店を覗くと、日本の秋葉原《あきはばら》のように買物客で賑わっている。

「なるほどね。ここでは〈ご立派な〉商品を扱ってるというわけ？」

「そう。アップルやIBM、富士通の製品にそっくりのイミテーションだ。外見はいろいろだけど」

「中身は同じ。中はみな、真似《まね》したのね。許可を得ないで——つまり、違法に」

「ここでは、一〇〇軒の店で、一〇〇種類の『アップル』そっくりのコンピュータが買えるんだ。値段は本物の、三分の一か四分の一、だね。ソフトだってよりどりみどりだよ。無許可のコピーものもいっぱいあるけど。ソフトやハードを作る天才は、アメリカよりも香港に多いとさえ言われているんだ。しかも、天才はこういった『ブラック・マーケット』でビジネスをしているケースが多いのさ」

言いながら、ウォンは込み入った路地をどんどん、奥へ進んだ。

「あなたの友達も、その一人なの？」

「少なくとも、メイミから頼まれたことをやれるのは、彼だけなんだ。僕たちは、上海香港銀行のコンピュータに侵入する。それがメイミと君の目的なんだろう？」

「目的はあくまでも、取材よ」

ダナはきっぱりと言った。

「たしかに――ハッキングは、あまり褒《ほ》められた行為じゃないわ。でも、私達は、それによってある資金の流れを、スクープできるのではないかと考えているの。不正な資金を」

わかっている、と言うように、ウォンがうなずいた。

「ねえ、念を押すようだけど、そのあなたのいわゆる『天才の友達』って、本当に上海香港銀行のコンピュータに入り込めるの？　そんなに簡単にいくのかしら」

ウォンは、それには答えず、さらに路地奥へ進んで行った。ある古いビルのエントランスで、彼は立ち止まった。ほかのビル同様、冴《さ》えないくすんだ壁と、ひび割れた窓。どうやって目当てのビルだと見分けるのか、考えもつかなかった。建物と同じように古ぼけた、蒸し暑いエレベータ。ウォンは、迷わず九階のボタンを押した。

「降りて驚くなよ」と彼は言った。

ダナは、その忠告に従うことはできなかった――あまりにも驚いたので、一瞬、彼女はウォール街で最高に儲かっている証券会社のオフィスに迷い込んだ気がしたほど――そこはモダンなオフィスだった。

スクリーンのように大きなディスプレイが正面の壁に埋め込まれ、部屋の中央には六角形の大テーブル。六つの席にもそれぞれ、コンピュータのハード機器が設置されている。さらに左右に弧《こ》を描くように壁があり、弧の緩《ゆる》やかなカーブに沿って、テレビ局の編集室のように画面が並んでいた。

「ようこそ、ウォン、そしてミス・サマートン」

ボイス・チェンジャーを通したような、機械的な音声がフロアに響く。

正面のディスプレイのなかに、カラフルなアニメーションの操《あやつ》り人形が登場した。音声に合わせて、人形は、まるで人間そのものの動作で、礼儀正しくお辞儀をした。ダナは、ディスプレイの前の男に気づいた。彼が頭を下げると、画面のなかの人形も、まったく同じように頭を下げる。彼は、こちらに向かって歩いて来、画面上の操り人形も彼にぴったり歩調を合わせて歩いて来る。彼と人形が、同時にダナに握手を求めた。

「遠くからの方はいつでも歓迎です。遠くからの美女は、なおさら」

一見して、奇妙な男だった。ロック・ミュージシャンふうに短髪を逆立《さかだ》て、頭髪は部分的にブロンドに染めている。耳にはピアス、パープルのシルクシャツを胸元まではだけ、金のペンダントをぶら下げていた。しかも、そのペンダント・トップが問題だった。ゴールドのリング。ダナはこのペンダントに関するコラム記事を覚えていた――同性愛の男性が、セックスの際にある部分に使用する愛の輪。要するに、典型的なホモセクシュアルふうのいでたちだ。しかも、頭と手足につけた器具から、細長いシールド・コードがコンピュータ機器に延びている。人間がエレクトリック楽器にでもなったかのようだった。

「相変わらず、コケ威《おど》しだなあ」

のんびりした口調で、ウォンが言った。ダナに向かって、彼はこの光景に説明を加えた。

「ヴァーチャル・リアリティだよ。彼はこの装置を使って、自分がコンピュータのなかに実際に入っているような錯覚を味わうんだ。高度なシミュレーション体験さ。いまはこれに凝《こ》ってるのかい、ラオ」

劉日月《ラオヤアユツ》は、しなやかな長い指で、体からコードを外しながら、丁寧な物腰で答えた。手つきに性的な艶《なま》めかしさがあった。

「顧客サービスですよ。この部屋は、僕たちのショー・ウインドウなんです。コンピュータの世界にようこそ、と」

「そしてアピールするんだろう。商談は高くつきますよ、と。聞くところでは、だいぶ景気がいいらしいな」

ラオは女のように媚《こ》びた含み笑いをし、そのあでやかな表情に、ダナは見とれた。

「大陸のほうからのお客さまが多くなりましてね。ご存じでしょうが、われわれのような東洋の人間は、特許だの、商標、著作権だのといった感覚には、馴染《なじ》めないんですよ。倣《まね》ぶことはすなわち、学ぶこと……模倣は美徳なのです。ハード、ソフトからディスク、マニュアルに至るまで……細かい点までそっくりに、私達は取り揃えています」

「ここのヒット商品名を聞きたくないかい、ダナ。あきれるよ。『アップル』ならぬ『パイン・アップル』なのさ」

ウォンが混ぜかえした。

「アメリカにも売っているんですよ」

ラオは誇らしげに言った。

「でも、どうやって輸出するの？　中身をチェックされたら、コピー商品とわかってしまうでしょ」

微笑むだけのラオをよそに、ウォンが答えた。

「バラバラに送るんだよ。ほかの専門機器、例えばファクトリー用の工作機械なんかに、部品を分散して出荷するんだ。表向きはスペア用の部品として送ればいい。そして、現地で組み立てれば、はい、出来上がり」

「あんまり内情を洩《も》らさないでくださいよ、ウォン。もし、あなたかダナがFBIの囮《おとり》捜査官だったら、私はIBMに告発されてしまう」

「君が騙《だま》しているのは、IBMだけじゃないだろう、ラオ。コンピュータだけじゃない。家電製品の回路基盤の製品技術を盗み出し、家電のヒット商品なんかも作って……」

「真似を悪く言うのは、西洋流のご都合主義なんですよ、ウォン」

ラオは澄ましていた。彼はフロアを見回して言った。

「ここは落ち着かない。小部屋のほうで、お話を伺いましょう」

「あなたのスタッフたちは、どこで仕事をしているの」

人気《ひとけ》のないフロアに気づいて、ダナが言った。

「この奥で。いくつかのチームに分かれて課題と取り組んでいますよ。それに、分室がいくつか、香港島のほうにもあるんです」

　ラオは二人の客を案内しながら言った。

　彼の部屋は、最上階に中庭ふうに作ったライト・コートに面していた。庭の明るさだけが部屋を照らす。木陰を通った柔らかい日差しが、シルバー・メタリックの低いテーブルに緑のシルエットを映《うつ》していた。テーブルには格子《こうし》状に青竹が組まれ、さらにその上に、黒漆《くろうるし》のプレート、そしてアンティークの中国陶器のランチ・セット。テーブルの中央には、朱塗りの、やはり漆の箱に紙を敷き、砕《くだ》いた氷でシャンパンとペリエが冷やしてあった。

　ラオは、バーから点心の盛り合わせと温かい普洱茶《プアル》をしずしずと運び、二人に勧《すす》めた。

「まず食べる。それから話す。それが中国系の人間のルールです」

　話が本題に入り始めたのは、ダナが蒸粉果《ゼンファンユ》と粽子《ツオンツ》、糯米《ヌオミー》焼売をたっぷり食べ、ウォンがはしたなくも排骨《パイクー》にかぶりついている頃からだった。ダナは言った。

「銀行は……一般的にですけど……都合の悪い記録でも、残しておくはずよね」

「それは、そうです。どこの銀行だって、清廉潔白《せいれんけっぱく》な取引きばかりじゃないでしょう。とくに香港では。たとえ不正な流れの金でも、収支計算は必要ですし、また、取引きの相手への証拠ともなりますからね。そういった取引きは、つねに同じような相手と繰り返されていくものですから」

「記録は、例えば……コンピュータで管理しているかしら」

「可能性はありますね。あまり古い記録――例えば三〇年、五〇年――になると、紙のまま保管しているとも考えられますが」

「ラオ、あなたは……ウォンによれば……そのような記録を見つけ出す天才だそうね」

ウォンが排骨の肉汁を拭《ぬぐ》いながら口を挟んだ。

「まさしく仕事だよ……プロフェッショナルの」

ラオは嫣然《えんぜん》と笑った。

「あなた方は、コンピュータ・ハッキングをお望みなんでしょう？　それも、上海香港銀行《ソンホインヘンコンガムハン》の資料をご希望？」

「できるかしら」

「さあ――？」ラオは焦《じ》らすような口ぶりで言った。「銀行への侵入は、とても難しいんです。ミス・サマートン。あなたは、ハッキングからまず、何を連想します？」

「そうね――パソコン、それから、電話回線かしら？」

ラオは、意を得たり、というようにうなずいた。

「通常、ハッカーは、電話回線を通じて、目指すコンピュータに侵入します。だからこそどんな遠方からでも、お目当ての機関に侵入するものが出てくる。ドイツのハッカーが、日本のある研究機関のコンピュータで、ファイルを自在に閲覧していたという例などですね。回線を通じて、じつにさまざまな機関にアクセスできます」

彼は、いままでの『戦績』を密《ひそ》かに思い出した。国際秘密警察、アメリカ国防総省、ハリウッドの高級エスコート・クラブ、任天堂……それに、マスコミの多く。長距離電話ネットワークは、妖精ウェンディのように、ラオを遙かな空の高みに誘った。なんと素晴らしい遊び！

「しかし、今回の場合は、すでにここから難関が待ち構えています。上海香港銀行のコンピュータ・システムは、専用回線を使用しているんです。回線がクローズされており、外からはけっしてアクセスできないんです。さらに、仮に内部からアクセスしたとしても、どの行員がどのデータにアクセスして、どんな操作をしたのかという記録を残すようにシステム化されていて、下手《へた》に動けないようになっています。そのうえ、問題は……」

「まだあるの？　ちょっとした障害レースってところね」

「最後にはいつだっていちばん高い障壁があるんですよ。もっとも重要なのは、その秘密資料のファイルを開くことのできる人間のパスワードを知ることです。銀行内でも、そのファイルを閲覧できる人間は限られているでしょうから。一人から、多くて三人……」

「頭取と副頭取ってとこかしら？」

ダナは溜息を吐《つ》いた。

「まさか、その人達が『はい、どうぞ』とパスワードを教えてくれるわけないわね」

ウォンが、クスリ、と笑いを洩らした。

「それなら、こうしたらどうだい？　アルファベット文字の順列組み合わせを、端から順に試《ため》すんだ。六桁《けた》なら、最初は、ＡＡＡＡＡＡ、次は、ＡＡＡＡＡＢ、ＡＡＡＡＡＣ……、六桁が駄目なら七桁……」

「バカにしないでよ、ウォン。そんなの、よほど運がよくない限りあたらないわ」

「僕はそれを試しに計算してみましたよ」とラオが言った。「アルファベットの大文字と小文字の両方を使った、六文字のパスワードを、仮に二〇秒に一回の割で試すとすると、すべての組み合わせを試すまでに一万二五〇〇年かかりますね。もっとも、自分で試す必要はない。コンピュータがトライしつづけてくれます」

ダナは肩をすくめた。

「もっと簡単なのはないの。せめて、生きてるうちに終わるような」

ウォンが、また笑いながら言った。

「こんなのはどう？　とくによく使われるパスワードだけを選んで、試してみる——だいたい、コンピュータのユーザーは、自分も覚えやすいキーワードを使うものなんだよ。簡単で、絶対忘れない短い単語——Love, God, Hello, Secret, System, Sex, OK, Alpha, Beta, Work……それに、車の名前やファーストネームを四〇〇種類くらい、それをコンピュータにインプットして、順に試させる」

「ロック・グループ名や花の名も忘れないで。会社名も」ラオがつけ加えた。

「と、言いたいところだけど、これも駄目だ」ウォンが言った。

ラオがうなずく。

「そう。これはハッカーの初心者がすることなんです。うまくいくこともある。実際に、警戒心の薄いシステムへの侵入は、これで入れる可能性はあります。運がよければ、数時間から、数日のうちに。でも、銀行は違う。セキュリティ・チェックが厳しいですから。ユーザーが何百回もパスワードを入れ損《そこ》ねたら、オペレータが気づく。何回か間違ったパスワードを入れると、通信が打ち切られるシステムもあります」

ダナはがっかりした。

「じゃあ、どうするの？」

ウォンがからかうように言った。

「君のお色気作戦でいくしかないかな？　お歴々が、思わず目を回すような」

「それはいいですね」ラオが目を細めた。ダナは胸のなかで、こっそり呟《つぶや》いた。お色気なら、ラオのほうが私よりあるみたい。ほっそりして、よくしなる竹のよう。

「それでうまくいくのなら、こちらにお邪魔してないわ……そうでしょう、ウォン」

ウォンは首を振った。

「もう少し、先を聞こうよ」彼はダナの茶碗に、新しいお茶を注《つ》いでくれた。ラオが続けた。

「いま、ウォンが言ったこと……それは、私が思っている計画と、さほどかけ離れていないと思います」

「お色気作戦のこと？」

「ええ。ハッキングというのは、コンピュータだけを相手にしていては駄目です。機械は頑固で正確無比、そして疲れを知りません。つまり、つけ込む隙は少ない。ただし、隙が皆無というわけではありませんよ。その頑迷さ、融通の利《き》かなさを逆手《さかて》に取ればいいんです。これには、テクニックが必要ですが。それに比べて、人間って奴は脆《もろ》い、つまり、大いにつけ込み易《やす》い面がありますから、やさしいテクニックで胡魔化《ごまか》せます。ハッカーの作業の多くは、じつを言えば人間の盲点探しなんです」

ダナはまた、胸の裡《うち》で呟いた。ラォは天才ハッカー……ということは、彼は人を胡魔化す天才ということなのね。

ラォは〝デジタル式夢の空中楼閣〟にまたもやこっそりと侵入することを考えると、恍惚となった。彼は立ち上がり、バーまで歩くと、食後酒を手に戻って来た。

「私の計画を……検討してごらんになりますか」

ダナは、一も二もなくやってみると答えたかったが、まず報酬を訊《たず》ねてからだ、と思い直し、思い切って口を切った。

「こちらの予算は……」

ラォはすばやく、彼女を制した。

「お考えの予算で結構。それに、私は成功報酬しか受け取らないんです。コピー商品のほうで、かなり利益が出ておりますし」

柔らかなラォの笑顔を見て、ダナは、私も胡魔化されてるんじゃなければいいけど、と思った。この美男は、絹のように滑《なめ》らかでつかみどころがない。味方のようでもあり、途方もない裏がありそうでもある。しかし、彼女には是非《ぜひ》もなかった。

ウォンを横目で確かめると、彼は承諾の返事を促すようにうなずいた。ダナはそれに励まされて、言った。

「私は、どうしてもこの件を取材したいし……仮に失敗したとしても、失うものがないというのであれば、お願いしないほうが嘘でしょ？」

ラオは、蓮《はす》の花が開くようにニッコリと笑った。

「これで決まった。もちろん、あなたがたにも、計画の実行に協力していただきます。三段階の障害を、うまく乗り越えましょう。まず、専用回線のなかにはいり、ユーザーの行動記録——ユーザー・ログと言います——を胡魔化し、重要人物のパスワードを知る。そうすれば」

「ファイルは開かれる」ウォンが呟いた。

ラオは楽しそうに訊《き》いた。

「しかし、いったい何が入っているんです？　上海香港銀行の極秘ファイルに？」

ダナは言った。

「たぶん……たぶんとしか言えないけれど、それは、ある組織にとって、かなりのダメージになるはずなの」

「ＣＩＡ——ですか？」

沢木は、電話口で、思わず声をあげた。

「そうだ」

電話の向こうから、巌谷克巳の、やや緊迫した声が流れて来た。

本省に戻って、まだ帰国の挨拶もすませていないその矢先に、イギリスから、その連絡は、沢木を追って来ていた。

一〇年前の火事の調査報告ではないと、巌谷は言った。それよりも、急を要する件ということだった。

「よく聞いてほしい……オクスフォードの君の部屋に、盗聴器が仕掛けられていたんだ」

巌谷の言葉を、沢木は信じられない面持《おもも》ちで聞いた。

「君の部屋は、来年の研修生に提供されることになっていた。そこで、君の帰国後すぐ、省のほうで、点検と補修のために、館員を派遣したんだ。そのチェックで、盗聴器が発見された」

「そんなことが……現実に？」

「気づかないのも、無理はない。コンセント・ターミナルの奥に隠されていたんだ。発見も、まったく偶然だったんだよ。そもそも、外交官というのは、盗聴される危険性が大きい。だから、大使をはじめ、館員の公邸は、定期的にチェックを行なっている。だが研修生の場合は、研修中は公務に携《たずさ》わらないこともあって、部屋のチェックもしていなかった。たまたま今回は、検査機器のテストで、君の部屋を使ったんだ。まさかという結果が出た」

沢木は、目まぐるしく考えていた。いったいいつから？　どの部屋で？　自分の生活を、誰かが逐一、覗《のぞ》いていたかと思うと、薄気味悪さとともに、やり場のない怒りを感じた。

巌谷の声は、続いた。

「盗聴器が、ＣＩＡのものだと、判断された理由は、二つある。一つは、仕込まれた精巧な盗聴器のシステムが、諜報の世界では彼らのものだと定説になっている機種と同型ということ。ただし、これは確証に欠ける。どこかの国のスパイが、CIAの仕業《しわざ》と見せかけた場合も考えられる。そうでないと判断したのは、もう一つの理由からだ。じつはCIAのエージェントの一人が、君とほぼ時を同じくして、東京に向かったんだ。最新のエージェント・リストから、その男が確認された」

沢木は、もしかすると、という予感にとらわれた。

「名前は……わかっているんですか」

「アメリカでは、ケネス・ウィリアムス、ロバート・ベリガンと名乗っていた。もっともすべて偽名だろうが。イギリスでは……アラン・ウィルトンだ」

「やはり、アランが……」

沢木は、絶句した。オクスフォードでのアランは、沢木がこれまでに抱いていた諜報部員のイメージから、大きくかけ離れていた。どこにでもいる、ジーンズのよく似合《にあ》う明るいヤッピーなのに。拳銃よりも、マイケル・ジョーダンのキャラクターつきTシャツのほうが、まだ似合う。

「アラン・ウィルトンが、君を追って東京に行ったのは、ほぼ間違いない。とすれば、彼は、いや、CIAは、君の周辺に興味を持ったということになるな」

「彼らの興味を惹《ひ》いたと考えられるのは、タリアの話しかありません。研修中は、公務がありませんでしたし、最近命じられた引き継ぎの件も、電話などで口にした覚えはありませんから」

「その可能性が大きいな。アランは、ルーティンの諜報活動の一環として、君を盗聴していたのだろう。そして、タリアの話、つまり一〇年前の事件の話を傍受し、君の動きを探りにかかったと思われる」

「調査の主力が巌谷さんに移ったことを、知らなかったのでしょうか」

「わからない。あるいは、彼の他に数人が動いていて、誰かが僕についているのかもしれない。こちらは、そのつもりでかかっているし、タリアのほうも、それとなくガードしている」

「しかし、CIAが、中英間の、それも一〇年前の事件に、興味を示すとは？」

「アメリカの外交にとっても、中国は大きなキーポイントなんだ。問題があるとなれば、調査する。どんな有利な鍵が隠れていないとも限らないからね。それは、こちらも同じだが」

「それで、アランはどうなります？　諜報部員ということがわかった以上……」

「スパイ活動を立証しない限り、日本からの強制送還はおろか、君のあとを尾《つ》けるのをやめさせることさえ、無理だ」

「それでは？」

「対情報工作を仕掛ける手がある」

「カウンター・インテリジェンス？」

「例えば、意識的に、偽《にせ》の情報を流して、調査を攪乱《かくらん》させることだよ」

沢木は、だんだんと複雑になる状況に、戸惑いを隠せなかった。

「どんな方法をとればいいでしょう？」

「いや、君がそこまでする必要はない。いまのところ、この件に関して君が日本で動くことはないから、アランが君を調べたところでさして得るところは少ないだろう。ただ、身の周《まわ》りには気をつけたほうがいい。その分、こちらで対応策をとっておく。君には、別の任務があるだろう。そちらのほうが洩《も》れないように注意することだ」

「わかりました」

巌谷の言うとおり、ゴルトシルト家の不正資金づくりがＣＩＡに洩れたら、それも問題になりかねなかった。

「それから、アランには、一度会っておくことだ。こちらが彼の身分に気づいたことを、知られないためにも、自然なつきあいは続けてくれ。場合によっては、何かを掴《つか》めるかもしれない」

沢木は、承諾の言葉を、再び繰り返した。

自分の仕事が、ネゴシエーターとしての外交官から、インテリジェンスの領域に大きく振れ始めたのを、彼は肌で感じていた。

外務省の仕事には、想像以上に秘密めいたところがある。在外公館から本省の電信課に毎日、絶え間なく送られるテレックスのほとんどは暗号情報だ。情報は「特秘」「極秘」「秘」「取扱注意」に分類され、「特秘」は課を経由せず、上層部に回される。

そもそも、相手国家の政情を四六時中監視し、「情報」を現地においていかに収集し、自国のためにいかに生かすかが、外交官の最も重要な任務なのだ。

そして、集めるべき「情報」は、情報手段の増加や国家間の接触頻度増加に伴い、加速度的に増えている。必要かつ十分な情報を迅速に収集・分析するためには、事務的なデータ以外の「土地勘《かん》」や人的関係、さらに言えば「プラスアルファ」が求められる。各国の外交官が、しばしば情報部と同一視されるのは無理からぬことだし、また、相手国にスパイ行為を指摘されて本国送還される実例も跡を絶たない。

知識としては持っていた諜報活動の対象に、自分自身がなっていた。そして、これからは自分も「仕掛け」なければならない……。

外交官とはどういう仕事かが、沢木には、はじめて、呑み込めてきた気がしていた。

キッチンで、男は友人をもてなす料理にかかっていた。ガーリックとオリーブ・オイルの匂いが、すでに懐《なつ》かしく立ち込めている。作りおきを温めた、野菜たっぷりのラタトゥイユに、白身魚のポワレ。コート・デュ・ローヌのヴァン・ドゥ・ペイ、デザートには甘いチーズと、とっておきのソーテルヌ。

東京では、なにもかもが揃う。六本木の高級マーケットには、ヨーロッパの食材が並んでいた。値段がバカ高いことには腹が立ったが、食事のレベルを落とさずにすむ。

用意したディナーは、友人を招いて、オクスフォードの思い出話を語り合うのには、悪くない組み合わせだった。

友人を、騙して——言葉は悪いが、結果的に——いることに、彼は痛痒《つうよう》を感じてはいなかった。

しかも、今晩は、ターゲットのほうからの誘いで、接近の手間《てま》が省《はぶ》ける。あわよくば、友人の持ち物に発信機か盗聴器を仕掛けるチャンスがあるかもしれなかった。

彼の履歴や、職業や、趣味や、人懐《なつ》こい見かけを、たいていのターゲットは信じていた。それもそのはずで、演じている男の役は、どのみち、彼自身とさほどの差はないのだった。もともと彼は明るいヤッピーで、親譲りの資産もあった。

『要員』は、いつだって上流階級からリクルートされている。給料をあてにしていては勤まらないんだよ。

彼は、胸のうちでいつも、こう嘯《うそぶ》いた。

資産のおかげで、彼は東京の一等地でも、庭つきの一軒屋を借りることができた。ラングレーの予算では、及びもつかないことだ。

ポワレの出来具合を確かめてしまうと、もう準備は完了だった。予定よりも早く仕事が終わってしまうのは、持って生まれた性格なのだ。

見習いシェフのするような、胸当てなしのエプロンをはずして、ダイニングの椅子に掛け、彼は自分も椅子に腰を下ろした。

窓の外には、闇が広がっていた。一台の車が、家の前に、滑るように停《と》まる音がした。

約束の時間にはまだ早い。彼は習性で、すぐに立ち上がり、外を確かめた。

見知らぬ車に、彼は身構えかかった。

無意識のうちに、危険を考える癖がついてしまっている。しかし、車は、すぐに立ち去った。

家を間違えたのだろうか？　それとも……？

彼の神経は、普段よりも尖《とが》っていた。例の件に関する報告書の一部を書き上げたばかりだった。まだ、ほんの端緒にすぎなかったが、このまま調べを続ければ大事につき当たる可能性がある。

また車だ。今度は激しい音を立てて、家の脇に入って来た。彼は、それが友の車だとしても、油断なく窓外を窺《うかが》うのだ。

彼か？　いや、違う——！

灰色のセダンが停まるか停まらないかのうちに、三人の男が飛び出してきた。誰にせよ招いた覚えもない客たちであることはたしかだった。

危険に対処するには、スピードが肝要だ。彼はキッチンから飛び出すやいなや、ドアの横手の壁にある照明スイッチをオフにした。相手がナイト・スコープを付けていないことを、彼は一瞬のうちに看《み》てとっていた。たちまち、暗く柔らかな夜が室内を覆《おお》い、明るいときには気づかなかった風の温かさが際立《きわだ》つ。

踝《くるぶし》のホルスターから拳銃を摑み出し、彼は、ドア横手の壁に走り寄った。

耳を澄ます。ドアの押し開かれる刹那《せつな》が勝負だった。

静寂。

外には、一つの足音もしない——。こちらに、近づいてもいない。

——入ってこないのか？　外から、何かを仕掛けるつもりなのか……？

再び、彼は耳をそばだて、首を伸ばした。

次の瞬間——、彼の頸《くび》はがくりと折れ、咽喉《のど》が砕《くだ》けて、ぐずりと鈍《にぶ》く皮膚が窪んだ。

ネック・ブレーカーは、彼の真上からこっそりと差し出された。侵入者は、鉤状《かぎじょう》の先端で標的の脆《もろ》い頸部を引っ掛けると、弾《はず》みをつけて梁《はり》から飛び降りた。標的の肩がてこになり、いとも簡単に首が折れた。瞬時に、彼は絶命していた。

侵入者は、死んだ男を見下ろした。金髪の美しい若者が横たわっていた。死体を細工するつもりはない——たとえ自殺に見せかけたとしても、『要員』の死は、ただの事故死と見做《みな》された例がないからだった。

外の男たちは、標的の関心を戸外へ向けるための囮《おとり》だった。わざと派手な音を立てて車を乗りつけた隙に、すでに家屋近くに潜《ひそ》んでいた一人が屋内に侵入し、獲物《えもの》を狙う。閑静な日本の住宅街に、派手な銃撃戦は似合わない。たとえ、それがサイレンサー付きの銃でもだ。羊飼いの杖《つえ》に似たネック・ブレーカーは、音を立てない。夜の静寂におあつらえ向きの殺人器だった。プロフェッショナルを相手どるときは、いつでも、子どもじみた騙しあいに勝ったほうが勝利を収める、と男は思った。

男はドアを静かに開け、外の男たちをさし招いた。これから探しものにかかるのだ。

その晩三台目の車は、沢木喬のホンダ・アコードだった。アコードは、予定を小一時間オーバーして、来るべき場所に到着した。バック・シートには、シャンパンと、フレンチ・ローストのコーヒーが積まれていた。

東京の道の渋滞を、沢木は甘く見すぎていた。わかっていたはずだが、麻布《あざぶ》あたりの住宅地で迷ったのも、約束の時間に着かない一因となった。

ようやく探しあてた家を、沢木は、不審《いぶかし》げな面持ちで眺めた。灯が消え、暗く静まりかえっている。改めて、番地を確認した。

――ここのはずなんだが……？

何かの罠《わな》か？

アランは、沢木に自分の身分が明らかになっているとは、まだ知らないはずだ。

沢木はアコードを降り、表通りから住居に延びる小道に進んだ。

表札は、掛かっていない。

沢木は扉に近づき、ドア・ノッカーを鳴らした。

――返事はない。もう一度……。こんどは、ノッカーの音に応じるかのように、ドアのすぐ内側で、カタン、と音がした。

アランだな？　沢木はノブを回した。

空気の流れが、だしぬけに起こった。

いきなりの襲撃だった。頭上の梁《はり》から、沢木めがけて、黒く鋭い塊が闇を切り裂《さ》くように落ちた。物体が頭を直撃する寸前に、彼は無意識に上体をそらし、体を捻《ひね》った。沢木の鍛《きた》えられた目は、一瞬早く落ちてくる塊を捉《とら》え、体が勝手に危険を避けていた。それでも、シャツの肩が鉤裂《かぎざ》けた。

沢木はあっけなくバランスを崩《くず》し、膝をついた。

彼は、自分を襲った黒い塊の正体を確かめようと、闇に目を凝《こ》らした。

「――ずいぶんな歓迎ぶりだな」

――黒猫だった。猫はすっくと立ち、沢木を見つめていた。暗闇に、金色の眼が二つくっきりと浮かび上がった。沢木は立ち上がりながら、体の向きを変えかけた。

その瞬間――彼は今夜の約束がお流れになったことを知った。本来の客が、ようやく訪れたというのに、アラン・ウィルトンは、友を迎えることができなかった。それどころか、せっかくのフレンチふうコーヒーも、いまでは無意味なのだ――死人がコーヒーを飲むというのなら話は別だったが。


「とどのつまり、冷たくなっていたわけだ――CIAの男は？」

「そうです」

沢木は、外務省情報調査局局長、木島堅持《きじまけんじ》と向かい合っていた。各局からもたらされる情報は、すべてこの調査局に集約される。

木島は渋面をつくっていた。心にかかる問題が多すぎるせいで、自慢のロマンス・グレーは、生《は》え際《ぎわ》から後退しかかっていたが、木島をよく知る人間ならば、この渋面こそ、彼の頭がかなりの速度で回転しているシグナルと受け取るだろう。

「それで、君は、アラン・ウィルトンの家から、警察の目を盗んで、重要な書類を持ち出したんだって？」

報告書によれば、この若い外交官は、かなり手際《てぎわ》よく対応したようだと、局長は思った。

「しかし、何者か——おそらくウィルトンを殺した者——によって、家は徹底的に家捜《やさが》しされていたんだろう？　書類やフロッピーはみな持ち出されていたらしいじゃないか。君が行ったのは、その後なのに、よく機密書類が残っていたな」

「気づいたのは、偶然からなんです」

沢木は、そのときの状況を、かいつまんで説明しはじめた。

「アランの死を警察に知らせようと思い、電話を探して家を歩き回りました。初めての家ですから、勝手もわからず……。屋内は、散々《さんざん》にかきまわされていました。電話は、キッチンで見つかりました」

キッチンのテーブルには、沢木を迎えようとした痕跡が残っていた。

「そのとき、猫が……アランの家に黒猫が入りこんでいたんですが……椅子から飛び降りました。その拍子に、椅子に掛かっていたエプロンが床に滑り落ちて……」

「エプロンから、マイクロフィルムかフロッピーが出て来たとでもいうのか」

「いいえ。ポケットから転がり出て来たのはペンでした」

「ペンがどんな意味を？」

「そのペンは日本製だったんです、局長。しかも、それは私がアランに渡したものだったんです。じつに子どもじみたもので……局長はご存じでしょうか？　文字を書いて、ある一定時間すると、書いた文字が消えてしまうペンというのを？　画家や染色家が下絵を描《か》くときなどに、便利なんです。もちろん、化学薬品を使えば、痕跡を再生できます……普段はそんなことをする人間はいませんが……。オクスフォードの学生の間で、便利なステーショナリーの話が出たときに、アランが興味を持ったものですから、面白半分に渡したんです」

「まさか……」

「私も、まさかと思いました。侵入者が何かを探していたなら、アランが、これで書いていたものかもしれない、と」

「それが本当なら、まさしく時代は逆戻りだ……ハッカーがコンピュータからの文書の盗み出しに苦心している時代に、市販のステーショナリーで機密保持だと……？　信じられない」

木島は、あきれた。若いヤッピーの考えそうなことだ。まったく、アメリカ人てやつは……ハリウッド映画の見すぎなのだ。

「ばかげた妄想だ、と思いながらも、気になって、仕事部屋を探してみようと思いたちました。部屋は……かなりの惨状でした。一見して、ファイル、それにフロッピーなどは持ち去られているのがわかりました。しかし、何も書いていない白紙の束が――散々に山は崩れてはいましたが――残っていました。私は衝動に駆《か》られて、それを持ち出しました。ただの紙かもしれませんでしたが。ペンも、私の車に」

「警察は？」

「一応、所持品の検査は受けましたが、白紙のビジネス用紙と筆記用具は、何の関心も惹《ひ》きませんでした。私が外交官ということもあり、警察はかなりナイーヴになっていましたから、アランに招かれて事件に遭遇したという私の申し立ては、すぐに認められました」

「むろんだ――警視庁には、今日、私からも、話を通しておいた。たぶん、アメリカ大使館も、彼の死について、こちらを追及してくることはないだろう。彼のほうが君を尾行し、スパイ行為を働いていたのだからな。下手《へた》に公《おおやけ》にすると、向こうのほうが分《ぶ》が悪い。彼がＣＩＡ局員ということを、騒ぎ立てずに事を済まそうとするだろう。それに、万が一の場合は君が持ち出してきた資料が、彼のスパイ行為の証拠になる。白紙からは、結局、文字が出てきたのだね？」

沢木は、うなずいた。

「そのほとんどが、ＣＩＡ本部への調査報告書で……その一部は、私に対しての盗聴および尾行記録でした」

沢木は、実際に書類に目を通したときの苦《にが》さを、再び感じていた。

「ロンドンの巌谷から報告のあった、一〇年前の一件だな。香港返還がらみという」

アラン・ウィルトンは、やはりタリア・キーファが沢木の部屋を訪れた際の記録を、克明に残していた。

アランが殺されたのは、タリアの兄のイギリス外交官、ローレンス・アボットが焼死したあの事件と、関連してなのか？　であれば誰が、なぜ？

「局長、アランは……」

疑問を口にしかけた沢木を、木島は遮《さえぎ》った。

「アランの線は、アメリカ在住の省員に連絡をとって調査をすすめておく」

君は考えるな、と木島は言った。

「いずれ、何かわかるだろう。事件の背後はイギリスで、巌谷に、いままで以上に力をいれて調査してもらう」

改めて、彼は沢木を見た。

「そして、沢木君だが……君には、本来の仕事に入ってもらう。——例の、不正資金の証拠固めだ。君に無理をいって帰国してもらったのは、もともと、そのためだからな。駐英大使から君を貰い受けるのには、これでも、なかなか苦労したんだ。難題だが、しっかりやってほしい」

局長の頭は、すでにゴルトシルト家の莫大な不正資金の件に切り替わっているようだった。木島の次の一言《ひとこと》で、沢木の頭にも、うまくスイッチが入った。

「一種の、囮《おとり》調査をしようと思うんだ」

「囮調査……？」

「君には、香港に行ってもらう。調査の標的は、君も察していただろうが、上海香港銀行だ」

「僕が引き継いだ資料によれば、上海香港銀行が、汚れた金のロンダリング（浄化）を行なっていることは、ほぼ間違いないですね。彼らは世界各国の独裁者や政治家、それに有力者の汚れた金を安全に運用する代わりに、莫大な保証金とマージンをとり、ゴルトシルト家に流している」

「そう。アフリカや東欧など、政変が盛んな国では、為政者が変わるたびに、莫大な金が動いているからな。裏金を隠したいものにとっては、格好のシステムだ。だが、確証はない。そこで、一計を案じた」木島局長の渋面に、ますます深い皺《しわ》が刻《きざ》まれた。「政界の黒幕、芝田京三《しばたきようぞう》が最近、急死したことは知っているね？」

福島県出身の大物フィクサー、芝田京三が死亡したという記事は、どこの新聞にも、大きく報道されていた。

「芝田は、生前に、多額の裏金を蓄《たくわ》えていたという噂があるんだ」

「聞いたことがあります。S資金と呼ばれる金ですね」

「そうだ。一説には、その額は兆に達するとも言われている。その金を、われわれは、上海香港銀行に預けるんだ。裏口からな」

「偽の契約を……結ぶんですね」

「もちろん、S資金など、実際には、ありはしない。しかし、あるように見せかける。父の死によって裏金を相続した芝田の息子が、巨額の金を運用したがっているという情報を上海香港銀行側に伝える」

「向こうが話に乗ってきたら、彼らが汚れた金を扱っていることの、証拠になります」

「すでに、芝田の息子には承諾をとり、芝田京三の元秘書に、代理人役を務めるよう、言い含めてある。君には、彼に付き添って、香港に乗り込んでもらいたい」

「わかりました」

「ただし、表向きは、君は別の調査で香港に行くことにする。外務省の調査局員が香港入りしたとなれば、香港当局は、何事かと疑いを持つだろう。そのうえ、アランの事件で、君はおそらく、CIAにマークされている可能性が高い。彼らの目をごまかす必要もある」

「カモフラージュですね」

「本当以上に本当らしくするんだ……タイミングのいいことに、ちょうど、通産省から、一件、調査の依頼が来ている。近頃アジアに横行している、コピー商品の調査だ」

「コピー商品の、取り締まりですか」

「ある一流メーカーの商品製造技術が、狙い撃ちされたように洩れているんだ。かなり精巧なフェイク商品が、香港、台湾、中国の一部に流れているらしい。通産省では、香港の業者が臭いと睨んでいる」

「香港の業者が、商品技術を盗み出した元締めということですか」

「そういうことだ。君は、表向き、その事情調査で香港入りすることにする。実際に、コピー商品に関するいくつかの調査を進めてもらう。香港駐在の省員と組んでな」

局長は、一冊の厚いファイルを、沢木に渡した。「技術を盗まれたメーカーについての資料だ」

社名が、沢木の注意を惹《ひ》いた。

「ハイパーソニックですか？」

「そうだ。まず、手始めに、君にはハイパーソニックのトップから事情を聞いてもらう」

「トップ……西条亮氏ですか」

日本のリーディング・カンパニーの顔ともいえる紳士を、沢木はすぐに思い浮かべた。

「おあつらえ向きに、いま、西条氏は、商談で香港に行っているそうなんだ。われわれの本来の目的を紛《まぎ》らわすためには、彼のようなＶＩＰとの接触は、もってこいだ。君は、すぐにでも、香港に発《た》ってくれ」

偽装

「交渉は、成立ですな」

西条亮は、年配の、ニュース・キャスターふうの男に、手をさしのべた。

「もちろんですとも」

男は、満面に笑《え》みを浮かべ、マイク映《ば》えのしそうな低い声で言った。

「それにしても、西条社長みずから、商談に見えるとは、思いがけませんでした」

「いやいや。衛星放送にかけては、御社《おんしゃ》は先駆けでいらっしゃいますから」

西条は、キャスターふうの男、ゴードン・林《リム》に笑みを返した。リムは、香港スターTVの社長だった。

一九九一年に開局したばかりの香港スターTVは、アジア全域を対象とする衛星放送局で、アジア地域初の民間通信衛星「アジアサット1」を利用して、番組を放送しており、音楽専門チャンネル、スポーツ専門、ニュース専門、北京語放送、そしてバラエティ・映画中心の五チャンネル体制で、受信者数は香港を中心に、拡大を続けていた。

「まったく、有難いことです」リムは、ほくほく顔で言った。

それもそのはずだった。彼は映画チャンネルで流す、ハイパーソニック傘下のソニック・ピクチャーズの映画ソフトを格安で獲得できたことに、満足していた。そのうえ西条社長は、スターTVに、まとまったCMまで、出そうというのだった。

「五分間の枠《わく》で、五チャンネル一斉《いっせい》に、ですね」

リムは、嬉しそうに念を押した。ゴールデン・タイムにこれだけのCM枠を確保するからには、ハイパーソニックはとてつもない新製品でも出すに違いない。西条が帰ったら、さっそくハイパーソニックの株を、めいっぱい買おう、と彼は自分の幸運を感謝した。

「当社にとっても大切なCMですし、特殊効果も使っていますので」西条はさりげなく言った。「放映の際には、当社の技術者を数名派遣します。このことは、契約書にも明記してありますが」

「ええ、ええ」リムは、うわの空で答えた。処分できる株がいくらあるか、頭のなかはそれでいっぱいだった。「技術交流は、大歓迎です」

再び握手が交《か》わされた。西条の手が、先刻よりも汗ばんでいることに、リムは全く気づいていなかった。

とにかく、これで保険だけはかけた、と西条は緊張を緩《ゆる》めた。

西条とアディールは、中国政府はおそらく要求を呑むだろうと読んでいた。二人の要求は、彼らが握っているカードの重みに比べて度を越したものとはいえなかった。

西条は、中国国内での製品販売に、政府のお墨付きを貰えば、それでよかった。彼の社の製品を、中国企業が政府の命のもとに、つねに優先的に購入するということになれば、莫大な利益が期待できた。テレビ、ビデオ、オーディオ製品から、ＯＡ、最新型のマルチメディアなどのハードからソフトまで、一二億の市場が口を開けていると思うと、このビジネス・チャンスに、賭けてみたかった。

アディールのほうはといえば、まるきり欲がなかった。彼女の中国に対する要求の真意を西条は当初、量《はか》りかねたが、しだいに彼女の持つ熱情に動かされた。最終的には、西条もまた、東洋人だった。

それはさておき、万が一のための保険を、と考えたのは、西条だった。アディールは、カードを持って、来月には中国入りする。それが中国側の条件だった。アディール自身が中国要人と会い、二人の要求を突きつけ、承諾書と引き換えに例のカードを手渡すとすれば、当然、危険が伴う。カードが手元にある限り、主導権はこちらにあるはずだったが、アディールは中国行きを承諾した。

契約が成立すれば、しばしば中国に行かなくてはならないのだから同じことだと、アディールは言った。そこで、西条は、アディールの訪中日に合わせて、衛星放送の時間を買った。香港スターＴＶは、主に香港および中国の南部で受信できる。万が一の場合、あのセンセーショナルな話を、衛星放送で広く告知してしまうというのが、彼のいわゆる〝保険〟だった。

衛星放送の電波というのは、広範囲に降り注《そそ》ぐ。月の光と同じように、所かまわず落ちて来るともいえる。

香港スターTVの所有衛星からは、東南アジアのほぼ全域に電波が届き、受信機さえあれば、そのエリア内で受信が可能ということになる。香港の放送が、インドネシア、タイ、シンガポール、日本、インドとその周辺、それから中国のかなり広い地域へと、国境を越えてしまうことにもなる。

つまり、衛星放送は、好むと好まざるにかかわらず、越境放送になってしまうのだ。ある国にとってはなんでもない情報も、別のある国にとっては大変に都合が悪い、ということがある。例えば、イスラム圏の国にも香港スターTVの放送は流れてしまう。イスラム圏では、女性はベールで顔を匿《かく》していなければならないという風習が根強く残る地域もある。ところが、衛星TVの画面では、堂々と女性が顔を出し、ときにはヌードや濡《ぬ》れ場まで登場してしまい、問題となる。

国境を越えてしまう電波は、衛星放送というものの課題の一つなのだ。しかし、現状では、現実優先で、対応策は先送りされている。

悪いことばかりではない。ベルリンの壁崩壊や湾岸戦争のときのように、映像が真実を知らせてくれることもあるのだ。

西条は、越境放送を逆手《さかて》にとり、香港スターTVの放送エリアが、中国の広州《コワンチヨウ》一帯をカヴァーしていることに注目していた。広州は、香港と接し、発展が進んだ地方で、個人で衛星放送の受信アンテナを持つ者も多い地域だ。中国側の検閲にかからないスターTVの映像が、広州にも落ちる。その特性を利用して、西条は〝保険〟を準備していた。

アディールが、時間内にアメリカに戻らなかった場合、西条はCMではなく、香港市民および中国人民の一部、そして東南アジア全域に、歴史の真相を打ち明けるテープを、放送する。さらに、それは、瞬《またた》く間に世界中に報道されることになるだろう。

もちろん、中国側は、西条がアディールの後ろ盾《だて》になっていることはおろか、そんな手配をしていることすら知らないはずだった。

アディールの中国入りを見計らって、彼は信頼できる部下に命じて中国政府に、暴露の手配が整っていることだけを伝えさせるつもりなのだ。

西条は、そうとは知らず割のいい契約に有頂天《うちょうてん》になっているゴードン・林を残して、彼以上に満足げな笑みを浮かべながら、香港スターTVの玄関を出て行った。

沢木は、香港へ飛んだ。

――とにかく、西条社長が香港にいるうちに会うことだ。

上海香港銀行の囮《おとり》調査という、本来の目的をカモフラージュするために、ハイパーソニックに関わる技術スパイ事件を調べているようにみせかける。ハイパーソニック社長の西条が香港にいることは、この場合、願ってもない機会だった。

西条は『ホテル日航香港』に部屋を取っていた。尖沙咀《ツイムシャツオイ》東の港湾沿いは、ここ数年の間に、九龍サイドのビジネス・ディストリクトとして活気を増している。『日航香港』はその一角にあった。

沢木は、フロントで来意を告げた。

「沢木様ですね。西条様は一五階のニッコー・ラウンジでお会いしたいそうです」

西条は、がらんとしたVIP専用ラウンジで、香港のハーバー・ビューをわがもののように背負い、待っていた。沢木が日本のビジネス雑誌『プレジデント』で読んだところでは、世界でも有名な音楽愛好家、経営者としてさまざまなヒット商品を育て、ハリウッドの映画会社を買収した敏腕社長。さらに、小型船舶操縦士、アマチュア無線、小型ジェット機のライセンスを持ち、スポーツが得意な男――。西条は、ポートレイトそのままの紳士的な笑顔で、日本からやって来た若い外交官を迎えた。

「外務省の沢木さんでしたな。ご心配をおかけします」

彼はさっそく頭を下げ、それから沢木をひたと見つめた。

「関係省庁の方々には、この件ではいろいろお気遣《きづか》いいただいております。外務省のほうでも、とくに事情をお調べいただけるとか」

彼はすべての点で丁重《ていちょう》だったが、あまりしつこく訊かれるのは迷惑だという調子がみえた。沢木のほうも、社長から詳しい事情が聞けるとは期待していない。それでも、一応は調査の形を取り繕《つくろ》う必要があった。

「通産省によれば、このところ、立て続けに御社の三種類ほどの新商品の技術が、外に洩れているようですね。それも、アジア市場に大量に偽ハイパーソニックが出回っているらしいとのことでしたが」

「そのとおりなんです。外見はうまく変えてあるんだが、内部が何から何までそっくりで、安価なんですよ。しかも、すべて最新商品のコピーです」

西条は脇に置いてあった水差しから、水をグラスに注《そそ》いだ。西条氏は、煙草も喫《の》まない……。

沢木は彼のプロフィールを思い出していた。沢木の前に、コーヒーが運ばれて来た。ビジネス・アテンダントと呼ばれる美しい女性をエグゼクティヴ・ラウンジに置くのが、最近のホテルの歓迎すべき習慣になっている。たまにしかこのフロアには現われない、若くてハンサムな客に、彼女はニッコリと微笑《ほほえ》んだ。

「ぼくは、まだこの件には手をつけたばかりなのですが、社のほうではどうお考えなんです？例えば、流出経路について？」

「問題となっているコピー製品は、じつは、当社のアメリカ仕様《しよう》の模倣品なんです。そこから推測して、アメリカ経由の流出であることはほぼ、確実でしょう。残念ですが……社内に内通者がいる可能性もあるでしょうな。社内では、その点を至急に追及しております。それと、模倣品が大量に市場に流れていることから、組織的な模造業者が関わっているのではないかと考えています。それも、技術的にはハイレベルの業者ですな。われわれの設計を、ものの見事に再現しているのですから」西条は苦笑した。「となると、業者は限られてきますね……日本か、香港、もしくは、シンガポール、台湾、韓国。このどこかでしょう」

「僕は、中国系のシンジケートが絡んでいるとみています」

沢木は、資料を読んだ感想を言った。

「私の意見も同様ですね」西条は微笑した。「模造品は、いずれも東南アジアの華僑系ショップで見つかっています。それに、アメリカでは韓国系や日系の闇ルートはまだまだ細い。中国系のシンジケートなら、スパイ行為や商品の売り捌《さば》きも容易です。困ったことにだからよけいに製造元を辿《たど》りにくい。華僑系の結束は、固きこと岩のごとし、ですよ」

「となると、元締めは、シンガポール、香港、台湾のいずれとも考えられますが……最近、香港で、かなり腕のいい電子系の模倣業者が幅を利《き》かしているそうですね」

沢木は、香港駐在の同僚、都築健太郎《つづきけんたろう》に依頼して、主だった模倣業者の名前をあげてもらっていた。そのうち『黒社会《ハクセイウィ》』に繋がりの深いのはどこか……？　都築は、なるべく早く知らせるとうけあってくれた。

「私も、香港の可能性が高いと睨んでいるんです。とりあえず継続して、この件をわが社の法律顧問にも調べさせることにしています。あなたにもお手間《てま》をかけますが……」

「いえ。日本が誇る技術のためですから。そういえば、西条さん、あなたは、その件を調べに香港に見えたのですか？」

西条はその質問を一笑に付した。香港に来た理由を、暗記したかのようにすらすらと、彼は口にした。

「社長が探偵ごっこ……いや失礼。調査実務にかかずりあっていたら、社員はたまりませんよ。こちらに来たのは、純粋に商用です。産業スパイの件は、アメリカの支社長に任《まか》せてあります」

「さしつかえなければ、商用の相手先を教えていただけますか」

「かまいませんとも。香港スターTVです。衛星放送で数チャンネルを持つ、香港でも大きな企業ですよ。映画専用のチャンネルも一つ、持ってましてね、わが社、つまり傘下のソニック・ピクチャーズのソフトを流したいという相談を。これからは日本でも衛星ビジネスが盛んになりそうですから、その方面のレクチャーもしていただこうと、先方の社長に会う運びになりました。なかなかの豪傑でしたよ、彼」

「お会いになったんですか」

「ええ。わが社の次世代のターゲットは、アジアのマーケットですからね」

西条は愉快そうな笑い声をあげた。

「とくに、私は、中国を重視したいと思っているんですよ。一二億というマーケットは、大きいですよ。それに、商売になるだけでなく、私は隣国に、親近感を抱いています。できれば、将来は、一緒に東洋文化圏とでもいうものをつくりたいくらいです」彼は、機嫌がよかった。「最近のものの見方は、どうも欧米の価値観に、偏《かたよ》っていますからね。まあ、ですから、一部のコピー商品など、本来は大目にみたいと、個人的には思っているくらいなんです。当社の製品の、宣伝にもなっているようですからね」

東洋に関して、西条が自分と似た考えをもっていることで、沢木は西条に親近感を抱いた。

「お考えはわかりました。しかし、通産省も乗り出している件となると、私達も、このまま捨て置くというわけにはいきません。あなたの会社は、日本のメーカーを代表する立場ですし……われわれのほうでも調査を続行することを、お含み置きください」

西条は、ごく自然に言った。

「もちろんですとも。私どものほうでも、気づいたことがありしだい、ご報告しますよ。沢木さんは、しばらく香港にご滞在ですか？」

「ええ……少し、模倣業者のほうなどを調べようと思うのですが。社長のご予定は」

「あと数日は、こちらにおりますが、そのあとはアメリカに参ります。いつでもご連絡くださ い」

西条は、ラウンジの隅に控えている、フロア付きの美しいビジネス・アテンダントを呼ぶと、沢木のコーヒーを入れ替えさせた。沢木はそれが自分への穏やかな退去命令だ、と察した。

黄永富《ウォンウインフー》は、ラオの指示どおりの訓練に励んでいた。

ウォンは、すでに、少なくとも五日はビルの壁にへばりついていた。

「高いところは平気なほうかな？」

と、ラオに訊かれたとき、問題ないと答えたことを、いまになって、ウォンは少しばかり悔やんでいた。

安全なはずのゴンドラは、身動きするたびに大きく揺れる。高層ビルの窓拭《ふ》きが、大の男の肝《きも》試《だめ》しにこれほど役立つとは、思いもよらなかった。

命綱をつけて見下ろす香港が、最初のうちは、おそろしく物騒な街に見えた。この景色も悪くない、と思えてきたのは、ようやく三日目の午後からだった。

ウォンは、ビル清掃の仕事に毎日通い、仕事が終わると、カンフーのジムに寄った。ジムは、映画デビューを目指すスタントマン御用達《たし》で、大きなアクションを売り物にしていた。

「あまり強くなる必要はないよ」と、ラオは言った。「ただ、大きな型がきれいに演じられれば、それでいいんだ」

ウォンのメニューは、有名なアクション映画のシーンから選ばれた型のレッスンだった。彼は、与えられた課題を次々とこなした。

「人目を惹《ひ》くことが肝心《かんじん》だ」

ウォンのトレーナーは、ウォンを俳優志望の青年と思い込み、大袈裟《おおげさ》な立ち回りを熱心に教えた。

トレーニング中のウォンを、彼はしげしげと眺めた。

「そういえば、どことなく、ジャッキーに似《に》てるな」と、トレーナーは言った。

「そうかな」ウォンは、気乗りしないといった調子で答えた。

トレーナーは、怪訝《けげん》な顔で言った。

「君だって、そう思ってるんだろ？　でなきゃ、なんで彼のアクションばかり習うんだい？」

ウォンは、肩をすくめた。

「それが、ぼくにもわからないのさ」

上海香港銀行の周辺に、学生らしい五人の男女が現われたのは、週も半《なか》ば、水曜の朝のことだった。

彼らは、出勤途中の行員一人一人に、丁寧《ていねい》に声をかけ、きれいにタイプされたアンケート用紙を配った。

「香港大学の学生ですが」

彼らは、まず学生証を見せて、社員たちに研究課題アンケートへの協力を頼み込んだ。質素な身なりの、好感のもてる知的青年たちの依頼を、むげに断わる者は少なかった。行員たちは、役員の子息の多くが香港大学に通っていることを知っていた。しかも、彼らの研究テーマが「エグゼクティヴの生活と仕事」とあっては、一流銀行勤めの自尊心も、多少はくすぐられようというものだった。

学生たちは、駐車場に停まっている行員たちの車のフロントガラスにも、アンケート用紙を挟んでおいた。

さらに、ロビーの受付嬢に、ダンボールで作った粗末な回収箱を預かってもらうことにも成功した。

「私も答えていいのかしら？」

舌足らずな話し方をする受付嬢は、行員でなく派遣社員だったが、学生たちは、もちろん、その有難い申し出を断わらなかった。

彼女は、興味津々《しんしん》といった様子で、アンケートの設問を覗き込んだ。

「名前……職務……住所……趣味？　私は、こう見えても、絵を観《み》るのが好きなの。年収？　まあ、これも記入しなきゃダメかしら？　好きな言葉……この質問はいいわね。愛車……よくするスポーツ……仕事でOA機器をよく使うかどうか……好きな本は……ふうん」

設問は、三〇近い項目に分かれていた。受付嬢は、嬉しそうに笑った。

「今日は、これで暇がつぶせるわ。意外と退屈なのよ、ここの仕事。お客さんが来たのをコンピュータに入力するくらいなんだから」

学生たちは、上首尾《じょうしゅび》に気をよくして、引き上げた。

アンケートが回収されたのは、その翌日だった。

受付嬢は、回答用紙がつまってずっしり重くなった箱を、学生に自慢げに手渡した。

「忘れていそうな人には、声をかけたわ。あんたたち、私に感謝しなさいよ」

受付嬢に感謝したのは、学生だけではなかった。ダンボールの回収箱は、いまや、そのみすぼらしさが全《まった》く似合わない、近代的なオフィスに運ばれていた。

学生たちは、すでにその場にいなかった。劉日月《ラオヤアユツ》は、二日分としては十分すぎるほどのアルバイト料を、正真正銘《しょうしんしょうめい》の香港大の学生たちにはずんでいた。

ラオは、ダナ・サマートンに向かって言った。

「これが、手始めですよ……ハッキングの」

四〇〇枚を数える社員データが、いとも簡単に、ラオの手元に集まったことに、ダナは驚いた。

「機械のセキュリティ・システムがしっかりしている銀行といえども、安全に対する社員の認識は、この程度なんです。電話でアクセスできる普通のシステムなら、このデータを使って侵入するのは容易です。コンピュータを使っている人間に的《まと》を絞って、パスワードを類推《るいすい》すればいい。ここに書かれている、誕生日や名前、趣味、好きな言葉……その組み合わせは、ランダムに行なうよりも、何千倍も効率がいい」

ラオは、しなやかな指で、すばやくアンケート用紙を選《よ》り分けていった。

「でも」ダナは訊ねた。「上海香港銀行のメイン・コンピュータは、電話ではアクセスできない、専用回線だから、パスワードが分かっても簡単には侵入できないんでしょ？　そのパスワードも、頭取をはじめとした重要な人物のものでなくてはならないのよね？　社員のパスワードがわかっても意味がないんじゃない？　それに、いくら言葉は絞られるにせよ、何回も間違ったパスワードを入れると、オペレータに気づかれると、あなたは言ってたわ」

「これは、手始めと言ったはずですよ、サマートンさん。私は、この書類から、パスワードを類推しようというのではありません。それは、先日も言ったように、初心者のハッカーがすることです。私が探しているのは、プロの仕事への糸口です」

ラオは、忍耐づよく言った。

ふと、回答を選り分ける彼の手が止まり、一枚の紙が抜き出された。

「例えば……これです」

　ダナは、ラオが大事そうにつまみ出した用紙に、ざっと目を通した。

「ナンシー・M・陳《チン》……受付業務担当？　このアンケート回収に協力してくれたと、学生が言ってた受付嬢ね？　でも、なぜ、彼女の回答を？　これを見ると……彼女、上海香港銀行の正社員ではないようよ。派遣社員と書いてある。これが、役に立つの？」

「彼女は、コンピュータを使っています」

「そうね……ここには、来客名簿のかわりに顧客名を入力する仕事と書いてあるわ」

　ラオは、謎めいた微笑みを浮かべた。

「彼女は……必ず、突破口になりますよ。彼女が休日、何をしているか、回答を読んでみてくれますか」

「ゲームだわ……パソコンの」

「三日以内に、彼女のパスワードを手に入れてお目にかけましょう」

　ラオは、自信たっぷりに、そう言ってのけた。

　ウォンは、ジャッキー・チェンのビデオを巻き戻していた。

　ジムのトレーナーのおかげで、本物よりだいぶ薄かった胸板に、うっすらと肉がつき出し、カンフーの型もサマになってきていた。

　今日は、ビル清掃のほうは休み、撮影スタジオで一日の大半を過ごした。

まずは、生まれて初めての、宙吊《づ》り体験なるものを経験させられた。伸縮のきくゴムバンドで、スタジオに吊り下げられると、釣り糸にぶら下げられた生き餌《え》の気持ちがわかる気がした。役者なんてまっぴらだ、と彼は呟いた。こんな状態で、どんな演技をしろというんだ？　それでも、ラオが指名したディレクターの指示どおりに、彼は手足を精いっぱい動かした。

オーケーが出るまで、ディレクターはウォンを休ませなかった。

こんなことが、コンピュータのハッキングに役に立つのだろうか？　疑問はあったが、専門家のラオを信じるしかなかった。

宙吊りが終わると、こんどは、メークアップだった。自分がジャッキー・チェンに扮するのだな、ということは、ウォンにもはっきりとわかっていた。だが、なぜビル清掃なのか、宙吊りなのか、ジャッキーに扮して何をするのかは、さっぱり見当がつかなかった。

最新のテクニックで増毛し、鼻の部分をファンデーションで修正すると、ウォンは、ちょっぴりくたびれたジャッキーに見えた。

夜は、しぐさを真似《まね》るために、ビデオで『龍拳』と『プロジェクトA』を観《み》た。

そろそろ、俺の役割を教えてくれてもいい頃だ、とウォンは思った。

受付嬢ナンシー・M・陳は、再びやって来た香港大学の学生に気づくと、ニッコリと微笑んだ。

「研究の成果はどう？　アンケートは、お役に立ったかしら？」

「ありがとうございます」学生は、はにかんだように答えた。「その節は、いろいろご迷惑をおかけしまして。皆もたいへん、喜んでいます。それで、今日は、みんなの代表で、あなたにこれをプレゼントしようと……」

彼は、ケースに入った一枚のフロッピー・ディスクを、彼女に差し出した。

「まあ、何かしら？」

「ゲームが入っています。退屈なときに、試してください」

ナンシーは破顔した。これで、今日も一日楽しめるわ。

ナンシーのコンピュータは、いつでも開きっぱなしだった。オペレータは、ナンシーが終日、不意の来客に備えて入力業務を続けていると思い込んでいたが、ナンシーはもっと効率的な方法をとっていた。すなわち、来客はノートにつけておいて、まとめて入力し、残りの時間は、家から持って来たソフトを使って、ゲームを楽しんでいた。ナンシーの端末は、客や行員からは見えにくいところにあり、彼女は誰にも気づかれずに退屈を紛《まぎ》らすことができた。

そろそろ手持ちのゲームには飽きたところだったので、学生の差し入れは、願ってもないところだった。ナンシーは、彼が去ると、さっそくコンピュータにフロッピー・ディスクを入れてみた。

ディスクを入れると、自動的に、コンピュータがいったんオフになり、また電源が入って、スタート画面に戻った。

「パスワードを入れてください」と、スクリーンには見慣れた表示がされている。

普通なら、フロッピーを入れただけで初期画面に戻ることはないのだが、ナンシーは、コンピュータの専門家ではなかったので、疑いもなく、いつものようにパスワードを入力した。

「NCC1955AZ」

「システム・エラー」

と、入力ミスが表示された。

きちんと入れたと思ったのに、打ち間違えたのかしら？　慌《あわ》てて、もう一度パスワードを入れる。

「NCC1955AZ」

すると、今度は、システムが動いて、ゲームのタイトルが表示された。

ゲームは、なかなか面白かった。ナンシーは、二日間、そのゲームに熱中した。

三日目に、また学生がやって来た。

「新しいゲームを持って来ました」

彼は、ゲームを追加したフロッピー・ディスクを持参して、前のと交換して行った。ナンシーは、そのゲームにも熱中し、やがて飽きたが、学生は二度とやって来なかった。

「あなたって、怖いほどの天才ね」

と、ダナは言った。

「受付嬢のパスワードを、苦もなく入手するなんて」

「まだ、序盤戦ですよ」ラオは、さらりと言った。「でも、ハッキングって、面白いでしょ？」

「どうして、彼女は騙されたのかしら？」

「誰だって騙されます……囮《おとり》作戦には」

「囮作戦？」

「コンピュータの初期画面が出てきて、パスワードを聞かれたら、あなたならどうします、サマートンさん？」

「たぶん、パスワードを入れるわ」

「それが普通ですよ……そして、そこが普通のユーザーにつけ込む隙なんです。私がフロッピー・ディスクに仕込んでおいたプログラムは、コンピュータの初期画面を真似《まね》するように作ってあります」

「初期画面を、真似する？」

「つまり、スクリーンに出てきた画面は、本物そっくりの偽物、囮画面なんです。囮画面が、パスワードを要求する。それに騙されて、ユーザーがパスワードを入力すると、一度はエラーが表示されるようにプログラムを書いてあります。再びパスワードを入力すると、それはフロッピーに記憶され、ようやくゲームが始まるという仕組みです」

ダナはあきれた。この美男子は、なんて頭がいいんだろう？

「一〇〇人のうち、一〇〇人が騙されるわね」

「そうあってほしいですね」

ラオの言うとおり、まだ、作戦は始まったばかりなのだ。

「次は、何をするの？」

「せっかく専用回線を使うほどセキュリティに気を使っていながら、ロビーの受付にまで端末を置くなんて、ハッカーから見れば、コンピュータ・システムに侵入してくれと誘っているようなものです。彼女のパスワードを使って、上層部のパスワードを引き出す方法があります。あとは、条件さえ整えば……」

「条件？」

「日にち、プラス、人間。あなたとウォンにも、協力していただきますよ」

ラオは、余裕綽々《よゆうしゃくしゃく》といった口調だった。

「ところで、私にも質問させてくださいよ。上海香港銀行の秘密ファイルの内容を、あなた、本当に知らないんですか？」

ダナは、返事に詰まった。『ワシントン・ポスト』のメイミ・タンの情報が本当なら、かなりのスクープになるはずだった。メイミから念を押されたもう一言《ひとこと》を、ダナは思い浮かべていた。

──確証が摑めるまで、情報は秘匿《ひとく》する。これは、ジャーナリストの鉄則よ。ウォンにもラオにも、話さなくていいわ。ファイルが見つかれば、いずれわかるんだから。

迷ったが、ダナは、結局そのまま、ラオの問いには答えなかった。

しなやかな肢体がくの字形に折り曲げられると、獲物の白い下腹がいびつに歪《ゆが》む。ランズデール・ジャクスンは、両手を獲物のなめらかな膝の裏にあてがい、閉じられた太腿を勝ち誇ったようにおし開いた。彼の、すでに硬くはりつめていた先端は、火照《ほて》った狭間《はざま》を眼にしたことで、さらに堪《こら》え切れないほどの疼《うず》きを増した。

「それを――」

か細い声が、おずおずと求めた。小さな細い体が、アクロバティックな形になることで、なお華奢《きゃしゃ》に見える。彼は、美しい獲物と、醜い自分の秘部が剝《む》き出しに触れ合うことを考えると、震《ふる》えるほどの情欲が体の奥からつき上がるのを感じた。

それでも彼は、喜びの瞬間を先に延ばそうと、両手でペニスを支えて、ゆっくりと狭間の入口にこすりつける動作を繰り返した。組み敷いた白い体が、待ち切れずに身悶《みもだ》えすると、彼は頂《いただ》きを少しずつ、押し入れた。

入れてしまうと、歯止めは利《き》かなかった。小さな蕾《つぼみ》のなかの襞《ひだ》が、彼をとらえて揉みしだき、まとわり、羽交締《はがいじ》めにした。ランズデールは腰を思い切り伸ばし、一気に奥底めがけて突き入れた。

ランズデールは、呻《うめ》いた。

本当に欲しいのはこれだけだ――。獲物を思うがままに蹂躙《じゅうりん》していながら、彼はいつもながらの屈服感を味わっていた。お気に入りのやり方で、酔ったように律動を繰り返しながら、心の奥底で蠢《うごめ》く躊躇《ためら》いをも組み伏せようとする。しだいに、快感が彼を捕え、何を怖れているのかも、誰のなかに入っているのかすらも忘れさせる、甘い痺《しび》れが襲ってきた。

どうなってもいい――あと数回、この律動だけを続けたい……ああ！

彼は膨《ふく》れ上がり、息を止め、渾身《こんしん》の力を込めて到達した。

――ランズデールが行為を終え、引き抜いたペニスがぴくりとも動かなくなると、少年はその細い指で、濡れそぼったコンドームを器用に始末した。

少年は到達していなかった。彼にとって、性《し》は売り物以外の意味を持っていない。まだ十代前半というのに、彼の頭を占めるのは金に対する価値観だけだった。彼のセックスはつねに金に換算される。幼く、美しく、しかもラティノ・アメリカンでも、アフリカン・アメリカンでもない白人の男娼は、最高ランク――大金に価《あたい》した。少年は相手の美醜も年齢も問わなかった。問題にしたのは厄介《やっかい》な病気の完璧な予防と、金だけだった。彼のお得意は上流階級の紳士たちで、いわば彼は常連を相手取る寵児と言えた。しかし、ランズデールは初めての相手だった。行為が終わったあと、憂鬱そうな顔をする客も、ランズデールが初めてだった。

「よくなかったの？」

少年は、片手で顔を覆《おお》っているランズデールに、思い切りあどけない声で尋ねた。客の仏頂面《ぶっちょうづら》の原因は、自分がいくふりをしたせいかもしれないと思いながら、彼は内心顔をしかめた。演技することは、お互いのルールなのに、と。

ランズデールは、首を横に振った。絶頂感を得たのは自分だけだということに、とうに気づいてはいたが、憂鬱の原因はそれではなかった。

恍惚と後悔、彼の日常は、この数十年、このふたつの極を行きつ戻りつしていた。後悔のなかに、ある日ぽつりと欲望の火種《ひだね》が落ちる。それは日に日に膨《ふく》れ上がり、恍惚を極《きわ》めるまで容赦《ようしゃ》なくランズデールを鞭打《むちう》った。

彼の特殊な職場では、ホモセクシュアルは御法度《ごはっと》だった。軍隊の場合と同様に、それは保安上のリスクだと見做《みな》される。驚いたことに、同じ職場で、飲酒癖は大目に見られていた。ていよくお払い箱になるのは、預金残高が少なすぎて問題視された場合――買収の対象になりやすいからだ――そして、ホモセクシュアル傾向がみられた場合だった。

ランズデールには男色癖があり、しかも、彼はその職場の人事を掌握《しょうあく》する立場にあった。――この俺が、新たに入ってくる新人たちの資格を、苛烈《かれつ》なまでに裁いている俺が……男娼を、しかも少年を、弄《もてあそ》ぶように抱いているとは……？

欲望が捌《は》けた瞬間、彼の思考は正常に戻った。ランズデールは、先刻までこの上なく慈《いつく》しんでいた少年の体を、そっけなく突き放した。情交は、一度きりで足りた。前のときから、半年は経《た》っていた。その半年が、いかに抑制と逡巡に満ちていたかは、本人以外には窺《うかが》い知れなかった。

彼は手早く服を着けると、情交の代価を、少年に投げつけるように渡し、恨《うら》めしげな、ませた子どもをよそに、そそくさと部屋を出た。

そのまま、いずことも知れぬバーへ足を踏み入れ、止まり木でしたたかに酔った。闇のなかへすべてを溶かしてしまうには、酒よりほかに協力者を思いつかなかった。酩酊は、まず時間を、続いて屈折を忘れさせ、ランズデールは酒とともに茫洋と漂《ただよ》った。

不意に、芳香がした……とても近くで。華《はな》やかな色彩が、目の前で揺れた。半ば睡《ねむ》りかけた意識に、朧《おぼ》ろな色が心地《ここち》よかった。

しかし、そう思ったのは、ほんの束《つか》の間《ま》だった。いちばん恐れていることが現実になるまでの、数秒の愉楽。

隣のスツールに、いつの間にか、女が座っていた。

「あなたの秘密を……手に入れたわ、私」

間違いなく、女はそう言った。ランズデールは、かっと目を見開いた。一時に血が逆流し、彼本来の職業的本能が、正気を半分、取り戻させた。女は華やかに笑い、小声で囁いた。

「聞こえてるの？　ＣＩＡ徴募《ちょうぼ》部長の、ランズデール・ジャクスンさん」

自分の頰が引き攣《つ》るのを、彼は感じた。

「そんな男は知らない」

「まあ、ご挨拶ね。見くびらないで。私のほうでは、その男を知っているのよ」

女は、ぐっと身を乗り出した。

ランズデールは、さらに四分の一、正気を取り戻した。ひるみながらも、こわもてを装《よそお》い、脅すような太い声を出した。

「あんた……誰なんだね。場合によっては……」

「場合によっては、何？　どうするつもりだっていうの？　職権で逮捕？　あなたに、それができるかしら……変な声色《こわいろ》なんか使っても、無駄よ」

華奢な指で透明な液体の入ったグラスを弄《もてあそ》びながら、女は平然と言ってのけた。

「CIAは知らなくても『ポスト』はご存じよね？」

深く刳《く》れたシルクシャツの胸ポケットから、正真正銘《しょうしんしょうめい》のIDカードを優雅な手付きで抜き出すと、女はランズデールの鼻先に突きつけてみせた。

ランズデールの酔いの残り四分の一が、これで吹きとんだ。

「ジュディス……デューア……」

彼の目にも、女記者の名前は、はっきりと読み取れた。ランズデールは絶句した。ポストの記者が、自分を調べたとすれば、あのことを隠しおおせるはずもなかった。

「今日のあなたの行動を……。逐一おさらいできるわ」

女のその科白《せりふ》を聞かなくても、彼には自分が敗者だとわかっていた。が、彼は抵抗を試みた。

「見たわけではあるまい？」

「私は、あなたの秘密を、手に入れた、そう言ったはずよ」

ジュディスは甘い声で、しかし冷ややかに言った。

「『手に入れた』――、私なら、証拠を持たずには使わない言葉よ。二時間前に、私はとある場所で、テープを巻き戻していたわ……これだけ言えば、十分でしょ？」

ランズデールは、完璧に打ちのめされた。

「記事にするのか……このスキャンダルを？」

彼は、やっとの思いでそれだけを言った。

「ええ――いいえ」

彼女は思わせぶりに言った。ランズデールは、訊き返さなかった。どのみち、主導権は彼女の側にあった。

「記事にはしない……だけど、それもあなた次第」

「俺を、ゆするのか」

「でも、あなたにとって、この種の話は、いまに始まったことじゃない。違うかしら？」

ランズデールは唇を嚙んだ。悪癖がもとで、彼は、いままでに二回、圧力に屈したことがあった。そのことまで調べられているとは……。

ジュディスは、ランズデールが弱みを持っている、という情報をつかんで、彼に接近したのだった。

「私の申し出なんて、過去のあれこれに比べれば、あなたにとって、それほど負担にならない頼みよ」

ランズデールは頭を抱えた。彼は、弱々しく言った。

「言ってみてくれ。早く……」

「ある名前を私が言うわ。あなたは、その人物が局員かどうか、それを教えてくれさえすればいいの。それで、スキャンダルは帳消し。あなたの首はつながる」

「だめだ……」

ランズデールは、再び、力ない抵抗を試みた。

「情報要員身元保護法の条項によれば、CIA職員は、許可なく局員の氏名を公表すれば禁固一〇年、罰金一〇万ドルに処せられる」

「大丈夫よ。公表しないもの。あなたと、私だけの密約。それに、もしそうだとしても、あなたには選択の余地がないのじゃないかしら。一言でいいのよ。イエス、もしくは、ノー」

「即答はできない」ランズデールは逃げをうった。「局員は二万人もいるから、一人一人を覚えてはいられない。局に帰り、コンピュータのデータファイルを呼び出さなくては……」

ジュディスは遮《さえぎ》った。

「その必要はないと思うわ。だって、その人物は、そこそこ有名なジャーナリストだもの、あなたの印象に残らないはずがないの」

ランズデールは、たじたじとなった。少しでも、答えを引き延ばしたかった。

「あんたは、どうしてその人物が、CIAで働いてると思うんだい？」

「保険を調べたのよ。その人物は、生命保険に驚くほど少額しか費《つい》やしてないの。CIA職員は、保険契約の条件を満たせないでしょう。危険な職ですものね。だから、局員は極秘に、CIA独自の保険に入っているんですってね。だったら、他の保険に多額の掛金を払うわけないわ。カモフラージュに、ほんの少額を、お義理みたいにかけることはあってもね。それで、その可能性を考えたわけ」

彼は唸《うな》り、腹を括《くく》り、そして俯《うつむ》いて、言った。

「言ってくれ、……名を」

ジュディスは、ワシントン・ポストの同僚の名を、すらりと口にした。

「――メイミ・タン」

ランズデールは、数秒後、彼女の聞きたかった返事を、ぽつりと呟いた。

「……イエス」

邂逅《かいこう》

食欲をそそる匂いを含んだ生温《なま》かい風が、ダナ・サマートンの鼻をくすぐった。

夕方ともなれば、香港の裏通りには、大牌檔《タイパイトン》といわれる屋台や露店がひしめきあう。昼間は駐車場であったり、空き地であったり、車道であった空間を、見る間に俄《にわか》づくりのテント・レストランが埋めていく。路上にいくつも出された折畳みテーブルとスツールの間を、肉や野菜を炒めた煙が流れていた。

ダナは、袋小路の奥に防水シートの簡単な屋根を掛けただけの屋台で丸いテーブルにつき、この油蔴地《ヤウマアテイ》界隈が、香港人の胃袋を満足させる一大屋台街へと変わっていくのを、ぼんやりと眺めていた。

一人の食事はつまらないと考えている自分に気づいて、ダナは苦笑いした。

ここ数年、自分が一人で食事を摂《と》れる人間であることに誇りをもってきたのではなかったのかしら？

そうはいっても、ラオからもウォンからもエスコートの申し出がなかったことは、女としての彼女の自尊心を、少しも傷つけなかったとは言えなかった。

男たちを振り向かせる魅力は、もうなくなったのだろうか？　この仕事が終わったら、じっくり鏡と向き合ってみる必要がありそうだった。それに――頑《かたく》なな自分の心とも。

そう決めると、ダナは女々《めめ》しい考えをぴしゃりと断ち切るために、ビールをぐっとあおった。

有難いことに、ビールは香港の屋台にしては珍しく冷えていて、オードブルがわりに頼んだ精進ハムの薄切りには、極上の胡麻油で上品に香りがついていた。

「最高《マーヴェラス》！」

そう口にしたときには、野心に満ちたジャーナリストに戻っていた。そのまま、彼女は仕事のことを考え始めた。

――BCCIを追った『タイム』誌の経済エディターと調査報道記者は、たしか、三つ以上は賞を受けたはずだ。メイミと私にも、それ以上のチャンスはある……。

ダナは、一昨年、史上最大の金融スキャンダルとなった事件を思い起こした。

欧米金融当局が、かねてから黒い噂の絶えなかったBCCI（バンク・オブ・クレジット・アンド・コマース・インターナショナル＝国際信用商業銀行）の制裁措置の執行を決定したのはたしか、一九九一年の七月だった。

BCCIは、オイルダラーで潤《うるお》った中東諸国の資本をもとに、パナマの独裁者ノリエガやコロンビアの麻薬組織、ニカラグアの反政府組織など、三〇〇に及ぶ犯罪勢力の違法な逃避資本を管理し、不正所得の隠蔽《いんぺい》や資金供与をしたとして取り沙汰《ざた》されていた。

制裁措置によって、BCCIは世界七ヵ国で営業停止処分となり、資産を凍結された。

『タイム』は、BCCIの犯罪がまだ露見していない段階から、このスキャンダルを追っていた。事件が表沙汰になるやいなや、『タイム』は、「世界一汚い銀行」と題したカヴァー・ストーリーで、BCCIがいかにして犯罪的な勢力やスパイの御用達銀行になったかを掘り下げ、その報道は他紙を完全にリードしていた。

――BCCIは、二〇〇億ドル規模の国際銀行だったけれど……。

ダナは、目を閉じた。

――上海香港銀行の総資産は、二六〇〇億ドルを超《こ》えている。摑《つか》んだ情報の裏付けが取れたなら、遙《はる》かに大きな金融スキャンダル、しかも独占スクープとなることは必至だった。

――BCCIが清算された今、資金の浄化先を失った黒い預金者や借金者は、はいそうですかと鉾《ほこ》を収めているのだろうか？

そんなはずはない、とダナは首を振った。

絶え間なく資金を必要としている彼らは、とうの昔に別口に乗り換えているに違いないのだ。もっと信頼の置ける、受け入れ先に。

――だとしたら……？。

「BCCI？　ひょっとして、バンク・オブ・クレジット・アンド・コマース・インターナショナルのことかな？」

降って湧《わ》いたような男の声に、ダナはぎょっとし、ぴくりと身を引いた。言うやいなや男が突きつけた黒い塊が、一瞬であるが、銃に見えた。が、次の一瞥《いちべつ》で、それはダナが注文した豉汁炒龍蝦《チーチャチャウロンハイ》、つまり、一皿の伊勢エビの豆豉《トウチ》炒めであることが判別できた。

息を呑んだ反動で吐息をつき、眉をひそめて、彼女は男を見た。目にはまだ、心中を言い当てられた驚きが残っている。

飾り気ない笑顔が、ダナを見下ろしていた。

「——香港の屋台で、BCCIを語れる女性に出逢えるとは」

男の視線の行く先に気づいて、ダナはハッとした。ゆっくりと、彼女は笑いくずれた。

両手の指が、タイピングを小休止したときの形で止まっている。知らぬ間に、指が思考を追って動き、屋台のテーブルに、見えないメモを残していたらしい。時折、自分がそうする癖があると、ダナは知っていた。

——トテモイイニオイガスルワ。

男が差し出した料理を見ながら、彼女は指を動かしてみた。

すぐさま、男は返した。

「ウエイターが、このロブスター料理を僕のテーブルに置いた。が、僕は頼んでいない——そこで、これはたぶん、隣のテーブルの美女のだろうと、勝手に思い込むことにしたんだ。そして、運んで来た」

「あなた——これだけで私がタイプした内容がわかるの?」

黒い髪に、笑うと目尻に皺《しわ》の寄る黒い目、漆黒《しっこく》のタートルネック・セーター……男の外観を、自分なりの基準で好感のもてるほうに分類しつつ、ダナは訊ねた。

「君は、標準的なアップルキーボードを使っている……そして、たまにだけど、MとNを押し違えてる」沢木喬は言い、訊ね返した。「同席してもいいかな」

沢木は、突然に彼の世界に出現した魅力的な生き物に、数秒ごとにより強く、惹《ひ》きつけられていた。

最初は興味本位で、ほっそりと均整のとれたダナの美貌と屋台街との不均衡を、男一般の気持ちで眺めていたはずが、いつの間にかうっとりと、目を離せなくなっていた。とくに、タイピングが目に入ってきて、彼女の属する才気の世界を垣間《かいま》見たとき、信じ難《がた》いことだが、望む女の一人を発見したのかもしれないとさえ思った。

屋台の給仕係が、彼女のオーダーを間違えて自分のテーブルに運んで来たときには、声をかける絶好のチャンスに恵まれたことに、実際のところ、飛び上がらんばかりだった。

「なぜ――」

驚いた眼の表情も、美しかった。

彼女が暗黙のうちに自分の同席を許してくれていることに気づき、沢木は掛けた。

ダナは続けた。

「なぜ、わかったの？　特殊な訓練を？」

「見えるんだ――いろいろ。ネイティヴ・アフリカン並みに視力がある」

男が席についた瞬間に、ほとんど動物的にリラックスした自分に、彼女は驚き、見知らぬ男性に対してこんな気分になったのは久しぶりだと感じて、急にどぎまぎした。

だからこそ、逆に警戒を強めた。いまは大事なときだと、ダナは自分に言い聞かせた。そのくせ、他のときに出会っていたらという愚かなロマンチシズムが頭の隅《すみ》を掠《かす》めた。

「その――あなたは、報道関係の人かしら」

問われて、沢木は迷った。こういうとき、調査担当中の外交官はどう言えばいいのだろう？

たぶん、嘘が正解だろうとは思った。だが、初仕事で、運命の女《ファム・ファタル》と出くわした場合には――？

そんなマニュアルは、あるはずがない。

――それとも。

彼は思い直した。恋は錯覚で、これからは仕事で行く先々で、女が待っているのかもしれない。いずれにしても、いまのところ、知り合うきっかけとしては、ジャーナリストだっていいじゃないか？　相手はどうやら文を書く職に就《つ》いているらしいし、まるきりの嘘というわけでもないのだから。

仕事に対する忠誠心から、沢木は答えた。

「そう――新聞記者なんだ」

とたんに、ダナの眼から、好意が消えた。

同じ職種が、親近感を生むと考えたのは、沢木のひとり合点《がてん》だった。

――どこから、考えを盗み読みされていたのだろう？　私は、スクープについての何かの手掛かりを、同業者に与えてしまっていたのだろうか？

思考を辿《たど》る目つきになり、続いて警戒心がダナの表情を、見る間に固くした。少なくともBCIに関する何かは、読まれた。

——では、上海香港銀行のことは？

沢木がタイピングを読んだのは途切《とぎ》れ途切れで、ダナの姿態に気を取られる時間も多かったことなど、彼女は知らなかった。「悪いけど」これ以上つけ入る隙《すき》を与える気はなかった。「失礼するわ」ぴしゃりと言い、彼女は立ち上がった。大きな仕事を、邪魔されたくない——たとえ、彼が好みのタイプでも。

「待ってくれ」

突然に態度を豹変させ、名前も明かさぬまま背を向けようとしている女に混乱し、沢木は慌《あわ》てて言った。

「エビはどうするんだ」

言ったときには、女はすでに防水シートの屋根の外に出ていた。

「あなたが食べて」

言い捨てた女の唇は、特徴ある尖《とが》り方をしていた。

翌日、沢木は日本総領事館にいた。

香港に来た本来の目的を香港当局から隠すために、沢木は、とりあえず二、三日は、カモフラージュの調査を続けなければならなかった。本来の目的は、上海香港銀行へ乗り込み、ゴルトシルト家の不正資金の証拠を摑むことだが、日本から芝田の元秘書がやって来るまでには、まだ数日の間がある。

その間、カモフラージュの業務として与えられたコピー製品の調査を、沢木は、まず、模造業者の線から調べることに決めた。香港の日本領事館に勤《つと》める都築健太郎が、ハイテク機器および、家電製品の偽物造り業者のリストをあげていた。都築は、この件の本来の担当だけに、すでに業者について、本格的に調べ始めている。

――このなかに、ハイパーソニックから、製品技術を盗み出している業者があるのか？

リストのなかの名前は、思ったよりもずっと少なかった。ハイパーソニックの製品技術を詳細な部分まで再現できる力と規模を持ちながら、かつ、アジア・アメリカの華僑シンジケートと繫《つな》がりの深い業者は、数えるほどしかない。

リストを作ってくれた都築に、沢木は訊ねた。

「これだけ業者の名前がはっきりわかっていながら、彼らの海賊商法を、香港当局や税関は、なぜ取り締まらないんですか？」

四十年配の都築は、ノン・キャリア組だった。キャリアとノン・キャリアという対比は在外公館では、本省ほど明確ではない。むしろ、現地の情報収集や調査という仕事には、長年同じ土地で過ごす、ノン・キャリアの経験や勘がものをいう場合も少なくない。都築は、香港在住十数年というベテランだ。

「税関や当局をごまかすのは、模造業者の得意技なのさ」彼は、偽物業者の手口を、もう調べているようだった。

「たとえば、コンピュータなら、初めに電源を入れたときには、本来なら機種名が表示されるだろう？　マッキントッシュなら、コンピュータを模したキャラクターの笑顔が出て、アップル社製であることが一目瞭然《いちもくりょうぜん》だ。だから、チェック担当者は、まず、電源を入れてみる。機種名を見るためにね。ところが、彼らはその部分だけプログラムをいじって、もっともらしい機種名を画面に表示するよう仕掛けてある。じっくりと機器を動かしてみるチェック担当者なんて、めったにいない。ちょっと電源を入れて、最初の画面部分が違えば、すんなり『違う製品』と思ってしまうんだ。ほんの薄皮《うすかわ》の部分だけ変えてあるんだよ。基本的な部分は、全く同じというわけさ。こんなこともあったらしいよ。自社の製品をマネされるのに業《ごう》を煮やした、あるコンピュータ・メーカーが、偽物チェック用のテスト・ディスクを開発したんだ。それをチェック担当者に使ってもらえば、即座に著作権侵害があったかどうかわかるっていう、画期的なディスクを開発してね。しかし、その作戦は敢《あえ》なく失敗した」

「どうしてですか」

「最初はよかった。少なくとも数社が、それによって罰金刑をうけ、取り締まりは成果をあげ、いくつかはつぶれたかに見えた——だが、実際には、その数カ月後には、またまた同じ経営者が、五〇〇メートルも離れていない場所で、全く同じ製品を売っているのさ。『富華《フホワ》工業』が『大ク『富華工業』に名前を変えただけでね。そのうえ、こんどはそこのコピー製品を、テスト・ディスクはチェックできなかった」

「まさか」

「いや、事実なんだ。チェック・ディスクを入れたときだけ、別のプログラムが現われるように、システムを組み直したんだよ──まさに、天才的だ」

「いたちごっこというわけか」

「そのとおり。でも、メーカー側は、そんなことだけに開発費を費やしていられないからね。結局、大部分は放っておくしかないんだ。また、模造業者は、部品をばらばらに分解し、別の機器に混ぜて輸出するケースもあるそうだ。さらに言えば、香港当局には、本腰を入れて取り組もうなんて気は、さらさらないのさ。ニセモノ造りを取り締まろうとしたら、香港市街の大半の店はなくなってしまうだろう？　それを楽しみに来ている観光客だって失いたくない。海賊市場は、どんな言い訳をしたところで、香港を活性化させている必要悪なのさ。水魚《ソイユー》も横行してる」

「水魚？」

「日本でも言うだろう──魚心あれば水心、さ。賄賂《わいろ》だよ。こちらでは、〝当局は儲かる仕事〟というのが常識で、こんな話まであるんだぜ。ある男が、麻雀で負けそうになり、対面《トイメン》の男に八百長してもらおうと、金を握った手を雀卓の下へ入れた。すると、なんと三人全部が手を出してきて困った。その三人は全員、当局の人間だった」

沢木はあきれた。

「そんなに当局が与《くみ》しやすいのでは、『黒社会《ハクセイウィ》』の出番はないんじゃないですか」

黒社会は、香港のチャイニーズ・マフィア――英語では『ブラック・アソシエーション』の総称だ。

「香港の中では、そうだ。しかし、アメリカのシリコン・バレーからチップを盗むのは誰の役目だい？　各企業から、技術を持ち出すのは？　そして、台湾やタイ、シンガポールで製品を売り捌《さば》くのは？」

現地在住の都築は、裏事情に詳しかった。

「彼らのシンジケートですか」

「そういうことになるね。だが、まあ君は、遠からずこの調査からは離れるだろうから、彼らと出くわす機会はないだろう。ひととおりのことだけ知っておいてくればいいよ。とにかく、リストにある業者を、頭からあたってみてくれ」

深水埗《シエムソイポ》のメイン通りは、観光客で溢れ、なかでも、最大のハイテク機器ショッピング・ビル『黄金電脳市場』は、賑《にぎ》わっていた。四階建のビルのなかに一坪ほどの小さな店が二〇〇ばかりも入っており、コンピュータのハード、ソフトを中心にさまざまな電子部品、オーディオ、家電が目白押しに並ぶ。

その有名な雑居ビルを最初の目印に、沢木は細い路地に折れた。調査対象業者は、この路地の奥にある。

都築が怪しいと睨《にら》んだ業者の筆頭は、世界に販路を持ち、したたかな偽造品販売会社と言われる『ラオ・ワールド・オペレーション』だった。都築は、ラオ・ワールド・オペレーションのはす向かいのビルに、監視用の部屋の手配を済ませていた。

今回の監視は、来訪客のチェックが目的だった。ラオ・ワールド・オペレーションの社長、劉日月は、重要な商談を、この古ぼけた本社ビルで行なうのがつねなので、ここを訪れる人物の背景を調べれば、彼の動きがわかるというのがベテラン都築の目算だった。運がよければ、ハイパーソニックの内通者と出くわすかもしれない。また、そうでなくとも偽物製品の大口購入者や製造下請けの線から見当をつけることができる。

都築が借りた部屋には、望遠カメラが備えつけてあった。沢木は、饐《す》えたような匂いの部屋から、ラオのビルの玄関を窺《うかが》った。

来訪者があったら、シャッターを押す。張り込みにも似た作業は、沢木に新聞記者時代を思い出させた。

来訪者は、思ったよりも多かった。一時間に、平均四、五組が出入りしていた。そのうち何人かは、社員なのかもしれなかった。

風が吹きはじめていた。持ち込んだ安物の電気ポットの湯が沸いて、蓋《ふた》がカタカタと音を立てる。熱いコーヒーが飲みたかった。

カップを取りに立ち上がろうとしたそのとき、目の隅を、華やかな色が掠《かす》めた。

女が、ビルから出て来るところだった。沢木はカメラの首をターンさせ、アップが撮《と》れる位置を狙った。

改めて見ると、女の服装は、何の変哲もないベージュブラウンのジャケットにパンツだった。どこに華やかな色彩を感じたのだろうと、彼は首を傾《かし》げた。すらりとしたスタイルに、色があるのかもしれなかった。

ピントを合わせ、ぼんやりしていた女の像が、くっきりとクローズ・アップになった瞬間、風が女の髪を巻きあげた。そのとたん、沢木の眼は、女の顔に釘づけになった。

まさか？

いったん見たら忘れない——風になびく髪と、尖った唇。

タリア・キーファの兄と一緒に、写真におさまっていた女。ローレンス・アボットが焼死すると同時に、姿を消したという女。

印象のなかの女と、レンズのなかの女は、あまりにも似ている。

そして、その女こそ、沢木が昨晩、油蔴地《ヤウマアテイ》の屋台でスルリと逃げられた、あの女だった。昨晩はのぼせていたし、女の髪の色も写真とは違うので気づかなかったが、あの唇は、たしかに——？

沢木は、夢中で、シャッターを切った。

撮影可能な範囲から、女は、見る間に遠ざかっていく。

——あの女を、追おう。

ほとんど無意識のうちに、沢木は即断していた。電気ポットのコードを引き抜き、ジャケットを摑んで、彼は、すばやく部屋を飛び出して行った。

裏金

『インターナショナル・ヘラルド・トリビューン』

〈香港に最後の総督が着任――就任式執《と》り行なわれる〉

〝香港の第二十八代、そしておそらく最後の総督が着任した。新総督はサッチャー政権のもと、北アイルランド対策チームに参加、その後は英国保守党の幹事長として辣腕《らつわん》をふるった人物でもあり、現首相・メージャーの懐刀《ふところがたな》と言われる人物。香港総督といえば中国通の外務省高官が就任するという慣例を破る異例の人事である。イギリス政権は、これまで重要なポストを歴任してきた彼に、香港返還までの難しい局面を委《ゆだ》ねた〟


『アジア・ウォールストリート・ジャーナル』

〈新総督、対中強硬姿勢――揺れる香港株式市場〉

〝香港新総督が打ち出した「香港最後の五年間の青写真」は、中国政府と真っ向から対立する結果となった。総督は一九九五年に予定されている香港立法評議会の選挙に関して、北京政府に何の相談もなく民主化路線の改革案を発表した。これに対して中国政府は、強い懸念《けねん》を表明。返還

に関していままで歩調を揃えてきた中英の足並みの乱れが不安材料となり、香港市場は天安門事件以来の下げ幅を記録した〃

『サウスチャイナ・モーニング・ポスト』

〈国慶節トピックス――北京政府の新総督評〉

〃先月執り行なわれた国慶節の際、新総督はまたまた北京政府を憤慨させた。慣例になっている中国高官一人一人との乾杯を、彼が行なわなかったからだ。「歴代総督であれほどの礼儀知らずは初めてだ」とある高官は語ったらしい〃

〈チャーリー〉は、天に伸びる光の窓を見上げていた。

イギリスが誇る建築事務所、フォスター・アソシエイツの手になる上海香港銀行の高層ビル内部は、最上階まで続く巨大な窓のせいで、いやというほど明るい。ガラスを多用した近未来的なインテリアが、光の加減で、よけいクールに見える。

かっちりとした背広姿の男や、髪をアップスタイルにまとめた女性が、老舗《しにせ》の銀行員やその顧客らしく、いくぶんかゆったりとしたリズムで往《ゆ》き来《き》しているなかに、チャーリーのスーツ姿は完全に溶《と》け込んで見えた。

しかし、その目的は、少なくとも、一般の行員や顧客とは別なところにあった。チャーリーは最上階、つまり、頭取の客だった。

吹き抜けのなかに危なっかしく架かる、しゃれた長いエスカレータを避けて、チャーリーは堅実なエレベータを選んだ。最上階までの乗り物としては、こちらのほうがずっと機能的だったからだ。

最上階は、ほかのどんなフロアよりも明るく、物音ひとつなかった。深いグレーのカーペットが、足音さえも沈み込ませてしまう。

これでは、殺人犯がうろついたってわからない、とチャーリーは思った。

が、その瞬間、すぐ脇のドアが音を立てて開いた。

「ようこそ、チャーリー。待っていたよ」

上海香港銀行頭取の、エドワード・フレイザーが立っていた。

チャーリーは、振り返って、頭上の防犯カメラを確認した。

フレイザーは、チャーリーの視線を目で追った。

「お客さまを迎えるタイミングを、はずしたくないんだ」

彼は、そのまま後ろ手に頭取室のドアを閉めると、客の先に立ち、階段脇の目立たぬドアに誘った。

そのドアも、ノックの必要がなかった。まるでセンサーが感知したかのようにドアが開き、秘書が、微笑みながら二人を招き入れた。

「皆様がお待ちです」

そう言って二人を通した秘書の身のこなしに、隙がないのを、チャーリーは看《み》てとった。頭取のフレイザーが、秘書の見事な脚を嘗《な》めるように見つめたが、彼女はまったく意に介さないというように、微笑んでみせた。

もうひとつ扉を開けた奥の部屋には、どこの会社にでもあるような、重厚な会議用テーブルが置かれており、会長の席にあたる端の席に、香港総督が座っていた。

「今朝の新聞を見たかね、パオ」

総督は、入って来たチャーリーには目を向けず、彼の正面に陣取った、この部屋の主・包輝南《パオフェイナム》に向かって口をきった。〈香港新総督をイギリスに追い返せ〉という見出しが、連日のように、主立った中国系新聞を飾っているのは、周知のことだった。

「中国側の、私に対するバッシングは、日に日に声高《こわだか》になるな。この分では、私を香港から追い出すまで、キャンペーンは終わらないだろう」彼は、皮肉っぽく笑った。「一般の市民は、なぜ、植民地最後の総督である私が急に強硬姿勢に出たのかが、理解できないだろうな」

「そのようですな」

パオは、紳士らしく、イギリスの利益を代表する総督に敬意を払うもの言いをした。この総督が、メージャー首相の懐刀であるだけでなく、たとえパオであっても、盲目的に従わなければならない組織の香港司令塔であることを、彼はわきまえていた。

「けれども、中国首脳は、その意味するところを、完全に把握しているでしょう――あなたが対中強硬姿勢に出たのは、われわれ、つまりイギリス側が例のカードをあきらめきっていないことを、中国に対して表明したことになりますから」

総督は、眉を寄せ、吐息を洩《も》らした。

「本国の指令とあれば、やむを得まい」

香港総督を全《まっと》うしなければ、イギリスに帰った後の、政治家としての彼に未来はない。メージャーの次の次ぐらいにはダウニング街入りしたいと考えている彼にとって、今回の課題は難問だった。もしもカードを手に入れられず、中国側の圧力で香港を追い出されでもしたら、目もあてられないことになる。彼はいやが応でも、切り札を入手する必要に迫られていた。

パオは、総督も自分も、一蓮托生《いちれんたくしょう》と知っていた。優雅に見せかけてはいても、彼の内心は、焦燥している。香港経済界の有力なリーダーたちの多くが、イギリス寄りから中国寄りへと、姿勢を変えはじめていくなかで、もともとイギリスと関係の深いパオは、完全に波に乗り遅れていた。もはや、起死回生《きしかいせい》のチャンスにしがみつくしか道はない。

パオは、総督を通じて、すでにカードの内容を耳にしていた。それが手元にあれば、パオは、香港経済界における地位を、いままで以上に、揺るぎのないものにすることができる。中国側にしぶしぶ手渡していた利権を、すべて奪い返すことさえ夢ではなかった。

「それで」総督は、フレイザーに向かって言った。お坊ちゃん育ちの、女好きなこの頭取を、チームに加えなくてはならないことに思い至ると、総督はこめかみが痛くなった。しかし、フレイザーは、世界中に散らばる男爵の一族の末裔《まつえい》であり、上海香港銀行は、その一族のものも同然であるから、彼を外《はず》すわけにはいかなかった。的《まと》外れで……が、貪欲なところだけは、一族の血をひいていた。
「いままでにわかったことは？」
フレイザーは、手元のメモに目を落とした。
「中国側にわれわれが仕込んだスパイの情報によれば、彼ら首脳は、あきらかに動揺していま
す。〈女〉からの脅迫は、本物のようです。それに対する中国側の動きも、現在追跡中ですが、
どうも、中国側は女の要求を呑み、取引きに応じる気配があると……」
「どんな要求なんだ？　金か」
「いまのところ、摑めておりません。ですが、国務院に動きがあるようですから、そちらを追っ
てみると」
総督は唸った。「国務院がらみとなれば……脅迫者は、国家レベルの経済的なメリットか、も
しくは政策がらみの要求をしたとも考えられるな。一介《いっかい》の女性が……そこまで考えつくだろう
か？」
「組織に属しているのかもしれませんな。女は、どこかの国家の手先であるだけかもしれない」
「それはどうかな」パオが口をはさんだ。
「国家的な後ろ盾があれば、われわれにはもっと情報が早く届いたはずだし、どの国家が音頭取
りかは、すぐにわかる。ありとあらゆる国の中枢《ちゆうすう》にわが陣営の者がおり、その目をくぐるのは
至難の業《わざ》だ。さらにいえば、手口がどうも、素人《しろうと》くさい。国家レベルの取引きなら、もっと話は
スムーズ、かつスマートに進む」

「では、国家以外の組織だろうか」

総督は、そこで、はじめてチャーリーを見た。全員の目が、チャーリーに集中し、やがて、総督が、落胆したように言った。

「君は……ほんとに〈チャーリー〉なのかね？　優秀な情報部員と聞いたが」

無理もなかった。チャーリーは、全身の脂肪をことごとく削《そ》ぎ落としたように痩せて、目ばかりが目立ち、一見して弱々しく見えた。

チャーリーは、それには答えず、脅迫者について考えていたことを言った。

「彼らについては、わかっていることが一つだけあります。脅迫者は――取引先としてイギリスでなく、中国を選んだ。なぜイギリス側に要求して来ず、中国なんでしょう？　ゆするのなら、どちらも差はないでしょう」

総督は、なるほどといった顔でチャーリーを見直し、パオも考える顔になった。

「そこに何かがあるのかもしれませんな。中国にしかできないこと、あるいは、中国にしかないもの。それを脅迫者は要求したのかもしれない。しかし、いったい、そんなことをするのは何者なんだろう」

「いずれにせよ」フレイザーが続けた。「中国側は、脅迫者を自国に呼び寄せるつもりのようです。〈文書〉が本物であることを確認するために」

「そこで殺すのか……取引きに応じるふりをして？」

「そのつもりなのかもしれませんね」

フレイザーは、自分なら間違いなくそうする、といった顔をした。

チャーリーは顔をしかめた。女の顔が、頭を過《よぎ》る。

――あの女は、自分が手にかける。どんなことがあろうと、他の誰かには殺《や》らせない。

「ほかには？」

総督が、フレイザーの話の先を促《うなが》した。

「新華社《シンホアシャー》のリーという男が、北京に飛び、要人に会ったという情報があります。ちょうど女から脅迫ビデオが送られてきたのと同時期です。リーは、表向きジャーナリストですが、じつはこちらが密《ひそ》かにマークしていた情報部員です」

「調べる必要はありそうですな」パオがおっとりと言った。「彼の周辺から、何かが洩れてくるかもしれない」

フレイザーが、言った。

「脅迫者が、中国入りするのは、一カ月後という情報があります。チャーリーには、その前後から、北京で待機してもらおうと思います。女を見つけて、略奪する機会は、そのときしかありませんから」

「それまでは、香港にいてもらう」パオが、チャーリーを見て言った。

「十分に、爪を研《と》いでおくんだ。もっと栄養をつけろ。いいかね、チャーリー」

まったく同感というように、総督もうなずいた。

チャーリーが退出して、総督も帰ってしまうと、パオは、日常的な仕事の話を、フレイザーに切り出した。

「日本から、新しい裏金預金のオファーが来ているんだって？」

フレイザーは、パオの早耳にあきれた。

「もうご存じなんですか。じつは、おっしゃるとおりなんです」

「先日死んだ、芝田というフィクサーの隠し金だそうだな」

「円にして数百億という話ですよ。まあ、扱い高としては、石油王などと比べて、そう多額なほうとはいえませんが、最近では、返還を憂慮してか、顧客が減っていますから」

「で、どうするつもりだ」

「いつものとおり、顧客の詳細な調査を進めています。当行の慣習として、めったな顧客は受け入れたくありませんからね。まあ、オーケーとなれば、初めての取引きですから、かなり保証金をはずんでもらわないと」

パオは、ニヤリと笑った。

「日本人の金持ちは有名だからな。それにしても、皮肉なことだよ。日本人の預けた資金が、巡り巡って、ゴルトシルト家による日本叩きの資金になる。彼らは、自分で自分の首を絞めることになるんだから」

「芝田が生きていたら、それを知っても、気にもかけなかったでしょうね。かなりの悪党だったらしい。それから、今度話を持ちかけてきた芝田の息子も、父ゆずりの策略家のようです。その代理人と、今週中に会います」

パオは、頬を緩《ゆる》めて、言った。

「まあ、せいぜい吹っかけることだな」


女は、軽やかな身のこなしで、地下鉄の深水埗《シェムソイポ》駅のホームに向かった。

日が暮れかかり、尾行のアマチュアにとっては、つらい時間になっていたが、彼の視力は、女を追い続けることに役立っていた。

カジュアルなショートジャケットに、シンプルな細身のパンツの姿勢のよい姿は、有難いことに、やすやすと見分けられた。

このぶんだと、意外にも視覚機能のトレーニングは、諜報の実践に役立つのかもしれないと彼は思った。

タリアから預かった写真を、ロンドンに置いてきたことを、沢木は悔やんだ。写真は、巌谷の手元に残してきたのだ。

地下鉄に乗り込む間際《まぎわ》に、気のせいか、女がこちらをチラと見たように思えた。

沢木は、一輛離れた車輛に身を滑らせ、ジュラルミンの硬《かた》いシートに座って、女を窺《うかが》った。

遠目にも、美しかった――東洋人か、アメリカ人か？　それとも、香港っ子だろうか。その美しさはいずれの価値基準にも、当てはまりそうで、当てはまらない気がした。

人違いかもしれない。

だが、あの顔はたしかに、写真の女に酷似している……。

イギリス外務省員の、ローレンス・アボットの横に、寄り添っていた笑顔。あの金髪の女……。が、いま追っている女は、栗色の髪だった。だからこそ、屋台で出会ったときは写真の女と彼女の輪郭《りんかく》や唇の相似に気づかなかったのだ。顔だけに気をとられていた自分に、われながらあきれた。

眼は？　眼は、どうだっただろう。

いま追っている女の眼は黒かった。写真のほうは……サングラスに隠れて、定かでなかった。だが、あの唇は、印象に残ったそのままだった。ともかく、女が行き着く先だけは見届けようと、沢木は決めた。

女は、尖沙咀《ツィムシャツオイ》で降りた。沢木は、ほっとする反面、多少の困惑も感じた。尖沙咀は、観光客のメッカだけに、沢木が彼女に蹤《つ》いて歩いても、人通りの少ない街よりも、不自然さはごまかしやすい。が、逆に、彼女の姿が人波にまぎれてしまうかもしれなかった。ハイアット・ホテル側の地下鉄出口から、女はネイザン・ロードへ出た。沢木は、女の尾行に集中していた。自分よりさらに少々遅れて、静かに地上に出てきた眼鏡の男がいるなど、彼には考えもつかなかった。

ダナは、地上がすっかり、香港の夜になっているのを感じた。ライトアップされた街は一九九七年に向けて、静かに過熱している。

——だけど、その後に何が滅び、何が残るのかは、誰にも予想できないんだわ。ウォンのように、いったんは移住したカナダから帰りたがっている香港人もいれば、中国に抑圧されるのではないかという恐れのあまり、脱出する者もいる。

メイミ・タンが、ダナに告げた内容が事実だとすれば、この香港には、返還前に必ず、もうひと波乱あるはずだった。

——あのことが本当なら、イギリスは、そう簡単には香港を手放さない。メイミは、どこからこんな情報を得たのだろうか？

メイミはたしかに『ポスト』きっての敏腕記者で、情報源も多いと聞いていたが、香港という、こんな極東の状況までを摑んでいるのが、不思議に思えた。

——上海香港銀行は、ＢＣＣＩと同じように、汚れた金のロンダリングをしている。

一部の人々にとって、スイスやケイマン島がどんなに便利かは、ダナも知っていた。香港も同じなのだと、メイミは言った。

香港を植民地としたイギリス、つまり香港政庁は、香港を一種の経済的な無法地帯とした。為替管理がなく、金利が自由、しかも税金が安い。そのため銀行が林立し、五〇メートル歩けば銀行にあたるとさえ言われており、ダイナミックな経済活動のなかには、いくつもの抜け道が隠されていた。

もちろん、他の諸国でも、銀行というものは、大なり小なり不正を抱えている場合が多い。しかし、上海香港銀行の問題は、不正のスケールが大きく、そのうえ、香港であがる利益が、ことごとくあるひとつの世界的な組織に流入していることにあった。

メイミの情報によれば、チャウシェスク、マルコスといった、稀代の独裁者の隠し財産をはじめ、各国有力者の不正な逃避資産が香港に流れており、上海香港銀行を経由してイギリスに流れているのは、ほぼ確実ということだった。資産は、香港で簡単に金塊に変わり、どこかに隠されて、必要とあらばイギリス経由で組織に流される。

香港司直は、返還まではイギリス政府の管轄下にある、そのため、同じくイギリス政府と通じているゴルトシルト財閥の手中へと、金塊は問題なく流通していた。さらには、上海香港銀行と深い関わりにある、包輝南という香港経済界のドンが、コングロマリットの傘下に、航空会社を持ち、それが、世界各国へ、あるいは世界各国から何を運ぶのにも都合のよいことは明らかだった。

――でも、返還後は、そうはいかない。

中国当局が、金塊をお目こぼしするわけがないからだ。となると、いまが最後のかき入れ時ということかもしれない。だが、あの一族がそれだけで黙るだろうか？

その財閥の名を思い出すと、ダナは思わず身ぶるいをした。少なくとも、サダム・フセインの財宝が、彼らに流れていないのは絶対に確かだ、と思った。一族の信じる宗教が、許さないだろうからだ。

――彼らはなぜ、イギリスに、中国返還をあっさりと承知させたのだろう？　もう少し返還を先に延ばすことだってできたはずだ。彼らの力をもってすれば……。

ダナには、その理由がわからなかった。わからないということに、持ち前の好奇心が頭をもたげかける。しかし、いまは上海香港銀行で、不正の証拠を見つけるのが先だった。それができれば、間違いなくスクープ、ピューリッツァ賞ものだ。

それにしても、一介のジャーナリストが、太刀《たち》打ちできる相手とは、とても思えなかった。ウォンとラオが協力してくれるにしても、相手が気づいた暁《あかつき》には、はたして自分の身を守りきれるかどうかすら、確信がない。ダナは、われ知らず急ぎ足になって、ペニンシュラ・ホテルの角を曲がった。

地下鉄を出たダナの足は、スターフェリー・ピアに向かっていた。九龍側から、海を隔《へだ》てた香港島側へは、乗ってきた地下鉄でも、そのまま渡ることができたが、敢《あ》えてフェリーを選んだ。夜のヴィクトリア港から、上海香港銀行のビルを眺めるつもりだった。秘密を包み隠す現代建築の粋《すい》が、どんなに妖《あや》しく夜空に浮かび上がるものか。眩《まぶ》しいばかりに輝く殻に護《まも》られた、裏金という後ろ暗い中身を絞り出すことが、果たして可能なのか？

ソールズベリー・ロードとカントン・ロードのぶつかる突端に、九龍側のスターフェリー桟橋がある。

ダナは、乗り場の自動改札に進んだ。このフェリー乗り場の自動改札機は、直接コインを放り込むタイプだ。一HK《ホンコン》ドル硬貨を入れ、釣り銭が出てこないシステムにあきれながら、いま通った改札機を振り返った。

男の姿が目の端を掠《かす》めたのは、そのときだった。男は、さりげないそぶりを装ってはいるが、あきらかに慌てていた。革のウォレットを忌々《いまいま》しげに振り、続いて、ポケットを探る。小銭がないのだ、とダナはぼんやり思った。改札機は、一HKドルまでの小額コインしか使えない。

男が、眉をしかめた横顔を見せた瞬間、鼻梁の通った横顔が、ダナの既視感《きしかん》を刺激した。

――油蔴地《ヤウマアテイ》の屋台にいた男だわ。

ダナは不安を感じた。

――ジャーナリストと称していた彼が、蹤《つ》けて来ている。何が目的なんだろう？

反射的に、逃げ出したくなった。

あの男の自称は、嘘かもしれない。もしかして、私が証拠探しにかかっていることを、銀行側がすでに知っているとしたら――？

歩く速度を、さりげなく速めた。男が追いついてくる前に、フェリーに乗り込みたかった。フェリーの間隔《かんかく》は、三分から一〇分。運がよければ、男が両替にまごついている間に、出船できる可能性があった。

もし、あの男が、少し待てば来る次の便でなく、この船に乗ってくるとしたら、少なくとも、何かあると思わなくてはならない。

二等席に、ダナは乗り込んだ。ヴィクトリア港の夜景目的で乗船した観光客や、地元の通勤客で込みあう二等は、人目が多く、安全に思えた。

乗船口が、不自然でなく窺《うかが》える位置に、ダナは身を移した。

沢木は、出航寸前のフェリーに、辛《かろ》うじて駆け込んだ。

乗務員は、駆け込み乗船を一人までしか認めない主義だったので、沢木に続いて急ぎ足でやって来た眼鏡の男客を、あっさりと遮《さえぎ》った。

フェリーがターミナルを離れると、沢木は大きく息を吐《つ》いた。

もはや、女の視線を避けることはできないだろう。

このうえは、こちらが彼女に気づいていないふりをするしかなかった。目立たぬように視線を泳がせ、彼女の位置を確かめる。

ライトアップされた夜の港をバックに、少し厳しい表情の女が浮かび上がった。

沢木は、息を呑んだ。栗色の髪が眩《まぶ》しく、燦然《さんぜん》と輝いていた。『ヴォーグ』の香港ロケ写真から抜け出たようなシーンだ。訓練されたモデルのように、彼女の姿態がつくるすべての角度に、スタイルがあった。

沢木の眼は、自分の意志とは反対に、一瞬以上、女の顔にとどまりかけた。

何者なんだろう？　偽物業者の一味か？　話しかけて、問い糺《ただ》すべきか？

フェリーが向こう岸に着くまで、一〇分はかからないだろう。降りてからも、尾行を続けるのは、難しい気がした。

目を逸《そ》らし、離れた席を選ぶ。斜め後方から、女の後ろ姿が見えた。

スターフェリーの二等席には、窓がなく、生温かく湿った夜風が、頬を撫でる。夥《おびただ》しい数の船が港を往《ゆ》き交《か》い、淡い光が、射し込んでは翳《かげ》った。

乗客の大半は、明らかに、安上がりなナイト・クルーズ気分を楽しんでいた。夜景に気を取られる乗客のなかで、沢木は一人、斜め前の、女の席を注視していた。有名な大型クルーザーの〈ジャンボ〉が通りかかった瞬間、女の隣席の男の妙な動きに沢木は気づいた。

ダナは、男が走って乗船して来るのに、早くから気づいていた。あまりにも堂々と乗り込んで来るので、蹤《つ》けて来たと思い込んだのは錯覚だったのかと、彼女は迷った。

さりげなく海を眺めながら、ダナは、彼の視線が自分の顔に釘《くぎ》づけになり、とまどい、茫然とするのを、逐一《ちくいち》感じ取った。男の見せた一瞬の狼狽《ろうばい》が、なぜか彼女を喜ばせた。まぎれのない賞賛の視線は、普段なら彼女に、わずらわしい思いをさせるものだったが。

——まさか、私にのぼせて蹤いてきたの？

自惚《うぬぼ》れを、あわてて打ち消す。たとえ、香港という街が噎《む》せるほどの媚薬を含んでいるとしても、いまは、アヴァンチュール気分に浸《ひた》るときではない。後方に座ったらしい男の気配に、注意を怠《おこ》たるまい、とダナは気を引き締めた。香港島側に着いたら、なんとしても彼を撒《ま》こう。

暗い海に浮かぶ香港島側の高層ビル群は、フェリーが灯火の波を分けて進むにつれて、近くなり、無数の窓が輝きを増した。

フェリーの進む方向にちょうど位置する二つの高層ビルが、林立するビルの群を抜いて競うように高く聳《そび》える。高いほうが、中国政府が面子《メンツ》をかけて建てた中国銀行ビル。三角形の巨大なガラスを、幾つも組み合わせた、モザイクのようなビルだ。

上海香港銀行のビルは、その手前に、輝くばかりの威容を見せていた。

心が、不思議に高ぶった。

フェリーは、まるで引き寄せられるように上海香港銀行に向かって進む。

——もし、不正の証拠をうまく見つけることができたとしたら……。

ビルを見つめながら、ダナは迷っていた。私は、ワシントン・ポストに、すぐに報告するだろうか？

ダナは、メイミの顔を思い浮かべた。

——それとも？

自分が思い描いている、もう一つの、ある可能性を思った。日に日に、そうしたいという気持ちが高まっているのは確かだった。メイミの信頼を裏切ることになるかもしれないし、下手をするとジャーナリストとしての将来を失うかもしれない。それでも、ダナはそのストーリーを捨て切れなかった。ウォンにもラオにも、このプランは洩らせない。

——どちらにしても、それは不正の証拠を摑《つか》んだ暁のことだ。

ダナは、考えるのを止《や》めた。

そのとき、急な気配が、背後で起こった。

振り返ったダナが、避ける暇《よ》もなく、あの男が、驚異的な速さで飛びかかって来た。

ダナの悲鳴が、香港の夜を裂《さ》いた。

「その手を離せ！」

男が叫んだ。

ダナは、飛び上がった。その拍子に、脇に置いていた、柔らかな革バッグの中身が、フェリーの床にぶちまけられて散らばった。

何が何だか、わからなかった。

書類バッグは、ジッパーを閉めておいたはずなのに？

ダナに襲いかかって来たと見えた男は、意外にも、彼女の隣席の、別の男の腕をねじり上げていた。

騒ぎに気づいた乗客は、何ごとかとこちらを窺っている。

ポカンとした顔で立ち尽くすダナに、男は英語で言った。

「スリだ」

ダナは、まじろぎもせず男を見た。

男は、ダナを落ち着かせようとするようにゆっくりと話した。

「この男が、君のバッグを開けるのを見た。前にも言ったけど、僕は眼がいいんだ」

通路を隔《へだ》てて隣に座っていた、中国系の男が、腕をねじり上げられ、うなだれていた。

「財布は、大丈夫？」

訊《き》かれて、ダナはわれに返り、散乱したバッグの中身を拾い集めた。財布は、ない。ダナがそう言う前に、男は、スリの腕を、より高く捻《ひね》った。

中国系の男は、観念したのか、掴まれていないほうの片手で、懐《ふところ》から黒革の財布を抜き出し、無言で放ってよこした。

中身を改める。何も失《な》くなってはいないようだ。

騒ぎを聞いた乗務員たちが駆けつけて来ると、スリを捕えた男が状況を上手に要約して伝え、乗務員の一人が、スリを引き立てて行った。

「ほかに、失《な》くなったものは？」

男が、ダナを気遣《きづか》うように、振り返った。屈託のなさそうな目に会って、ダナは緊張を緩めた。

彼の冷静さに比べて、この突然のアクシデントに、さぞかし自分は目を白黒させていたことだろうと考えると、頭に血がのぼった。

「ありがとう、大丈夫よ」

ほら、感謝の言葉を伝えるのさえ、こんなにタイミングが遅い。

盗《と》られたものがないのを確認すると、乗務員は引き上げて行った。

最初に口を切ったのは、意外にも、男のほうだった。彼は、しげしげとダナを見て言った。

「ダナ・サマートン？」

和《やわ》らいでいたダナの表情が、また硬《かた》くなり、思わず詰問の口調になった。「なぜ、私の名を？」

「これ」

男は笑って、一枚のカードを示した。

「IDカードを落としたでしょう」

ダナは、溜息を吐《つ》いた。

「このカードがないことに気づかないなんて、相当にのぼせてたのね」

男の手から、ダナはカードをつまんで取った。

「ダナ・サマートンといえば……もしかして『ポスト』で評判のコラム記事を書いてたジャーナリスト？」

「ええ――まあ」

緊急の際に備えてメイミに持たされた『ポスト』のIDカードを、本名で登録しておけばよかったと、彼女は後悔した。ごく近いスタッフ以外には、なるべく顔を見せないようにしていたのに。

「〈インビジブル・パワーズ〉の執筆者が、こんな美人だなんて、知らなかった」

男の口調には、意外さが表われていた。

「私だって、知らなかったわ――スリを捕まえるのがうまい読者が、香港にいるなんて。おかげで、助かったけど。あなたは……先日もお会いしたわね？」

「そう。君にエビをご馳走になった」

「そうだったわね。だけど、だからって義理を感じることないわ――あなたに尾《つ》けられるいわれもない」

そう言って、ダナは反応を試すようにしっかりと、男を見据《みす》えた。

沢木喬は、その見かけよりもずっと、驚いていた。偽物業者の『ラオ・ワールド・オペレーション』から出て来た謎の女、一〇年前に焼死したローレンス・アボットの恋人に似た女、屋台の運命の女《ファム・ファタル》——それが、『ワシントン・ポスト』の著名ライターだとは？　ダナ・サマートン。彼女は、香港で、何をしているんだろう？

ダナは、怪訝《けげん》な表情でこちらを睨んでいた。

彼の尾行に、気づいていたに違いないのだ。

沢木は、とっさに、嘘をついていた。

「取材してるんだ。深水埗《シエムソイポ》周辺を。そこで、君を見た」

「取材ですって？」

彼女の眉が、ぴくりと上がった。沢木は、われにもなく、どぎまぎした。

「そう——。一応は、ジャーナリストのはしくれだからね。もっとも、君みたいにメジャーじゃない。哀れなフリー記者さ」

肩書きのない名刺を作っておいたのは、調査局長の木島の勧《すす》めでだった。

「どこの社の仕事で？」名刺を受け取りながらダナが訊ねた。

「『インターナショナル・ヘラルド・トリビューン』特派員と言いたいところだけど」沢木は言

った。「君が知るはずもない日本の新聞社の仕事さ」

ダナは、名刺に眼を落とした。睫《まつげ》の長さが際立った。

「タカシ・サワキ……？　あなた、日本人だったの」

ダナは、沢木を、東洋系アメリカ人と思い込んでいた。沢木の英語には、訛《なま》りがなかった。

「君こそ、アメリカ人だったんだ。てっきり土地っ子か、東洋系かと……」言いかけて、沢木は迷った。近くで見る彼女の肌は、透明感のある乳白色で、東洋人のそれとは明らかに違ってい
た。

「参考のために、聞きたいわ。深水埗に、日本人の興味を惹く、どんなトピックスがあるのか」

ダナは、かぶせるように質問した。あきらかに、沢木の出方を試しているような調子だった。

「ハイテク産業スパイ事件」

沢木は言って、彼女の顔色を窺ったが、何の変化も現われなかった。

ポーカーフェイスを装いながらも、ダナは安堵していた。油断はできないが、彼は、上海香港銀行の手先ではなさそうだった。それに、ジャーナリスト同士に通じる、ある種の雰囲気を持っているのも確かだ。

沢木は、さらに、一歩踏み込んだ。

「深水埗には、日本の産業技術を、無許可で盗用している企業が、たくさんある。『ラオ・ワールド・オペレーション』は、その一つかもしれないんだ。それで、調べていたらラオのビルから君が出て来た」

ダナは、一瞬、たじろいだ。

「やっぱり、尾けてたの」

「彼らの仲間かと思ってね。こんな有名人とは、知らないから」

尾行した、もう一つの重大な理由は、言わなかった。彼女をダナ・サマートンであると知った以上、ローレンス・アボットの恋人と同一人物かどうか調べるルートは必ず出てくる、と沢木は思った。それよりも、『ラオ・ワールド・オペレーション』との関連を聞くのには、いまが絶好のチャンスだった。

「『ラオ・ワールド・オペレーション』と君は、どんな関係があるんだい」

――言う必要ないわ。

ダナは、こう言おうとして、考え直した。わからないとなると、追及したくなるのが、ジャーナリストというものだ。答えを拒《こば》めば、この男に調査のきっかけを与えるようなものだわ。いまは、誰にもラオを調べさせるわけにはいかない。

上海香港銀行に対するプランが、順調に進んでいる以上、それを台無しにする危険は避けたほうが賢明だった。

ダナは、フェリーの進む方向に立ちはだかる蟹《ハィ》ビルを、チラと見た。フェリーはもう、香港島側の桟橋に着こうとしていた。

「じつは、私も、取材してたの」考えながら、彼女は言った。「ラオの会社が、ＩＢＭのコンピューターをコピーしているんじゃないかって、情報があったものだから。私、世界のコピー業者と

ＩＢＭの訴訟ケースをテーマに、ルポを書きたいと思って」

「それなら、僕たちには、共通の話題がありそうだ」沢木は言った。「どうだろう、持っているカードを見せ合うというのは……食事でもしながら？」

フェリーを降りるときが近づいているのを沢木も知っていた。このまま、彼女を解放する気はなかった。ラオのことを、彼女が本当に調べているとしたら、それはそれで、聞き出したいことがある。

この男は、私を瞞《だま》しに掛かっているのかしら？　それとも、単なる好意？　油断しちゃだめ、心に鍵をかけなさい。ダナは、自分に言い聞かせた。沢木は、妙にダナを落ち着かなくさせた。

それは、沢木のほうも同じだった。そわそわと、彼は言った。「もし、君さえよければ、だけど」

彼の眼に、ためらいを見たとたん、ダナは、思わず、承諾の返事を返していた。

上海香港銀行頭取のエドワード・フレイザーは、日本人の客と向かい合っていた。

「ありのままに、話してください」

フレイザーは、やや苛立《いらだ》った声で、客を促《うなが》した。

客の顔には、汗が吹き出していた。眼鏡を外し、彼は顔を拭《ぬぐ》い、消え入るような声で言った。

「ですから……、いま、申し上げたとおりです」

汗だくの東洋人を前に、それでも笑顔を取り繕《つくろ》いながら、フレイザーは内心、舌打ちしていた。これだから、新規の顧客は嫌だった。必ず、何かしら、問題を持ち込んで来る。彼は指で、こめかみに浮き立ってくる筋を押さえながら、言った。

「つまり、こういうことですか。あなたこそ芝田哲也さんの、真の代理人だと」

「そのとおりです」

客は、今度は、眼鏡を拭きながら答えた。

「亡くなった芝田京三の長男、芝田哲也の正式な代理人として、私は参上しました」

「どういうことなんですか？　代理人が、複数いらっしゃるとは。明後日にも、以前からお約束の、もう一人の代理人がお見えになるというのに」

日本からの新たな裏口顧客、芝田家の使者は、香港に、明後日に到着する予定だった。

ところが、解《げ》せないことに、その使者の着く前に、もう一人の使者が、急にやって来たのだ。

「私が参りましたのは、他でもありません。その件の真相を、ご説明させていただきたいと思いまして」

「真相？　これはまた、穏やかではありませんな」

「芝田の遺《のこ》しましたS資金を、ぜひ、真実そちら様にお預かり願いたいというのが、芝田哲也の希望でございます」

フレイザーは、首をひねった。

「そのことなら、すでに十分、承《うけたまわ》っておりますが……？」

「いや、じつは」客は再び、汗を拭いた。

「先日の申し入れは、そちら様を欺《あざむ》こうとする策略でして」

「なんと……おっしゃいました」

「策略です……外務省の」

頭取は、眉をしかめ、首を振った。「聞き捨てなりませんな。策略とはまた、物騒な」

「明後日に到着の代理人は、わが国の外務省の指示で動いている者です」

「外務省の……ですか」

「外務省は、こちらの銀行の裏金取引きを証明しようとしているんです。芝田京三が遺した巨額のS資金を、遺児の芝田哲也がこちらに預けたがっているという状況を、でっち上げたわけです」

フレイザーは、考え込んだ。この話が本当なら、危うく㈳調査にひっかかるところだったわけだ。

「それで、ミスター、あなたは、なぜ私どもに、そのお話を？」

「外務省は、一つの大きな思い違いをしております」

「と、申されますと？」

「外務省は、芝田京三がS資金を蓄《たくわ》えているという噂から、この計画を考えついたと思われます。つまり外務省は、S資金は実在しないということを前提に動いておるわけです。しかし、実際には、S資金は、噂だけのものではないのです。現実に、このとおり」

客は、厚い帳面を取り出して、銀行家に示した。「S資金と言われるものの、これが総額です」

フレイザーにも、徐々に真相が呑みこめてきた。

客は、続けた。

「芝田哲也は、父が死んだあとに残った、多額の裏金の隠し場所に、困っていました。哲也は、京三のような政界の大物というわけではありませんから、運用の仕方も限られてきます。そこに、持ち込まれてきたのが、外務省からの話です。哲也は、この話に乗るふりをすることにしました。そのうえで、この機に乗じて、S資金を、真実、そちら様にお預けしてしまおうというわけです」

「それでは……あなたがたは、われわれの側につくと、そうおっしゃるんですね？」

「もちろんです」男は、息を吐き、ようやく落ち着いた様子で、言った。「何なりと、ご協力致しますよ。囮調査を、切り抜けることは簡単です。来週、当方からの使者が参ったときに、あなたがたが、証拠を残さなければよいのです」

「じつに有難いご指摘です」

頭取は、椅子に体を深く沈めた。客は、彼の顔色を窺《うかが》うように訊《たず》ねた。

「S資金を、預かっていただけますでしょうね」

「むろんです。歓迎いたしますよ」

フレイザーの顔には、笑みが戻っていた。

「芝田哲也氏は、たいへんに気の利《き》く方のようですからな」

沢木は、領事館の宿舎に戻っていた。ダナ・サマートンは、見かけによらず、なかなか手強《てごわ》かった。あれなら、なるほど『ワシントン・ポスト』の硬派ライターというのも伊達《だて》ではなかろう。

彼女から材料を引き出してやろうという彼の企《くわだ》ては、信じ難《がた》いほど柔らかい、そのくせ油断のない微笑みに紛《まぎ》らわされてしまった。

『ラオ・ワールド・オペレーション』の内情に関する沢木の質問は、ダナにかかると、いつのまにか、産業スパイ事件に関する一般論にすり変えられた。彼女の話術は巧《たく》みで、話題は国際色に富んでいた。『ポスト』に彼女が連載したコラムの裏話など、何気なく話す内容にも魅力が溢れており、沢木は時折、意に反して、話に引き込まれた。われに返ってダナ自身のプロフィールに探りを入れれば、唇を尖《とが》らして、無粋な男というように睨《にら》む。その度に、沢木の眼は彼女の特徴的な唇に吸い寄せられた。

あの唇は、やはりあの写真の……ローレンス・アボットに関わる女なのか？　疑いながらも、彼は、自分が前にもましてダナに魅了されはじめていることに、困惑を感じていた。

ダナは、手の内を、巧みに隠していた。同業を装った沢木にスクープを攫《さら》われないための警戒心からか、それとも、別の理由からか？

彼女が多少なりとも表情を変えたのは、沢木がブラフをかけ、ラオは黒社会と繋《つな》がりが深いと言ったときだけだった。

ラオと

シエーションの関係は、香港では周知の事実で、彼女が本当に取材目的

ト・オペレーション』にいたのだとしたら、そんなことを見逃すのは、かえっ

タナの話には嘘が混じっている。何を隠したがっているんだろう?

しかし、会ってすぐの肚《はら》のさぐり合いで、すべてを摑《つか》もうとするほうが無理だろう。彼女のほうも、自分を尾行して来た男を、一〇〇パーセント信用しているというわけではなさそうだった。彼女が泊まっているホテルを聞き出し、また情報交換の名目で会う約束を取りつけただけでも、収穫だったのかもしれない。

沢木は、電話を取りあげようとして、メッセージ・ランプの点滅に気づいた。東京とロンドンから、二件の電話が入っていた。取り急ぎ、まず東京と、彼は連絡をとった。

「国生《こくしょう》は、明後日、香港入りする」

木島情報調査局局長は、抑揚の少ない調子で伝えてきた。「彼は、上海香港銀行頭取の、エドワード・フレイザーと会見する運びになっている。先方の喰いつき加減は、上々だ。うまくいけば、言質《げんち》を取ることができそうだ」

国生幹夫《みきお》は、死んだフィクサー・芝田京三の元秘書だった。国生にでっちあげさせたS資金を囮に使って、上海香港銀行の汚れた資金流しを証拠だてる。それが成功すれば、ゴルトシルト家

の日本に対する野望を、砕くことにつながる。

木島は、国生に小型マイクを持たせ、上海香港銀行幹部とのやりとりの一部始終を録音する方策を立てていた。沢木は上海香港銀行の近くに車を置き、その会話を傍受する役を担《にな》っている。

「仕掛けは、順調だ。だが」木島は言った。「私は、計画の一部を、変更したいと思っている」

「何か、変わったことが?」

「いや。だが、私は、君の思っている以上に臆病なんだよ。何にでも、保険をかけるのが癖なんだ。今回も、そうしたいと思ってね。といっても、隠しマイクを増やしたいというだけなんだが」

「マイクを、ですか?」

「大切な瞬間というのは、えてして、不慮の事故が起こりがちなんだ。例えば、国生に持たせるマイク……もちろん、高性能なものだが、いざというときに、壊れない保証はないだろう」

「それは……万一ということも」

「そんなときのために、特製のマイクを用意してあるんだ。都築に言っておいたから、明日、日本領事館に行って、使い方を訊け」

「香港[illegible]しました」

「[illegible]のほうはどうだ。尾行されている気配はないか。こちらに入っている感触では、[illegible]ている様子は、どうやらなさそうだ。西条氏と会ったのが、目くらましに功を奏したようだな。君は、産業スパイの件で香港を訪れたと信じられているようだ」

が、偽コンピュータを素通りさせるくらいはわけない芸当だ。

――私は、国際警察じゃない。

ラオがシンジケートに関わっていたとしても、ダナには、それを詮索《せんさく》するつもりはなかった。

ただ、上海香港銀行も、麻薬には関わりを持っているのが気になった。もともと、香港にアヘンを持ち込んだのは、あの銀行を牛耳《ぎゅうじ》る総元締め、つまり、ヨーロッパ最大の財閥、ゴルトシルト家だからだ。

ラオは、最後まで、こちらの側でいてくれるだろうか。

ラオの周辺の情報を、沢木が持っているのなら、彼に会うのは実《じつ》のないことではない、とダナは自分を納得させていた。

暗証《パスワード》

「さて、お二人とも」

劉日月《ラオヤアユツ》は、厳《おごそ》かに告げた。

「〈ファイル・オープン作戦〉には、タイミングが要求されます」

ラオは、データを記入した二組の書類を、おもむろに取り出した。

「この計画の実行のためには、お二人に、ぜひとも協力していただく必要があります」

ダナとウォンは、興味津々《しんしん》といったようすで書類を覗《のぞ》き込んだ。ラオはようやく、プランの要旨を明らかにしはじめたのだ。

「何回も申し上げたように、上海香港銀行のトップ・ファイル……つまり極秘のファイルを開き、閲覧するためには、三つの障害があります。それは――何でしたか、ダナ?」

「まず、電話ではアクセスできない、上海香港銀行の専用回線に入ること。つまり、それには、どうしても銀行内のコンピュータ端末のいずれかを使う必要があるわけね。二つめは、セキュリティ・チェックのための端末使用者の記録をごまかすこと。銀行内の端末を使用できたと仮定して、その間じゅう、誰がコンピュータを使っているのか、オペレータに見つからないようにしなければいけない。それから……これがいちばん、重要だけれど、極秘ファイルを開けることのできる人物のパスワードを手に入れる必要がある」

「そのとおり。でも、われわれは、現在の段階ではまだ、このなかのいずれをも、手に入れてはいません。ただ、銀行の受付嬢のパスワードを入手したのみです」

「だが、それは、大きな収穫だよ」

ウォンが口を挟《はさ》んだ。「それを利用すれば、一つめと三つめの問題は、解きやすくなる」

自分もコンピュータの専門家だけに、ウォンには、ラオの計画に、部分的には見当をつけているようだった。「ところが、俺が何のためにカンフーをやっているのかが、妙なんだな。その理由がやっとわかるかと思うと、嬉しいよ」

ラオはうなずいた。

「いいですか」彼は、資料に沿って、作戦の実行方法を説明していった。

上海香港銀行の見取り図、銀行に出入りしている業者のリスト。頭取のスケジュールはラオがビジネス雑誌の調査を装《よそお》って、広報から手に入れたものだ。

「頭取のパスワードを盗むの？」

「そうです。われわれの調査によれば、エドワード・フレイザー頭取は、けっして冷静な人物ではないようですから」

ダナには、コンピュータの簡単な取扱いも説明された。そのくらいならわけなくこなせそうだった。

幾つかの疑問に応答が交《か》わされ、実行の手順が確認されたあとで、ウォンが溜息を吐《つ》いた。

「このプランによれば」ウォンは言った。「俺たちは、この一日で、すべてをやってのけることになるんだね？　しかし、こんなに簡単にいくかどうか」

不安げなウォンの表情を読みとって、ラオが言った。

「心配はありません。会社の極秘ファイルがもしかしたら盗まれるんじゃないか、ということを、日頃から考えている銀行員なんて、世の中にはいやしません。日常の業務で、手いっぱいだ。まして、あの銀行では、コンピュータに関するセキュリティ体制が万全だ。いや、セキュリティは万全だと、誰もが思い込んでいると言ったほうがいいかもしれませんね。セキュリティ・システムに自信を持っている会社ほど、社員一人一人は、セキュリティに関して、無自覚なんです」

あの受付嬢がいい例だわ、とダナは、いまさらながら、感心せざるを得なかった。

まさしく、才能……そう、詐欺《さぎ》師的な才能だわ。

「あなたは、どこからこんなプランを思いつくの、ラオ」

半分あきれながらのダナの疑問は、ラオを嬉しがらせたようだった。彼は、切れ長の目をいっそう細めて、微笑んだ。

「騙される身になってみることですよ」

国生幹夫は、自分の企《たくら》みが順調に運んでいることに満足しながら、香港に着いた。

——外務省を出し抜いてやった。お役所なんて、しょせん、こんなものさ。

自らも省庁勤務の経験のある国生には、役所仕事の手の内が、透《す》けるように読めた。国生が元官僚というだけで、話を持ち込んできた鷹揚《おうよう》さを、彼は笑った。

芝田京三の秘書になってからというもの、彼の関心は、いかにして労少なく儲けるかに絞られていた。世間でいう、定年以後の年齢になってからは、ますます、フィクサーである芝田の小判《こばん》鮫《ざめ》として、けちなおこぼれを貰う生活しかできなくなっていた。

芝田が死んで、国生が嘆《なげ》いたのは、これで自分の食い扶持《ぶち》が保証できなくなったことだった。

S資金の管理は、そんな国生の、唯一の拠《よ》り所になった。

京三の息子、哲也は、国生に言わせれば、ぼんくらだった。父から受け継《つ》いだ巨額な資金の運用は、哲也には荷が重すぎた。哲也は父の秘書だった国生なら、少なくともS資金を目減りさせることはないだろうという考えから、彼に資金管理を任《まか》せることにした。ところが、国生とて、怪物といわれた芝田京三の影あってこその秘書で、実際のところ、資金の運用を考えあぐねていたところだった。

——運がいいよ、俺は。

いままで資金を隠し通せたのも、京三が睨《にら》みを利《き》かせ、関係各所を抑《おさ》えていたからで、京三が急死したいまとなっては、いずれは明るみに出るのを避けられないとさえ思っていた矢先に、天からの恵みのような話が舞い込んできたのだ。

——囮《おとり》調査、か。とすれば、俺は、とんでもない囮ってわけだ。

この機会を、国生は十二分に活用するつもりだった。哲也からは、成功すれば、退職金に相当する報酬が約束されている。

上海香港銀行との口裏合わせは、すでにできていた。会談は、物別れに終わったことにする。不正預金のルートなど、なかった。話は、まったく噛み合わなかったと、外務省には報告する。そのくらいの芝居なら、国生にもできそうだった。会談を録音するために持たされたマイクに、芝居を聞かせてやればいい。

とにかく、外務省に尻尾《しっぽ》をつかまれないことだ。

香港では、担当の外交官が陰で見守っていると聞いていた。

それだけに下手《へた》な動きはできないが、大丈夫、気づかれないさ。

そう自分に言い聞かせながら、国生は、ハーバーフロントに立つ『ホテルシェラトン香港』のエントランスを入って行った。

怪しまれないためには、今夜は動かないのがいちばんいい。明日、まっすぐに上海香港銀行へ向かおう。

部屋に落ち着くと、すぐに、ウェルカム・ドリンクが運ばれて来た。

香港のホテルは供給過剰で、どこのホテルもサービスを競《きそ》っている。

もう歳《とし》だ。ファースト・クラスで来たとはいえ、国生は、空路の旅で、疲労がたまっていた。

思わずベッドに横になると、自分でも気づかぬうちに、彼は眠りに落ちていった。

上海香港銀行の広報室に、『ワークスタッフ・マネジメント・オフィス』から電話が入ったのは、月曜の朝だった。

「急で申し訳ございませんが」人材派遣会社の女マネジャーは、広報室長に向かって、妙に浮き浮きした声を出した。「御社《おんしゃ》に伺わせていただいている、ナンシー・M・陳《チン》の件でございますが……」

「チン？」

広報室長の頭のなかで、派遣で来ている受付嬢の顔と、チンという名前が結びつくまで数秒かかった。その間に、電話の向こうの女は、用件を一気にまくしたてていた。

「じつは、『亜州電視《あしゆうでんし》』の番組から、彼女を取材したいという申し込みがまいりまして、御社の許可をいただければ〈ビジネス・ウーマン最前線〉というテーマのインタビューと、撮影を受けさせたいと思うのですが」

『亜州電視』と、民放テレビ局名を発音するときに、彼女はちょっぴり、アクセントを強めた。

「私ども『ワークスタッフ・マネジメント・オフィス』といたしましては、派遣社員として活躍しております彼女の仕事ぶりを皆様にご覧いただくのは、好ましいことだと思い、ぜひご許可願えれば幸いと……」

「ええ、ええ」話の趣旨を、すばやく理解した室長は、多少なりとも興味の持てる件だ、という印象を隠さなかった。〝開かれた銀行〟のモットーのもとに、さしつかえない取材は、できるだけ受け入れることにする方針だった。

オープンな印象づくりのために、ユニークな催しさえ行なっている。〈上海香港銀行ツアー〉が、その最たるものだった。ひときわ高いこの銀行の高層ビルに、一度は登ってみたいという客の希望が殺到し、いまでは、ガイド付きのツアー客が、週に三日、ビルのなかを団体で見学している。テレビ局の取材も、けっして珍しいことではなかった。

「そういうことであれば、かまわないと思いますが、取材は、いつです」

「亜州電視のほうでは、今週の水曜がいいと申しておりますが。もちろん、ご無理なら、日程の変更を」

「ちょっと急ですが……まあ、いいでしょう」

水曜は、ちょうど、ツアー客の団体も入る日だった。華やかなテレビ取材風景を、ツアー中の観光客に見せるのも悪くないと、室長はふたつ返事で承諾した。

水曜の朝、フレディ・張《チャン》は、けたたましい電話のコール音で目を醒《さ》ました。時計の針は、まだ七時にもなっていない。おまけに、今日は、公休日だ。一刻でも長く眠っていたかった。

フレディは、ひとしきり悪態をつくと、鳴りやまない電話を取った。

「やあ、悪いな」

上司だった。フレディは、ひとまず、苛立《いらだ》ちを隠した。「なんでしょうか？」

上司は、溜息とともに切り出した。

「今日は、出勤してもらわなければならなくなった」

断わることもできる、とフレディは思った。

休暇は、働く者の権利だからな。いまどき、休日出勤を無理強《じ》いするなんて、労働者虐待だ。

だが、残念なことに、ここはアメリカではなく、香港だった。フレディの就職を世話してくれたのは、他ならぬこの上司で、同じ張という名字の彼は、遠縁の遠縁にあたる。血は何よりも濃く、恩は何にも代え難《がた》い。

上司は、すばやく説明を加えた。「マイケルの叔父が、亡《な》くなったというのでね。彼は休むというんだ」

何人の親戚を殺せばすむんだ、と、彼は同僚のマイケル・許《クー》のやり口に舌打ちした。調子のいい許は、それでも、口がうまいぶん、ツアー・ガイドとしての評価は高かった。いつまで経《た》っても機転のきかないフレディとは、好対照だ。

「できれば、君をわずらわせたくはないんだが……」

逡巡するように言った上司の言葉には、大事なツアーでまたとぼけた失敗をしてほしくない、という気持ちがこめられていたが、フレディはそれには気づかなかった。

「わかりました」

「行ってくれるか」手が空《す》いているガイドが彼しかいないのでは、選択の余地がない。

「で、どこに行けば？」

「それが……上海香港銀行なんだ」

日本人もかなり混じった、大事な団体客の引率を、フレディに任《まか》せることを思うと、上司は口ごもった。

「だめです」フレディは、自信なさげに言った。「だって、ぼく、あそこには行ったことないんですよ。ガイドするっていったって、右も左もわからないし」

「頼むよ、フレディ」上司は、しぶしぶ言った。「多少でも日本語ができるガイドは、君しかいないんだから」


同じ頃、黄永富《ウォンウインフー》は、ホテルのテレビでモーニング・ニュースを見ていた。天気予報担当の美人キャスターが、今日は快晴まちがいなし、というのを聞くと、安堵してテレビをオフにし、窓のブラインドを、一気に巻き上げた。

予報どおりに晴れわたったヴィクトリア港の向こうに、上海香港銀行のビルがくっきりと浮かんでいた。屋上には、赤い横長の六角形に白いリボンのロゴ・マークが、鮮やかに見える。

これから数時間後には、あのあたりにいることになる。ウォンは、不安の混じった眼差《まなざ》しで、凝《じ》っとビルを見つめていた。

沢木喬は、上海香港銀行に近い屋外駐車場に身を潜《ひそ》めていた。

何の変哲もないセダンには、無線の受信機と録音機が搭載されている。国生幹夫に持たせた隠しマイクで、上海香港銀行との不正資金に関する囮契約のやりとりのすべてを拾《ひろ》う予定になっていた。

セダンの窓は、外からはなかが見えない濃いスモーク・ガラスだったが、内側からは外の様子が、過不足なく窺《うかが》えた。

駐車場は、空いていた。警備員らしい人間が、一度通路を横切ったが、中古のセダンには、一瞥《いちべつ》もくれなかった。

国生が、予定どおり行動すれば、沢木が駐車場にいるのは、長くても三時間程度ですむ。そのくらいなら、駐車を続けていても疑われる心配はない。

沢木は、腕時計を見た。

国生が頭取のエドワード・フレイザーと会談を始める予定の時刻には、まだ三〇分あった。シートを若干倒し、楽な姿勢をとった。

五分ほどの間に、三台の車が入って来た。ベンツ、スコダ、シトロエン。香港にはあらゆる国籍の車がある。

四台目の車は、沢木の注意を惹《ひ》いた。『ATV―亜州電視』と、車体のサイドに大書した、中型のワゴン車だった。

――テレビ局のロケバスか。

ワゴンは、沢木のセダンの隣に、勢いよく乗り入れてきた。窓には、お定《き》まりの遮光《しゃこう》カーテンが掛かっている。役者の着替えや、タレントのプライバシーのために、このカーテンは必要不可欠なのだ。

鈍《にぶ》いエンジン音が止まると、運転席から、ラフな服装の、背の高い男が降りて来た。スタッフ・ジャンパーにすりきれたジーンズ、サングラス。派手な金色の短髪。明らかに、染めたとわかる髪だ。おそらく、東洋人だろう、と沢木は思った。耳には金のピアス。よくある見方をすれば、ミュージシャン崩れか、さもなければ、ゲイ。

男はサイドのドアをスライドさせ、ハンディ・タイプのカメラ機材を取り出した。

その機材から、沢木は、テレビのロケとしては、最もコンパクトなクルー構成だ、と判断した。たぶん、カメラマン、それにワイヤレス・マイクを身につけたレポーターかタレントの二人でワンセットだ。簡単な取材ならこのスタッフでこなせることを、新聞社時代の経験で知っていた。

続いて、後部座席からするりと出て来たのは、細身の女だった。

――レポーターかな。あるいは、女優か、モデル？

沢木に背を向けた格好の女は、長い髪をきっちりまとめ、白いブラウスにグレーのスカートという飾り気のない服で、目立ち過ぎるほどのプロポーションを品よく隠している。ビジネス番組のキャスターといったところかもしれない。

先に出て来たカメラマンが何か言った拍子に、女が半身を捻《ひね》り、横顔がちらりと眼に入った。尖《とが》った唇が、赤かった。

ふいに、沢木は身を乗り出した。ダナ・サマートン？　違うだろう。彼女の印象が、あまりに強かったせいで、どうかしてるんだ。彼は、眼をこすった。視覚機能がすっかり麻痺しているのだろうか？　ダナは、少なくとも、TVのキャスターじゃない。

女がロケバスの周りを半周するのを、沢木はじっと見た。女の顔が完全に見える角度になったとき、彼は唸《うな》った。

似合わないセルフレームの眼鏡を掛けて、ややきつめのメークアップはしているものの間違いなく、ダナだった。

彼女は、いまや、沢木が身を潜《ひそ》めているセダンすれすれに立っていた。

突然、彼女が身をかがめて、こちらの窓を覗き込んだ。沢木は思わず、身をすくめた。外からはこちらが見えないことを思い出すまで、数秒かかった。すぐに、ダナは窓から離れた。メークの具合を、確かめただけだったようだ。襟元《えりもと》をちょっと直すと、彼女は、先刻の金髪のカメラマンとともに、蟹《ハイ》ビルに向かって行った。

いったい、どうなってるんだ？『ワシントン・ポスト』のライターが、香港の、亜州電視とかいうテレビ局の、レポーターだかキャスターだかになっている。それとも、ダナ自身のインタビューか？　有名ライターが、おしのびで香港に来ているというトピックは、たしかに話題になる。しかし、それにしては、服装が変だ。インタビューを受ける側にしては、質素すぎる。それに……『ラオ・ワールド・オペレーション』の取材は、どうしたんだ？　ラオの……。

沢木は、はっと気づいた。

あの金髪の男。あれは、劉日月だ。『ラオ・ワールド・オペレーション』のボス。

香港駐在の都築健太郎から、沢木はラオの写真を見せられていた。短く刈りあげて、染めた金髪。サングラスのために、はっきりとは見えなかったが、女のように柔らかい輪郭にも、覚えがあった。

TVクルーなんかじゃない。ダナ・サマートンが、レポーターではないように、ラオもまた、カメラマンではない。彼らがTV局の人間を装っているとすれば、いったい、何を企《たくら》んでいるんだ?

ダナが、ラオを取材しているだけでないことが、これではっきりした。ラオとともにTVのスタッフに扮している以上、ラオの筋書きに、彼女が荷担していると考える必要がある。逆に、ラオが彼女のプランに一役買っている可能性もないではないが。

しかも、彼らは、蟹ビルに向かっていた。上海香港銀行に入って行ったであろう確率は高い。

ラオの狙いは、何なんだ?

沢木は、彼らの後を尾《つ》けたい衝動に駆《か》られた。彼は、じりじりしながら、腕の時計を、再び確認した。あと一〇分。いま、車を離れるわけにはいかない。国生はもうそろそろ、このビルに現われる時刻だった。

そのとき、無線が入って来た。

「国生は、いま、上海香港銀行に入った」

都築健太郎だった。都築は、今日一日、沢木の応援を買ってでてくれていた。「了解。いま、どこですか、都築さん」

「正面玄関の外だ」

都築は、携帯電話を模《も》した、高性能の無線を持ち、銀行周辺で待機していた。日本ではやや目立つ携帯電話も、ごく普通に使われている香港では、かえって持っていたほうが一般のサラリーマンらしく見える。

「じつは、銀行に、劉日月が現われたんです。金髪の男ですよ。あの偽造業者の」

都築は、笑った。

「ラオは、金持ちだからな。おおかた、余った金でも預けに来たんだろう」

「冗談じゃありませんよ」沢木は、緊迫した口調で言った。「彼は、例の、僕が望遠で撮影した女性ライター、ダナ・サマートンと一緒なんです。しかも、ATVとかいう局のスタッフに化《ば》けています」

「何だって」

「ラオはカメラマンに、ダナはレポーターに扮しています。蟹ビルに入っていった様子です。このビルで、何かするつもりじゃないでしょうか」

「何をしでかすつもりなんだろう」

「わかりませんが、おそらく、取材のふりをしてみせることは確かでしょう」

「うーん」都築は、低く呻《うめ》いた。「われわれの計画の、じゃまにならなければいいが」

その心配もあった、と沢木も舌打ちした。

「都築さん、ビルの中には入れませんか」

「三階までは、窓口業務だから、出入りできるが……わかった、とにかく、できるところまで彼らを探してみよう。国生のほうは、銀行に入るのを見届けたから、あとは、頼む」

都築との会話が終わると、入れ違いに、低い雑音が入ってきた。国生が、隠しマイクのスイッチを入れたのだろう。沢木は、レシーバーのボリュームを上げ、録音を開始した。


ナンシー・M・陳は、すっかり舞い上がっていた。自分が世界の中心になっている気分だった。

ATVに出演するなんて。なんてラッキーなんだろう。派遣社員は他にも、いくらだっているのに、代表として選ばれたのが、私だなんて、信じられない。

カメラについているライトは、眩《まぶ》しいなんてものじゃなかった。

これじゃ、メークアップが溶《と》けちゃうわ。女優さんたちが、苦労するわけね。

ナンシーは、傍《かたわ》らの颯爽《さっそう》とした女性キャスターを横目で窺《うかが》った。まぢかに見ても、ライトアップの必要がないような肌に、彼女は溜息を吐《つ》いた。

ジャネット・ジェファソンという名のレポーターを、TVで見かけたことはなかったが、なるほどこの美貌なら、華《はな》やかな業界でやっていけるわけだわ、とナンシーは思った。

「リラックスしてね」ジャネットは、微笑んで言った。

「オーケー、ジャネット」カメラマンが、声をかけた。レポーターは、軽くうなずいて、冒頭の部分の、リハーサルに入った。

「三、二、一」

キューが出ると、ジャネットは、もの慣れたようすで、台本を読んだ。

「会社のなかで、自分の能力が十分に活《い》かされていないという不満を抱いている方は、意外に多いようです。専門の分野にすぐれた能力を持ちながら、それを宝の持ち腐れにしているという心あたりのある方は、いちど、働き方を見直してごらんになってはいかがでしょうか。今日ご紹介させていただきますのは、会社という枠《わく》にこだわらず、組織に縛られず、専門能力を生かした仕事をなさっている女性です。この女性、ナンシー・M・陳さんは、受付業務専門の派遣スタッフとして、自分の持てる能力を存分に発揮し、現在は一流の銀行――ここ、上海香港銀行で働いていらっしゃいます」

「文句なしだ、ジャネット！」

カメラマンに扮したラオは、実際に、舌を巻いていた。ダナのTV映《うつ》りは、抜群だ。なんといっても、姿勢がいい。モデルでもやっていたんじゃないか、と思うほどだった。

「本番も、その調子で頼むよ」

ナンシーは、啞然としていた。私も、あんな感じで話さなきゃいけないのかしら？　彼女は、銀行側がつけてくれた広報担当者のコニー・安《アン》を、縋《すが》るように見た。

コニーは、だいじょうぶよ、というように目配せしてみせた。彼女は、マスコミの取材が、大好きだった。本当は、私のほうがナンシーよりTV映りがいいはずだわ、と思っていたが、そんなことはもちろん、おくびにも出さなかった。それよりも、今日のカメラマンは、なかなかいい男だった。彼に秋波《しゅうは》を送りながら、彼にはできるだけ気に入るように取り計らってあげようと決めていた。

ナンシーは、緊張の極《きわ》みに達していた。レポーターのジャネットは、優しく訊ねた。

「あなたの仕事なさっている様子を絵にしたいのよ。まず、普段、お仕事はどうなさっているのか、教えてくださる？」

ナンシーは、慌てて、自分のブースを指《さ》した。

「ほとんど、あそこに座ってますの。お客さまが見えますと、内線電話で担当者に伝えます」

ブースは、半分がオープンになっていて、半分は、パーティションで視界を遮《さえぎ》るタイプだった。

広報のコニーが、口を挟んだ。

「私どもでは、来客の管理を、コンピュータで致しております。来客名簿のかわりに、コンピュータに来客名と社名、日時、退出時間を入力しておくんです。それも、ミス・陳にお願いしております」

「コンピュータですか」

レポーターは、カメラマンに目交《めま》ぜで合図した。

「いいわ……絵になるわね。コンピュータを使っているミス・陳のカットを、エレガントな感じに撮《と》りましょうよ」

エレガント、という言葉に、ナンシーはうっとりと微笑を浮かべた。

「ちょっと、いつものようになさってみてくださる」

コンピュータの前に座って時計を見た。ロビーに客の姿がないことを確認すると、薄いブリーフ・ケースから、フロッピー・ディスクを急いで取り出し、ナンシーが使っているコンピュータのディスクドライブにセットする。ラオが特製のプログラムを仕込んだディスクが、ディスクドライブに吸い込まれていった。それから、内線番号表で、銀行内のある部屋の内線番号を確認した。

ダナ・サマートンは、ひとつ大きな深呼吸をすると、電話を取りあげた。

二人のシステム・オペレータたちは、退屈しきっていた。

上海香港銀行のコンピュータに関するセキュリティは、完璧だった。とくに、ハッキングの被害に遭遇したことは、システムが組まれてから、一度もなかった。

外部からは電話でアクセスできない、専用の回線を使ったシステムのため、不特定多数の人間がコンピュータに侵入して来るという心配は皆無だった。

唯一、心配があるとすれば、行員が、銀行内で自分の端末を使ってハッキングする、社内ハックだったが、こちらも一件も発生していない。行内のコンピュータを、誰が何時から何時まで使用したかの細かな使用記録、つまりユーザー・ログが残る仕組みが功を奏していた。もちろん、社内でハック行為が発覚すれば、厳罰処分は免《まぬが》れないということも、行員の逸脱行為にブレーキをかけていた。

トラブルがほとんどないシステムのオペレータほど暇なものはない。二人は、ほとんど時間をもて余していた。

決まってすることといったら、使用記録のチェックだったが、この作業がまた、眠気を誘うような代物《しろもの》だった。頻繁《ひんぱん》にコンピュータを使う行員は、この地下四階、地上四八階のビルのなかに、数え切れないほどいた。おまけに、この使用記録は、使用者がコンピュータを使っている間に何回ミスをしたかという無駄な記録まで詳細にとるタイプだったので、記録用紙は、毎日二〇〇ページにもなった。

二人のシステム・オペレータは、もう六年間も、この記録を来る日も来る日もチェックしていたが、一件の不審な使用者も見つけることはできなかった。

二重三重のセキュリティに守られて、この数年、二人はしばしば、この使用記録のページを、とばし読みしていた。とくに、最近では、使用記録は、アトランダムにチェックしているといったほうがよかった。

六年もすれば、手抜きをしたくなる。それでも、トラブルは依然として起こらなかった。コンピュータに向かってさえいれば、何をしていてもよかった。画面の内容を訊ねて来るような専門知識のある上司もいない。

その気楽さが、また退屈のもとだった。

「今日は、どうする?」

「そうだなあ。プログラミングにも、飽きたしなあ」

二人は、余った時間を利用して、アルバイトに精を出し、ソフトのプログラムを組んだりもしていた。それも、一段落したところだった。

「しょうがないなあ。久し振りに、リアルタイムでユーザー・ログでも見るか？」

行員のコンピュータ使用記録は、記録用紙でなく、画面でも見ることができる。現在進行形で、端末使用中のユーザーを監視することもできるのだ。

「まあ、たまには仕事もしないとな。いつ、何が起こるか……」

あくびをしながら画面を呼び出そうとしたそのとき、一人が叫んだ。

「見ろよ！　あれ！」

彼は、転がるように椅子を蹴って、立ち上がった。

同僚のただならぬ様子に、手を止めたもう一人は、彼が指さす高い窓の上方を、ふり仰いだ。

出かけていたあくびが、一瞬にして吹っ飛んだ。

「ワオ！　信じられん！　ここは、四三階だぞ！」

二人は、顔を見合わせ、それから、同時に叫んだ。

「ジャッキー・チェン!?」

　ウォンは、空中で、二人のオペレータの間抜けな顔を見下ろしていた。

　細い命綱一本でのアクロバットは、正直いって、生きた心地《ここち》がしなかった。ゴンドラがあるときと違って、足元が即、香港の街という状態でアクションを演じるのは、本家のジャッキーでもゾッとしないだろう、と彼は思った。しかも、拍手してくれる観客は、いまのところ、たった二人なのだ。

とにかく、あと数十分は、彼らの注意を惹《ひ》き続ける必要があった。

都合のいいことに、地上からは、見えないだろう。この高さでは、下から見上げても、砂粒ほどだ。見えるとすれば、他のビルからだったが、それでも顔が見分けられるはずはない。奇人のパフォーマンスと思うのが関の山だろう。とにかく、ダナがうまくやってくれることを祈るだけだ、とウォンは思った。

〝大事な撮影中なんだ〟

ウォンは、口をあけているなかの二人に、マジックで書いた紙のボードを見せた。

〝合成用の特撮シーンだ。向かいのビルから僕を撮《と》ってる。人を呼ばないでくれよ〟

二人は、呆《ほう》けたままで、こくりとうなずいた。


頭取秘書のエレナ・ファイファは、内線で回ってきた電話を取った。

「頭取室です」

「こちら、受付ですが……」

気のせいか、いつも電話を回してくる声と違う気がした。だが、そんなことは取るに足らなかった。何といっても、エレナは頭取秘書で、派遣OLの受付嬢の人事などは、管轄外だった。そこで、彼女は事務的に言った。

「なにかしら」

「頭取は、いらっしゃいますか」

「いいえ、会議中よ。来客なの？」

受付からの内線は、来客に限られていた。

「いいえ、じつは……頭取に、折入ってお話が」

「お話って……あなた」エレナはあきれた。受付嬢が、頭取に、話ですって？　頭がおかしいんじゃないかしら？「話せるわけないでしょう。頭取は、スケジュールがつまってるのよ」

「わかってます。でも、大変なんです」

「何が大変なの」

「誰にも話さないでくださいます？」受付嬢は、囁くように言った。

まさか、この娘、頭取と不倫でもしてるのかしら。頭取の女好きは、並ではない。秘密めかした言い方が、秘書の気をそそった。

「いいわ……言ってごらんなさい」

「じつは……コンピュータなんですけど」

「コンピュータ？」

「私のコンピュータに、社内メールで、頭取を中傷する文書が送られてきたんです」

「なんですって！」

「とってもひどいことが書いてありますの……なんだか、恐ろしいようなこと……それで、私、頭取にお知らせしたいと思って」

「どんなことが書いてあるの？」

秘書は、興味津々といった様子で訊ねた。

「見ていただいたほうがいいかしら？」

「そりゃ、もちろん」

「じゃ、すぐ、そちらのコンピュータにお送りしますわ」

電話が、切れた。エレナは、慌《あわ》てて、頭取室のコンピュータをオンにし、メールを画面に呼び出した。

――これで、受付と頭取室の、端末同士が繋《つな》がった。あとは、回線を通じて送り込んだラオのプログラムが、うまく頭取を引っかけてくれるといいけど。

ダナは祈った。


「何をご冗談をおっしゃっているんです？」

エドワード・フレイザー頭取は、日本からの来客・国生幹夫に向かい、静かだが厳しい声を出した。「失礼ですが、あなたの情報は間違っているようですね、ミスター・コクショウ」

申し合わせたとおりの芝居をしているにもかかわらず、頭取の物腰も言葉も、まったく不自然さを感じさせない。

この男も、嘘をつき慣《な》れているらしい。同じ穴の狢《むじな》。悪事には、とっておきの嗅覚《きゅうかく》を働かせる種類の男だと、国生は空気で感じとり調子を合わせた。彼は、官僚時代にマスターした英語で、できるだけおろおろと慌てたような声を出してみせた。

「何が間違っているとおっしゃるんですか？　まさか、お預けする金額がご不満で？　芝田の側は、このとおり、日本円で九〇〇億という額を預かっていただきたいと……」

フレイザーは、顔をしかめ、きっぱりした口調で言った。

「金額の問題ではありません。九〇〇億円といえば、大金です。もちろん、銀行として、お預かりしたいのはやまやまですが……それはあくまでも適法、つまり、法に適《かな》った形式でのことです。あなたがおっしゃるような、非合法の預金は、当行では取り扱っておりません」

「それは……話が違うんじゃありませんか？」

国生は、わざと詰め寄ってみせた。

外務省に持たされた隠しマイクを通して、この会話が録音されていることを、彼も頭取も、十二分に意識していた。発信機は、ワイヤレス・タイプのもので、国生の筆記用具に仕込まれていた。

「貴行では、金を、表に出ない形で運用していただけるというからこそ、こうして参りましたのに？」

「どうも、話が食い違っているようですね。私どもは、そんなお話を致した覚えはありません」

慇懃《いんぎん》な銀行員らしい否定の言葉が、二人のあいだにひんやりとした壁をつくった。芝居とわかっていても、にべもない拒否と思える調子だった。この空気が、どこかで聞いている外務省員に伝わればしめたものだと、国生は苦笑《にが》いを浮かべ、銀行側との打ち合わせどおりに、ごねてみせた。

「いや、たしかに、そう聞いた。おたくは、世界各国の要人の裏金を、隠しながら増やしてくれる銀行だ。利率も、法外にいいらしい。そうだろ？ でなきゃ、なんで、頭取、あんたが私と会う？ 裏の預金を獲得したい一心からじゃないのか」

「失礼な！」フレイザーは、怒気を含んだ声を出した。「でたらめにもほどがある！ お会いしたのは、ミスター・シバタからの正規の預金があると聞いたからだ。当行が、裏の預金ですと？ そんな根も葉もない噂を、真《ま》にうけるなんて、どうかしてますぞ。日本のＶＩＰからの話だというんで、せっかく時間を割《さ》いてみれば、これだ」

国生は、ニヤニヤして言った。

「わかった……あんたは、マージンが欲しいんだな。そんなにもったいをつけなくても、その辺は、こちらだって色をつけるさ。大事な時間を割いてもらったぶんな。何パーセント取る？」

「わからん人だな」頭取は、ぴしゃりと言った。「この話はなかったことにする。それだけですよ」

国生は、気色《けしき》ばんだ。「とんでもない。バカにするなよ、私は、芝田哲也から依頼を受けた代理人として来てるんだ。ここまで来て預からないじゃすまないぞ」

「そうおっしゃっても、こちらには、どうしようもない。そこまで言うならお訊ねしますが、いったいどこから、そんな妙な情報を耳にされたんです？ 言っていただこうじゃありませんか」

「………」国生は、返答につまった。

「やはり、お間違いのようですな」頭取は、嘲《あざけ》るように言った。「ダーティな預金は、当行ではお断わりです。スイスか、ケイマンの銀行にでも、足を運ばれては？」

「ごまかす気か！」

国生は憤然と席を立ち、頭取に喰ってかかった。

「こいつをつまみ出せ！」頭取は、上品さをかなぐり捨てるふりをして、わめいた。国生の怒りも、頭取のわめき声も、打ち合わせどおりの芝居のうちだった。

すぐさま、数人のボディガードらしい男たちが、応接室に乱入して来た。彼らは、部屋に入るやいなや、大声をあげて国生を罵倒し、椅子や机を激しく鳴らして揉み合う物音を立てた。国生も、それに合わせてわめき、唸《うな》ったが、実際には、男たちは彼には指一本ふれていない。すべては、頭取が彼をつまみ出すと見せかけるための演出にすぎないことを、国生も知っていた。ボールペンに仕込まれた集音マイク兼発信機に、聞かせるための騒ぎだ。

「何をする！」

国生は、ひときわ高い叫び声をあげると、自らボールペンをつまみあげ、床に落として、粉々に踏み砕いた。発信機は潰《つぶ》れ、そのとたんに、男たちは騒ぎを止めた。

「せいせいしたな。これで、本音《ほんね》でものが言える」あらためてフレイザーに向き直った国生は、ニッコリ笑って手を差し出した。「よろしくお取引き願いますよ……千両役者のエドワード・フレイザー頭取」

沢木は、耳に当てたレシーバーを、慌てて外した。金属の擦《す》れて軋《きし》る音が、一瞬のうちに、耳に突き刺さった。数秒おいて、レシーバーをつけ直したが、ノイズしか流れてこない。

「壊れたな」彼は、小さく呟《つぶや》いた。

傍受した話の模様では、頭取は、一貫して否定を続けていた。不正預金などない、の一点張りだ。しかし、上海香港銀行が潔白なわけはなかった。省の分析によれば、すべての状況、すべてのデータが、この銀行の不正を裏づけている。とすれば、頭取が、あくまでも不正預金を否定し、芝田哲也からの九〇〇億の隠し預金話を蹴った理由は二つしかない。この話が気にいらなかったか、あるいは「囮《おとり》調査」が洩れたか。

洩れたとすれば、どこから……？

発信機が壊れたのは、国生と銀行側の男たちの揉み合いで、偶然に筆記具が折れたのかそれとも、盗聴を気づかれ、銀行側に発信機を取りあげられ、壊されたのか。

あるいは……？

木島局長は、このことを予測していたのかもしれない。〈マイクを増やしたい〉との、局長の指示で、国生幹夫には、もうひとつ発信機を携帯させていた。国生自身は、そのことを知らない。彼が到着したその日、『ホテルシェラトン香港』で、ベルボーイに扮した現地職員に睡眠薬を盛らせ、国生のオメガを発信機つきのコピー・ウォッチとすり替えてある。香港には、あらゆるタイプのコピー・ウォッチが売られており、外観を似《に》せるのは容易だった。もし、彼が時計マニアで、アンティークの一点ものの時計でもしていたら、そのときは、カードタイプの発信機をオメガを着けていることがわかっていた。

アタッシェケースに組み込む方法もあったが、事前の連絡で、国生はオーソドックスなタイプの時計をセットしてから、すでに一二時間前後が経過している。だが、まだ動いているはずだ。

小型発信機の場合、電源の供給は、電池からということになり、ボールペンや時計などに仕込めるほど小さいものは、電池も小型しか使えず、十数時間しかもたない。昨夜十一時にホテルで時計をセットしてから、すでに一二時間前後が経過している。だが、まだ動いているはずだ。

国生に知らせずに発信機をセットしたのは味方を欺《あざむ》く……つまり、知らなければ彼が自然にふるまえるという配慮だと、局長は言ったが、裏を返せば、彼を信用しきっていなかったとも考えられる。

フィクサー・芝田京三の元秘書というからには、国生にもそれなりに後ろ暗い部分があっておかしくない。木島は、そんな意味で、〈保険をかける〉と言ったのかもしれない。

沢木は、受信機の周波数を、時計に仕込んだ発信機の周波数にチューニングし直し、レシーバーからの音に、耳をそばだてた。

「……それで、金は、どうやって香港に持ち出せばいいんです」

国生の声が、明瞭に流れてきた。やはり、彼は、放り出されてなどいない。何か魂胆《こんたん》があって、上海香港銀行側と共謀し、外務省を欺こうとしたのに違いないのだ。

それならば、国生の狙《ねら》いがどこにあるのか見定《みさだ》めなければならなかった。

声は、続いた。

「USドルなら、日本から香港国内には無制限に持ち込めるとはいっても、この九〇〇億は表に出したくない金ですからね。振り込むというわけにもいかないでしょう」

「国内での保管は、どうされているんです」

フレイザー頭取だった。二人は、さきほどの揉み合いなど嘘のように、平然と話を続けていた。

「詳しいことは申せませんが、現金の形で、ある場所に、厳重に匿《かく》してあります。すべて日本円です」

「日本円でね……。かまいませんよ。持ち込んでさえしまえば、香港は為替天国ですから、金はこちらで洗います。それから、輸送の手だては、当行にお任せください」

「九〇〇億ともなれば、かなり嵩《かさ》もありますが……具体的には、どのように？」

何の話をしてるんだ？　九〇〇億だって？

沢木はいま聞いた重大な話の意味を理解しようとした。

「われわれの銀行は」と、頭取は続けた。「ご存じのように、香港の代表的な航空会社であるC・パシフィック航空の株の多くを所有しているんですよ。それだけでなく、ある人物の強力な後ろ盾を得て、海路の手だてを持っています」

「その人物とは……包輝南《パオフェイナム》氏では」

「パオ氏をご存じですか」

「芝田京三は、生前……といっても、だいぶ若い頃ですが、日本の黒幕の多くがそうであるように、造船業に色気を出していたことがありましたからね。パオ氏は、有名な海運王ですから、お名前は存じています」

「パオ氏のグループは、一九八五年に、香港のもう一つの航空会社、D・エアーの経営権も握っていますよ」

「ということは、つまり、そのいずれかのルートで、日本から金を運べるとおっしゃるわけですね」

「いずれのルートも、輸送の体制は確立しています。司直の手が入る心配もありません。乗組員から税関吏まで、配下に置いていますから。もちろん、いま申し上げたことは、ロ外無用に願いますよ」

「おっしゃるまでもない。S資金をお預けするのは、こちらなんです。一切を外に洩らしたくないのは、私も同じです」

国生は、続いて、自分がいかにS資金匿しに腐心してきたかを、得々と述べ始めた。

沢木は、レシーバーから洩れてくる話の内容に、わが耳を疑った。国生が、万が一信用のできない輩《やから》だとしても、最悪、この「囮作戦」を上海香港銀行側に暴露されることしか想像していなかった。

ところが、いまの話によれば、噂にすぎないと思われていたS資金は実在し、しかも闇のルートで香港に持ち込まれようとしているのだ。国生は、外務省を出し抜き、かつ、九〇〇億の裏金を、上海香港銀行の不正預金で運用しようとしていることになる。

二人の話題は、その資金をいつ運ぶか、どのルートを使うかということに移っていた。

沢木は、レシーバーの音声が、レコーダーにインプットされていることを確認した。テープはゆっくりと回っている。それでも、要所要所を、彼は記憶に刻みつけようとした。

「ところで」国生が、頭取に向かって、機嫌よく言った。「私を監視している外務省員は発見できましたか」

「まだです。しかし、時間の問題でしょう。この銀行から、さほど遠くないところに潜《ひそ》んでいるでしょうからな。とりあえず、銀行周辺の車と、挙動不審な人物のチェックを始めています。ただ、顔がわからないだけに、多少やりにくい」

「発見されたら、どうなります」

「総督府に対するスパイの容疑をかけます」

「総督府に？　ここは、上海香港銀行なのにですか」

「無線の傍受自体は、罪にならないんです。内容を悪用しない限りね。ましてや、相手は外交官です。私どもには、下手《へた》に手出しできません。まさか、痛めつけるわけにもいかないでしょう。オフィシャルな面に弊害が出ないとも限りませんからね。それに、われわれが動けば、いままで仕組んだ芝居が、水の泡だ。こちらが盗聴に勘づいたことになり、あなたが疑われる。だが、都合のいいことに、総督府が、このビルのすぐ裏の山の手だ。この周辺を、受信機を持って外交官がうろうろしていたとなれば、事情聴取くらいはできるでしょう。運がよければ〈好ましからざる人物〉の烙印《らくいん》を押して、日本に送還ということもできます」

「しかし、総督府がなぜわれわれに協力して……」言いさして、国生は途中で気づき、言葉をきった。総督府と上海香港銀行は、表裏一体《ひょうりいったい》なのだ。双方とも、イギリスの利益を代表し、繋《つな》がっている。

頭取も、喋《しゃべ》り過ぎたと思ったのか、口を噤《つぐ》んだ。なにもこの日本人に、総督が絡んでいることまで話す必要はなかったのだ。

「いずれにせよ、潜《ひそ》んでいる外交官を見つけたら、部下から連絡が入りますよ。それより……」

頭取が、話の鉾《ほこ》先をそらしかけたとき、電話のコールが鳴った。「見つかったかな」頭取は腰を上げた。

沢木は、ぎょっとして、思わずあたりを見回した。さっきの警備員が、ゆっくりとこちらに向かって来るところだった。心臓が口から飛び出しそうに、はげしく動悸した。

落ち着け、落ち着くんだ。

いま見つかったら、まずいことになる。尋問に遭《あ》い、テープが取り上げられでもしたら、元も子もない。上海香港銀行の不正預金と、S資金の存在の貴重な証拠は、いまや、この薄いカセットに収まっていた。沢木は、いままで使っていたノートサイズの受信機からすばやくカセットを外し、ウォーキング・タイプのステレオ・カセットプレイヤーを模した受信機に入れ替えた。震《ふる》える指で、ノートサイズの受信機を、座席の下に隠し、ウォークマンふうのカセットプレイヤーをポケットに突っ込む。受信の性能はやや落ちるが、仕方がない。発信機のほうの電池も、そろそろ尽きるはずだし、主要な部分は聞き終えていた。

それから、まっすぐこちらに歩いて来る警備員に目を戻す。落ち着くんだ。向こうからこちらが見えているわけがない。

と、突然、警備員はくるりと向きを変え、漫然と、元来たほうに戻って行った。

沢木は、数分間、手に汗をかいたまま、歩いて行く警備員を見つめ、硬直していた。警備員が無線や携帯電話を持っていなかったことに気づいたのは、制服姿がすっかり見えなくなってしまってからだ。

ひとまずほっとしたが、このまま車にいれば、いずれ調べられる。出るときに、尋問されるかもしれない。なんとか、怪しまれずに車を抜け出したかった。

新しく車が入って来る音に、沢木はびくりと首をすくめた。先刻まではさほど気にならなかった車の音が、妙に迫力を持って聞こえた。いまは、誰もが彼を見つけ出そうとしているように感じる。

ブルーグレーのメルセデスが、スピードを徐々に落としながら乗り入れて来、彼は、乗っている人物を確かめようと、おそるおそる首を伸ばした。

運転しているのは、中年の女性だった。助手席には、女の子が乗っている。どうやら親子らしかった。追手ではなさそうだと、沢木は安堵した。ベンツは停車し、運転席から女性が降りて来て、助手席から女の子を降ろした。三歳くらいか、絵本のなかから抜け出たように愛らしい。母らしい女性は、後ろにまわってトランクを開けると、大きなルイ・ヴィトンのスーツケースを取り出した。彼女は、かなり苦労してその重そうな荷物を持ち上げ、地面にどさりと降ろした。女の子は、女性の足もとにまとわりつき、彼女をなおさら動きにくくしている。

沢木は素早く頭を回転させた。もう一度周囲を窺い、ほかに人影がないことを確かめると、女性が向こう向きになったのを見計らって、静かにセダンから滑り出て、運転席の脇に立ち、いかにもいま車を停《と》めたばかりというように、わざと音を立ててドアをロックした。

女性が振り向いた。彼は、精いっぱい笑顔をつくって、言った。

「重そうですね。スーツケース、お持ちしましょうか」

女性は、目を細めて、警戒するように沢木を見た。沢木は、ジャケットの胸ポケットから、迷わず板チョコを取り出した。張り込みが長びいた場合にそなえて、スタミナを補うために携行していたものだ。女の子が、目を輝かせて近寄って来た。

母親らしい女性の頬が緩《ゆる》んだ。沢木はチョコレートを女の子に渡し、スーツケースのほうにすばやく回り込んだ。

「申し訳ありませんわ」女性が言った。有難いのはこっちのほうだ、と沢木は思った。三人連れなら、怪しまれずにすみそうだ。

「すぐそこまでで、結構ですから」女性が言い、沢木がスーツケースを持ち上げたとき、警備員がまた折り返して来た。冷たい汗が、背中を流れた。だが、警備員は、遠くから、女性に会釈《えしやく》しただけだった。

女性は、銀行の関係者なのかもしれない。が、このまま二人といれば、何とか外に出てしまうことはできそうだった。

さりげなく駐車場を出、さっきダナたちが消えて行った蟹ビルに向かって、沢木は女の子に付き添って、歩きはじめた。

領事館に戻る前に、都築健太郎を探さなければいけない。彼は、ダナとラオを見つけるために、上海香港銀行ビルのどこかをうろついているはずだった。なにも知らない都築が、銀行側の手中に落ちてしまう可能性は十分にある。都築は香港駐在が長い。万が一、日本に送還などという事態になれば、つぶしが効《き》かない彼には、苦境が待っている。

なんとかして、都築を探すか、連絡を取りたかった。

会議中の頭取を内線でコールしたのは、秘書のエレナ・ファイファだった。会談中はなるべく邪魔をしないようにと、普段から念を押されてはいたものの、コンピュータで受付から回されてきた怪文書に、頭取がどう反応するかを見たいという好奇心のあまり、彼を呼び出す誘惑に勝てなかったのだ。

そのうえ、彼女は、頭取が最近自分のミスをあまり叱らないことに気づいていた。そのうちベッドに誘うつもりなのかもしれない。

「いったい何だね」頭取は、不機嫌な声を出した。「重要な用件以外は、コールするなと言ってあるだろう」

「一大事ですわ」エレナは、もったいぶって言った。彼女は、コンピュータの画面を横目で見ながら、皮肉っぽい微笑を浮かべた。

〈速報〉エドワード・フレイザーの疑惑を暴《あば》く行員有志の会――

当行を表裏の舞台に、就任以来やりたい放題をやり、私腹を肥《こ》やす、悪評高いエドワード・フレイザーの目に余る公私混同ぶりは、断罪に価《あたい》する。よって、われわれはここに同人の罪状を告発し、同人の頭取たる資格を問う会を発足するものである。一部行員の間では「能無し頭取」とも評される彼の傍若無人《ぼうじゃくぶじん》ぶりを、本会では徹底追及する。

第一の悪行は……

怪文書の着信を告げたエレナは、電話口でそこまで読み上げ、いったん切って訊ねた。

「先を続けますか――頭取？」

「そちらへ行く」

フレイザーの顔は、怒りで赤らんでいた。受話器を叩きつけるようにして置くと、彼はわなわな震《ふる》えながら、国生には待っているように告げ、頭取室へ、即刻とって返した。

ずかずかと入室してきた頭取の憤怒《ふんぬ》の形相《ぎょうそう》がただごとではなかったので、秘書のエレナは、この文書に書かれていることは、もしかすると全部本当なんじゃないかしら、とさえ思った。

秘書を睨《にら》みつけるように見ると、頭取は、平静を取り繕《つくろ》いながら、コンピュータのブースに歩み寄った。

エレナが、さぐるように後ろから覗き込もうとするのを、頭取は、口を歪《ゆが》めて遮《さえぎ》った。

「席を外《はず》してくれ」

秘書が不承不承《ふしょうぶしょう》、出て行ってしまうと、フレイザーは、額《ひたい》に青筋を立てながら、端末のディスプレイに向かった。

表示されている文書を、彼は鋭い目つきで追っていった。

エドワード・フレイザーの不正は、光華《こうか》実業という無名企業との関係から始まる。同社はアスレチッククラブなどを手掛ける一方で、不動産取引き等にも手を伸ばしている小企業だが、その経営は、お世辞にも堅実とはいえない。それどころか放漫経営から、数種の事業に失敗を続けた不良会社とでも言うべきであろう。ところが、驚くことに、その光華実業に、由緒正しかるべき上海香港銀行から、約一五億香港ドルもの債務保証がなされている。これは、ひとえに、光華実業の経営者とエドワード・フレイザーの特別な関係に拠《よ》るものである。光華実業の女経営者、アリステア・キャンベルは、頭取の正腹ではない娘であり、エドワード・フレイザーは、娘の苦境を見かね、不良会社の債務保証をしたばかりでなく、光華実業の抱えるランタオ島のゴルフ場の会員権売買にも関与している。フレイザーは、光華実業の社員に上海香港銀行の名刺を持たせ、当行の信用のもとに二流ゴルフ場の会員権を売り、販売手数料を光華実業の利益として流した。さらに——

フレイザーは、拳《こぶし》を握りしめた。唇を震わせながら、彼は先を読み進んだ。

——さらに、フレイザーは、当行の資産を流用して、私的な闇金融を行なっている。彼は、いくつかのダミー企業を通して金を流し、最終的には、クイーンズ・クレジットというもっともらしい名の金融会社で高利の貸付を行なっている。なお、この構造には、一部ブラック・アソシエーションが絡んでいるとの情報も、われわれは掴《つか》んでいる。

文書は、フレイザーの手の汚れ具合を、さらに二、三の実例をあげて告発していた。彼は、デスクを叩き、悪態をついた。

——われわれは、彼の辞任を迫るべく、さらに彼の卓抜した業績の収集に努《つと》めるつもりである。なお、この指示は、行内役員の数名によるものである。そのグループは——

コンピュータの一ページ目の画面の文章はここまでだった。

彼の地位を脅《おびや》かそうとするそのグループは……行内の者に違いなかった。

こんなことをする奴らは、絶対に許さん。誰だ？　副頭取か？　それとも……？

フレイザーは、怒りのあまり、画面を二ページ目へ進ませるためのスクロール・キーを、力まかせに叩いた。そのとたん、コンピュータの警戒音が連続的に響いた。

「致命的なエラー」

画面に、エラーの表示が点滅した。

フレイザーは、動転した。文書の先を知りたいのと、端末を壊したのではないかという戸惑いがない交ぜになって、彼は頭を抱え込んだ。

秘書やオペレータをコールしようという気にもならない。この怪文書を、これ以上人目に曝《さら》したくなかった。仕方なしにいくつかのキーをランダムに押してみると、ラッキーなことに、画面表示がスッと変化した。

「パスワードを入れ直してください」

頭取は、いくぶんかほっとした。自分だけでこの問題を処理できるだけでも、いまは有難い。

彼は、数秒置いて、コンピュータの命ずるままに、キーを叩き、パスワードを入力した。

数秒置いて、画面が怪文書に戻った。そのあと五〇ページほどに及ぶ、あまり誉められたものではない自分の行ないを、すべて読むのにはおよそ小一時間かかることを、彼は知るよしもなかった。頭取は、日本人客を待たせているのを忘れ、端末の前から動けなくなっていた。

ダナ・サマートンは、受付の端末の画面に頭取のものらしきパスワードが魔法のように現われたのを、信じられない面持《おもも》ちで眺めた。

ラオのプログラムは、頭取を騙《だま》しおおせたんだわ。

ラオは、頭取の行状を隈《くま》なく調べあげたうえで、偽の怪文書を作成し、受付の端末から頭取室の端末へと送り込んだ。彼は、頭取が怒りという非日常の精神状態に置かれ、コンピュータの指示どおりにパスワードを入力するだろうと推測し、事態はまさしく、そのとおりに進行していた。ラオの特製プログラムにより、そのパスワードが、こんどは受付の端末に送られてきたのだ。

喉から手が出るほど待ち望んでいた一〇桁《けた》のパスワードを暗記したうえ、メモに書きとめ、ダナはコンピュータを再起動させると、ファイルを閲覧した。目指すファイルは、重役用と分類されたなかにある、とダナは見当をつけた。上海香港銀行の各ファイルは、あっけないほど単純に分類されていた。電話回線を使って侵入するハッカーが皆無のため、業務に都合がよく、階層のわかりやすい分け方がまかり通っている。

――ラオの言っていた、セキュリティ・システムへの過信ね。

感心ばかりしている暇はなかった。ラオが本物の受付嬢と広報担当者を相手に時間を稼いでいるうちに、極秘ファイルを探し当てる必要があった。次から次へと、めぼしいファイルを、ダナは開けていった。

頭取のパスワードは、オールマイティな鍵だった。アクセスできないファイルはない。書類を開いて、冒頭の部分に簡単に目を通し、重要そうなものはすべて、フロッピー・ディスクにコピーした。

興味深い書類を引き当てたのは、十五個目の「7／1」と名付けられたファイルを開いたときだった。

書類のレターヘッドには、盾《たて》と五本の矢がデザインされた、独特のマークが印《しる》されていた。ダナは、そのマークを、しげしげと見つめた。

それは、フランクフルトのユダヤ人街で、古銭商から身を起こし、いまや世界中に一大帝国を築きあげている、あの一族の紋章にほかならなかった。一族をヨーロッパ一の財閥にのし上げたのは、古銭商の五人息子が、それぞれ英・仏・伊・独・オーストリアに分かれ、一族の礎《いしずえ》となる銀行を各国に確立させたからだ。彼らは国を越え、互いに補いあい、巨額の富を得ることに成功した。一族の中興の祖となった、その五人の兄弟を讃《たた》えた、五本の矢の紋章は、ゴルトシルト家の証《あかし》以外の何物でもなかった。

麗々しい紋章を、コンピュータの文書にまで使用するなんて、と一瞬、ダナは思った。しかし、考えてみれば、金融帝国を有する彼らのシステムが、ハイテク化されていないはずはなかった。いくつもの銀行やマスコミを傘下に持ち、世界的なネットワークを持っているのだから、由緒あるヨーロッパの財閥というだけで、古色蒼然とした印象だけを持つほうが間違っているのかもしれない。

ダナは、急いで文書に目を走らせた。

わが同胞、親愛なるエドワード・フレイザーへ

――香港におけるわが一族の代表としての君の立場に、敬意を表す。

われわれの神が与え賜《たも》うた大いなる預言のとおり、地球上の一切の富をわれら選民が所有する日は近い。神より出でしわが民族は、楽園に住まう運命。世界のあらゆる富と民族と

は、われらの前にやがてひれ伏すであろう。

さて、われわれの難題をともに検討すべくここに書面を送る。

この二世紀の間、われわれにとってなすべき課題の一つは、言うまでもなく、中国にわれわれの力を思い知らせることにあった。ヨーロッパ・アメリカに、すでに磐石《ばんじゃく》の礎《いしずえ》を築きあげたわれわれが、次にターゲットにすべきは、世界人口の約二割の人民を持つ、中国にほかならない。一二億の人民を、金とマスコミの力で有形無形のコントロールのもとに置くことができれば、神の示される完成された帝国の実現は目前だ。が、もしも中国を駒《こま》にできなければ、さらに長い世紀をかけて、計略を練らなければならなくなる。曾々孫《そうそうそん》や、その孫の代まで、悪くすれば永劫《えいごう》に……。われわれの姻戚にあたる一族、つまり君の直系にあたる人々は、気の遠くなるような戦いと謀略の結果、ついにわれわれの拠点として、香港を手中に収めた。しかし、アヘン戦争の結果、永久にわれわれのものになるはずだった香港は――

……？

永久にイギリスのものになるはずだった、とは、どういうことかしら？　そんなはずないわ。香港は租借されただけ、つまり、中国からイギリスに九九年の期限で貸し出されただけなのに
――サッチャーの不手際により返還せねばならぬ羽目《はめ》に陥《おちい》ったが、君の祖先が中国側と取り交《か》わした例の文書の原本が焼失していない可能性があり、まだ香港の奪回は可能だという

ことになった。君のほうにその控えがないというので、こちらのコピーを送る。一通は、浙《せっ》江《こう》財閥の宋《ソン》家を通じて蔣介石《チャンチエシー》と――

ダナは、ふと目についた名前に、吸い寄せられた。

蔣介石？　彼はたしかに、一時は中国で覇権を誇っていた人物だけど、すぐに共産党に主権を奪われたはずよ。その人物の名が、なぜ、ここに……？　アヘン戦争と、彼の活動した時代とは、だいぶ年月が離れているし、仮にゴルトシルト家が彼の政権と何かの密約を交《か》わしたとしても、現在の共産党政権とは、無関係のはずでは……？

「何をしてるんだ？」

いきなり間近で、男の鋭い声が響いた。ダナは、ぎくっと飛び上がった。慌《あわ》てて、文書を画面から消し、フロッピー・ディスクに記憶させると、何気ないそぶりで顔を上げる。

画面に没頭するあまり、受付のブースを覗き込んでいる男に気がついていなかった。

そうだ、私、受付役もこなすんだったわ。

「ご用でしょうか」

男は怪訝《けげん》そうにダナを見た。

「ご面会のお約束ですか」

ダナは、内線番号表を引き寄せながら、息を整えた。

ソツなく男をあしらった後、立て続けに数名の来客があり、ダナの作業は中断された。

ようやく案内を終えると、一〇分が経っていた。いまや、過ぎていく一分一秒が貴重だった。もう、リミットだわ……。中英間に何があったのか、ダナはその謎を追究してみたかったが、先刻の文書を読み直している時間など全くない。コピーしたディスクの内容は後でラオの事務所で見直そう。

本来の目的である不正預金のファイルを探すため、ダナは、再び、すばやくファイルのチェックをしはじめた。

ガイドのフレディ・張《チャン》は、上海香港銀行ツアーの人数を、また数え直していた。さっきは、たしかに一九人だった気がしたのに、いま頭数を確認してみると、二〇人に増えていた。

彼は、溜息を吐いた。オプションのツアーは、これだから嫌だった。メインの団体のほかに、いくつかのホテルのツアーデスクからの客が混じっていて、顔が覚えにくい。おまけに、日本人の客ってやつは、あたり構わずうろつく癖がある。

同じ東洋系でありながら、香港人にくらべてとろんとした目つきの、子どもっぽい日本人の顔は、フレディにはどうも馴染《なじ》めなかった。とりわけ、若い女性客は、普通なら歓迎すべき対象だが、日本人の女性は、いつでも二、三人でべったりと群れていて、歩く姿勢が悪く、一人一人を見分ける気にもならなかった。もっとも彼のほうも、たくさんのツアー客を瞬時に覚えてしまうような才覚があれば、もっと給料も増えていたに違いない。フレディはどちらかといえば上司に迷惑がられるタイプのガイドだった。

これから、自分も入ったことのない、上海香港銀行のビル内部を、日本人客を引き連れて、およそ半日かけて案内して回らなくてはならないことを考え、彼はさらに気を滅入らせた。

「さあ、出発いたします」

フレディは、散らばっている何人かの客に声をかけた。

ツアーに混じった、四十年配の、ビジネスマンふうの日本人の男は、結局、ガイドの注意を少しも惹《ひ》かなかった。携帯電話を模した無線を、ジャケットの内ポケットにしのばせたままで、都築健太郎はフレディのあとについて行った。

〈チャーリー〉は、再び、上海香港銀行に呼ばれていた。頭取のフレイザーは、例の女に関する新たな情報の入手をほのめかしてきていた。中国側に潜入させたスパイから、続報が入ったらしく、頭取は上機嫌だった。

女はアメリカにいると、頭取は言った。九分九厘、相手を追い詰めたも同然という口ぶりだった。

だしぬけに、女の顔が自分のなかでまた像を結び、その瞬間、チャーリーは耐えられぬまでの熱さと吐き気に襲われた。炎のなかで、生きながら焦《こ》げていく恐怖。紅蓮《ぐれん》のなかを逃げて行く、女のシルエット。

――しかし、もう逃がさない。あの女に、死を贈るのだ。

たとえ相手が誰であれ、チャーリーは、なんの感情もなしに人を殺せるように訓練されていた。特殊任務を請け負う者として、祖国イギリスのために——。だが、いまのチャーリーには、女への憎悪があった。

急ぎ足で、チャーリーは最上階の頭取室に通じるエレベータのうちの一基に乗り込んだ。一刻も早く、女に関する詳細な情報を知りたかった。

案に相違して、彼の選んだこの一基の上昇の進捗《しんちょく》具合は、惨憺《さんたん》たるものだった。エレベータは、まず二階でストップし、あきらかに日本人とわかる十数人のグループが、ひしめきあいながら乗り込んで来た。チャーリーは余儀なくエレベータの奥に押し込まれた。

四階でも、エレベータは停《と》まった。日本人グループを引率しているらしい男が、いったん降りるようなそぶりをみせたため、数人の男女が機を降りかけ、視界が開けた。

チャーリーの目の端を、気になる何かがちらりと過《よぎ》ったのは、そのときだった。扉の向こうは、上海香港銀行の受付だった。つぎの瞬間には、チャーリーは、自分の見たものの意味に思いあたっていた。衝撃が、一瞬、チャーリーを凍りつかせた。

——あの女。

そう思ったとたん、チャーリーは箱を降りようと身を乗り出した。

だが、人の波が邪魔をした。どうやらこの階で降りるのではないらしいことに気づいた日本人客が、慌てて箱に戻って来た勢いで、チャーリーは呻《うめ》きながらも押し戻された。

そのまま、容赦《ようしゃ》なく扉が閉まった。

——あの女？

半信半疑だった。自分が探してやまぬ標的が、香港にいるはずはなかった。現に、女はアメリカにいるという情報を得たばかりではないか？　追い詰めたいと思うあまり、錯覚にとらわれているのかもしれない。一〇年あまりの歳月を超《こ》えて、瞬間的に女を見分けることが、いかに自分といえども可能だろうか。チャーリーは、エレベータの扉が開いた時点にすばやく記憶を巻き戻し、ビデオのスロー再生のように送りながら眺め直した。

降りかけた日本人の乗客の映像。続いて、自分の前に視界が開け、明るいフロアが広がる。深いスモークブルーで統一された静かなオフィス。同色のパーティションで構成された半オープンのレセプション・ブース。エレベータの気配を感じたのか、ブースから、ちらりと顔をのぞかせた女。受付嬢？　そうは見えなかった。そう――もっと洗練された感じの服装――ニュース・キャスターか何かのような。顔――問題は、顔だ。ストップ、もっと、ズーム・アップ。髪は……栗色？　あの女は金髪のはず……だが、髪は染められる。あの眼……眼鏡のせいで、はっきりとは見えないが、どうだっただろう？　似《に》ている気がする。唇は……唇！　チャーリーは、再び、猛烈な吐き気に襲われた。

像は一致する。自分の直感を信じるべきなのだ。いずれにせよ、引き返して確かめることを急ごう。誰であれ、つかまえる。すぐに吐かせてみせる。とにかく、この箱を降りなければ。すぐに……いま、すぐに。

数秒の思考のあいだに、エレベータは十数階を滑るように昇っていた。皮肉なことに、高層ビルのエレベータというのは、停まらないとなると、恐ろしく速い。チャーリーは、ひしめく客をかきわけ、最寄りの階のパネルを押した。

エレベータは、静かに停止した。


ダナは、コンピュータの端末に向かい、命令を繰り返していた。キーを叩くたび、ディスプレイには濃いグレーの文字が、点滅しては消える。

こんなとき、ラオなら、ものの数秒のうちに目的のファイルを探し出せるに違いない。彼は、このやっかいな機械の扱い方を心得ているのだから、とダナは溜息まじりに考えながら、次のファイルを開いた。

——また、違う。

次のファイル。

——これも、違う。

単純な作業の繰り返しが、ダナにはとてつもなく長く感じられた。到底、目的のファイルに辿《たど》り着けないのではないかと考えると、背中に、冷たい汗が流れた。

が、一瞬の後、ダナは口笛を吹いた。

——大当たり。

細かな数字でびっしりと埋め尽くされたデータベース。表示画面を、ダナは食い入るように見つめた。リストの一覧表を表示させ、スクロールしてみる。

数えるのにうんざりするような桁《けた》数の数字で記《しる》された取引きの明細、幾つもの架空口座と仮名、そして、本名との対照表。目指すファイルに間違いない。ダナは、データベースの内容を、もう一枚のフロッピー・ディスクにすばやくコピーした。

大きな不正の証拠が、目の前にあるという現実に、少なからずダナは興奮した。複雑とばかり思っていたコンピュータが、こんなに従順な生き物だったなんて。

仮にダナが司直の人間で、上海香港銀行やその顧客の不正を追及していると仮定した場合、このフロッピー・ディスクは、もちろん、法廷では決定的な証拠にならないだろう。ディスクの内容に、手を加えようと思えば、簡単にできるからだ。サインもなければ、印もないディジタル文書の難しさはそこにある。

ディジタルな記録は、消去や改竄《かいざん》が容易であり、しかも変更の痕跡が残らない場合が多い。コンピュータの記録には、証拠隠滅が行なわれやすいという側面があるのだ。

また、磁気ディスクに記録された情報は、アウトプット、つまりプリントアウトして文書にしなければ証拠として使用できないというのが、いくつかの国で採用されている法的見解となっている。ディスクの情報は、そのままでは読めないので、プリントアウトして書面の形にする必要があるのだ。

その場合にも、先に述べた理由から、プリントアウトした書面の証拠能力が問題となる。厳正な監視下で捜査官と専門家のもとで捜索・押収され、アウトプットされた証拠ならいざ知らず、ダナが今回採ったファイルの入手方法では、情報の保全を証明するのは困難だろう。

そもそも、ダナが上海香港銀行のコンピュータ・ファイルに無断でアクセスしていること自体にも、問題がある。ダナは香港の法律は知らなかったが、合衆国とスウェーデンでは、ごく単純な無権限アクセスでも処罰される。カナダでは確定的な故意があって無権限アクセスすれば処罰される。ドイツ、ノルウェーでは、保安を侵《おか》して無権限アクセスをすれば罰せられる。

ただし、企業秘密を盗んだということに関して罪に問われるかどうかは疑問だ。秘密という概念が極《きわ》めて曖昧《あいまい》であり、客観的な経済的価値を量《はか》るのが困難だからである。

ダナとラオたちが罪を問われるとすれば、詐欺罪というところに落ち着くのかもしれない。

いずれにせよ、コンピュータ犯罪に関する刑法の解釈は、まだ問題点や課題が多く、ほとんどの国で確立していないのが現状だ。

だが、法的にはどうあれ、ダナの目的がスクープである限りにおいては、この成果は決定的だった。『ポスト』が確証をもってこれを記事にすれば、関係者にとって打撃は必至だ。

ざっと眺めただけでも、リストに挙《あ》げられた取引き関係者は錚々《そうそう》たるメンバーだった。東ヨーロッパの独裁者未亡人、アフリカの某国の「将軍」、アジアの政権後継者一族、アメリカの上院議員たち。

『ポスト』紙上でこのリストが公開されれば、世界各国で、かなりの騒ぎになることは明らかだった。各国で、個別に司直の手が入るかもしれない。

ダナは、コンピュータの画面を元に戻し、貴重なフロッピー・ディスクを、すばやく薄いブリーフ・ケースに蔵《しま》った。それから、入れ違いに掌《てのひら》に隠れる大きさのポケット・ベルを取り出し、立て続けに二つの番号をコールした。

劉日月は、ビルの五階にいた。本物の受付嬢、ナンシー・M・陳と、広報担当者のコニー・安は、人をそらさぬラオのカメラマンぶりに、すっかり舞い上がっていた。

ラオが、なぜかあまり上の階には行こうとしないことなど、二人は気にもとめていなかった。それよりも、ナンシーは、自分のカメラ映りをよく見せるためのアドヴァイスを受けるのに必死だったし、コニーはカメラマンがたびたびさりげなく言いつける雑用に追われていた。

モデルになるナンシーをリラックスさせるために、飲み物を持って来てほしいとか、彼女を品よく腰かけさせるために、撮影にふさわしい椅子を持って来てほしいとか、注文のたびに、コニーはコマネズミのように行ったり来たりした。

ナンシーの素人目《しろうとめ》には、ラオはすばらしく仕事のできるカメラマンに見えた。テレビ撮影の照明セットは複雑で、その機材を自在に扱い、配線をきびきびとチェックするのもプロらしい。

コニーは、ラオの何度目かの指示で、今度は大きな花瓶を抱えて戻って来た。背景が殺風景だから、花かオブジェがあればな、と彼が呟いた結果だった。

そのとき、ふいに短いアラーム音が鳴った。どうやら、ラオのジーンズのヒップ・ポケットから、音は聞こえてくる。彼は、ポケット・ベルを取り出してみせ、アラーム音を止めてから、二人の女性に聞こえよがしに呟《つぶや》いた。

「社からだ。ちょっと、連絡いれなきゃ」

「どうぞ、電話をお使いください」

コニーが言った。マスコミ人種は、さすがに忙しいんだわ、と言わんばかりに。

「いや、大丈夫。これがあるから」

ラオは、スタッフ・ジャンパーのポケットから、携帯電話を取り出した。それから、そのまま電話のボタンをプッシュしはじめた。

この巨大な蟹《ハイ》ビル——上海香港銀行ビルの電源が、すべて、いっせいに落ちたのは、まさにその瞬間だった。

広報担当者のコニーは、初め、いまいるコーナーの間接照明のライトが消えたのを、消耗のせいかと思ったが、次の瞬間、各セクションから悲鳴だの、呻《うめ》き声だの、罵《ののし》りだのが上がり、騒ぎが伝わってきて停電と知った。

「停電か?」

フロアは、すぐに大騒ぎになった。

カメラマンが言った。

停電は、あり得ないことに思えた。高層ビルのなかには自家発電装置か、電池式で数時間は電話を動かすくらいの容量をカヴァーする代替電源を備えているところがあり、このビルには後者の装置があるはずで、たとえ、あたり一帯が停電しても、全くの停電は考えられないはずだった。

昼のさなかで、採光のいいこのビルでは、電気が消えても明かりは十分だった。しかし、こと銀行では、停電はすべての業務に災いする。コンピュータはストップし、オンライン・システムも使えない。

コニーは面くらい、狼狽《ろうばい》した。この事態で顧客からの問い合わせが殺到することは確実だった。広報室は、すぐに蜂の巣をつつくような騒ぎになるだろう。その後の対応を考えなくてはならないとすると、通常業務に戻ったほうがよさそうだ。しかし、この撮影のほうはどうしよう？

コニーは、カメラマンと顔を見合わせた。

「残念だけど」彼は言った。「電源が使えないと、やっぱり十分なライティングはできないんだ。撮影は延期にしたほうがいい。レポーターには、僕が説明しておくから、君とナンシーは、業務に戻るのが賢明じゃないかな」

コニーは二つ返事で、この提案を受け入れた。カメラマンはすばやく荷物をまとめ、レポーターの待機している四階のレセプション・ブースに向かった。

彼らは、荷物の重さにもかかわらず、五階から四階に降りるのに、階段を使った。エレベータは、全基がどこかでストップしているのだった。

ウォンは、ジャンプ・スーツのポケットでアラーム音が鳴るのを嬉しく思った。これが鳴るのを、いまかいまかと待っていたところだった。猿芝居も、いよいよ幕切れだ。

ウォンは空中でのアクションを止めた。いずれにせよ、最初は驚いていたオペレータの二人組も、そろそろ飽きかげんが顔に出てきたところだった。そのうえ、映画スターの出現というビッグ・ニュースを、誰かに告げたくてうずうずしているらしい素振《そぶ》りだった。

それでも、ウォンは、体力の消耗と上空の冷たい風、それに発見される懸念という三重の悪条件のなかで、しぶしぶ演技を続けていた。

――だが、もうこれまでだ。

ウォンは、最後の演技にかかった。窓のなかの二人のオペレータに向かって、自分に注目するように合図する。それから、おもむろに、二人の後方を指差してみせた。

ウォンをジャッキー・チェンと思い込んでいる二人は、彼の指差すほうを振り返った。

視線の先には、二人のデスクがあり、彼らの手でもあり頭脳でもあるコンピュータの端末がいくつも据《す》え付けられている。

それは、彼らにとって見慣れた光景――のはずだった。少なくとも、ほんの数十秒前までは。が、あきれたことに、ディスプレイには、いまや何一つ映《うつ》っていなかった。数字も、記号も、グラフやイラストも、すべてがかき消えていた。

オペレータの一人は、慌ててパワー・キーをオンにしてみたが、機械は反応しない。もう一人は電源を確認したが、コンセントに問題はない。となれば、停電の可能性が高い。二人は、パニックに陥《おちい》った。すぐに、誰彼となく、コンピュータに関する問い合わせをしてくるに違いない。

そう思う間もなく、最初の闖入者《ちんにゅうしゃ》が、大声で怒鳴りながらドアを開けた。

二人は、その人物を見たとたん、肝《きも》をつぶし目を白黒させた。

「どうなってるんだ！　コンピュータをなんとかしろ！」

頭から湯気をたて、怒り心頭といった様子で入って来たのは、こともあろうに、エドワード・フレイザー頭取その人であった。

オペレータは縮《ちぢ》みあがった。頭取と会話を交《か》わすこと自体、初めてといっていいほどなのに、何たることか、自分たちは叱り飛ばされているのだ。

「……大丈夫です、頭取」

オペレータは、おずおずと言った。

「何が大丈夫だ！」真っ赤になって頭取は喚《わめ》いた。

「停電が回復すれば、コンピュータの記憶は元に戻ります。当行のシステムは、コンピュータ自身が一〇秒ごとにバックアップを更新する機能を採用していますから、使用中だったファイルも自動的に保存されています」

オペレータは、その後、各セクションの問い合わせに答えて一〇〇回以上繰り返すことになる説明の、記念すべき一回めを行なった。

頭取の怒りの矛先《ほこさき》は、その答えでやや納まったようだった。眉をひそめる頭取を見て、オペレータの一人は、頭取がコンピュータを使っていたなんて珍しいな、と密《ひそ》かに思った。彼らがチェックするユーザー・ログには、頭取の記録は稀《まれ》だったからだ。

「調べてほしいことがある」機嫌の悪さを抑《おさ》えきれぬままに、頭取が言った。「ユーザー・ログのなかの、電子メールの記録が欲しい。今日の分だけで構わないが、誰がどこに送ったか知りたい」

オペレータが、頭取に目的を問わなかったのは幸いだった。もし訊ねていたら、おそらく先刻以上の雷が落ちてきていただろう。

しかし、それは問わぬにしても、これだけは言わねばならなかった。

「すぐには無理です」

「なぜだ」頭取の顔が、再び強張《こわば》りかけた。オペレータは、慌てて言った。

「電源がなくては記録を取り出せません。復旧しだい、記録をお届けします」

彼の語尾は、頭取には届かなかったに違いない。フレイザー頭取は、すでに踵《きびす》を返し、つかつかとドアのほうに向かっていた。

二人のオペレータは、額からどっと汗が吹き出すのを感じた。

そうだ、ジャッキーは？　頭取はなぜ窓の外の彼に気づかなかったんだろう？

そう思う余裕ができ、窓を振り返ったときには、スターの姿は空中からきれいさっぱりと消えていた。


ダナとラオは、すでに「取材」をうまく切り上げることに成功していた。せっかくのスター気分を邪魔されたナンシーの恨《うら》めしげな視線をあとに、彼らはそそくさとワゴンに戻った。

「亜州電視」と書かれた車に、まさに二人が乗り込もうとしたとき、屈強そうなボディガードふうの男が、つかつかと寄って来た。

「あんた達」男は、銀行の警備員の腕章を示しながら言った。二人の顔に、緊張が走った。「無線を持った男を見なかったかな」

彼らは、顔を見合わせた。

ラオが、すぐに言った。

「見ましたよ」

ダナは、息を呑んだ。

「どこで見たって！」警備員は、意外そうに言った。

「どこで見たんだ？」彼は、ダナをじろじろ眺めまわしながら訊いた。

「これですよ」ラオは、笑いながらワゴンのドアを開けてみせた。「僕達、無線を持ってる」

警備員は、ポカンと口をあけた。

ラオは、身を乗り出して、車体に大書されたATVのロゴを大仰《おおぎょう》に示してみせた。

「当然でしょ？　TV局のワゴンは、たいてい、無線を積んでるんですよ。とくに、外にロケに出かけるときはね。いつ、何があるかわからないでしょ。そんなとき、連絡をとれる。例えば……停電なんかのとき」

ごつい男は、肩をすくめてみせた。自分だって、まんざらジョークのわからない男じゃない、というポーズだ。

「かもな。知ってるかい？　停電は、このビルだけじゃないぜ。周辺の1《ワン》ブロック、すべて電気はイカれてる。隣のビルからさっき聞いたんだが」

「そりゃ大変だ。局に帰ったら、大騒ぎというところだな。ところで、なぜ無線を持った男を？」

「盗聴だよ」男は、囁《ささや》くように言った。「企業秘密を、盗もうとしてる奴が、このあたりをうろか。「ぜひ話を聞かせてくれませんか。ラオは、大袈裟《おおげさ》に驚いてみせた。

「そりゃ、ニュースだ！」ラオは、大袈裟《おおげさ》に驚いてみせた。「ぜひ話を聞かせてくれませんか。

ちょっとしたネタになる」

今度は、警備員が困る番だった。仕事の内容を、マスコミ屋にぺらぺら喋《しゃべ》ったのが自分とわかったら？　彼は、首を振った。そんなつもりはない。彼は、テレビ・クルーとヤジ馬気分で話してみたかっただけだ。

「お喋りは終わりだ。さっさと行ってくれ」

ウォンは、もうジャッキー・チェンには見えなかった。

細いけれども強度の高いロープにぶらさがって降下しながら、三〇階付近で彼は鋏《はさみ》を取り出した。ウォンは片手で自分の髪の感触を確かめ、思い切って、襟足《えりあし》付近から鋏を入れていった。見る間に、髪型が変わる。切り落とした毛束《たば》は、強風にあおられ、切る端からどこへともなく飛散していった。

数分の間に、彼のヘアスタイルは、ジャッキーのトレードマークのようなウルフ・カットから、シンプルなクルー・カットに変わっていた。

一〇階に突き出した鉄骨の陰では、匿《かく》しておいた清掃用具を腰に結びつける。これで、万が一、下から見上げられても、まったく違和感がなくなった。さらに、彼はべっこう縁《ぶち》の眼鏡を取り出し、強い風で落とすことを気にしなくてもいい四階付近で、それをかけた。

結局、ビルの外壁をつたって地上に降り立った窓の清掃係を、怪しむ者は誰もいなかった。

上海香港銀行が面した通りは、いつもよりやや、車が多かった。停電のため、交差点では巡査が手信号で交通整理を行なっている。

それでも、しずしずと進んで来たATV局のワゴン車は、上海香港銀行ビルを出て三〇〇メートルほど先の路上で、ウォンの扮する清掃係を拾った。

ウォンが助手席側のドアをあけて車に飛び乗ると、ダナがまじまじと彼を見て言った。

「別人みたい」

ウォンは破顔して言った。

「君は、今日の僕の演技を認めてくれた、数少ない観客の一人だ」

「あら、他にもいるの」

「もちろんさ」ウォンは、上海香港銀行のオペレータの、感嘆の眼差《まなざ》しを思い出しながら、言った。「少なくとも、二名はいるね」

ラオは、周囲に気を配りながら、静かに走り出した。すべてが順調といってよかった。

二ブロック先に進むと、そこからは信号が点《つ》いていた。ワゴンは、スピードをあげた。車の流れは、スムーズになっていた。

「まるでマジックね」ダナが言った。「ここから先は、電気が点いている。なのに、上海香港銀行ビル一帯は、パワーダウンしている」彼女は、周辺のビル群を見回していた。「いったい、どんな手を使ったの、ラオ。あのビルを停電させるとは言ってたけど」

プランの手筈《てはず》は、こうだった。ダナがもしうまく目的のファイルを引き当てたら、ラオとウォンに、ポケット・ベルで合図を送る。合図を受け取ったウォンは芝居を止《や》め、ラオはただちに上海香港銀行を停電させる。

上海香港銀行は、蟹ビルが本店だが、香港の至るところに支店を持ち、本支店間の連絡は、専用回線でなく電話回線を利用した別のコンピュータ、いわゆるオンラインで行なっている。通常の預金の出納《すいとう》を中心としたやりとりは、他行同様に頻繁に行なわれており、本店で停電が起これば、混乱は避けられない。

また、銀行はコンピュータ処理の業務がほとんどで、その意味では、停電がその機能を完全に奪ってしまえる業種といえる。ラオは停電による銀行側の混乱を狙《ねら》ったのだ。

「日本の一部の銀行などは、高額の復旧装置や無停電装置を使っているところもあるんじゃない？　自家発電タイプの」

ダナが訊ねた。

「たしかにね。しかし、すべての場所にというわけではない。費用対効果の問題です。それに、装置があるからといって、混乱が起こらないわけではないんですよ」

「どういうこと」

「ひとつには、コンピュータというもの自身の持つ欠点。複雑なシステムでは、電源がほんの一瞬断たれただけでも、立ち上がりに一時間以上を要するようなものも少なくない。復旧装置の場合、一瞬とはいえ、電源は切れることに変わりない。とすれば、復旧には、ある程度の時間がかかることになります」

「無停電装置なら問題ないんじゃない?」

ラオは首を振った。

「無停電装置は、常時使っていなければ意味がない。停電してから切り替えるというのでは話にならないですからね。ということは、すべての電源に装置から供給されているはずはない。リスクを考えても、コストが高くつきすぎるからです。ですから、機器、あるいは回線のごく一部――おそらくは、心臓部――だけに施《ほどこ》されているのが実情です。絶対に動き続けなくては困るという部分だけは電源をカヴァーしているが、業務に使用しているほとんどの部分は、停電する。日常の仕事は、やはり、混乱する」

「どちらにしても、銀行はパニックになるのね」

ラオはうなずいた。

「上海香港銀行の場合は、六～八時間は持つ代替の電池式電源がありましたが、そのスイッチも切っておきましたから、ラインは通じません。しかし、あの騒ぎが沈静化するまでには、少なくとも三時間以上はかかるでしょうね。パニックの場合、人間の心理というやっかいな奴も絡んでくるから、半日かかるかもしれないけど」

「興奮して、とんでもないミスをしでかす奴や、お祭り気分で仕事をさぼる奴、ただ呆然とする奴……ってとこかな?」

ウォンが横から口を出した。

ダナは、重ねて訊いた。

「それはそうと、どうやってあのビルを停電させたの？　仕掛けを教えてほしいわ。だって、あなたのアリバイは完璧だもの。誰か、部下にさせたの？」

ラオは嬉しそうに言った。

「どうしたと思います？」

「例えば……あらかじめビルに忍び込んで、仕掛けをしたとか？　でも、そうじゃないわね。停電したのは、上海香港銀行ビルだけじゃないもの。それに、タイマーをセットしたってわけでもないでしょ？　だって、私がファイルを見つけ出す瞬間が、何時になるかはわからなかったし……」

「ヒントは、これです」

ラオは、運転を続けながら、片手でポケットから携帯電話を取り出し、ダナに示した。

「やっぱり、誰かを待機させて、電話でケーブル切断を命令したの」

「そんなことをしたら、それこそ、捕まってしまう。狭い範囲の電気ケーブルの異常は、発生地点が絞りやすいですから、すぐ電力会社の修復係が飛んで来ます。周囲に不審な人間がいるのは、まずい」

「俺が当てよう」得意げに、ウォンが言った。

「──無線だな」

ラオは、黙ってニヤニヤ笑った。ウォンはラオから携帯電話をもぎ取った。

「これは、携帯電話なんかじゃないよ」彼は言った。「無線の発信機だ」

「無線って——」ダナはあきれた。先刻、警備員に問われたとき、ラオは平気で、無線を持っていると告げていた。まさに、皮肉だ。

「ラオはおそらく」ウォンが続けた。「前もって、あのブロック一帯の大元《おおもと》となるケーブルに、スイッチの役をする小型の機械を仕掛けておいたんだな。無線で切り替えができるように、受信機をつけて」

「無線で、そんなことができるの」

「ミス・サマートン、日本のトウキョウって都市を知ってますか」

ラオは、返事の代わりに、ダナに訊ねた。

「もちろんよ。日本のキャピトル・シティでしょう」

「日本って国はね、地震が多いんですよ」

「それも知ってるわ。でも、それが？」

「地震が多いから、あの都市は大規模な災害が生じた場合の防災システムに気を使っているんですよ。お得意のハイテクも、ずいぶん応用されている。そのなかに、各国が参考にすべき、すばらしいシステムがある」

「どんな？」

「ある規模以上の地震が起きた場合、怖いのは二次災害です。とくに、火災の被害が心配される。そんなとき、ガスが自然に止まってくれたら、と思いませんか」

「それは……もちろんだわ」

「日本の大手ガス会社のシステムでは、それが現実化しているんです。大規模な地震がある地域で起きた場合、指令センターからの命令で、その一帯のガスだけをストップすることができます。送ガスの供給ラインの中継点で、ガスを遮断するわけです。とくに、災害の場合は遮断に急を要しますから、誰かが現場に行って止めるのでは遅い。そこで」

「無線を……使う?」

「そのとおり。そして、災害は最小に食い止められるんです」

「凄い情報網ね」『ポスト』も形無《かたな》しだわ、とダナは思った。

「光栄ですよ」ラオは、心《しん》から楽しげに、歌うように言った。

ワゴンは、クイーンズ・ウエイを抜けて、ヘネシー・ロードを銅鑼湾《コーズウエイベイ》に向かって走り、キャナル・ロードを港側に折れた。「クロス・ハーバー・トンネル」と呼ばれる海底トンネルで、九《ガオ》龍《ルン》側に渡るのだ。

九龍側をしばらく走ると、ラオは裏通りに車を入れた。

「そろそろ、例のシールを剝《は》がしましょう」ラオが言った。「TV局のワゴンは、やっぱり目立ちますからね」

ワゴンの側面に書かれた『亜州電視』の文字とロゴ・マークは目を凝《こ》らしてよく見ると、薄いステッカーだった。これを剝がせば、ワゴンはどこにでもある車になる。どこか人目につかないところで剝がすのか、とダナは思ったが、路地をいくつか横切り、ラオが車を停めたのは、なんと『亜州電視』局のすぐ脇だった。

彼は、堂々と車を降り、おもむろにステッカーを剝がし始めた。ウォンも降りて、それを手伝う。ここなら、かえって何をしていても、目立たないのだった。

数分で作業を終え、車に乗り込むと、ラオは再び、車をスタートさせた。あとは、ラオの自宅のコンピュータで、フロッピーを再生する。さすがにファイルの内容を、ラオに知らせないわけにはいかないだろうと、ダナは考えていた。

車は、TV局のある九龍塘《ガオルントン》から、深水埗《シエムソイポ》に向かうために、さらにいくつか路地を折れた。

ラオが異変に気づいたのは、人通りの少ない細い道に折れたときだった。

突然、後方から、もの凄いスピードの車が飛び出して来た。

ラオは、拳《こぶし》でダッシュボードを叩き、スピードを上げようとしたが、そのときすでに、相手は、ワゴンを抜いていた。車は、横道をふさぐ形で停まった。

彼は、慌てて車を路肩《ろかた》に寄せ、急ブレーキをかけた。あやうくぶつかりそうになってワゴンは停止した。追って来た車は、パトロール・カーだった。なかから、制服を着た警官が降りて来た。

「落ち着いて！　何でもないふりをするんです」ラオは、蒼白になっているダナに、すばやく言った。「僕らは、違法なものは何一つ持ってない。そうでしょう」

もしかしたら、彼がまた機転を利《き》かせてくれて、この場を言い抜けられるかもしれないと、ダナは一瞬、望みを抱いた。懸命に気をたてなおす。しかし、手には汗が吹き出し、唇は、たぶん震《ふる》えているだろうと、自分でも思えた。

警官は、先程の勢いが嘘のように、笑みさえ浮かべて近づいて来た。このぶんなら……軽い尋問で済むかもしれない。交通違反か、何かで？

警官は、身分証明書をひらひらさせながら運転席の窓を開けるよう、身ぶりで促《うなが》した。ラオは、ボタンを押して電動の窓を開けた。

その瞬間、警官は全員があっと驚くほどのすばやい動きで、ラオに拳銃を突きつけた。ダナの表情が驚愕に変わるか変わらないかのうちに、彼はラオに次のダメージを与えた。タオルのようなもので、口を塞いだのだ。

運転席のラオの頭が、がっくりと沈むのが見えた。速効性の薬が滲《にじ》ませてあるのかもしれない。

——警官じゃないわ。

ぐったりとしたラオの頭に拳銃を突きつけたまま、男はゆっくりと顎を引き、車内の人間を睨《にら》みつけた。ダナは、男の一挙一動《いっきょいちどう》を、食い入るように見つめた。どこかにこの罠から逃れる手掛かりはないかと探すように。

「ご苦労さんだな」彼は言った。

ふいに、空気が動いた。助手席が凄い勢いでおし開かれ、ウォンの身体が半分路上に飛びだした。

が、そこまでだった。もの凄い力で、ウォンの服はわし掴みにされ、別の銃が彼に突きつけられた。男には、連れがいたのだ。

二人目の男は、銃身でウォンの後頭部をしたたか殴りつけた。それから、ラオと同じように、ウォンを眠らせた。

ダナは、吐き気を覚えた。全身が、小刻みに震《ふる》え出す。震えを抑《おさ》えようと、彼女は自分自身の手首を握りしめた。

男は、ウォンを引きずってワゴンに戻すと助手席から、後部シートのドアロックを外《はず》した。

ダナは、眉をしかめた。唇は、相変わらずわなないていた。

「出してもらおうか」

唐突に、最初の男が言った。

「……」

口を開こうとしたが、すぐには声が出なかった。喉を振り絞るようにして、掠《かす》れた言葉を押し出す。

「何を……出すの？　お金？」

「とぼけるんじゃねえ！」男は、ラオに向けていた銃を、ダナに向け変えた。「フロッピー・ディスクだよ」

銃を向けられて、ダナは突然、怒りがこみあげて来るのを感じた。恐怖感は、そのせいで、いくらか薄らいだ。それでも、命じられたとおりに、彼女は、ゆっくりとブリーフ・ケースを引き寄せた。

「ちょっと待て」男は命じた。「そのまま、こっちに寄越すんだ。ピストルでも隠していた日にゃ、こちらのほうがお陀仏《だぶつ》だから」

　ダナは、男を睨みながら、ブリーフ・ケースを渡した。男は、彼女から、もぎ取るようにブリーフ・ケースを奪った。

　男は、相棒にダナを見張らせながら、手早くケースを開けた。中を掻き回すまでもなくディスクは苦もなく見つかった。

「あったぞ」

　ダナは、男がほくそ笑みながら、一枚のディスクをつまみあげるのを見た。彼女は、大きく目を見開いた。次の瞬間には、その目は焦点を失っていた。脇から押し付けられてくる白いタオルの映像を最後に、ダナの思考は急速に薄れていった。


　上海香港銀行ツアーの一行が閉じ込められたエレベータの機内は、立錐《りっすい》の余地もないほどのすし詰め状態だった。

　人々は自由に座ることすらままならない。日頃、通勤ラッシュには慣れている日本人といえども、観光ツアーの最中に、非常事態のなかで他人と密着せざるを得ないという状況には、やはり我慢ならなかった。

　おまけに、ガイドのフレディ・張には、統率力というものがまるでなかった。

「いったい、いつ動くの」中年の女性客が、彼に不満をぶつけた。

「わかりません」フレディは、片言《かたこと》の日本語で答えた。実際、彼には見通しが立てられなかった。だが、彼には、わかっていることが一つだけあった。一行は、乗るべきエレベータを間違えていた。ツアー客のルートは、上海香港銀行の業務にさしさわらない、別のエレベータと決められていたことに、フレディは数分前から気づいていた。このエレベータは、銀行のメインの部分にあり、役員室に通じるエレベータだった。しかし、いまになってそんなことを言ってみたところで、客の怒りは増す一方だっただろう。

「痛いっ」突然、若い女性が苛々《いらいら》した声で叫んだ。全員が、彼女に注目した。「失礼ね、人の足を踏むなんて」女性は、傍《かたわ》らの男を睨みつけた。

「なんだと」男は、怒鳴りつけられて気分を害したようすだった。「あんたの香水がきつすぎるんだよ。ブランド品だかなんだか知らないが、人の迷惑も考えずに臭い匂いをふり撒《ま》くな！」

「何ですって！」

罵《ののし》りあいを、別な呻《うめ》き声が遮《さえぎ》った。

「ああ………ああ！」年配の女性だった。

「膝が痛い、膝が。座らせて、頼むから」

「何言ってるんだ」別の老人が聞こえよがしに言った。「さっきまで、あんなにピンピンしてたのに。きっと、仮病《けびよう》だ。自分だけ座ろうって魂胆《こんたん》だろう。膝が痛いのに、ツアーに参加するなんて変じゃないか」

「誰だって座りたいんだよ」先刻の男が、苛立たしげに言った。

箱の中には、不穏な空気が充満していた。

日本人のグループのなかの争いを、乗り合わせた数人の香港人グループと欧米人は、冷ややかに眺めている。とりなし役のはずのフレディは、ただおろおろと、成り行きを見つめていた。

「まあまあ、皆さん」

そのとき、エレベータの奥から、おっとりと声を出した男がいた。皆が、そちらを振り返った。

「大丈夫です。もうすぐエレベータは動きますよ」

四十年配の日本人だった。

「いいかげんなことを言うな！　なんで、あんたにそんなことがわかる」苛立ちを隠しきれない男が、喰ってかかった。

「これです」男は、自分の耳から小さなイヤ・ホーンを外してみせた。「じつは、いま、香港のラジオ・ニュースを聞いていたんですがね。この中環《セントラル》の数ブロックが、どうも停電したもようですな」

箱のなかが、ざわめいた。

「電力会社が、さっそく復旧にかかったらしいですよ。動き出すまで、もう長くはかからないでしょう」

乗客たちの間の張り詰めた空気が、やや和《やわ》らいだ。四十男は、続けた。「ご提案ですが」彼は、にこやかに言った。「皆さん、だいぶ疲れていらっしゃるようですので、ひとつ順番に、腰掛けることにしようじゃありませんか」

ほっとした客たちは、彼の指示に従うことにした。

〈チャーリー〉は、この成り行きに、まったく無関心だった。それどころではなかった。日本語のほとんどは聞き取れたが、それについて考えることはしていない。チャーリーは焦《じ》れていた。一〇年探した標的が、同じこのビルの階下にいるかもしれないというのに、肝心《かんじん》なところで足止めを食っていることに、もどかしさが募った。

標的について考えれば考えるほど、謎は深まった。なぜあの女は、香港に、それもこのビルに？　やはり自分の見間違いなのだろうか？　頭取の情報どおり、文書を奪った女はアメリカにいるのだろうか？

じりじりしながら、チャーリーは、大勢の乗客のなかで、身じろぎもせずに立っていた。

そのチャーリーを、都築健太郎は、驚嘆の目で見つめていた。閉じ込められて数十分にもなるのに、数回しか体勢を変えていない人物は一人だけだった。たいていの人間は、たまりかねて、もじもじと足を動かし、頻繁に姿勢を変えた。よほど我慢づよく、かつ筋力が鍛《きた》えられているに違いなかった。その抜群の姿勢のよさとともに、チャーリーの姿は彼の印象に残った。

ようやくエレベータが動き出したときには、閉じ込められてから、三〇分あまりが経過していた。

扉が開くと、箱のなかにこもっていた澱《よど》みきった空気と不満が、一気に外に噴《ふ》き出した。到着したのは二八階で、日本人のツアー・グループは、解放されたとたん、よろよろと外へまろび出て、へたり込む者と、トイレへ駆け込む者に分かれた。

乗り合わせた乗客のほとんどは、無意識にいったん箱の外に出た。それぞれの目的がどの階であるにせよ、いままで幽閉されていたエレベータから、一度は降りたいというのが、万国共通、当然の心境だった。

ただ一人、チャーリーは別だった。そのまま箱に残り、全員が降りてしまうのを見計らってから、すばやく扉を閉め、四階への降下ボタンを押した。

今度は邪魔されなかった。数秒で、エレベータは四階に到着した。

扉の外には、先刻見たときと寸分違《たが》わぬスモーキー・ブルーのフロアが広がっていた。チャーリーは、急いでレセプション・ブースに目を走らせた。女が座っていた。

――違う。この女じゃない。

ブースにいるのは、完全な東洋人の女だった。

「ご用ですか」

受付嬢が訊ねた。ナンシー・M・陳は、業務に戻っていた。彼女は、チャーリーがフロアに降り立ったことで、エレベータの回復を知った。電話も使えるようになっていた。これから、停電のしわ寄せが殺到するに違いない。ナンシーは、楽しかった午前中を思い出して溜息を吐いた。

取材が延期なんて、ついてないわ。

「ここの担当の方ですか」チャーリーは、落胆しながらも、丁寧《ていねい》に訊いた。あの女がどこに消えたのか、彼女なら知っているはずだ。

「ええ、もちろん」

「しかし、先程はいらっしゃらなかったみたいだけど」

「停電する前のことかしら？　ええ、そうよ。席を外してましたわ。ちょっと、私」彼女は得意顔で言った。「テレビの取材が入っておりましたので」

チャーリーは、眉をひそめた。「それで、先程までここに座っていた女性は？」

「ああ、彼女」ナンシーは、ニッコリした。

「彼女は、私のピンチヒッターを買って出てくれたんです。正確に言えば、ここの人間じゃないんです。私が代わりに承《うけたまわ》りますわ」

「ここの人間じゃない？」

「レポーターなのよ。TVの。見たことありません？　ジャネット・ジェファソンって、凄い美人」

チャーリーは、かぶりを振った。TVレポーターだって？

「どこの局？　いま、どこにいるの」かぶせるように、矢継ぎ早に訊く。

「ATV……『亜州電視』ですわ。『ビジネス・ウーマン最前線』という番組で、私を取材に見えたんです。でも、もう帰りました。この停電のせいで、取材が続けられなくなったので」

チャーリーは、舌打ちした。

「連絡をとりたいんですが」

「彼女が……何か？」

「失踪した友人に似てたので」ある面で、チャーリーは真実を言っていた。

「あら」ナンシーは、言った。彼女は、再びTV局の人間と話したくて、うずうずしていた。

「電話してみましょうか」再取材のスケジュールも、訊いてみることができるかもしれない。彼女は、復旧したばかりの電話に手を伸ばした。

「『亜州電視』です」

「ジャネット・ジェファソンをお願いします」

「お待ちください」しばらく待たされた。

「どこのセクションですか」交換手が尋ねてきた。

「どこのって……レポーターのミス・ジャネット・ジェファソンです」

「こちらの社員名簿にはありませんが」

「そんな」

「フリーのレポーターかもしれませんね」親切そうなオペレータだった。

「ええ……そうかも」

「あいにく、フリーの方の電話番号は、こちらではわからないんですよ。各番組の、プロデューサーかディレクターが、直接連絡をとっているんです。番組名はわかりますか」

ナンシーは、それなら答えられた。

「『ビジネス・ウーマン最前線』です」この番組の放映を、彼女は見たことがあった。自分と同じように、と彼女は考えた。仕事のできる女性の番組だわ。

「では、担当者にお繋《つな》ぎしますが、そちら様のお名前は」

「ナンシー・M・陳です。取材を受けた」

誇らしげに、彼女は告げた。

「そのままお待ちください」

かなりの時間が経《た》って、交換手が言った。

「お話しください。ディレクターのキャスリーン・ブラッドリーです」

「もしもし」電話が切り替わり、女性が電話口に出た。

「レポーターのジャネット・ジェファソンと話したいんです」

「残念ですが」女性ディレクターは、完璧なアクセントの英語を話した。「当番組には、そのようなスタッフはおりません」

「いないですって？」ナンシーは、信じられないという声を出した。「そんなはずないわ」

「ミス・陳でしたね？」ディレクターが言った。

「ええ、そうよ。もちろん。今日、取材を受けた『ワークスタッフ・マネジメント・オフィス』の派遣スタッフ。上海香港銀行で働いてるの」

「ミス・陳」ディレクターは、用心深い声を出した。「私どもでは、本日は一組も取材クルーを出しておりません」

「まさか」

「それに、ミス・ナンシー・M・陳という名前は取材予定リストにありません」彼女は、付け加えた。「もちろん、過去の収録分も照会しましたが、その名前はありません」

ナンシーは、いまや、卒倒せんばかりだった。受話器から流れてくる、女性ディレクターの気の毒そうな声を、ナンシーは呆然と聞いていた。

「どうやら、われわれの番組を騙《かた》った、悪質ないたずらのようですね。あ、そうだわ。いかがです？　その模様を取材させていただくというのは……」


二人のシステム・オペレータは、上海香港銀行のコンピュータ・システムの復旧に、全力で取り組んでいた。その甲斐《かい》あって、システムは、ようやく全面的に立ち直る見通しがついた。

目下の急務は、頭取からのオーダーを満足させることだった。

「頭取がユーザー・ログをチェックするなんて、前代未聞《ぜんだいみもん》だな」

一人のオペレータが言った。

「会社のトップという奴ほど、コンピュータのセキュリティに理解がないものはないからな」もう一人が、軽口を叩いた。事の重大さには、二人ともまだ気づいていない。

「幹部社員の特権意識というのが、だいたい鼻持ちならないんだよ。例えば、会社がある規則を作るとする。社員は、それに汲々《きゅうきゅう》とする。オフィス・ラブは御法度《ごはっと》だとか、出張は定《き》まった旅費の範囲内でとか、まあ、一生懸命守ろうとする。ところが、幹部社員は、やり放題やる。俺は特別だって、そう思っているんだ。コンピュータに関しても、それが通用すると思ってる。規則に従わなくっても、大目に見てもらえるってね。でも、機械ってのは、そうはいかない。機械のノーは、完全なノーなんだ」

「俺も聞いたことがあるな。コンピュータ・ウィルスのほとんどは、副社長級以上の人物によって、無自覚に持ち込まれているって。どこから持って来たのかわからないフロッピーを、平気でオフィスのコンピュータに入れてしまう。そんなことをしたら危ないってことぐらい、常識だぜ。それに、こんなケースも聞いたね。近頃は、子どもだって端末を使ってるだろう？　自宅学習とかの名目で。ところが、子どもは友達と、フロッピーをやりとりする。ウィルス感染の危険も、それだけ増えているんだ。親爺《おやじ》ぶって、子どもとフロッピーを共有して、ウィルスに感染し、それを会社にも持参したんだな。一発で、システムにバグが発生した」

「まったく、無知ってのは怖いな」話しながら、彼は端末のキーを叩き、ユーザー・ログのプログラムを実行した。続いてリストを印刷するように、指示を出す。

「頭取は、たしか、今日の分だけでいいと言ってたな」

プリンターが、それほど目立たぬ音を立てて、リストをアウトプットしはじめた。

オペレータは、端末使用の記録を読み始めた。

Accounts SS340 logged in at port 77 11: 28A.M.for……（77番の端末から、ＳＳ３４０番の権利限定登録口座に、正当ユーザーが、十一時二十八分から接続しました……）

読んでいくうちに、彼は黙り込んだ。

——いったい、どうなっているんだ？

異変が起こったことは確かだった。どう考えても、納得がいかない。こんなバカげた記録は、見たことがなかった。彼は、目をこすり、吐き出されてくる用紙を見直した。何度見ても、結果は同じだった。

「どうしたんだ」

様子を不審に思った仲間が、問いかけた。

「見てくれ」

二人のオペレータは、額《ひたい》を突き合わせるようにして、記録用紙を覗き込んだ。

「何てこった！」

「——間違いない。ポート77から、誰かが頭取のアカウントに侵入したんだ」

「ポート77？　誰の端末だ？」

オペレータは、頭取しか接続できないはずのSS340という権利限定書類群に、誰かが正式なパスワードを使って77番のコンピュータから接続していたという事実に首を傾げた。行内の端末割当リストを引き寄せ、番号を探す。

「——信じられない。ポート77の端末は、受付のだ」

「受付？　あそこに、端末があったか？」

「事務に使ってるんだ。訪問者リストを作るのに」

「じゃ、受付嬢が？」

「だろう。パスワードがなければ、あの端末も使えない。彼女が誰かに漏らしていなければ、の話だが」彼は、用紙を見ながら、続けた。「この記録だと、侵入者は、まず受付に割り当てられたパスワードで、頭取室の端末にメールを一通送っている。そのあと、頭取の限定エリアに侵入したんだ」

「パスワードを使わなければ、頭取のアカウントには入れない――侵入者は、頭取のパスワードを知っていたことになる。もしかして頭取自身が、受付の端末を使ったのか？」

そうであってくれればいいが。さもなければ、上海香港銀行のシステムがはじまって以来のハッカー登場だ。

「約三〇分は、このアカウントが開きっぱなしだ。もしハッキングなら、ファイルを閲覧する時間は、たっぷりあったはずだ」

「頭取室の端末の記録はどうなんだ？」

「それが、妙なんだ。メールを受け取ったあと、妙な信号をポート77に送り、すぐにシステムから出てしまっている」

もし、ハッキングが事実だとしたら――二人は、すでに九九パーセント、セキュリティが破られたに違いないと思っていたが――このやり口は、プロのそれだった。どうやったのかは、詳しく調べてみないとわからなかったが、おそらく巧妙に仕組まれているはずだ。

専用回線は安全だという盲点をつき、社内の端末を利用したことだけを取ってみても、それが窺えた。

「だから、ファイルの暗号化を勧《すす》めたのに」オペレータは、頭を抱えながら言った。「僕は、パスワードを音声認識にすればって、そう言ったのに」

しかし、もう遅かった。侵入は、すでに起こってしまったのだ。

エドワード・フレイザー頭取は、疲れ切った顔で〈チャーリー〉と向き合っていた。

受付嬢のナンシー・M・陳、広報担当者のコニー・安と広報部長、さらに二人のオペレータからひととおりの事情を聞き出すのに、一時間はかかった。さらに、頭取自身の経験も考えあわせると、ハッキングが巧妙なプランのもとに行なわれたということは明白だった。

オペレータは、いまだに全容を摑み切れていなかった。頭取は、自分に都合の悪い部分を話そうとしなかったからだ。最も簡単に騙されたのが自分であったことを、頭取は思い知っていた。

彼は、しきりに汗を拭いていた。コンピュータに入っていたファイルには、不正取引きの出納記録をはじめ、重要なものがいくつもあった。もちろん、外部に洩れてはいけないものばかりだ。

「いったい何者が……」

「あの女ですよ」チャーリーの目には、異常な光が宿っていた。「あの女を見たんです」

頭取は、それを否定した。

「それは、違う。そりゃ、ファイルのなかには例の、中国との一件に絡むものも入ってはいるが、まさかあの女が、香港にいるわけはない」

「なぜです。現に、私は見たんですよ」チャーリーは、頭取を睨《にら》んだ。

「あの女なら、危険を冒《おか》してそんなものを盗む必要がないじゃないか。彼女は、決定的な証拠、つまり文書の原本を持っているのだから」

「しかし、私は見ました」

「誰を見たって言うのかね？」

「一〇年前、ロンドンで燃えたスタジオにいた女ですよ。書類を持って逃げたのは、彼女です」

「いや、違う。というより、あるいは、そうだったのかもしれない」

頭取は動転している、とチャーリーは思った。言っていることが、つながっていない。

「私は、意味不明のことを言っているんじゃないよ、チャーリー」頭取は、額を押さえながら言った。「私が得たのは、確実な情報なんだ。そう、過去の時点で誰が文書を持っていたにせよ、いまそれを持っている人物は、アメリカにいる。最初、それを聞いたときには私も自分の耳を疑ったのだが」

「と、いうのは？」チャーリーが、先を促《うなが》したそのとき、部屋の扉が、いきなり、大きく開いた。

誰も部屋に入れるなと、頭取は命じておいたはずだった。チャーリーは、習性で、振り返りざま、銃を抜いた。

「ぶっそうな」

立っていたのは、品のよい白髪の老紳士だった。パオ・グループの総帥、包輝南《パオフエイナム》だ。彼は、チャーリーの向けた銃に怖《お》じる様子は全くなかった。チャーリーは、銃を収めた。

パオは、事態の急を聞き、あらゆる仕事を切りあげて駆けつけて来たのだ。

「総督府へ寄って来た」彼は、おもむろに言った。「電力会社の調べによれば、今回の停電は、やはり何者かに仕組まれたものだそうだ。それも、巧妙なやり口だ。素人《しろうと》じゃないらしい」パオは、静かな口調で言った。「いったいどうして、こんなバカな事態になったのかね？」

頭取は、赤面した。パオは言った。

「なんとか、収拾することを考えなくては」

「お力をお借りするしかありません」フレイザー頭取は、俯《うつむ》いた。彼は交渉事《ごと》の弁は立ったが、実際面となると、からきし能力がなかった。

これまでも、いくつかの急場を、彼はパオの力を頼って乗り切ってきていた。中国側に潜《ひそ》ませた情報源も、パオの尽力だった。筋《すじ》からいえば、ゴルトシルト家の姻戚であるフレイザーが格上だったし、そのためにパオのほうも、彼をないがしろにすることはなかったが、香港の裏に通じているのは、辛酸《しんさん》を嘗《な》めながらのし上がってきたパオのほうだった。

「チャーリーに、例の件は話したのかね」

「いま、話しかけていたところです」

「とにかく、予定どおり、すぐにでもアメリカに飛んでもらう必要がある。事態がこうなっては、なおさらだ」彼は、すでに収拾の順序を考えているようだった。「まず、アメリカで文書の原本を押さえることが先決だ。中国とイギリスの関係について、どんな話が流布《るふ》しようとも、決定的な証拠をこちらが握れば、それは噂にすぎなくなる」

「本当に、文書を持っている人物は、アメリカにいるんですか」チャーリーが、パオに向かって訊《たず》ねた。

「そうだ」パオは肯定した。「私は疑問に思うよ……チャーリー、なぜ、君がもっと早く彼女を発見できなかったのか、とね」彼は、チャーリーにとって妙に聞こえる言い方をした。

「お話が呑《の》み込めませんが」

「君は雑誌やテレビを、まったく見ないのかね」

ますます、話がわからなかった。パオは続けた。「あんなに彼女の顔が、マスコミに露出しているのに、女の顔を克明に記憶しているはずの君が、気づかないなんて」

チャーリーは、首を傾げた。

「脅迫者は、ハリウッドにいるんだよ。有名な女優なんだ」パオは言った。

「まさか！——誰なんです」

「アディール・カシマだ」

頭取とパオは、チャーリーが辞去したあとも、密談を続けていた。

「それから、ハッキングの犯人探しと、不正取引きファイルの流出防止の件だが」パオは言った。「私のほうで、現在情報を集めているところだ」

頭取が、疑問を投げかけた。

「チャーリーは、相変わらず、ハッキングの犯人こそが、自分の見た女だと主張していましたが」

「はっきり確認したわけではないだろう」

「それは、そうです」

「それはどうあれ、たぶん、犯人は遠からず焙《あぶ》り出せると思う。この香港で、頭を使った犯罪のできる人間は、そう何人もいない。蛇《じゃ》の道は蛇《へび》で、いずれ調べがつく。だが、捕まえるまでの時間が問題だ。いつ、犯人が動くか――つまり、ファイルを公開するかが問題だ」

「目的は何でしょうか」

「いろいろ考えられる。最も可能性の高いのは、銀行に対する脅迫だろう。ファイルと引き替えに、金か、何らかの取引きを要求してくるかもしれん。あるいは」

「あるいは？」

「とっぴな考えだが、不正ファイルに載《の》っているどこかの国の大物の反対勢力が、抗争絡みで不正の証拠を必要としたのかもしれない。この場合は、われわれへの直接的な被害は少ないだろうが」

　頭取は、うなだれた。その頭取を横目で見ながら、パオは話し続けた。

「本家へ至急に連絡したほうがいいな。各国のマスコミを、なるべく抑《おさ》えてもらうんだ。幸い、フロッピー・ディスクのファイルは、決定的な証拠にはならない。ゴルトシルト家の圧力の範囲内で収まるだろう。最悪のケースを考えると、その手段はとっておいたほうがいい。いや、もう遅いくらいかもしれない」

本家に報告したら、フレイザーはかなりの責任を問われることになるだろう。だが、是非《ぜひ》もなかった。頭取は、今日何十回めかの溜息を吐《つ》いた。

警備室から、頭取に連絡が入ったのは、パオが帰ってからだった。

防犯カメラに、不審な人物が映《うつ》っているという報告だった。フレイザーは、警備主任を呼んだ。

主任は、すぐにテープを抱えてやって来た。警察当局から、パオがスカウトした男だった。本来なら、頭取はこの男を怒鳴りつけてやりたい気分だった。警備がまずいから、こんなことになるのだ。

そのくせ自分も騙されている以上、彼だけを叱りとばすわけにはいかない。侵入者のほうが、一枚上手《うわて》だったのだ。

「これです」

主任は、一本のテープをモニターにかけた。ビデオの再生ボタンを押すと、整然と並んでいる数台の車が映った。

「屋外駐車場か」

「イエ・サー」

「何者だ？」ひょっとして、ハッキングの首謀者が映っていたら幸運なのだが。

「ごらんください」

主任は、テープを早送りし、問題の部分で通常の再生に速度を落とした。

画面の片隅に、一台の車が入って来るところだった。ATVのロゴが、ちらりと映った。

「この車――？」

「例の侵入者のものだと思われます」

監視カメラの角度から映し出せる範囲は、限られていた。ATVのワゴンは、残念なことに、カメラの右端にほんの僅《わず》かに見える程度しか映っていない。もどかしさに、フレイザーは焦《じ》れた。

「何とかならんのか」

映像は、彼の気持ちにはお構いなしに進んでいった。ワゴンの運転席のドアが開き、何者かが降りて来る動きはわかったものの、ジーンズに包まれた下半身しか見えない。さらにその下半身がこちらに背を向けて、ワゴンのサイド・スライド・ドアを開け、何かを取り出すのがわかった。

が、次の瞬間には、その人間はカメラの死角に入っていた。

フレイザーは、歯噛みした。これだけでは何の足しにもならなかった。

「こいつらは」警備主任が言った。「監視カメラの位置を知っていたのかも……」

映像から、嘲《あざけ》りの声が聞こえてきそうな気がして、頭取は腹を立てた。

「話にならんな」彼は吐き捨てた。「これだけか」

「彼らが車を出すところもありますが、同様に肝心《かんじん》な部分は隠れています」主任は、言った。

「銀行への侵入者のぶんはこれだけです」

彼の口調が何かを含んでいたのに、頭取は気づいた。

「他に、何か——あるのか」

「イエ・サー」

警備主任は、うなずくと、映像を再び早送りにした。

突然、女性と子どもの映像が目に飛び込んできた。

頭取は、一瞬度肝《どぎも》を抜かれた。

警備主任は、二人の姿が最も鮮明に映っているところで、画像を静止させた。

頭取は、ハンカチを取り出し、額の汗を拭いた。彼は、小さく呟《つぶや》いた。「アリステア」

「なんですか、サー?」

主任は、聞き取れずに問い返した。

「いや、いいんだ。この二人は」フレイザー頭取の口調は、しどろもどろになっていた。

「私が許可した」

警備主任は、怪訝《けげん》な顔をした。

「さようですか、サー」

「私の身内だ」頭取は、やっとの思いで言った。

アリステア・キャンベルは、世間の知らぬ彼の娘だった。幼い女の子は、孫に当たる。たぶん、偶然に、街に遊びにでも来たのだろう——。頭取は、ハンカチを額に当て、再び汗を拭《ぬぐ》った。

「それでは、この方もですか」

主任は、画像を先へ送った。今度は、若い東洋人の男が映った。頭取は、わが目を疑った。まったく見たことのない男だった。画像のなかの男は、女性と幼児に近づくと、彼らの荷物を持って、一緒に出口の方角へと、急ぎ足で消えた。

フレイザーは、渋面を作って沈黙した。

「この男のものと思われる車が、駐車場に残っていました」

「調べたのか」

「車は、一般車を装っていたため、調べに手間《てま》取りましたが、日本領事館のものでした。無線装置を搭載していました。もちろん、当行の駐車場に、無線を載せた車があったということだけで、先方を責めるのは不可能ですがね。それどころか、こちらは車を許可なしに調べていますから」

――日本？　外務省？

その言葉で、フレイザーは、停電騒ぎで棚上げになっていた、日本からの新規預金者のことを、ようやく思い出した。騒ぎにまぎれて、芝田哲也の使者、国生幹夫は、すでに帰っていた。

「では、彼は」

「そうです。外交官です。当局の昔の仲間に照会したところ、コピー製品の調査で来港したという触れ込みの新顔で、タカシ・サワキという男だろうと」

「まずいな」フレイザーは言った。外交官を捕まえられなかったこと自体は、痛くも痒《かゆ》くもない。国生との芝居で、ことこの件に関しては、不正を匿《かく》しおおせたと、彼は思い込んでいた。

だが、なぜアリステアが、こんな男と一緒だったのか、彼には腑《ふ》に落ちなかった。

「この男を、マークするんだ」頭取は命令した。

「すべてを直接、私だけに報告してくれ」

『ワシントン・ポスト』の『ビジネス&ファイナンス』編集局では、編集長のマギーが、メイミ・タンを自分のブースに呼びつけていた。

「ねえ、メイミ」マギーは、猫撫で声でメイミ・タンに話し掛けた。

「ひょっとして、あなた、私に隠していることがあるんじゃないかしら?」

「あら、何でしょうか」

メイミは、精いっぱいのつくり笑いで答えた。

「ダナ・サマートンのことよ」編集長の声は心なしか、ひんやりとしたようだった。「私に知らせず、次の取材に取りかかっているようじゃないの」

「そうおっしゃられるのは、心外ですわ」メイミは、がっかりしてみせた。「〈インビジブル・パワーズ・II〉の取材を命じられたのは、編集長ですのに」

「たしかにね」マギーは目を光らせた。「だけどね、メイミ。私は、テーマに関して、何の相談も受けていないじゃないの。それに、その前にダナに会わせてくれるようにと言ったでしょ。あなたは、そのオーダーにも応《こた》えてくれていないわ」

「仕方ありませんわ。ダナ自身の希望なんです」メイミは、言い訳した。「自信の持てる内容が固まるまで、テーマは決めたくないらしいんです。それから編集長にはお会いするつもりだと」

「そう」マギーは、顎を引いて彼女を見つめた。「じゃ、しょうがない。ひとつだけ質問させてもらうわ。ダナが香港に行っているというのは、本当なの」

メイミは、不意を衝《つ》かれて、うろたえかけた。

——そんな情報を、マギーはどうして知ったのだろう？

彼女は、マギー・クインにダナのしていることを知られたくなかった。『ポスト』の上層部のなかに、ゴルトシルト家の手のものがいることを、メイミは知っていた。マギーは、疑わしいうちの一人だったが、そうでない可能性も、もちろんあった。

「ええ——アジア方面で取材したいとは、言ってました。香港かもしれないし、違うかもしれません」メイミは、曖昧《あいまい》な答えを返した。

「そうなの」マギーの眉が、ぴくりと吊《つ》り上がった。「帰って来たら、ぜひ真っ先に会いたいものだわ。取材内容によっては——」彼女は、昂然《こうぜん》と言ってのけた。「誉《ほ》めるかもしれないし、ボツにするかもしれませんよ、当然ながら」

脅迫

ダナ・サマートンは、酷《ひど》い頭痛を感じていた。目が醒《さ》めかけているらしいことに、彼女はまだ気づいていなかった。

ぼんやりと、目の前を白い人影が掠《かす》めたのは、気のせいだろうか。

無意識のうちに、彼女は正気づくことを警戒しているのかもしれなかった。起きたくない。起きれば、何があるかわからない。

なぜ、起きたくないんだろう？　少しずつ思い出そうとした。そのうち頭の痛みは、いつのまにか和《やわ》らいだ。代わりに意識が薄れ、ダナはまた、眠り込んだ。

やがて、また意識が蘇《よみがえ》ってきた。こんどは薄れることはなかった。自分に何が起こったか思い出した瞬間、ダナは短い叫び声をあげて目覚めた。

とても奇妙な感じがした。体が暖かかったからだ。毛布がかかっていた。ダナは、ベッドに横たわっていたのだ。

薄暗い部屋だった。室内には、誰もいない。彼女は、とりあえず胸を撫で下ろした。

何の変哲もない、事務室のような部屋。ベッドはスチールで、家具といえば、ほかにはベッドの側に、低くて安っぽいテーブルが一つあるだけ。そこに、ダナが着ていたジャケットが畳んで置いてある。それから、ブリーフ・ケースも。

——ブリーフ・ケース？

ダナは、とっさに、それを取ろうと身を起こし、手を伸ばした。急な動作で、いきなり頭から血が下がり、目眩《めまい》がした。額《ひたい》を手で押さえ、数秒待ってから、彼女はあらためてブリーフ・ケースを手に取った。

もどかしい思いで、ケースを開ける。

指が震えた。

——もしかしたら？

ある可能性が、ダナの頭を過《よぎ》った。しかし、結局、ダナは絶望した。ケースのなかのフロッピー・ディスクは、二枚とも抜き去られていた。

やはり、奪《と》られたんだわ。

ダナは、唇を噛みしめた。計画は、水の泡になったのだ。

彼女は、もう一度部屋を見回した。自分も誘拐されたのだろうか？　ラオやウォンは、どうなったのか？　監禁されているようには感じないが、じつはそうなのだろう。

ゆっくりと、ベッドを出てみた。目眩はしない。音を立てぬよう、忍び足で、ドアのほうに身を寄せていく。ドアの前で、ダナは深く息をつき、ノブにそっと触れた。それから細心の注意を払いながら、ノブを少しずつ回していく。

いくらも回さないうちに、ノブはカチリという感触とともに、動かなくなった。やはり鍵が掛かっているのだ。

——ここは、どこなんだろう？

ドアにそっと耳をあてる。何も聞こえてこない。いや、かすかに何か聞こえる——足音？　そう、足音だ！　それは、だんだんとこちらに向かって来る。

ダナは、慌《あわ》ててベッドに戻った。毛布を被《かぶ》り、息を殺して、耳をそばだてる。

足音は、耐え難《がた》いまでに大きくなり、ついにドアの前で停《と》まった。彼女は、身を強張《こわば》らせた。

ノックの音がする。答えるはずもなかった。続いて、鍵を開ける音。ダナは、身じろぎもしなかった。緊張が、極限に達していた。誰かが、静かに部屋に入って来た。ベッドの側に、近づいて来る気配がした。

「ミス・サマートン？」

男が、彼女を呼んだ。

ダナは、ハッとした。その呼びかけに、自分を心配するような調子があったからではない。その話し方に、もちろん声にも聞き覚えがあったのだ。

誰だったかしら？　ダナはぼんやりと考えた。好感のもてる声。最近、この声を聞いたことがある。

——まさか？

突然、ダナは思い当たった。でも、似《に》た声の持ち主だっている。彼女は逡巡した。

「ああ、まだ目が覚めないのかな」

男は、独《ひと》り言《ごと》のように言った。そのとたん、ダナは確信を持った。

彼女は、意を決して、毛布を剝《は》ぎ取った。

寝ていると思った人物が、突然起き上がったので、男はきょとんとした顔で、彼女を見ていた。

ダナは、詰問口調で訊いた。

「どうして、あなたがここにいるの？」

沢木喬は、口ごもった。彼女への説明を、かいつまんでするために、何を最初に話すべきか、彼は迷った。逆に、彼女に問い糺《ただ》さなくてはならないことも、かなりある。

「まず、最初に断わっておくが、僕はフリーのジャーナリストじゃない」彼は、ダナに告げた。

彼女は、疑り深い目で、彼を見ていた。沢木を、自分を襲った者たちの仲間でないと言い切れるだろうか？

その目を感じてか、沢木は先手に出た。

「僕は、日本の外務省職員だ」

「外交官？」ダナは、意表を衝《つ》かれた。「じゃ、いまいるここは……」

「総領事の公邸なんだ」

あらためて、ダナは室内を見回した。そう言われれば、このたたずまいは納得できる気がした。

「教えてほしいわ。なぜ、私がここにいるのか」

「あまり単純な事情じゃないんだが」

「かまわないわ。とにかく、話して」

「僕がここに連れてきたのは、君だけじゃない」

「私だけじゃない？　ということは、ラオやウォンも、この公邸にいるのね」ダナは、それを聞くと興奮し、怒りの口調になった。

「ずいぶんね！　日本って国は、人を銃で脅して、攫《さら》うことが許されてるの？　野蛮だわ！　野蛮極まりないわ！」

沢木は、静かに言った。

「君たちを誰が襲ったのか、ぼくは知らない」

「嘘！」

「嘘じゃない。ぼくは、ただ、君たちのワゴンを見つけただけだ。ぼくが見つけたときは君たち全員、意識がなかった」

ダナは、皮肉を言った。

「あなたは、意識のない人間を見つけたら、誰彼かまわず、勤め先に監禁するわけ？　病院にでなく？　バカげてるわ」

「誰彼かまわないわけじゃない。君、それに劉日月《ラオヤアユッ》。君たちは、今日、上海香港銀行で何かしでかしたんだろう？」

彼女は、黙った。

「君は、妙な格好であの銀行にいただろ？　ぼくには、ラオのところにはＩＢＭのニセ商品の取材で出入りしていると言いながら、じつは、君はラオと組んで、何かを企《たくら》んでいたんだ」

「言いがかりだわ」ダナは、蒼《あお》ざめながら抵抗した。

「そうじゃない。現に、領事館で調べたところによると、君たちが銀行を出て数時間もしないうちに、あの銀行を裏で操っているともいわれる香港の大物、包輝南《パオフエイナム》があわてて銀行に入るのが確認されている。彼は、プライベートで最も大切にしているジョッキークラブでの約束も含めて、あらゆる予定をキャンセルしたらしいよ。これから類推すると、何かが起きたことは確実だ。さらに、もう一つ言えることがある」沢木は息をついた。「何もしない人間が、狙《ねら》いすましたように襲われる確率は低い」

沢木は、領事館への帰途で、再びＡＴＶのワゴン車と出くわしたのだ。

彼は、駐車場を出ると、蟹《ハイ》ビルに入ったままの都築の身を案じながらも、一刻も早く銀行周辺から離れることを優先しなくてはならなかった。

考えてみれば、都築は単に無線を持っているというだけだったが、沢木のほうは、九〇〇億という故芝田京三のＳ資金に関して、上海香港銀行の不正の証拠となるテープを手にしている。

沢木は、フレイザーの言葉を思い出した。〝この周辺を、受信機を持った外交官がうろついて

いれば、事情聴取くらいはできる〃

それは、法に適《かな》った言葉ではなかったが、察するに、銀行の雇った私警察がこの界隈《かいわい》に配置され、不審者とあれば、脅してでも思いどおりにするつもりなのに違いなかった。

彼は、帰途を急いだ。

が、ヒルトンホテルを右に見ながら、クイーンズ・ロードに出たとたん、目にしたのはひどい渋滞だった。どうやら、信号が機能していないらしい。有難いことには、路上にも、人間の数が目立って増えていた。信号の故障を珍しがる弥次馬《やじうま》や、渋滞を嫌って車を降りて歩き出す者のなかに、沢木はすばやく、同化した。

彼が戻るべき日本の領事館があるブロックまでは、上海香港銀行から六〇〇メートルしか離れていない。

どうやら、このまま歩いて帰ることができそうだ、と考えながら渋滞を眺めていたそのとき、彼の視界に『亜州電視』の目立つワゴンが飛び込んできた。

——あの車だ！

とっさの判断で、沢木は、先刻客を降ろしたばかりの空車めがけて、道路を横切っていた。タクシーに乗り込むと、ワゴンを追うように頼んだのだ。

走り出すといくらもしないうちに、ワゴンは、清掃人のようななりをした男を拾った。

——彼ら、いちいち、やることが妙だ。

沢木は、いつのまにか、次に会うときにダナを問い詰める材料を探している自分に気づいた。

省への報告という急務を抱えていながら、タクシーに飛び乗ってしまったのは、あのワゴンに乗っているに違いないダナの、謎めいた顔を思い浮かべたせいかもしれなかった。

途中までは、道が混んでいたことの助けもあって、順調につかず離れずで追っていけたが、九龍のあたりで、信号待ちが二度続き、タクシーはワゴンを見失った。なんとか見つけたときには、ワゴンは人気《ひとけ》のない横道の路肩《ろかた》に停まっていた。

沢木は、車を降り、なかを確かめようと、ワゴンに近づいた。カーテンが閉まり、車内の様子は窺えない。

異変に気づいたのは、運転席に回って、半ドアになっているのを見つけたときだった。ドアを開け、後部座席の光景を目にして、彼は息を呑んだ。ダナをはじめとして、三人の人間が、折り重なるように倒れていた。

——息はある。

自分の息を殺すようにして沢木は聞き耳を立て、それを確認すると、大きく安堵の吐息を洩らした。誰かが、彼らを眠らせたのだ。だが、殺してはいない。

彼は、イグニッションにつけたままになっているキーを引き抜くと、それをわざと見えるようにぶら下げて、タクシーのほうへぶらぶら戻って行った。

運転手が、不審げに車を降りてこようとするのを制して、沢木は言った。

「ありがとう。おかげで、盗まれた僕の車がみつかったよ」

満面に笑《え》みをたたえ、気前よくチップをはずむと、運転手は、人様の車なんて、誰のものでもいいさと言いたげに少し眉を上げただけで、引き返して行った。

そのまま、沢木はワゴンを運転して、香港島側に戻り、総領事の公邸に駆け込んだ。

「お互いに、手の内を明かしあったほうがいいんじゃないかな」沢木は、真剣な面持ちで言った。「ラオと君は、取材し、されるだけのつき合いじゃない。でなければ、なぜ君が上海香港銀行にいたのかの説明がつかない。TV局のクルーに化《ば》けたりまでして」

ダナは、眉をひそめた。「あなたこそ」彼女は問いを返した。「なぜ、私の行動に、そうこだわるのか、教えてほしいわ。ジャーナリストでないなら、なぜラオの会社を調べているの？　それに、上海香港銀行で私を見たっていうけれど、あなたは、あそこで何をしていたの」

「省の仕事なんだ」

「それなら、私の答えも同じよ。『ポスト』の仕事。仕事の内容は、商売ものだもの、教えるわけにはいかないわ」

「上海香港銀行を調べてるのか」

「知らないわ」ダナは、ぴしゃりと言った。

「とにかく、私を尋問するようなことは止《や》めてほしいわ。いやしくも、日本政府の人間なら、こんな軟禁みたいなこと。あなたが、もし見かけどおりの紳士であるなら……」

「残念ながら、ぼくには、君について詮索《せんさく》せざるを得ないわけがあるんだ。なぜなら……」

言いながら、沢木は持っていた書類ケースから、一枚のフロッピー・ディスクを取り出した。

ダナは、唖然として相手を見つめた。ブリーフ・ケースから消えていたディスクと、同じメーカーのものだ。

「君のブリーフ・ケースにあったものだ」

「あなたが奪《と》ったの！」彼女は叫んだ。「見下げはてた行為だわ。日本総領事を、訴えてやる。人の私物をほじくり返すなんて」

「これは返す」沢木は言った。「ただし、コピーは取らせてもらった。それに、君もこれを、上海香港銀行から盗《と》ってきたんじゃないのかい」

「もう一枚は⁉ どこなの！」ダナは、狼狽《ろうばい》して叫んだ。

沢木は、怪訝《けげん》そうに眉根を寄せた。

「もう一枚？　君が持っていたのは、これだけだ」彼は、考え込んだ。

ダナも、黙った。数秒のうちに、いくつかのことに思いあたっていた。ブリーフ・ケースに、彼女は二枚のフロッピー・ディスクを入れていた。一枚は、上海香港銀行の不正取引きを証明する、帳簿がわりのデータベースのファイルが入っているもの。もう一枚はダナが興味に駆られてコピーした、ゴルトシルト家からフレイザー頭取宛ての指令書のファイルを入れたもの。

最初にコピーした一枚は、たしかに、ブリーフ・ケースのファスナーポケットに入れた。でも、あとの一枚は……とにかく放り込んだだけだった気がする。とすれば、ワゴンを襲った何者かが、バッグを開けて、真っ先に目についた一枚だけを盗ったんだ。

じゃあ、バッグに残っていたのは……？

ゴルトシルトのファイル。

ダナは、表情を改めて、沢木に向きなおった。ゴルトシルトの紋章つきのファイルを、彼女は途中までしか読んでいない。それを気づかれぬようにしながら、沢木の出方を待ってみようと、肚《はら》を決めた。

「ファイルを読んだの?」

沢木は、肯定のしるしに、深くうなずいた。彼の顔には、なぜかそのとき、賛嘆に近い色があった。

「まさしく、世紀の大スクープだ。もし、これが裏付けられるとしたら……もし、本当にその原文が存在するとしたら」

薄いフロッピー・ディスクを、感に堪《た》えないというように見つめ、彼は言った。この小さなディスクに、歴史を覆《くつがえ》し、未来をも左右し得る情報が収まっている。

「この事実が——おそらくは事実だと、僕は思うが——証明されれば、香港の行く末が論議し直される可能性も、十分にあるだろう。一九九七年の中国への返還が、白紙ということになるかどうかはわからないが、少なくとも、イギリス側にとって、かなり有利な条件が加えられることになる。天文学的金額の金か、かなりの利権が」

ダナは、まじろぎもせず、沢木を見ていた。

——アヘン戦争の結果、永久にわれわれのものになった香港は……浙江《せっこう》財閥の宋《ソン》家を通じて蔣《チャン》介石《チェシー》と……

彼女は、ちらりと見たディスクの内容の一部を、思い起こした。あの後に、何が書かれていたんだろう？　中英間の、香港の綱引きに関わりがあることは、間違いなさそうだけれど……。

「じつをいうと、ぼくの知人が関わった、ある事件にも、このディスクの内容は、関連しているんだ。一〇年前のことなんだが」

沢木が、複雑な視線を、ダナに向けた。

「一九八二年、中英間で、香港返還に関する最初の公式な話し合いのために、当時のイギリス首相、サッチャーが北京を訪れようとしていた。その、まさに直前に、事件は起こった。ロンドンの、ある広告代理店の所有する撮影スタジオが焼けて、二人のイギリス外務省員が死に、一人が重傷を負った」

オクスフォードの助教授、タリア・キーファから聞いた話を、沢木はかいつまんで話しながら、ダナの表情を窺《うかが》った。

「ぼくの知人の推測では、当時、イギリス側は、香港問題に関して、自国に有利な材料を握っていたのではないかというんだ。事故に遭遇した外務省員たちは、その材料を奪われ、事故に見せかけて、殺されたのではないかとね」

ダナの表情に、変化はなかった。依然として、沢木を見つめ、話に耳を傾けている。ダナ・サマートンは、やはり、タリアの死んだ兄と一緒に写真に写っていた女ではなかったのだろうか？

それとも、関心がないという表情を取り繕《つくろ》っているのか。

「それで、あなたは」ダナが口を開いた。「このディスクの内容が、その話に出てきた香港返還交渉の材料だというの」

「そうとしか考えられない」

沢木は、先刻コンピュータで読んだ、ゴルトシルトのファイルの内容を思い浮かべた。

「ただし、これは、あくまでも写しにすぎない。内容を簡略化して、ゴルトシルト家からフレイザーへ、文書の全貌を伝えてあるだけだ。それにしても、これが君の狙った『ポスト』の特ダネだとしたら、ぼくは君を尊敬する。どんな手を使ったのか知らないが、君たちは、上海香港銀行のコンピュータから、このファイルをハッキングすることに成功したんだ。そのために、危険な目にも遭《あ》った」

それは違うわ、とダナは心のなかで呟いた。――私が狙ったのは、上海香港銀行の不正ファイル。たぶん、襲ってきた誰かが狙ったのも。

「だが」沢木は続けた。「それも、原文あってのスクープだ。……のサインがある本物の原文がなければ、話は形骸《けいがい》化してしまう」

「誰のサインですって？」

沢木が発音した人物の名前の部分が、はっきり聞き取れなかった。

彼は、その名前を、こんどはゆっくりと繰り返した。

ダナは、息がつまるほど驚いた。

「その情報は、確かなのか」香港総督は、渋い表情で、包輝南と向き合っていた。「この男が、ハッキングの首謀者だというのは？」

二人の前には、一枚の写真があった。

「まったく、あの頭取ときたら」総督は、吐き捨てるように言った。「能無しの、役立たずにも、ほどがある」

彼は、頭取のミスのせいで、自分の将来に影がさしかかっていることを思い、声を震《ふる》わせた。このせいで、ゴルトシルト家に睨まれでもしたら、イギリス本土、いやヨーロッパ全土で、彼の未来はなきに等しい。

「なんとか、至急に手を打たなければいけませんな」パオも言った。

「それで、この男は」写真に向かって顎をしゃくるようにしながら、総督は訊ねた。「何者なんだ？」

「劉日月《ラオヤアユツ》という男です――表向き、深水埗《シエムソイポ》にラオ・ワールド・オペレーションという企業を構え、コンピュータ業者ということになっていますが、彼がいわゆるブラック・アソシエーションの一員であることは、周囲の認めるところで、かなりの切れ者という話です」

パオの情報網に、ラオの名が引っかかるまで、そう長くはかからなかった。香港の裏の世界で、ハイテクを駆使するラオは名を馳《は》せていたからだ。

「で、彼がことを起こしたというのは、確かなのかね」

「ほぼ確実です。銀行の受付嬢や行員が、この写真を確認していますからな。さらに、彼は、今朝から姿を消しているらしい」

「姿を――消した？」

「ええ。しかし、幸い、まだ国外には出ていないと思われます。当局は、ラオの出入国には、以前から神経質になっているそうです。コピー商品の持ち出しだの何だので、彼はマークされている人物だそうですな。さらに、現在は空港、港、陸路を、総督府のお力で厳重にチェックしています。この香港から、出られるわけがありませんよ」

「彼のグループの人間はどうなんだ？　銀行で小癪《こしゃく》な芝居をやった連中は」

「やはり、姿を消しています。どこかに潜伏しているとすれば、われわれの耳に、遠からず所在が入ってくるはずです」

総督は、顔をしかめた。「奴の目的は、なんだ？　金か」

パオは、見当がつかないというように首を振った。「なぜでしょうな？　彼は、香港でこんなことをすれば、自分が窮地に追い込まれることは、わかっていたでしょう。これほど水際《みずぎわ》立ったやり方をするのは、自分のサインを残しているのと同じことですからな。やはり、金なのか……あるいは」

「あるいは？」

「突飛ですが、一種の愉快犯かもしれませんな。自分の能力を試すための」

「バカな」

総督がそう言ったとき、執務室の直通電話が鳴った。彼は、むっつりと席を立つと、受話器を取り上げた。「誰だね」

「フレイザーです」上海香港銀行頭取の、緊迫した声が流れてきた。

「ああ、君か」不機嫌に、総督は言った。

頭取は、慌てるあまり、吃《ども》るように叫んだ。

「たったいま、銀行に、脅迫電話が入りました。ハッキングの犯人からです。不正取引きの証拠は、預かっていると……」

「何だって！」総督は、気色《けしき》ばんだ。「どこからかけてきたんだ？　何を要求した？　相手は、誰だ？」矢継ぎ早に、彼は質問を浴びせかけた。

「フロッピー・ディスクに、値段をつけてきました。相手が要求してきた取引きは、米ドルにして、五億です」

「たった一枚のディスクが、五億ドル……」

総督は苦《にが》い声で呟いた。

「相手の性別、年齢は不明です。どこからかけてきたかも、わかりません。香港という以外は」

「不明？　そんなことがあるものか。声はどうなんだ？　それに、逆探知の準備はしてあったはずだ」総督は、苛立《いらだ》たしげに叫んだ。

「相手は巧妙ですよ。電話の向こうの声は、肉声ではありません。電気的に合成された、コンピュータの音声だったんです。一方的に内容を伝えて、切れました。逆探知は不可能でした。たぶん、携帯電話から合成音声を転送したのではないかと、分析した専門家は言っています」

フレイザーの声は、掠《かす》れていた。

「それで、取引きの方法は？」

「電信送金です」

総督は、安堵の溜息を洩らした。電信送金なら、跡を辿《たど》ることは不可能ではない。上海香港銀行は、世界中の、ほとんどの銀行と深いコネがあった。相手がどこへ送金しようと、その送金先は、コネを使うことで、苦もなくわかる。世界に隈《くま》なく張り込ませているゴルトシルト家の手のものに、最終送金地の銀行を見張らせればいいことだ。たとえ、それがスイスやケイマンの銀行であっても、例外ではない。

「それで、当初はどこに送金を？」

「それが……」フレイザーは、口ごもった。

「どこなんだ」

「中国銀行なんです」

総督は、思わず息を呑み、続いて、悪態をついた。

「クソッ！　なんてこった」彼は、電話に噛みつかんばかりだった。「まさか、中国銀行とは」

中国銀行は、上海香港銀行と、道を隔《へだ》てただけの、すぐ隣にある。距離的には、お互いに最も近い銀行だ。にもかかわらず、そこは、中国政府の砦《とりで》ともいうべき金融機関であり、イギリス系の上海香港銀行とは、完全な対立こそあれ、協力関係のあろうはずもなかった。金がそこに入ったら最後、どこに流れたかの情報は、ベールに包まれる。少なくとも、こちらサイドにしてみれば、情報の尻尾《しっぽ》は、そこで途切れたに等しくなる。

「いったん中国銀行に、金を振り込んでしまったら、こちらからの追跡は不可能です」

総督は、低く唸《うな》った。

「やはり、ラオという男か」総督は、苛々と部屋を往《ゆ》き来《き》しはじめた。「五億ドルをみすみす、くれてやらなくてはならないわけか。しかも、フロッピーが確実に戻るという保証もなしに。コピーが何枚取られているかもわからないのに」

苛立つ総督を横目で追いながら、パオは首を傾《かし》げた。

「たしかに、頭のいいやり口です。音声合成の脅迫にしても、いかにもコンピュータ技術者らしい――しかし、何かが、妙だ」

「妙？」

「彼にしては、ゆすりの額が、どうも半端《はんぱ》なんですよ。ラオにとって、香港という地は、格好の活動の場です。彼がその気になれば、五億ドルの金は、たやすくとは言わぬまでも、作れない金額ではない。いや、すでにそのくらいは、持っているかもしれない。なのに、その程度の金のために、香港にいられなくなるようなことを、引き起こすでしょうか」

「現に起きているじゃないか。少なくとも、銀行に現われた男の一人が彼だということは確認されているのだから」

「それは確かです。だが、目的がいまひとつ腑《ふ》に落ちませんな。彼個人の考えではない気がする」

「と言うと？」

「なぜ、彼は送金先に、中国銀行を選んだのでしょう」

「われわれと中国銀行が相容《あいい》れぬ仲だということは、多少、事情に詳しいものなら、誰もが知っていることだ」総督は、胃のあたりを押さえながら、言った。

「それだけではないのかもしれない――裏で糸を引いている者がいるのかもしれないとは思えませんかな――例えば」

パオは、立ち上がり、執務室の窓から、北東の方向を眺めた。中国銀行の高層ビルが立つそのあたりに向けて、彼は眼を細めた。

「中国側の差し金というのか」

総督は目を剝《む》いた。

「あるいは」

総督は、いっそう不安げな顔で、パオを見た。「その推測が正しいと仮定して、われわれに、道はあるのか」

「なんとか、奴らの潜伏先を調べましょう。香港を、彼らは出ていない。それから、五億ドルの行き先は、何としてでも、突き止めましょう」パオは、無表情に言った。「非合法ですが……あちらの行員を脅して、情報を流させることは、できますからな」

第3部

激突

—米国・ワシントン

漏《ろう》洩《えい》

ハリー・ブラックバーンは、掌形識別装置《しょうけい》の前に佇《たたず》んでいた。

彼は、ハイパーソニック・アメリカ・先端機器事業部の、優秀な技術者だった。もっともハリーが勤務している開発設計課のオフィスには、MITやCMUの博士クラスが机を並べており、コーネル大から日本の大学に留学し、電子工学を修めた彼の経歴は、むしろ地味といってよかった。

ハリーの仕事ぶりも、その経歴と同様、可もなく不可もなしといった按配《あんばい》だった。ディジタルのなかにどっぷりつかって、脇目もふらずに問題を解《と》くといった学究タイプでもなければ、労働環境について自己主張を怠《おこた》らないわけでもなく、派閥争いにも無関係のハリーは、異色の研究者が多いこの種のセクションに、それでも一人ぐらいいてもおかしくはない、透明人間のような存在とも言えた。

少なくとも、表面的には、彼は無害な人間に見えた。

ほどほどに熱心な研究者として、ハリーは二週か三週に一回は、誰よりも早出をしたが、その回数は、このセクションの平均値をやや下回っており、現在彼が携《たずさ》わっているG7ファクスの超高速伝送という課題も、いっこうに進展していくようすは窺《うかが》えなかった。

彼のデスクの周辺も、ハリー自身と同様に無味乾燥だったが、コンピュータの下に敷いてあるデスク・マットだけは、やたらと愛想がいい。マットには〝TOUCH ME!〟という文字が大書してあり、人間が手を触れると、触れた部分が体温によって赤やグリーンに変色する、一種のサーモメーターになっている。ハリーが「ストレス・チェッカー」と呼んでいるそれは、父親思いの愛児のプレゼントということになっており、彼ばかりでなく、同僚のエンジニアのほとんどが、失笑しながらもその単純なマットに自分の手をあて、当てにならないストレス・チェックをしてみるのだった。

だが、このデスク・マットが、ハリーにエンジニアたちの数倍の年収をもたらしていることを知ったら、彼らのストレス度は、極端に跳《は》ね上がるに違いない。

ハリー・ブラックバーンのデスク・マットは、彼のコンピュータ端末と、見えない部分で結合していた。技術者たちの掌形データは、マットに形を変えた、特製のスキャナで読み込まれ、ディジタル数値に変わって、ハリーのコンピュータに取り込まれていた。

ハイパーソニック・アメリカでは、セキュリティに、いくつかの方式を採用している。コンピュータ回線のデータは、数十種類の暗号で保護されていたし、とくに重要な未発表試作品倉庫等の出入りには、指紋か署名での個人認証が行なわれている。

ハリーの所属する開発設計課は、試作品の前段階、つまりアイデアレベルから実現にいたるまでの情報の宝庫といってもよく、その意味で、同じセクション内といえども、個人で情報を囲い込む必要も生じ、各人の専用キャビネットにまで、掌形識別装置が施《ほどこ》されていた。

キャビネットに取り付けられた、液晶画面のような薄いパネルに掌《てのひら》をぴったり密着させると、コンピュータがその外接形状をスキャンし、人差し指、中指、薬指、小指の四本の指の長さを四次元ベクトルで表現する。さらに、そのベクトルを、登録されているベクトルと照合し、正しい「主人」だと判定すれば、固くガードされたキャビネットのドアが開くという仕組みだ。

ハリーが自作した一見玩具《おもちゃ》ふうのデスク・マットは、キャビネットを開ける鍵を入手するためのものだった。彼は、すでに数十名のエンジニアの掌形データを、自分のファイルに取り込んでいた。

だが、このデスク・マットを、彼は最近、机から取り外《はず》した。会社が新しい認識方法を導入することが決まったからだ。こんどの装置は、網膜パターン認証方式になるらしかった。眼の網膜上の入り組んだ毛細血管は、指紋と同様、一人として、同じパターンを持つ人間はいない。赤外線を眼に当ててセンサーで検出するそのパターンを、眼紋《がんもん》というが、眼紋での識別が導入されれば、いままで苦心して集めたデータは無になってしまう。新しい鍵を考案して作るのには、また数年を要すだろうと思われた。

その前に、ためてある掌形データをなんとか利用しておきたい、というのが、彼の目下の関心事だった。彼が早朝出社する回数は、ここ数週間、しだいに増えていた。

今週、ハリーは大きな獲物を狙《ねら》っていた。日本人技術者、公文俊成《くもんとしなる》のキャビネットの内容がターゲットだった。

ハリー・ブラックバーンには、日本人を見分ける一種の嗅覚《きゅうかく》がある。皮膚感覚に近いその感じは、彼が早稲田《わせだ》大学の理工学部に数年間在学した結果生じたものだった。たとえば、彼は、日本人のある人物がある人物に示す関心の高さなどを、言葉で表わさずとも感じることができたし、無表情の奥に重大なトラブルや課題を抱えている人物を当てることもできた。

公文俊成は、役職こそないが、このセクションのホープと暗黙のうちに認められている雰囲気があった。それだけでなく、数年の観察のうちに、ハリーは、公文がセクションのプロジェクト外の仕事を抱えていることを察知していた。

彼の経歴を、人知れず調べたハリーは、公文の故郷が、ハイパーソニックの創業者と同じアイチであることを知った。さらに、出身校の教授からお墨付きを貰った、最優秀のコウハイであり、学生時代にすでに創業者を通じて、アメリカ社長だった西条亮と知り合っているということまで調べあげていた。

――クモンは、社長じきじきの仕事をしているのではないか？

ハリーは内心、そんな疑念を抱いていた。判断の材料は不十分だったが、彼にはよく働く勘《かん》があった。その勘が、彼にいままで巨万の富をもたらしてきたのだ。彼が手にした情報漏洩《ろうえい》の報酬は、リスクを補ってあまりあった。狙ったエンジニアの手元には、つねに有効な材料が蔵《しま》われていた。その勘が、公文は大きな獲物だと告げていた。しばらく仕事を手控える……、となれば、その彼を狙うのが当然だ。しかも、最近の公文は、目立たないがごく僅《わず》かに張りつめた雰囲気を漂わせていた。

——少なくとも、彼が何かを手掛けていることは確実だな。

そう考えながら、ハリーは公文のキャビネットの前に立っていた。


「いくつかの問題に、糸口が見えてきた」

外務省情報調査局局長、木島堅持は言った。沢木から簡単な報告を受け取った木島は、急遽、来港し、総領事の公邸に足を運んでいた。

「上海香港銀行に関する、われわれの調査は、君たちのおかげで、かなり進展したと言える」

木島は、沢木喬と都築健太郎の顔を交互に見ながら続けた。「沢木君が録音してくれたテープには、頭取のフレイザーと、国生幹夫の裏取引きの一部始終が、あますところなく収まっている。上海香港銀行が、一部の大物と不正取引きを行なっていることは、もはや疑いようもない。おまけに、国生の下手《へた》な小細工が裏目に出て、芝田京三のS資金が実在することまで、明らかにすることができた」

「彼は、何か言っていましたか」

「われわれがすべてお見通しということも知らずに、会談は失敗に終わったと報告してきたよ。裏金を預けようと頭取に申し出たら、烈火のごとく怒られて追い出されたとね。たいした芝居ぶりだった。内心は、S資金の落ち着き先が決まって、ほくほくというところだったろうに」

「九〇〇億とは、驚きました」沢木は言った。

「これだけの莫大な隠し金を、空路でも、海路でも見つかることなしに、日本から香港へ運べるというのだから……たいした組織だ。たぶん、各国からの裏金も、同じ方法で香港に持ち込まれているんだな。とにかく、この材料のもとに、裏付けを進めていけば、まず九分九厘、芝田京三側の首根っこを押さえることはできる。それに、上海香港銀行を少々揺さぶることもできるだろう。だが、それだけでは、こちらの目的が済んだとはいえない」

沢木は、うなずいた。「ゴルトシルト家ですね」

「そう。残念ながら、このテープでは、上海香港銀行が集めた不正資金の一部が、ゴルトシルト家へ流れているということを証明できない。フレイザーは、会話のなかで、その点については何も触れていないんだ。もちろん上海香港銀行とゴルトシルト家が、表裏一体《ひょうりいったい》に近い関係であることは、周知の事実だが、それだけでは何の証拠にもならない。われわれの目的は、裏金を利用したゴルトシルト家の日本バッシングを食い止めることにある。彼らの都合に合わせて、日本経済を揺さぶられたのではかなわないのだ。調査の目的は、ゴルトシルト家の弱みを握ることにこそあれ、一つの銀行を滅ぼすことではけっしてない」

「このテープをもとに、ゴルトシルト家と交渉するというのはどうでしょう？」

都築が言った。都築はあれから、ツアー客に紛《まぎ》れて上海香港銀行を出ていた。

「トカゲの尻尾《しっぽ》切りになりかねない。例えばフレイザーの解任という処置で、本家は関知しない、とね。そういう逃げ方は、彼らのお手のものだからな。もっと、本体の心臓部に関わる何かを……」

「局長」沢木が口を挟《はさ》んだ。「局長は、もしかすると例の文書を……？」

「察しがはやいな」木島局長は、沢木に鋭い一瞥《いちべつ》をくれた。知識人ふうロマンス・グレーの横顔が、一瞬にして締まった。

「まったく、驚くべき歴史の一面だ……おそらく、ダナ・サマートンという女性が持っていたフロッピーの内容は、事実なのだろうと私は思う。十分に、中英両国を動かす鍵となり得る」

「英国、そして、ゴルトシルト財閥です」沢木が正《ただ》した。「ゴルトシルト家が、手綱《たづな》をとってすべてを進めたようですから」

「君にとっては、長年知りたかった近代外交史の謎が解けた思いだろうな。なぜ、イギリスは簡単に香港返還を承諾したのかという」

「ええ。やむを得ないことだったんですね。イギリス側は、ずっと持ち続けていた切り札を失ったんですから。たぶん、一〇年前に、タリア・キーファの兄が巻き込まれたあの事件で、手札を失ったんでしょう。外交官だったタリアの兄が、サッチャー訪中の直前まで、香港は返さなくてもいいんだと言っていたわけも、わかりました。タリアの兄が、ゴルトシルト家の名を口にしていたというのも辻褄《つじつま》が合います」

「しかし、どんなに説得力のある内容であっても、あれだけでは、決定的な材料にはならない。が、もしも、その『条約』の原本が確認されれば……ゴルトシルト家に対する、最終的な武器にもなるのだが」

「存在するんでしょうか……原本は？」沢木が訊ねた。

「それを、探すんだ」局長は、言った。「もちろんわれわれは、継続して、不正取引きのルートをゴルトシルト家側まで辿《たど》っていくつもりだが、それと並行して、君には『条約』の線を探ってほしい」

「ですが、局長」都築が、口を挟んだ。「探すといっても、手掛かりもなしに、どうやって……?」

「手掛かりなら、ある」局長は、落ち着いた口調で言い、傍《かたわ》らに置いてあったメモを取りあげた。「まず、あの女性――つまり、ダナ・サマートンだ。彼女は、なぜ、上海香港銀行に『条約』の秘密が隠れていることを知ったのだろうか。彼女がそれを知るようになったルートを辿れば、何かがわかるかもしれない」

「彼女は、ジャーナリストなんですよ。『ポスト』に、〈インビジブル・パワーズ〉を連載していたライターです。スクープを狙っていたんでしょう」沢木が言った。

「私もあのコラムは読んでいたよ。なかなか興味深い内容を、掘り下げて書く筆者だと思っていたんだ。だが、君はその『ダナ・サマートン』を発掘した編集者がいることを知っているかね」

局長は、プリントアウトされたデータを、沢木に差し出した。「メイミ・タンという東洋系アメリカ人だが、『ポスト』の敏腕編集者だそうだ。彼女が、ダナ・サマートンを『発掘』した。埋もれていたダナの才能を引き出した人物ということだが」

四十代の後半くらいに見える女性の写真が添付されたデータに、沢木は目を通した。

「この女性が、何か?」

「そのデータは『ポスト』が公式に用意している、プロフィール用のものだが、そのメイミ・タンには、別の顔がある。それは、あのアラン・ウィルトンとも関わりがあるのだが……」

「アランと、ですか？」

オクスフォードから日本まで、沢木を尾行して来て死んだCIA局員、アラン・ウィルトンと、『ポスト』のベテラン女性編集者がどう繋《つな》がるというのだろう？

「君が香港へ発《た》ってから、アメリカの駐在員に、アランに関する調査を命じておいた。そこで、メイミの名前が出てきたんだ。それも『ポスト』の編集者としてではない。アラン・ウィルトンの上司としてだ――つまり、メイミ・タンはアランに諜報を命じていた人間だ」

「と言うと、彼女は――CIAの？」

「局員だ。活動歴は、このとおり、長い」局長は、もう一枚のデータを取り出した。「いくつか名前を変えているが、ここ十数年はメイミ・タンで通っている。『ポスト』はよほど便利な隠れ蓑《みの》なんだろう」

「アランは、タリア・キーファの件に関心を持っていました……」

「われわれは、それを、君とタリアの話を聞いたせいだと思っていた。だが、別の見方もできないだろうか。アランは、メイミ・タンから指令を受け、イギリスですでに、中英関係と香港返還の問題を、調べていたのかもしれない」

「とすると、ダナ・サマートンも」都築が言った。「CIAの仕事で動いているんでしょうか？」

「ダナ・サマートンは、ラングレーのリストには含まれていないという報告だった。局員ではないのかもしれない。だが、知らずに巻き込まれている可能性はあるな」局長は、次のデータを取り出した。「ダナ・サマートンはペンネームで、本名は、パスポートによれば、マーラ・シェリダン。二十九歳。ワシントン在住。出身地、出身校、係累《けいるい》、不詳。現在わかっているのは、これだけだ。『ポスト』にも、彼女の掲載原稿のストック以外に何のデータもない。現在、アメリカ駐在の人間が調べているが、部屋を調べても、何も出てきてない。調査を続行中だ」

「何もわからないのは、妙だな」都築が呟《つぶや》いた。

「それから、これだ」局長は、資料のなかから、写真をつまみあげた。「ロンドンの巌谷に電送させた、ローレンス・アボットと、その恋人だったと思われる女性のスナップだ」

沢木と都築は、局長の手元の写真を覗き込んだ。

「似《に》ているな」都築は一目見て言った。「だが、髪の色が違う。この写真の女は、金髪だが、ダナは、髪は栗色で、もっと東洋ふうに見えるが……」

「染めているのかもしれない。目も、黒の色つきコンタクトかも」局長が言った。「もし当時、ローレンス・アボットの周辺にいた女とダナ・サマートンが同一人物なら、彼女はあの文書にも関わりが深くて当然ということになるな。彼女については、もっと掘り下げる必要がある」

「このまま拘束《こうそく》して、尋問しますか」都築が沢木をちらと見ながら言った。どうやら彼がダナに好意以上のものを抱いているらしいことに、このベテラン調査官は気づいていた。

「いや」局長は首を振った。沢木の表情が、安心するように少し緩《ゆる》んだ。

「いま、彼女に尋問したところで、労多くして功少なし、ということになりかねない。警戒させるだけだろう。確とした証拠もなしに民間人を拘束し続けるのも考えものだ。そこで、沢木君には、彼女とともにアメリカに渡ってもらいたいんだ。彼女を泳がせて、どんな行動に出るかを探るんだ。メイミの動向も含めて、調査してほしい。それから、都築君にも、やはりアメリカに行ってもらう」

「私も、ですか」

「君本来の任務の一環だよ。君の任務——わかっているだろう」

「香港における、ハイパーソニックの技術盗用調査です」

「その首謀者は、判明したのだろう」

「劉日月です。ダナ・サマートンとともに、上海香港銀行に侵入した男です」

沢木がラオ・ワールド・オペレーションの前に張り込んで撮《と》った写真をもとに、ハイパーソニックの関係の業者をあたったところ、数名の関係者が含まれていることがわかっていた。

「都築君には、ラオを、アメリカに連れて行ってもらう。彼を、ハイパーソニックの西条社長に会わせて、制裁措置を話し合わせたいんだ」

「ラオが承諾するでしょうか？　通常、このようなケースは裁判になり、司直の手で裁かれます。型どおりなら、われわれが関与することではないですし、むりやり連行もできません」

「ラオは、否《いや》も応《おう》もないだろうな」木島局長は、含むところがあるようだった。「彼は香港を出たほうが賢明なんだ。さきほど、この公邸に入ってきた情報によれば、当局が、ラオの行方《ゆくえ》を血《ち》眼《まなこ》になって探しているらしい。警察無線もラオの一件でもちきりだそうだ。もちろん、彼が上海香港銀行に都合の悪い何かを持ち出したなんてことは、表沙汰《おもてざた》にできないから、専《もっぱ》ら、あの一帯の停電の犯人としてということでね。ただ、いったん捕まれば、奴らはそれだけでは済まさないだろう。ラオは、少しばかりほとぼりを冷《さ》ましたほうが都合がいいはずだよ。それに、西条社長は、できるだけ事を荒立てたくないんだそうだ。当事者間で話させてほしいと言ってきた」

「ラオは、空港でも網を張られているんですね？」

「そうだ。だから、君たちには、省の専用機でアメリカに向かってもらう。ラオがここにいることは、いまのところ誰にも洩れていない。われわれは、この件に関してノーマークなんだ。多少、彼らの身なりを変えさせれば、省員で通る。とにかく、有無《うむ》を言わせず、二人をアメリカまで連れて行ってくれ」

部屋の外で、慌《あわ》ただしい足音がしたのは、そのときだった。せわしないノックの音の後、ドアが開くと、血相を変えた男が立っていた。都築の部下の省員だった。

「彼が、いません」わなわなと震《ふる》えながら、部下が言った。

「何だって⁉」都築が怒鳴った。「逃げたのか？　ラオが？」

部下は、小声になって言った。「いえ。ラオはいます。確かです。いないのは、もう一人の男です。ジャッキー・チェンにちょっと似ている……」

公邸から抜け出した男は、黄永富《ウオンウインフー》だった。

抹殺

ロスの夜を、一台の黒いリムジンが走っていた。座席には、二人の男と一人の女が乗っていた。傍目《はため》には、三人は、エレガントなパーティ帰りの客に見えた。三人とも、上品に盛装していたし、カップルのように寄り添う後部座席の男女の間には、高価な季節の花をふんだんに使った、大きな花束が置かれてさえいた。

車中には、花のいい香りと女の体臭が入り交《ま》じった、やわらかな芳香が漂《ただよ》っていたにもかかわらず、彼らの間には、冷《ひ》ややかな緊張が解かれることがなかった。

原因の一つは、花束の下に隠された、小さいがぶっそうな金属だった。男の掌《てのひら》に包み込めるほどの二二口径が、絶えず脇腹に突きつけられていることを、女は意識せずにはいられなかった。それでも、彼女は昂然《こうぜん》と頭を上げていた。

月が、栗色の艶《つや》やかな髪を照らす。そのたびに、銃を持った男は、自分がスクリーンのなかにいるような気分になるのを、慌《あわ》てて制した。間近で見るアディール・カシマは、画面で見るよりもずっと若々しかった。

「——どうしようっていうの」

車が市外に向かっているのを確認しながらアディールは言った。

男たちは、言葉を返さなかった。

——この二人は、マフィアじゃない。それに、気持ちを高ぶらせた危ないファンでもない。もっと官僚的な組織の、任務をわきまえた人間に違いないわ。すぐに危害を加えるということはない。

そう思う一方で、彼女は、そのほうがもっと始末に負えないことにも気がついていた。中国政府、イギリス外務省、それとも——？

いずれにせよ、強引な拉致《らち》という手段に出てきたからには、あの文書に絡んでのことに間違いない。

——あと、少しだというのに。

アディールが中国を訪れる約束の日は、五日後に迫っていた。すべての手配が整っているいま、もう一歩で、夢が叶《かな》うというのに。

自分自身に、もっと注意を払うべきだったと、アディールは悔いた。彼女は、今夜のパーティを最後に、長いオフに入りたいという希望を、エージェントに告げていた。

上院議員主催の晩餐会は、彼女にしてみれば、行く価値のある行事だった。今夜の招待客の顔ぶれは、ロス各界の最も豪華な成功者と見做《みな》され、〝信頼すべき名士リスト〟に名を連ねる人々で、それは、アディールの中国での首尾《しゅび》が上々なら、帰国してから彼女が始める予定のビジネスに影響力を持つことになる面々でもあった。

彼女は、それとなく、めぼしい人物と親交を深めていった。立て続けに作品がエンターテイメント映画化されている作家に、にこやかに挨拶し、ロス市長の抱擁を受け、地方議会で勢力を伸ばしている政治家のジョークにつき合って、ひと息ついたところに、知らない顔の男が、シャンパンを持って近づいて来た。

――誰だったかしら？

そう思ったときにはすでに、脇腹に銃を突きつけられていた。

――笑うんだ。

男が、自分も微笑《ほほえ》みながら囁いた。思わず振り向くと、もう一人、タキシード姿の男が壁をつくっていた。

――話しているふりをしろ、はやく。

慌てて、雇っている二人のボディガードを探したが、どうしたことか、見当たらない。間《ま》の悪いことに、知人も近くにはいない。もっとも、いたとしても、この紳士二人は怪しまれなかっただろう。パーティに慣れた身のこなしで、いかにも上品にふるまっていたからだ。存外、いい家の出身なのかもしれなかった。結局、アディールは彼らと肩を並べてパーティ会場を出、リムジンに乗り込まされる羽目《はめ》になった。

「どうしようっていうの」

先刻の科白《せりふ》を、彼女は繰り返した。あのことだったら、一言《ひとこと》だって話すもんか。

「大騒ぎになるわよ。あなた方がどなたかは存じ上げないけど、私の行方が知れないとなったら、マスコミが黙っていないわ」

そうは言うものの、エージェントに、明日から連絡を入れないで、と自分から言ってあったことを、アディールは思い出していた。オフを邪魔されたくないという理由をつけて、中国行きを内密にするつもりだった。数週間連絡がとれなくても、スタッフは女優のヴァカンスを、気紛《きまぐ》れとあきらめるに違いない。

パーティ会場から雇い主が姿を消したことを、ボディガードたちが騒ぎ立ててくれるのを、彼女は祈った。それも、彼らが生きていれば――あるいは、監禁されていなければの話だったが。

男たちは、相変わらず、だんまりを決め込んでいた。アディールは、時折横目で外を窺い、車の行先を確かめた。だが、それも人家がまばらなあたりにさしかかるまでの話だった。隣の男に、アイマスクを手渡されたのを最後に、彼女は方向を失った。

オンタリオ州トロントのダンダス通りでは英語よりも広東語《カントン》が幅を利《き》かせていた。街角に漂う、こってりと油に葱《ねぎ》の焦《こ》げた匂いは、カナダの都市にもしっかり根を下ろしつつある中国系移民の拠点に、特有のものだ。

トロントには、ここと同様のチャイナタウンが五つにも増えていた。新しい移民の大半は、香港人。一九九七年に香港返還が行なわれれば、香港は中国政府に支配される。いままで資本主義社会のなかで生きてきた香港人の多くが、共産党政府の政治に不安を抱き、新しい天地を求めて、カナダにやって来ていた。

トロント市は、市の人口三〇〇万人のうち、一〇人に一人が中国系移民となっている。移民の多いカナダの都市のなかでも、その数は群を抜いていると言えた。ダンダス通りには、そのトロントで最大のチャイナタウンがあった。

トロントの地価は、いまや、中国系移民の土地需要に追いつかず、上がる一方だった。一〇年前ならいざ知らず、いまとなっては、ちょっとした商売を始めるにも資金が要《い》った。後発の移民にとって、この街は、暮らしやすいパラダイスとばかりは言えなくなりつつあった。

とはいえ、ダンダス通りを歩いて行く黄永富の足どりは軽かった。

――トロントの目抜き通りに、ビルだって建てられるさ。いや、マンハッタンか、東京のほうがいい。ここは、早いところおさらばしたほうが得策だからな。

ウォンは、いくつかの銀行に分散して振り込まれている五億ドルに思いを馳《は》せた。正確には、彼の取り分は四億九五〇〇万だった。残りの五〇〇万ドルは、二人の幸運ならず者の懐《ふところ》を潤《うるお》しているはずだ。

あいつらにとっても、いい仕事だったよ。売れないスタントマンにしちゃ、上出来の芝居だった。一生食っていけるだけのギャラにもありつけたんだ。

しくしくと痛む後頭部を、彼はさすった。

――芝居が過ぎたな。まだ痛む。奴ら、思いきりやってくれたもんな。

ワゴン車を襲撃するのは、造作ないことだった。ラオがハッキングに成功することは、疑いもなかったし、彼がそのあとに警戒を緩《ゆる》めるだろうことを、ウォンは予想していた。

——ラオの欠点は、自分のプランに酔いしれることだな。追手が迫って来ることなんて彼はまったく頭にない。計画はつねに成功すると、思い込んでいるんだ。相手が自分に追いつくまでには相当時間がかかるということに彼は慣れ切っている。だから、計画実行直後は、さすがの彼の神経も緩むんだ。

だからこそ、ウォンは、銀行からの帰途を襲うことにしたのだ。ワゴンの辿《たど》るだろうルートは、おおよそ予測がついていた。そのうえウォンはワゴンに、こっそり小型の発信機を仕掛けていた。仲間の車には、ドライビングマップシステムを改造した装置を搭載し、ワゴンの現在地を知らせた。

ウォンの望みどおり、あっけないほど簡単に事は運んだ。フロッピー・ディスクは入手できたし、誰一人死ななかった。

金は欲しいが、人殺しはごめんだ。とくに知り合いの死体なんかは。

彼は、本当は香港に帰りたかった。カナダの風土も生活も、香港育ちの彼には、のんびりとしすぎている。生き馬の目を抜くようなエキサイティングなビジネスは、このトロントには存在しない。香港残留組が、返還を控えて思いのほか好調な経済発展の波に乗り、金を儲けていくなかで、移住した自分だけが職にも恵まれず腐っているのが、ウォンにはなんとも歯痒《はがゆ》かった。彼は、コンピュータ技術者として地元に勤めてはいたが、自分の才能が正当に評価されていないと感じていた。それでいて、彼のアイデアを会社が巧妙に利用したと知ったとき、ウォンは怒りのあまり、自分からそのハイテク企業を去った。

——資金さえあれば。

自分の会社を興《おこ》すことを、彼は夢見た。

その夢が、現実になりかけていた。ダナ・サマートンがハッキングした上海香港銀行のファイルは、ウォンが思っていた以上に価値があった。

香港へ入った当初は、この仕事を軽く考えていた。ところが、ラオの熱の入れようを見て、気が変わった。劉日月ほどの男がこれほど熱心に協力するからには、何らかの裏がある、そう彼は読んだのだ。

ラオはたしかに天才ぶりを発揮し、ハッキングに成功した。でも、俺はそのラオをも欺《あざむ》いたんだ。

——ワゴン襲撃までは、完璧だった。あの外交官の邪魔さえなかったら……。

自分にかかる疑いを少しでも遅らすために、ウォンは、自分もラオやダナとともに襲われてみせた。あのまま皆が車のなかで自然に意識を取り戻していたら、ウォンが疑われるのは、ずっと後のことになっただろう。突然、筋書きに割り込んできた日本人を、彼は恨《うら》んだ。そのせいで、逃げ出した自分は、たぶんフロッピーの奪取と関連づけられてしまうだろう。少なくとも、勘のいいラオは、すぐに気づくに違いない。

だが、逆に、運のいい面もあった。なにしろ、ラオが日本総領事の公邸に軟禁されているのだ。ラオには、ウォンにも予測できない面がある。どこに情報網を持っているかしれない。そのラオが動けないとなれば、仕事はやりやすいこと、この上なかった。

あの場合、ウォンは公邸を抜け出すほかなかった。仕事を手伝った二人の柄の悪いスタントマンと、落ち合う時間と手筈《てはず》を決めていたからだ。

――それにしても、凄いファイルがあったもんだ。あんな大事を、ただで公表しようなんて、ジャーナリストってのは、揃いも揃って大馬鹿だよ。それよりも、俺が社会に還元してやるさ。俺はプレジデントになる。世間をあっといわせるような製品を作るのさ。

とりあえず身元を隠し、アメリカか日本で商売を始めよう。自分は表面に立たなくてもいい。有能な人間を雇って、ゆくゆくは香港とも取引きするんだ。

ウォンは、機嫌よくハミングしながら、歩いていた。小脇に抱えたポーチには、フロッピー・ディスクと、二枚のバックアップが入っていた。

入金をすべて確認した後、ディスクはDHLで上海香港銀行に返送する。バックアップも、念のために二枚。これは、別々の銀行の貸金庫に預けるつもりだ。

当座の金を、ウォンはこのトロントで引き出すつもりだった。中国銀行のトロント支店に、彼は別名義の口座を一つ持っている。そこに、五〇万ドルを彼は送金させていた。

――中国銀行本店を、当初の振込み先にする思いつきはよかったな。上海香港銀行はまさか宿敵の中国銀行に、自分のところの不始末を打ち明けるわけにはいかないからな。ライバルにおめおめと弱点をさらけ出すようなものだ。

金の夢に有頂天《うちょうてん》になりながら、憑《つ》かれたように銀行へと歩く途中、小さな茶店の軒先《のきさき》にこちらを見つめている女の姿があった。

ウォンは、夢から覚めたように、ふっと目を見開いた。

――ダナ？

ウォンの足が、一瞬、竦《すく》んだ。喰いいるように、女の姿に目をあてる。

――違う。彼女がここにいるわけはない。

彼は、ほっと胸を撫で下ろした。シルエットと顔立ちは似ているが、髪が違うじゃないか。だが、なぜ、俺を見ているんだ？

佇《たたず》んでいた女は、ざっくりとしたハイネックのプルオーバーに、ストレッチ・パンツという軽装にもかかわらず人目を惹《ひ》いた。流れるような、みごとなブロンド。

その女が、泳ぐようにウォンに近寄って来た。女の目は、ウォンに向かって艶《なま》めかしく笑いかけていた。彼は、不安になった。こんな女は、知らない。

――危険だ。関わるな。

彼は、ディスクが入ったポーチを、あらためて抱え直した。二、三歩、ウォンは後ずさる。踵《きびす》を返して走ろうとしたその刹那《せつな》、不意に背後でけたたましい銃声が炸裂した。

「あっ」と言ったが、遅かった。

突然の爆音にウォンが立ち竦《すく》み、周囲の関心が、弾《はじ》ける音の方向に集まっているその隙に、女はウォンの首に抱きついて来た。

傍目《はため》には、しばらくぶりに会った恋人の抱擁に見えたかもしれない。が、実際にはそんな生易《なまやさ》しいものではなかった。

ウォンの右耳の下には、リップスティックに仕込まれた、刃渡り約三センチのナイフがぴったりと当てられていた。冷たく、研《と》ぎすまされた感触が、彼の背筋を凍らせた。ウォンは、口を半開きにし、息を荒らげた。

「動いたら、頸動脈を切るわ」

女は、ほとんど唇を動かさずに言った。喉を擦《こす》るような、ざらざらとした低い声。

——あの音は、爆竹《ばくちく》。

ウォンは、ようやく気づいた。嗅《か》ぎなれた煙の匂いが、鼻を突いた。

「このまま、そこの路地に入りなさい」言いながら、女はナイフを持っていないほうの手で、ウォンの体のあちこちを撫で回した。その度に彼は皮膚にちくりと痛みを感じた。刺された肉が、痺《しび》れて固まるような気がした。

女の動作には、隙がなかった。小柄とはいえないウォンの、半分痺《しび》れた体を、巧《たく》みに目的の、さびれたビルにリードしていく。あきらかに、強靱《きようじん》な筋力が備わっていた。その間ナイフの狙いは寸分たりとも狂っていない。痩《や》せた女は、息を弾《はず》ませることもなく、利園酒店と大書されたあやしげな安ホテルに、ウォンを引きずり込んだ。

薄汚れたフロントには、誰もいない。奥の部屋にそのまま、もつれるように二人は進んだ。

ウォンは、もう、女にもたれなければ歩けないほど、体の自由を失っていた。

部屋に入るなり足を掬《すく》われて、彼はよろよろとつんのめり、床に倒れる。冷や汗が、額を流れた。女がウォンをつき離したそのとき、この得体の知れない女の首筋が、醜いほど赤く引き攣《つ》れているのが、彼の目に入った。

――火傷《やけど》？

女は、静かにウォンを見つめていた。いつ手にしたのか、小型のナイフは、サイレンサー付きの二二口径に替わり、透《す》き通るような指先が、引鉄《ひきがね》に油断なくかけられている。

「よこして」

女が、短く言った。

ウォンは、首を振った。それだけは後生大事《ごしょうだいじ》に抱え続けていたポーチの中身を、女が望んでいるのは明白だった。

「離すのよ」

ウォンのこめかみに、女は銃口を押しつけた。切れ長の眼が屹《き》っと細められ、尋常ではない色が浮かんだ。

女の呼吸に、鬼気がこもるのを肌で感じとったとき、ウォンの痺れた手から、すとん、とポーチが落ちた。

落ちてしまうと、女は、もうそれには興味がないといった調子で、言った。彼女は、ウォン自身にもまったく、興味がない様子だった。

「答えてもらう――これをやった、仲間のことを、すべて」

――この女は、どこかおかしい。

ウォンは、凄愴ともいえる女の表情に怖気《おぞけ》をふるった。遠くからは、ダナと間違えそうに美しく見えたこの女は、手首に皺《しわ》が寄るほど痩《や》せすぎ、顎から首にかけてぞっとするようなささくれた肌をしていた。ハイネックのトップが、首を蔽《おお》っていたが、それでも隠しきれてはいない。眼の覚めるほど美しい金髪と、それはあまりにも対照的だった。

女は、すばやくウォンの両手をプラスチック手錠で縛りあげると、ポケットからやわらかなテニスボールを取り出し、彼の口をこじ開けると、容赦なく押し挿《い》れた。

「すぐ、喋《しゃべ》る気になるわ――」

ウォンの鼻を、女は軽く抓《つま》んで塞《ふさ》いだ。なぶられて、ウォンは唸《うな》った。

黄永富の蒼《あお》ざめた死体が発見されたのは、その翌朝だった。絞殺でも、射殺でもない。彼の頸《けい》骨《こつ》は、きれいに折れていた。所持品はなく、移民局の協力で身元がわかったのは、さらに二日後のことだった。

世界に名だたるワイン、一八九八年産シャトー・ムートン・ドゥ・ゴルトシルトの二本の赤は、いつでも注《そそ》げるように、すでにディキャンタに移されていた。

ワインの名醸地ボルドーでは、このヴィンテージの、舌では測《はか》れない真価を堪能するために、数十万ドルを払うという食通が珍しくなかった。

現在の城主の一族が一八五三年にこのシャトーを買ってからというもの、ここで造られるワインの評価は、著《いちじる》しく上がっている。一族の来歴の華麗さが、シャトーの名声をもつりあげている観があった。

初代ゴルトシルトが金融王として蓄《たくわ》えた巨大な富は、代を重ねるごとに未曾有《みぞう》のものとなり、西洋世界の名だたる政治家や金融王や特権階級、つまりあらゆる権力者や支配者が、この一族の動静に一喜《いっき》一憂《いちゆう》している。

「われわれにとって——」

城主エドゥアール・ドゥ・ゴルトシルトの声には、あたりを鎮《しず》める効果があった。

エドゥアールは、一族の長老格だった。彼は、テーブルに支度《したく》された鈍い赤緑色の古酒から、目を離さずに言った。

「このワインの収穫年——一八九八年は、格別な年だった。その年、われわれの祖先は——父や、その祖父は、香港を完全にわが掌中のものとすることに成功したのだ」

皆が、固唾《かたず》を呑んで、続きを待った。今日の集まりには、ロンドン、パリ、ウィーン、ナポリ、そしてニューヨークに散らばるゴルトシルト家の、直系を代表する男性が顔を揃えている。

結束の固さでは類をみない一族ではあったが、さすがに今日のように一堂に会する機会は稀《まれ》だった。というのも、各人が各国の金融体制を牛耳《ぎゅうじ》り、国家運営をしているに等しいこの面々にとっては、そうしばしば全員招集というわけにはいかないのだった。

しかし、五〇年に一回、必ず『世紀会議』が行なわれる。その会議は、来たるべき次の五〇年の計を、一族が練りあげ、確認するための一大親族会合だった。

前回の会合は、一九四三年。それから五〇年を経たいま、つまり一九九三年の今日、ゴルトシルト家は、世界の次世紀を左右する重要な課題を決めようとしていた。

彼らの関心は、東洋、なかでも中国――香港――日本――に集中していた。

長老のエドゥアールが続けた。

「われわれは、すでにヨーロッパとアメリカを、事実上、支配下に置いているといっていい。わが祖先たちは、何十年、何百年という歳月をかけて、西洋世界を経済と言論、ときには武力をもってまとめあげ、配下に置くことに腐心してきた。

莫大な資金をロンドンのシティ、さらにウォール街に注《つ》ぎ込み、投資事業に関しては、ほぼわが一族の姻戚が占《し》めることができた。また、多くのジャーナリズムに姻戚を送り込んだ結果、多数のメディアをコントロールできる状況にある。武器を捌《さば》きたいとなれば、マスコミを通じて民衆に憎しみの種《たね》さえ蒔《ま》ける。

最も素晴らしい成果は、ハリウッドだ。一世代前のゴルトシルトたち――われわれの父や祖父――は、一九〇〇年から一九一〇年にかけて、アメリカの映画産業に少なからぬ投資を行なった。投資は、素晴らしい効果を生んだ。われわれの思うままのプロパガンダを、世界に流してくれる機関を誕生させたようなものなのだ。われわれは――わが選ばれた一族は、つねに勝利を得てきたのだ」

長老は、そこで言葉を切り、執事がグラスに注ぎ分けた液体で喉を湿らせた。

「しかし、次のターゲット……つまり、東洋の支配こそが、次の世紀にわれわれが成《な》すべき、最大の課題なのだ。とくに、東アジアといわれる一帯だ」

「中国——そして、日本」ロンドン家の男爵、ルパートが呟《つぶや》いた。ルパートは、長老に次ぐ年配で、一族の重鎮、さらに今回の事件に直接関わる、イギリス・ゴルトシルト家の当主なのだ。

「さよう」長老はうなずいた。「中国の莫大な数の人民を、意のままにすることは、われわれにとって、避けられぬ課題なのだ。そのために、わが一族が、気の遠くなるような努力を続けてきたことは、皆も存じておろう。

まず祖先は、手始めに、アヘン戦争という手段を採《と》った。われわれの祖父たちが、イギリス政府をけしかけて清《しん》にアヘンを流入させた。アヘンを売るかわりに銀を手に入れて、儲けると同時に、人間を心身ともに蕩《とろ》かすことが狙いだったのだ」

「そして——その目論見《もくろみ》は、ほぼ成功した」

「さよう——そのうえ、われわれは思わぬ戦果を得た。アヘン戦争で勝利を収め、当時の中国政府である清朝に、香港を割譲《かつじょう》させたのだ。さらに、一八六〇年に九龍《ガオルン》を得、一八九八年、新界《ニューテリトリー》地区を加えた現在の〈香港〉を手中にした。この香港こそ、中国大陸進出の拠点となるはずだったのだ」

「ですが、エドゥアール」若いイタリア当主が、疑問を挟んだ。「香港は、中国から借りたにすぎなかったのでしょう？　現に、一九九七年には、中国に返さざるを得ないのではありませんか……？」

「いや、父たちは、じつは、そう考えてはいなかった。返す必要はないと信じていた。そもそも、この租借の期限だが……」

「九九年間という？」

「そう――そもそも、なぜこんなに半端《はんぱ》な年数なのかね？　一〇〇年、あるいは二〇〇年、このほうがずっと区切りがいいというのに」

長老は、一同をひと渡り見渡してから、続けた。「種を明かせば、この九九年間という期限は、中国流の語呂合《ごろあ》わせなんだよ。九九（チョウチョウ）の語は、『永久』を意味する久久（チョウチョウ）に等しい。つまり香港は『永久に』租借した、それが清朝との契約だった。当時、清朝は、香港をいつか取り戻すつもりなど、さらさらなかった」

「なぜですか？　あんな重要な地を……？」

「重要？　とんでもない。それどころか、当時の香港の評価は〈不毛の島〉だったのだ。アヘン戦争当時、あの島にいたのは海賊と僅《わず》かな村民だけだ。香港に赴任した、植民地財務局長のモンゴメリー・マーティンでさえ、香港を、植民地として全くの無価値と報告してきたことが、記録に残っている。戦争で疲弊《ひへい》し、弱体化しきった清朝にとって、香港の価値はあってないようなものだった、というのが事実なのだ――それが、いまでは、大中国の命運を担う一大経済都市となった。とにかく、その香港は、永久にわれわれのものとなった……そのはずだった」

「しかし、たとえ清朝が九九を『永久』の意味で使っていたとしても、それは実際の国際社会では通用しないのではないですか？　数字は数字にすぎませんから……」イタリア当主は、なおも訊ねた。

「もちろん、そうだ。だからこそ、一族は、新たな方策を講じた。このままでは、いざ返還期限となれば、国際的にそんなレトリックを押し通すわけにはいかないと気づいた祖先たちは、別の、いわば『密約』を、新中国政府と、新たに結んだ。その密約には、一九九七年以降の香港を、イギリス連邦の一員に加えることが、はっきりと記されていた。これで、香港は名実ともに、わがものになった。だが、香港を正式にイギリス領とするためには、国際的な承認が必要だ。密約を、いつまでも隠しておくわけにはいかない。われわれは、それを正式な条約にするために、いまにも発表するばかりになっていた。それが、一〇年前――一九八二年のことだ」

長老は、イギリス当主の男爵、ルパートに目を据《す》えた。ルパートは、独特な口調で、解説を加えた。

「その年の九月――サッチャーは、その件を完全に煮つめるために――中国側と会談する予定に――なっていた。しかし、直前になって――われわれは交渉を――白紙に戻さざるを得ない状況に追い込まれた――密約の原文を――ある事故で焼失して」

「なんてことだ!」

一同は歯噛みした。彼ら一族は、一度得た富を手放すのを、恥辱と考える癖があった。

長老は、言った。

「原文がなくては、交渉を続けるのは不可能だった。香港は、その頃すでに、経済的な要地としての地歩を固めていたので、中国側は香港を失いたくなかったのだ。これ幸いとばかりに、強硬姿勢に出てきた。香港を渡してなるものかとね。こちらとしても、原文を提示できないのでは致し方ない。サッチャーと中国政府の会談は、当初予定していたのとまったく反対の結果に終わった。すなわち、香港は、中国に返還せざるを得なくなった。われわれは、当時、中国情報部を疑った。香港を奪《と》られたくないがために、事故を演出したのではないかと思うのは当然だろう。当然、イギリス外務省はこの事件を調査した。しかし、中国側が焼失に関係しているという証拠は摑《つか》めなかった」

誰かが溜息を吐《つ》いた。長老は、その方向にちらと目をやってから、言った。

「ところが、最近になって、その原文が、じつは焼けていないという情報が入ってきた。しかも、それは、われわれの手の及ぶ圏内に入りつつある」彼は、そこで言葉を切ると、執事を呼び、全員のグラスに、再びワインを注がせた。

「原文がわれわれの手に戻れば、イギリスは中国に、中英宣言の見直しを迫ることになろう。そうなれば、われわれの、大陸への野望が叶《かな》う日は、ますます近くなる。ここ数年、中国の経済活動は、急激に活発化している。香港を中継地として、われわれは中国の株式市場を、自在に操るべく資財を注ぐのだ。一二億の人民の金を、すみやかに搾取する。いにしえの中国の覇王たちのように、君臨する。誰もが、気づかぬうちにわが一族の経済的支配下に置かれるのだ」

全員のグラスに、古酒がゆっくりと満たされていくのを、長老は見守りながら、歌うように続けた。

「そうなれば、あの憎むべき国——日本も、揃って必ず、われらが手に落ちよう」

一同の関心が、ひときわ高まった。日本を陥落させることは、いまや、彼らの悲願に近いものになっていた。長老の口元を、彼らは見守った。

「日本は、小国ながら、われわれのシナリオが、裏目に出た唯一の国だ。わが祖先は、第二次世界大戦の終結時に、彼《か》の国に一人の手先を送り込むことに成功した――ダグラス・マッカーサーという男だ。彼は、わが一族に心酔し、われわれの別動隊ともいうべき組織、フリーメーソンの幹部でもあった男だが、よく働き、日本の戦後を事実上、コントロールしたと言ってよい。彼らの思想を骨抜きにする日本国憲法をつくり、日本の政治をアメリカに依存させるべく安保条約を結ばせ、西洋式の暮らしを、彼らに押しつけた。ところが、日本は思惑《おもわく》どおりには崩れなかった。それどころか、われらの目がアメリカやヨーロッパに向いている隙に、アジア第一の経済王国となり、欧米の市場で脅威となるまでにのし上がってきた。われわれは、急いで対策を練《ね》った。それが、ここ十数年の日本叩きだ。あと少しで、その成果は確たるものとなる――莫大な資金を投入してきた結果、日本経済の命運は、あとひと押しで、一族の掌中に落ちるところまで来ている」

再び、長老は一同を見回した。各人のグラスは、濃密なワインでいっぱいに満たされていた。

次世紀の課題を、告げるときが来たのだ。彼は、おもむろに言った。

「次世紀、アジアをわがものとする――そのためには、中国と日本を、絶対に接近させてはならない。彼らが水のように引き合って手を結べば、一族にとって大きな壁になりかねない。中国の人力と日本の知力を、引き離すのだ。引き離しながら、両国を叩き続ける。われわれの思想と金が彼らに染《し》み込み、アジアがアジアでなくなったとき――神はわれらに微笑み給《たま》うのだ」

長老の顔には、笑みがゆっくりと浮かぶ。彼がグラスを掲《かか》げると、一同はそれに合わせて杯を上げ、いっせいに口元に運んだ。

儀式的なときが一段落すると、ルパートがゆっくりと口を開いた。

「まずは、アジア攻略の一歩として——密約の原文が——無事にわれらに戻ることを——祈ります」

若いイタリア当主は、密約に関して、たった一つ心に引っ掛かっている疑問を、長老に投げかけた。

「中国の為政者は、清朝から数えて、二代替わっていますよね。まず、蔣介石の率《ひき》いる国民党。それから、中国共産党へ。彼らは、なぜ清朝の結んだ不利な条約を受け入れたんですか？　それも、香港を完全にイギリス連邦に譲るという密約を新しく結ぶなんてことまでするとは……彼らは、香港を必要としなかったのですか」

長老は、小刻《こきざ》みにうなずいていた。そして、低い声で囁いた。

「ある人物が、われわれの出したある条件と引き換えに、香港を差し出したんだ——そして、それこそが、彼らもまた、血眼《ちまなこ》になって原文を入手しようとしている原因なのだよ」

諜報

——アディールは、いったいどこに消えてしまったんだ？

西条亮は、自室のソファにぐったりと座り込み、頭を抱えていた。彼女に、なんらかの異変があった可能性が高かった。

訪中の予定は、三日後に迫っているのに、アディールと、連絡が取れなくなっていた。彼は、電話を凝視《ぎょうし》した。昨夜以来、考え得るすべての心当たりに、アディールの消息をそれとなく訊ね続けて、ほとんど眠っていなかった。徹夜仕事は、若いときにとった杵柄《きねづか》か、思ったよりもこたえなかったが、心労が胸にきていた。

結果的に、アディールがその艶《あで》やかな姿を目撃されたのは、二日前の夜、ロス出身の上院議員が地元で開いたパーティが最後だった。パーティの後、彼女を見かけたものはいない。いつ姿を消したのか、誰も覚えていなかった。

自分から姿を隠したのではない——たぶん連れ去られたのだ。だが、誰に？

もっとも疑わしいのは、中国政府だ。彼らは、アディールが脅迫者だということを知っている。しかし、もし彼らなら、アメリカで事を起こすのは、いかにも妙だ。訪中時、北京で機会を窺《うかが》ったほうが、よほど得策ではないか？

　イギリス政府という線も、もちろんある。いや、それとも……？

　彼は、疲れて重くなった目を揉《も》んだ。知らず知らず、うとうとしかけたときに、電話が鳴り出した。

「サイジョウ社長？」

　受話器の向こうから、甘ったるい女の声がした。電話をかけてきたのは、ある地方議員の奥方だった。

「ごめんなさい——こんなに早く、お電話しまして。ちょっと、カナダに行っていたものですから」猫撫で声で、彼女は言った。多額の寄付をいつもすみません、と付け加えるのも、女は忘れなかった。

「社長のご伝言、拝見しましたわ——上院議員の晩餐会で、女優のアディールと会ったかどうか、でしたわね」奥方は、思い出すような調子で続けた。「もちろん、お見かけしましたわ——あの方は、目立ちますものね——面識がないので、お話はしませんでしたわ。でも、ドレスがとっても素敵だったわ。流れるようなドレープのシルクで——」

　西条は、ずきずきするこめかみを押さえながら話を聞いていた。アディールのドレスの話は、何人もから、耳にタコができるほど聞かされていた。

「そうそう……アディールは、フランク・ローリンソンとはお知り合いだったのかしら」

「ローリンソン？」

聞いたことのない名前だった。

「ちらっとですけど、フランクがアディールと一緒に会場を出て行くのを見ましたの……後ろ姿ですが。フランクが、映画界の方と親しいとは思わなかったものですから……」

「その男は……何者です!?」西条はいつになく、声高《こわだか》に訊ねた。

「あまり誉《ほ》められた人物じゃありませんのよ。家柄は悪くないんですけどね……、呼ばれていないパーティなんかにも、ずかずか入って来るって、ロスじゃ評判なんです。なんでも実家はボストンの名家とかで、そのせいで、かろうじて面目《めんもく》を保っている男です。これといった事業をするでもなく、信託預金だけで食べていけるという話を聞いたこともありますけど」

——フランク・ローリンソン。

その男が、アディールの失踪に関わっているのか?

西条は、男について聞けるだけのことを聞き出すと、礼を言って電話を切った。男の所在を、なんとかして突き止める。そのためには、ハイパーソニックの持てるすべてのネットワークを使うつもりだった。

訪中に向けて準備されているすべてのプランは、アディールなしには動かない。それだけでなく、万が一、アディールがこの世にいなくなるようなことでもあれば、あの密約は今後、何十年も陽《ひ》の目を見なくなってしまうかもしれなかった。

——そうなれば、ハイパーソニックが中国の家電市場を独占するという夢は、潰《つい》えてしまう。

万が一の場合……そう考えて、西条は続いて、彼の指が記憶している、ある番号をプッシュした。あの男を——開発設計課の、公文俊成を呼ばなくてはならない。

「〈チャーリー〉からの——報告は、どうなっているのかね?」

ロンドンのゴルトシルト男爵邸と、香港の総督府を結ぶホット・ラインは、ここ数日、頻度を増していた。

総督の額には、汗が浮かんでいた。

「それが——連絡が、入ってきておりませんのです」

チャーリーの行方は、香港を発《た》ったまま、杳《よう》としてわからなかった。

「仕事が済んだら知らせる、と言い残したのみで、アメリカへ発ってしまいまして……どこにいるのかも……」

部下を回すという申し出も、チャーリーは断わった。一人のほうが、何事もやりやすいというのだ。

「まあ——いい」男爵は、落ち着いていた。

「もともと一匹狼的なところのある——情報部員だ——いったん死んだような——人間だ——捨て身でやる。それに、アメリカにはわれわれの手駒《てごま》が多い——チャーリーだけでなく——動いている者がないではない。文書は必ず——取り戻してみせる」口調に、確信の響きがあった。

「ところで——ハッキングの首謀者と思われる男が——日本政府の手で香港を出たというのは——本当か?」

「事実です」総督は、いったん引いた汗が、また噴《ふ》き出して来るのを感じた。

フレイザーめ！

総督は、間抜けな上海香港銀行頭取を、心のなかで罵《ののし》った。

頭取のフレイザーは、タカシ・サワキとかいう日本人外交官を、独断で追跡調査させていた。すると、サワキという男は、すでに香港を出ていることがわかった。しかも、サワキに同行して香港を発ったという男女の特徴が、ハッキングのグループのうちの二人と、酷似《こくじ》しており、うち男のほうは、劉日月にほぼ違いないというのだ。

——なぜ、もっと早くわれわれに知らせなかったのだ！

ATVのワゴンがあったのと同じ屋外駐車場に、日本人の外交官の車も発見されたという重大な事実を、フレイザーは、自分一人で処理しようとしていたのだ。そのせいで情報が遅れた。でなければ、彼らが香港を発つ前に何らかの手を打てたはずなのだ。

「日本か——」男爵は、呟いた。「彼らには——さらに思い知らせる——必要があるな——われわれの力を」

メイミ・タンは、ダウンタウンの東にあるユニオン駅の大カフェテリアにいた。鉄道全盛時代、ワシントンの表玄関と言われたこの由緒ある駅は、一九八八年にリニューアルされ、構内にしゃれたショッピング・モールやシアターを持つ名所になっている。

グランド・フロアの広いカフェテリアは、セルフサービス・スタイルで五〇種類もの軽食を摂《と》れるデリカテッセンだった。寿司や、天ぷらの屋台もあり、アムトラックで田舎から出て来たようなカップルが、珍しげにショーケースを覗いているかと思えば、その隣には、駅にほど近い国会議事堂周辺で働いていそうな、役人タイプの白人と、観光客ふうの日本人が、一緒にコーヒーサービスに並んでいるといった具合で、白人、黒人、スパニッシュ、アジア系の誰がテーブルについていても目立つということがほとんどなかった。

そのなかでも、いっそう目立たない端のテーブルに、メイミは腰を下ろした。トレイの上には、彼女が選んで会計を済ませたサンドイッチとダージリン・ティーが載《の》っている。湯気の立った紅茶を啜《すす》り、持参したペーパーバックをテーブルに広げ、読むふりをしながら、メイミは左手で、そっとテーブルの下を探った。指定どおりの日、時間、テーブル。

小さく折畳まれたメモが、すぐに手に触れた。そっと、ジャケットのポケットに紙を滑《すべ》り込ませる。そのまま、何食わぬ顔で、メイミは三〇分も読書を続け、紅茶のお代わりをして粘り、それからようやく、席を立った。

デリカテッセンを出ると、すばやく左右に視線を走らせてから、婦人用化粧室に向かった。

奥の個室の鍵をかけると、勢いよくフラッシャーの音を立てながら、メモを読み、読み終わると、紙を粉々《こなごな》に裂《さ》いて、再びフラッシャーを使い、トイレに流した。

個室を出、時計を見ながらゆっくり化粧を直し、ショッピング・モールに出る。壁に架《か》けられたアド・ボードに、新作映画のポスターが並んでいた。このモールには、九つの映画館がある。

その広告を、メイミは念入りに眺めた。どれを見ようか決めかねている、というように、彼女は首を振り、ポスターを検分した。一枚のポスターの右下に、チョークの目立たぬ印があるのを見届けると、メイミは、意を決したように、ユニヴァーサルのヒット映画を上映しているシアターに足を向けた。

その一五分後、彼女は劇場にいた。週日《ウイークデイ》のことで、場内は込んではいないが、空《す》いてもいない。メイミが選んだ席は、中央通路に面した端の席で、学生らしい若いカップルの隣だった。カップルは、大きな箱に入ったポップコーンを、二人で分けあっている。メイミ自身は、ライトコークを手にしていた。

上映が近づくと、空席は目立って少なくなった。飲み物を手に、席を求めて通路を往き来する者が増えたと、誰もが感じはじめたその頃合に、メイミの脇の通路で、一人の男がよろめいた。

「あ――?」

とっさに、メイミが声をあげたのと、水飛沫《みずしぶき》が跳《は》ね上がったのは、ほぼ同時だった。通路の段差に躓《つまず》いた男が、手にしていた三五〇ミリリットル缶を取り落とし、メイミのスカートには、ドラフトビールの、うっすらと茶色いシミが、見るまに広がっていった。

「すみません」

メイミが声の主《ぬし》を見上げると、時間潰《つぶ》しの営業マンといったスーツ姿の男が、申し訳なさそうに肩をすくめていた。明らかに東洋系の男だ。

「どうしてくれるの」ティッシュでとりあえず液体を拭《ぬぐ》いながら、メイミは抗議した。ビールの発酵した匂いが鼻をついた。隣のカップルは、どうなることかと、興味深げに様子を窺《うかが》っている。

「シルクなのよ――これ。七〇〇ドルはしたのよ。すぐに洗わないと、二度と着られなくなるわ」メイミは、悲嘆に暮れたといった調子で、ベージュ色のプリーツ・スカートをつまんで見せ、主張した。

「私のミスです」潔《いさぎよ》く、男は認めた。

「もしよければ――すぐに、どこかでクリーニングさせましょう」

しぶしぶ、メイミは席を立った。映画を見られないのが心残りだというように、スクリーンを何度か振り返りながら、彼女は男と連れだって、劇場を後にした。

アーケードに出ると、男は前を見たままで低く囁いた。

「振り向くな――尾行者がいる」

メイミは、それには答えず、スカートに広がったシミを気にするふりをした。

「左前方に見える――二軒目のブティックへ入る」男が指示した。

彼女は、あたかも替えのスカートを物色するかのように、あたりを見回した。指示された店のショー・ウインドウには、おあつらえ向きのスカートが飾ってあった。

二人が入っていった店は、高級店らしいつくりで、試着室に、個別のウェイティング・ルームがついている。女性の長い買い物につき合う男性が、他の女性客の目を気にせず、くつろいで待てるよう、プライバシーを保つ工夫が凝《こ》らしてあった。メイミは、ショー・ウインドウに飾ってあったものも含めて、四着のスカートを試着室に持ち込んでいた。これだけあれば、疑われずに、二〇分は話せるだろう。

「アディール・カシマの姿が消えた」

男が、口を切った。

「姿が――消えた？」

メイミは、男の思いがけない言葉に、細い目を、きっと吊《つ》り上げた。

「私に内緒で、攫《さら》ったんじゃないの」

「いや。こちらの手のものではない」

「じゃ、いったい誰が……」

「それが、摑めていない――」

「万一を考えて、彼女の庇護者が隠しているんじゃないの」

「西条がか？　それはないようだ」

この二人は、アディールとハイパーソニックの社長・西条が共同戦線を張っていることを、すでに察知しているようだった。

「ベル・エアのアディールの屋敷に、ハイパーソニックの社員数名が現われて、彼女を探したらしい。だが、結局、徒労のうちに帰って行ったそうだ。それもそのはずで、そこはわれわれの手のものが、隈《くま》なく探したあとだったんだ――もっとも、われわれのほうには、いくぶんかの収穫があったがね」

「何があったの」

「あったんでなく、いたんだ——縛られたボディガードが、二人」

「それで？」

「結局、彼らには、何もわかっていない。パーティ会場で、通常のガードをしていると、ボーイが、そのうちの一人に、家族から電話だと言ったらしい。一人になったボディガードは、アディールから目を離さぬようにしていたが、しばらくすると、別のボーイに、お連れがあちらで倒れています、と言われて逆上し、慌てて別室に移動した。そこで、ドアをあけたとたん、口を塞《ふさ》がれて倒れたというんだな。一方、電話口に出たほうは、電話がうんともすんとも言わぬので、家族と連絡を取ってみたが、嘘だとわかった。急いで戻ってみると、相棒の姿がない。そこに、ボーイがやって来て……」

「さっきの手を繰り返した？」メイミはあきれた。たぶん、ボディガードたちは、FBIあたりのOBに違いない。もしくは、ロス市警あがり。いずれにせよ、あまり気の利《き》く連中ではなかったようだ。

「ともかく、ボディガードの二人は、しばらくこちらで預かっておくことにした。アディールの失踪が、騒ぎになるのは避けたい」

「で、ほかには？」

メイミは訊ねた。

男の物言いは、やけに落ち着いていた。あのアディールがいなくなったというのに。

「糸を引いているのが誰だかは、まだ突き止めていない――が、アディールを攫った実行犯らしい男の目星はついている」

「誰なの」

「フランク・ローリンソンという男だ」

「どこの手の者かは――わからないの？」

「推測ということで言えば――CIA」

男は、銀縁《ぎんぶち》の眼鏡の奥の冷たい瞳を、メイミに向けた。

「――まさか」彼女は蒼ざめた。「彼らが知るはずはないわ」

男は、メイミを見据《みす》えた。

「あんたは尾行されてる――誰かに、疑われているんだ」

たしかに、この数週間、自分に向けた、貼りつくような視線を、メイミは感じていた。だからこそ連絡一つ取るにも、細心の注意を払っているのだ。

それが、彼ら――CIAだったのか？

メイミは考えを巡らした。ドジを踏んだ覚えはなかった。十数年間、諜報の世界に携《たずさ》わって鍛えた勘が、ついに鈍《にぶ》ったのか？　少なくともこの一〇年、メイミ・タンはCIAのために働いている――そう、誰にもそう思わせてきたはずなのに？

「私があなたの――あなたの国の政府のためにも働いていることを、CIAが知ったというの？」

メイミは、自信のぐらついた物言いをした。

彼女は、すべてを完璧に乗り切ってきたつもりだった。ＣＩＡの正式職員として働きながら、他国政府の要請に応じて情報を提供するいわゆる〈モグラ《モール》〉と言われる二重スパイが、立証されたことはめったにない。ＣＩＡを退職した者が他国にスカウトされた例は数多いが、〈現役〉は珍しいと言われていた。メイミは、ＣＩＡには存在しないはずのモールだったのだ。真の雇い主は、目の前にいるこの男の、背後に控えた、アジアの大国……。

もう一〇年あまりも、その事実を、彼女は隠しおおせてきた。いまでは、四十三という年齢にふさわしく、ＣＩＡでは部下も多く持つ立場だ。誰も彼女の別の顔に、気づいてなどいない。それどころか、内部では、彼女がＮＩＯ《ナショナル・インテリジェンス・オフィサー》に抜擢されるのではないかという噂さえあった。ＮＩＯは、ホワイトハウス用にＣＩＡが作成するレポートをまとめあげるセクションの情報分析ブレーンで、スーパー・トップシークレットに目を通す権限が与えられている。一万六〇〇〇人余りのＣＩＡスタッフのなかでも、四〇名足らずしか就《つ》けない、最上級職。メイミは、そのスタッフ候補と目されていた。

——私が北京と通じていることは、誰一人知るはずがないのだ。

メイミは、北京から差し向けられた男・李竣敏《リーシュンミン》に向かって言った。

「たしかに、アディールが、〈密約〉の持ち主だということは、私達の側から——つまり、中国側からしか洩れようがないわ」

メイミ自身、あの女優が〈密約〉に関係していることを、当初は知らなかったのだ。聞かされたのは、この男、リーからだ。リーは表情を動かさなかった。メイミは、構わず続けた。

「だけど、洩れたのは私からじゃない。たとえ、誰かが私を尾行していたとしても、それを知るのは無理よ。私は、ずっとワシントンにいた。『ポスト』で働いていて、ロスには行っていない。むろん、アディールとは接触してないし、彼女のことを口にしてもいない。それに、私に対する尾行は、たぶん——NIOの昇格調査じゃないかしら？　だからそう気にしなかった」

「気をつけることだ」リーは、短く言った。

「CIA内部に妙な動きがないか——注意したほうがいい」

「わかったわ。ここも……早く出たほうがいいわね」

幾重《いくえ》にも注意を払ったとはいえ、長居《ながい》は禁物だった。

「話を済ませましょう。早く」

リーはうなずき、早口で囁いた。

「アディールを連れて行った、ローリンソンという男の行き先は、こちらでマークしている。彼女は、必ず見つけ出す。それこそ攫《さら》ってでも、北京に連れて行く。西条も一緒に」

「それから——彼らは、どうなるの」

「俺は知らない。俺の任務は、間違いなく北京にあの二人を送り込む、それだけだ」

リーは、ぞっとするような声で言い捨てた。

「そんな重要な任務を抱えたあなたが、なぜわざわざワシントンに——私に、何を指示しに来たの」

「ダナ・サマートンという、女のことだ。あんたが上海香港銀行に探りを入れさせた、記者」

「記者じゃないわ、彼女――コラムニストなのよ」そう言って、メイミは、リー自身も一応、新華社通信の特派員という名目だったことを思い出した。「ダナは、香港から帰って来たわ。昨晩、連絡があったわよ」

「報告を受けたのか」

「収穫があったらしいわ。会って話すことにしたの。電話は物騒だし。それに、彼女は、今回の取材が諜報活動の一環とは知らないのよ。情報部の部下と違って、上官への〈ご報告〉というわけにはいかないの」

「彼女は――危険な存在になりつつある」

リーは、ほとんど聞き取れない声で、呟くように言った。

「どういうこと、それ？」

メイミは戸惑い顔で言った。

「われわれは、香港で彼女に尾行をつけた――念のために。あの女は、日本の外務省に関わりがあるのか？」

「いいえ――そんな話、聞いたこともないわよ」

「彼女は、日本の外交官に尾けられていた」

「尾けられて？」

「そのときは、こちらの部員が、尾行途中で見失ったらしいが――それだけではない。彼女は、日本の要人用の専用機でアメリカに戻って来ている」

メイミは、啞然としてリーの口元を見つめた。

「しかも、上海香港銀行上層部と、香港当局は彼女とラオが侵入した後、蜂の巣を突ついたような騒ぎになっているらしい。あんたが思ったとおりに、スムーズに事が運んだわけではなさそうだ」

「どうなってるの」

「あの女の素姓《すじよう》は、調べたのか」

「いいえ。いずれは調べるつもりだったけど……」メイミは言葉を濁《にご》した。こんなことなら、早く調査にかかっておくべきだった。

「ラオは？　彼は君の息がかりか？」

「直接は知らないの。一応は、私が依頼したウォンという男に言い含めてあったんだけれど……」

「そのウォンという男だが、妙なことに、香港から姿を消しているんだ。ラオのほうは、ダナと一緒の専用機でアメリカ入りしている」

「ますます、わけがわからないわ」

「早急に、その、コラムニストとやらに会うんだ。予想以上に、大事になっている可能性がある。無理にでも、すべてを報告させなくてはならない。その結果によっては……」

「結果？」

「女記者が日本人と手を結んでいたり……あるいは、知りすぎていた場合」リーは、メイミの顔を見ながら言った。「始末することになるかもしれない」

筆談

ダナ・サマートンと劉日月《ラオヤアユツ》は、マサチューセッツ街二五二〇番地にいた。通りからは奥まった石造りの洋館の、正面のバルコニーに、日章旗が翻《ひるがえ》っている。建物の外の、黒い鉄のゲートに菊の紋章が鈍く光っているのも、ダナは見ていた。

——なぜ、DCに来る気になったの？

ダナは、薄いティッシュに、音を立てぬように、ペンで質問を書き、ラオに手渡した。この部屋が、誰かに監視されていないとは限らない。監視カメラはどこを探しても見つからなかったが、話し声はキャッチされているかもしれない。大使館の内部には、そのくらいの配慮がされていても当然なのだ。

ラオは、意外なくらいにすんなりと、アメリカ行きに同意していた。沢木によれば、彼は『ラオ・ワールド・オペレーション』によるハイパーソニックの技術盗用問題を、経営者同士で平和裡《り》に解決することに同意したらしかった。こちらで、ハイパーソニックの西条社長に会う、そのために、ラオは一緒に渡米する——ダナは、そう聞かされていた。

だが、本当にそれだけなのだろうか？　ダナは、疑問を感じていた。

いちばん不思議なのは、ラオが香港の日本総領事公邸から逃げ出さなかったことだ。ラオの才覚と智略をもってすれば、あの公邸から抜け出すくらいは、簡単だったはずだ。現に、黄永富《ウォンウインフー》は逃げていた。ウォンが逃げ出したのを最初に聞いたとき、ダナは、ラオが彼を抜け出させたのではないかと思ったほどだ。だが、それについては、ラオは顔を曇らせ、知らないと言ったきりだった。

いま、ラオは、細長い指で、退屈そうに自分の耳たぶを弄《もてあそ》んでいた。お決まりの場所にピアスがない。出国の際に変装したためだ。逆立《さかだ》った金髪が、いまは黒く染め直されて、柔らかく顔の輪郭《りんかく》を覆《おお》うように波打ち、そのせいで彼の謎めいた美貌はよりいっそう際立《きわだ》って、以前よりも艶《なま》めかしく見えた。

――あなたとの約束を、まだ果たしていませんから。

彼はダナからペンを受け取ると、デザイナーのように整った書体で紙の余白を埋めた。

――請《う》け負ったビジネスを、完了させなかったことはありません。

ラオは、以前にも見たことのある、蓮《はす》の花が開くような微笑みを返してきた。

ダナの目が、その笑みに会って、つられるようにパッと開き、生気と耀《かがや》きを取り戻したように見えた。

彼も、続きをやろうとしている――それに新しい課題にも、取りかかるつもりかもしれない。

手元に残ったフロッピー・ディスクの内容を、大使館の端末で再生してみたとき、ダナはその重さに息を呑み、問題の〈文書〉の実物を一目見たいという感想を洩らしたが、それで真実をすべて吐露《とろ》したわけではなかった。彼女自身にまつわるあの話を、いったい誰に打ち明ければいいのか、ダナは考えあぐねていた。

日本の外交官——沢木と都築——は、ダナとラオを拘束《こうそく》するつもりはないと言った。その言葉どおり、ダナは、その気なら、すぐにでも自分のフラットに送ってもらうこともできた。それをしなかったのは、ダナ自身、メイミ・タンという人物に、疑問を抱き始めたからだ。メイミは、なぜ上海香港銀行に目をつけたのか？彼女が恐ろしいほどに情報通なのはどうしてか？それを考えると、メイミにすべてを話すことさえ躊躇《ためら》われた。

沢木喬——？いいえ、彼に話すわけにはいかない。ダナは沢木に惹《ひ》かれていた。自分がここ数日の間に、彼の魅力をいくつも発見していること、そして、おそらく彼はそれ以上に自分に関心を寄せているらしいことに、彼女は当惑していた。最初の探り合いのときから、たぶん、お互いをリストのトップに載《の》せていたのかもしれない。

彼が、外交官でなかったら——ないものねだりとは思ったが、そう考えずにはいられなくなる瞬間を、ダナは何度も味わっていた。日本がこの問題をどう利用するつもりなのか——イギリス、中国のどちらの側につくのか——あるいは、どちらにもつかないのか——判断がつきかねた。

沢木がワシントンに同行して来た意味が、彼女には、ほぼ見当がついていた。自分をマークするためだ。そんな彼に、あのことを話せるわけがない。

ダナの思案をよそに、ラオは、続けてすらすらと、ペンを走らせた。

——失った上海香港銀行の不正行為のファイルのことは、心配しないで。大丈夫ですから。

自信ありげに、ラオはうなずいた。

なぜ、そんなことが言い切れるのだろう？

不正行為の証拠になるファイルをもう一度手に入れるのは、至難の業《わざ》に思える。しかも、ここは香港ではなく、アメリカなのに？

とらえどころのない男。ダナは、ラオが手の内をすべて明かさず、情報を小出しにすることに、時折、言いようのない不安を感じた。それでもいまは、彼の手腕に頼るしか術《すべ》がないようにも思えた。

——お望みなら、あの〈密約〉も手に入れて差し上げましょう。

ラオの口元が微《かす》かに緩《ゆる》んで、優男《やさおとこ》とは思えない不敵な印象がちらりと浮かんだ。

ダナは、茫然と目を見瞠《みは》りながらも、全身に悪寒《おかん》が走るのを覚えた。

「万が一、アディールが明後日に不在だった場合、われわれには、手だてがあるのかね？」西条の声には、焦燥の色が濃かった。

公文俊成にとって、その問いは、全く予期していないものだった。彼は、計画の進捗《しんちょく》状況を質《ただ》されるものとばかり思っていたのだ。

——社長は、おかしくなったのか？

公文は首を傾げた。彼らのプランに、アディールが欠けることは、あり得《う》べからざることだった。

「どうなんだ？　何か考えられないかね？」

苦しげに、西条は繰り返した。その表情から、彼は社長の言わんとする意味を、急に、はっきりと察した。何らかの理由で――おそらく物騒な理由に違いない――アディールが欠ける可能性があるのだ。そうだとすると、問題が、また増えることになる。

公文俊成は、社長から与えられた難題に、つねに完璧なプログラムで答えてきた。表立ってハイパーソニックの製品とは言いづらい、ある戦闘機の自動操縦プログラムは、彼による作品だった。その仕事を成功させたときから、彼は社長の寵児《ちようじ》になっていた。西条亮は小型ジェット機の操縦が何よりの趣味で、公文は彼の所有する専用機用にも、試験的なプログラムをいくつか作っていた。

公文は、額に落ちた前髪を指で払いながら眉を上げ下げした。壁に突きあたったときの彼の癖だった。

「社長もご存じのとおり、保護されるべき〈文書〉は、戦闘機なみの強度を持つ合金製の〈殻《カプセル》〉に納められています。卵形の〈殻〉は、ぴったりと一分《いちぶ》の隙もなく合わさり、いくつかの条件が重なった下《もと》でしか開きません。まず、日時が正確であること。この日時は、明後日、一九九三年二月十四日、午前四時から十時の間にプログラミングしてあります。さらに、一人の女性がその〈殻〉に触れると同時に、話しかけること。つまり、掌紋認識と音声認識により、〈殻〉がアディール・カシマ本人を認識することが絶対条件なんです」

公文は、ここまでをひと息で話した。

「それは承知の上だ」西条は苦《にが》い顔をした。順序だてて話すのが公文のやり方と知ってはいたが、もどかしくもあった。「訪中先で彼女が〈殻〉を開くように、プログラムのセットを君に依頼したのは私だからな」

二月十四日、アディールは訪中し、長老と会見する。彼女は長老と契約書を交《か》わし、それと交換に〈密約〉を中国側に引き渡す。

この日は、西条が、香港の衛星放送チャンネル、スターTVのCMを買った日だ。彼がスターTVに送り込んだスタッフは、アディールと中国側の交渉の進み具合によって、CMのフィルムをまったく違うものと入れ替える。中国側が彼女と西条の条件を呑み、アディールを無事に出国させれば、何の変哲もない新製品のフィルムがオン・エアされ、もしアディールの身に異変があれば、否応《いやおう》なしに〈密約〉にまつわるすべてがアジア各国に流れる。

もちろん、第二の映像の内容は、まだ誰にも知らせていない。香港のスタッフは、放映直前に、西条から映像を電送で受け取る手筈《てはず》になっている。

公文に作らせた〈殻〉は、会見場まで、アディールの無事を確保するための仕掛けの一つだった。彼女が会見の前に危険に曝《さら》されれば、文書は〈殻〉から出なくなる。

――中国側は、それを知っているはずだが。

詳しくは伏せたが、アディール自身が文書を守る鍵になっていることは、中国側には伝えてあった。とすると、彼女を攫《さら》ったのは、彼らではないのかもしれない。それとも、アディールを痛めつけるつもりか？　あるいは彼女自身と引き換えにするつもりで……？

だが、いまのところ、どこからも、脅迫めいた要求はなかった。もっとも、西条がアディールの後ろ盾《だて》になっていることに、誰かが気づいていればの話だったが。

もし、アディールと引き換えに〈文書〉を渡せという条件が出されたら――？

西条は首を振った。答えは、ノーだ。〈殻〉がこちらの手元にある限り、自分は中国側と交渉し、利益を求めようとするだろう。たとえ、彼女の存在を無視しても。それが、一二万人の社員を持つ社長の論理だ。

だからこそ、こうして公文を呼び、アディールなしでの方策を問うてもいるのだ。

「彼女なしで〈殻〉を開けるのは、不可能なのか？　設計者の君を以《もっ》てしても？」

問われた公文は、小さな吐息を洩らした。

「可能性が、全くないとは言えません。ですが、あると言うのは、無理です」

「なぜだね」

今度は、西条はダイレクトに切り込んだ。ビジネスが難局にさしかかったとき、彼はものごとを的確に摑《つか》もうとするのだ。

「掌紋認識に関しては、問題ないんです。彼女の掌形および掌紋は、データを数値に置き換えて保存してあります。この数値を特殊パッドで再現し、パッドを〈殻〉の球面にあてて、数値を読み込ませることが可能です」

「では、問題は音声認識かね」

「音声そのものも、再現は可能です。音声データも、結局のところ、声をディジタルで表現した数値にすぎませんから、電気的に合成することは、技術的には可能です。アディールの声のサンプルは、保存してありますし、音声認識は、微妙なトーンが変わっても対応できるよう、認識にかなりの幅を持たせてありますから、それを基《もと》に組み立てることもできます」

「それでは、何がネックなんだ」

「パスワードです」

「パスワード？」

「パスワードというより、パスフレーズと言ったほうがいいかもしれません。アディールは〈殻〉に話し掛けることになっていますが、一単語ではなく、文節でできたフレーズを話すんです。そのフレーズが、ぴったり合えば〈殻〉は開く。ただし、彼女がどんな言葉を選んだのか、僕は知りません。知っているのは、おそらく彼女ただ一人でしょう」

西条は、落胆を隠しきれなかった。

「類推しかないということだな」

「はっきり言えば、そうです。それに、いまからそれに取りかかるとして、一日半で幾つの言葉を試せるか――そう考えると、時間はゼロに近いんです」

苦渋に満ちた呻《うめ》き声を、西条は洩らした。

――彼女を見つけるしかないか。

「問題は、ほかにもあるんです。社長」

公文は、この機に乗じて、プランの最終的な段階に生じた誤算を、社長に打ち明けてしまうつもりだった。

西条は、眉を寄せたまま公文を見据《みす》えた。

「どういうことだ」

「このままでは、中国側への侵入が、うまくいきません」

「なぜだ！」思わず、西条は怒鳴った。

彼らは――西条とアディールは――アメリカをこっそり出国し、中国に隠密裡《おんみつり》に入る計画を立てていた。

アディールは得体の知れない〈殼〉を所持していく。米国側の税関が、それを黙って見過ごすはずがない。通常ならば賄賂《わいろ》も考えられるが、CIAが動いているかもしれない状況下では無謀に過ぎる。さらに、中国側で、ものものしい拘束を受けるのもご免だった。

西条は、〈殼〉を運ぶために、自家用機を使うしかない、と意を決していた。ビジネス・ジェットで、ワシントン郊外を発ち、北京に降り立つ。

もちろん、仕掛けなしにこんなことができるわけがない。国境を越える飛行機は、個人の所有であっても、必ず出入国管理官のチェックを受ける。しかし、西条はすべてを無許可で潜《くぐ》り抜ける気だった。

公文の立てたプランでは、それが可能だった。西条は、ワシントン郊外の小さな空港から、観光旅行という名目で、北米方面へ飛び、ミシガン州北部の地方空港で給油してワシントンへ戻るという正規のフライト・プランを合衆国のATC（航空交通管制）に偽名で提出する。ワシントンから国内へ戻るフライトならば税関はノーチェックですむ。給油することは、荷物や人を降ろすわけではないので、荷物チェックには無関係なのだ。アメリカ北部の景観を、上空から楽しむ観光飛行——これなら誰も怪しまない。そうしておいて、実際には、給油を済《す》ませた後、ビジネス・ジェットは北米から北京に向けて進路を変える。

問題は、レーダーをどうするかだ。合衆国の航空識別圏を通過する飛行機は、すべてレーダーに捉えられる。レーダーで割り出された高度・速度・飛行位置は、コンピュータに連動し、機がフライト・プランからそれれば、即座にチェックされる。進路が大きく外《はず》れていけば無線連絡され、それでも外れ続ければ、戦闘機に阻止される結果になる。

公文は、ATCと軍のコンピュータに侵入して、西条の機の実際の進路をレーダーから消してしまい、代わりにフライト・プランどおりのデータを映し出すプログラムを作り出していた。

さらに、西条の機が国境を出しだい、フライト・プランはコンピュータから跡形《あとかた》もなく消える。そうなれば、追跡調査は不可能だ。

同様に、公文は西条の機が通過するいくつかの国の領空で、コンピュータの目をくらます準備を整えていた。

北京に着陸時には、公文は、西条の機があたかも中国国内からフライトしてきたように見せかけるつもりだった。そのために、彼は北京の管制で動いているコンピュータ・システムに入り込むことに成功していた。

ところが、彼は最終段階で、難題に突き当たっていた。その事実を、彼は西条に告げなくてはならなかった。

「じつは――人民解放軍総政治部・空軍のシステムへ通じるルートが、どうしても発見できないんです」彼が西条を見つめながら言った目の底に、重責を果たせないことへの自責があった。「空軍のシステムへの侵入は、人民解放軍のレーダーのデータを操作するためにどうしても必要です。ですが、あの国から、情報をオープンで取り出すことは、当初の想定よりもずっと難しいのです。公《おおやけ》にされている組織図からは、何も出てきません。米国国防省からも、できるだけ情報を集めてみたのですが……」

「システムへの入り口が見つからないのか」

西条は、嘆息し、肩を落とした。問題が多すぎ、時間は少なすぎる。

「中止を……覚悟する必要があるだろうか」

すべてを一から始めるには、莫大な再投資が必要だった。そして、それ以上に、目標に向かって張りつめた気力を、さらに先まで維持することが至難に思えた。アディールの身に火の粉《こ》が降りかかってきたという事実は、何者かが間近に迫っているということだ。先延ばしにすればするほど、危険度は増す。

「信頼できるかどうか――」

公文が、ぽつりと呟いた。

「何だね」

「噂にすぎないのかもしれませんが——僕がネットワークで親しくつき合っている情報提供者の一人——企業のコンサルタントをする一方、データベース・ハッキングで法外な報酬を得ている男ですが——そいつの話では、香港の深水埗《シェムソイポ》に、中国共産党と人民解放軍のシステムに、滅法《めっぽう》強い男がいると……」

西条は、ハッと顔を上げた。公文は、続けた。「僕は、その男に一縷《いちる》の望みを託していました。協力を依頼するために、連絡先を探しもしました……だが、その男は、ここ数日行方がわからないというのです」

「劉《ラオ》……」

西条は、唐突に呟いた。今度は、公文が不意を衝《つ》かれた。

「劉日月《ヤァユッ》というのだろう……その男は？」

社長の口から、問題の男の名がすらりと出たことが、公文には意外だった。

「ご存じなんですか……彼を？」

「名前だけだ」西条は、忘れていたことを思い起こすように言った。「ラオ……たしか、たしかに……そういう名だった。二日前に、日本の外務省が、その男に会えと言ってきた」

「外務省が？」

なぜです、というように、公文は身を乗り出した。

「アジア市場で、わが社の製品の海賊版が横行している。香港の業者がそのリーダーシップをとっていると睨んでいたんだが、先日、外務省の調査局が、ついに首謀者を突き止めた」

「それが……ラオという？」

西条はうなずいた。

「ある種、天才肌の男らしいな。電子工学の知識が、並ではないうえに、才覚もあるという話だった。外務省は、その男を米国に連れて来た。私との面談で、直《じか》に制裁措置を決めてほしいということらしい」

「では、彼はこちらに来ているんですか？」

公文は声を高くした。

「人物に興味もあり、会うにやぶさかではなかったんだが、この数日は、それどころではなかった」

瑣事《さじ》にかまけている暇はなかった。外務省の要請を、西条は延ばし延ばしにして来ていた。

「だが」彼は、一瞬、躊躇《ちゅうちょ》した。「外務省の話では、ラオはブラック・アソシエーションと繋《つな》がっているという話だった」

公文も、それを懸念《けねん》していた。

「最初に、信頼できるかどうか、と申し上げたのは、その点なんです。彼に関して聞こえて来るのは、必ずしも、いい噂ばかりではありません」

しかし、西条の決断は早かった。迷いを振り捨てるようにきっぱりと顔を上げたあと、彼の言葉にためらいはなかった。

「その男に会おう……計画は、私がダメを出す極限まで続ける。アディールは必ず探し出す。並行して、君は彼女のパスフレーズの解読を進めてほしい。両面で、万全の力を尽くす。これは決定だ」

西条の顔に、生気が戻っていた。何度もビジネスの修羅場《しゅらば》をくぐり抜けてきた者だけが持つ直感——起死回生《きしかいせい》の逆転に、彼は賭けていた。

ダナ・サマートンは、さんざん歩いた。角という角で曲がり、何度も人込みに紛《まぎ》れるということを繰り返したあげく、街頭で、いきなり振り返った。

迫って来る男の姿が眼に入った。

彼女は、全速力で走った。ただし、逃げたのではない。その逆だ。

カフェの角に佇む男のシルエットに向かってつかつかとつめ寄り、ダナはあきれ声で言った。

「あなたって人は……何て尾行が下手《へた》なのかしら」

「隠れているわけじゃない」沢木喬は、悪びれずに言った。「秘密を抱えて歩く、足の速いコラムニストに、用があってね」

「それなら、いままでに、いくらだって訊く時間があったじゃない。あなた方が帰ってもいいと言うから、大使館を出たのよ。これじゃ相変わらずだわ。いいこと、私は自由なのよ」

「認めるよ。だけど、君は運動不足だったろ？　たっぷり散歩できたじゃないか。それに、一日くらいは、ボディガードがいたっていい」

ダナはかぶりを振った。だが、心のどこかに心細さがあるのは事実だった。だからこそ彼を本気で撒《ま》かなかったのだ。

「家に帰るんだろ？」沢木は言った。

「それしかないでしょ」不承不承《ふしょうぶしょう》、ダナは答えた。「尾《つ》けられてるのがわかってるのに、ホテル暮らしなんて、お金のムダだもの」

沢木は、声を上げて笑った。

「それなら——その前に、食事しないか？ 歩きすぎのコラムニストに必要なだけの料理とワインの勘定ぐらいは、僕が責任を持つよ」言いながら、彼は、脇に抱えていた小さな包みを、ダナにかざして見せた。「食事がすんだら、君の家でこの興味深いビデオを見よう」

ダナの心地《ここち》よい酔いは、画像のなかで動く自分自身を見て、いっぺんに醒《さ》めた。

二八インチ・モニターに再生されたビデオ・テープは、大使館のなかの一室を映し出していた。

「これは——」

ダナは、絶句した。

画面のなかに、ラオとダナが映し出されている。大使館内で、筆談を交《か》わしているところだ。

「このたわごとは、いったい何？」ダナはぴくりと身を引いた。「卑怯《ひきょう》よ——隠し撮《ど》りするなんて！」怒りの叫びだった。

「僕には見えた」沢木は、彼女の怒りを気にする様子もなく、言った。

「どういうこと？　何が言いたいの、こんな真似《まね》をして」

「ここだ」

沢木は、ある場面で、スロー再生に切り替えた。ラオが何か書いているところだ。

「香……」沢木は、画面のなかのラオの手元を、喰い入るように見つめて、言った。「……銀……の不……正行……為フ……イル」

彼は、続けて繰り返した。

「上海香港銀行の、不正行為ファイル」

ダナは、唖然《あぜん》とし、瞬間、怒りを忘れた。

「読んだの——筆談を？」

「そう」沢木は応じた。「君は〈密約〉のことだけじゃなく、もう一つ秘密を匿《かく》していたんだ。上海香港銀行が、不正行為をしているというスキャンダルを」

「大スクープだもの」ダナは言った。「探ってたことを匿《かく》して当然でしょ」

「君達は、探っただけじゃなく、証拠を持ってたんだろう？　僕が密約のディスクを返したとき、たしか君はこう言った。『もう一枚は!?　どこなの！』」沢木は続けた。「屋台で初めて逢ったとき、君はBCCIのことを考えていた。それは、BCCIが上海香港銀行と同じような不正事件を起こした銀行だからだ」

ていた。

「だったら、どうだって言うの！」

ダナは、突然、感情を爆発させた。いつの間にか、恋人に裏切られたような気持ちになってい

「私のことは放っといて！『ポスト』は公正な一流紙なのよ。日本政府だか何だか知らないけど、口出しなんかさせない！　記事を政治の道具になど、させない！」

出し抜けに立ち上がったとき、急激に戻った酔いが、ダナを襲った。意に反して、自分の身体が沢木の胸にふわりと落ちるのを、彼女は感じた。

怒りが、ダナの瞳を潤《うる》ませ、沢木にはそれが宝石のように輝いて見えた。

踏み出してはならないと、身体の奥で声がした。だが、その声は、しだいに遠くなり、ついには、消えた。

男と女、どちらにも、逡巡《しゅんじゅん》があった。

そうなろうとしたのが、沢木だったのか、ダナだったのか、二人とも考えたくなかったし、考える暇もなかった。

ただ、優しい闇があった。二人を結びつける闇の中で、一切の思考が途切れ、互いの肉体の曲線がぴったりと重なり、誘うように押しつけ合う長い時間が続いた。

求め合う間、沢木は、彼女がすべてを話してくれているような錯覚を感じていた。

ダナの肌は、生掛《なまが》けの白磁のように温かみのある生成《きな》りで、しっとりと潤み、沢木をどこまでも沈み込ませた。甘い吐息が、幾度も瞼《まぶた》や頬をなぶる。

――この女を、待っていたのか？

極《きわ》まり、突き上げた瞬間、経験したことのない、特殊な感懐が胸に落ちた。

彼は、新しい感情を、茫然と受け容《い》れた。

彼女と、すべてを分かち合いたくなっている。

だが、それを、どこまで深めればいいのか――おそらくともに同じ思いで、二人は眠りに落ちた。

朝になり、甘美な疲労感を伴《ともな》った静寂が訪れると、避けられぬ疑問が戻って来た。

二人のどちらも、言葉を話そうとしない。触れ合っている肌は、いったん溶《と》け合った気持ちの余韻を残して温かかったが、現実は否応《いやおう》なく押し寄せてくる。

沢木は、すでに半分以上覚醒している頭で、この状態を考え始めていた。おそらく、ダナも同じに違いない、と彼は思った。それを口にする代わりに、彼は彼女の細い腰に巻きつけた腕に、そっと力をこめた。外交官として、担当中の件の関係者と、関係を持つことは、規範を越えている。

にもかかわらず、身体を交《か》わした後の、ダナの存在は、さらに圧倒的に彼の胸を打っていた。

その反面、彼は自分の成《な》すべきことをも、忘れるわけにはいかなかった。

ゴルトシルト財閥の経済的な日本バッシングを、食い止めるという仕事がある。上海香港銀行を経由した汚れた資金で、日本の命運を握ろうとしているゴルトシルト。

彼らを黙らせる材料の一つは、不正な取引きの証拠。そして決定的なのは香港に関する〈密約〉の原文だ。

それを手にすることで、日本は彼ら一族に対して、優位に立てる。調査局に配属されて以来、日時にすればほんの僅《わず》かしか経過していないにもかかわらず、沢木は自分の周《まわ》りで、世界が音を立てて動いているのを体感していた。静かに一九九七年を迎えようとしているかに見えた香港が、実際は熱く滾《たぎ》っている。イギリスと中国の、香港を巡るバランスは、限りなく危うい。

密約が、イギリスに戻れば、香港は揺れに揺れるだろう。返還問題は、白紙になりかねない。

逆に、中国側が入手すれば、何事もなかったように返還が行なわれることになるだろう。

──それ以外の国が、密約を手に入れた場合は？

沢木は想を進めた。

間違いなく、自国の外交の切り札とするだろう。とくに、中国との取引き材料として。二十一世紀のアジアを左右する可能性が高く、もっとも重要視されている大国に対する、絶好の切り札なのだから。

ふと、疑問が頭を掠《かす》めた。

──〈密約〉に気づいているのは、日本だけなのだろうか？

アメリカが、どんなに中国にアプローチしたがっているか。ここ数年で、彼らは、莫大な対中投資を行ない、経済面ではそれなりに成果を上げている。だが、ネックもある。イデオロギーの問題だ。

〈密約〉は、その面でかなりの譲歩を中国側に強《し》いることのできるジョーカーになる。

アメリカに、中国に対する主導権を握られると、日本の立場は弱くなる。日中米の三国のバランスを考えると、アメリカに中国の弱みを握られるのは、望ましからぬことだ。

日中米の関係について、彼は独自の見方を持っていた。見方というより、理想と言い換えたほうがいいかもしれない。外報部記者時代に芽生えたその思いを、入省してからも捨てていなかった。

——中国の目覚め方によっては、新しい東洋の時代が拓《ひら》ける。

沢木は、幾度も繰り返し考えたシナリオをいま、また辿《たど》っていった。

獅子が目覚めるとき——それは、中国の、一二億の人々が、世界に対等に向き合うときなのだ。中国の国力が増したいま、その時はもう目前に迫っている。おそらく、今世紀中か、次世紀の初頭に、国のパワーが飛躍的に増す、夢のような十数年間が、かの国にも訪れるだろう。日本や、韓国がそうだった。だが、獅子の国の人々には、先の二国の例に倣《なら》ってほしくない。

高度成長期、日本は多くを得た代わりに、多くを失った。その多くは、目に見えないものであるにもかかわらず、貴重なもの——誇りと呼ぶに価《あたい》するものだ。長い歳月、時間が紡《つむ》ぐようにして作りあげてきた手の仕事、自然の理に適《かな》った習慣と衣食住の妙、日向《ひなた》だけでなく陰をも美徳とする思想、国の景観。それらが醸《かも》し出すゆったりとしたリズム。

失って初めて、慌てて取り戻そうとしている物事の、何と多いことだろう。

あのときは、皆、気づいていなかったのだ——欧米だけがすべてではないことに。

沢木が外報部時代に訪れた中国の大都市では、路地を覗けば、家々の軒先《のきさき》に小さな椅子が並び、老人がくつろぐ風景があった。彼が育った東京の下町に、縁台を出して夕涼みする老爺《ろうや》の姿はもう、ない。

中国よ、もっと意識的に、賢《かしこ》く目覚めよ。

もっと東洋的に、誇り高く。

獅子の目覚めに、日本はその意味で、力を貸すことができる。自らの苦《にが》い経験を、伝えることが。中国を、単に力で西洋化させようとするアメリカをはじめとする西欧のやり方は、世界にとって貴重な宝を失うことにほかならない。

アメリカは、むりやり起こされた者の痛みをわかっておらず、中国をも、自国の論法で急激に叩き起こそうとしている。だからこそ、獅子がゆっくりと目覚める十数年の間、日本と中国が歩調を揃え、アメリカとは一線を画すことが必要なのだ。

一二億の東洋人が、心地《ここち》よく目覚めたとき――東洋に、新たな日が昇る。東の風のなかで、日本人も誇りを取り戻し、世界のなかで居心地の悪い思いをしなくてもすむ。

沢木は、知らず知らずのうちに、想が纏《まと》まり、心が決まりかけてくるのを感じていた。〈密約〉は、ゴルトシルト家はもちろんのこと、イギリス側にも、アメリカにも渡るべきではない――それだけは確かだった。

彼は頬杖《ほおづえ》をつき、ダナの瞳を覗き込んだ。

絹の薄いガウンを透《す》かして感じ取れる、なだらかな乳房の隆起を、沢木は愛《いと》しく感じた。

「どうするつもりなの」ついに、ダナが唇を開いた。ずばりと訊《たず》ねる内容だったが、声は温かかった。「あなたは、これ以上のものを私から得ることができると、期待しているの？」

「これ以上のものなんて、この世にはあるわけがない」沢木は、正直に言った。彼女を見ていると、時間が正確に過ぎていくのさえ惜《お》しい気がした。すぐにでも、もう一度愛し合いたい気分だ。「でも、聞きたいことなら、山ほどある——話したいことも」

「話したいこと？」

ダナは戸惑った。私から訊き出したいことがあるのは、わかる。でも、話したいこととは……彼は、日本がどうするつもりか、話すというのだろうか？

「フェアにやりたいんだ」沢木は、言った。

「お互いを、標的にしても、何の利もない。カードを見せ合って、二人にとって、最良の結果を見つけ出す——そうしないか」

口調に、真摯《しんし》なものがあった。ダナは、迷った。いままでの経緯《いきさつ》を、話すべきだろうか。それに、私自身のことも……？

彼にすべてを打ち明けて、相談することができたら、どんなに楽になるかしれないという気持ちが、胸の底で疼《うず》いた。が、口をついて出て来た言葉は、違っていた。

「いまは、無理なの」

沢木の目に、失望が浮かんだのを見て、ダナはベッドから出た。

「コーヒーを淹《い》れるわ」

ガウンの上に、ゆったりとしたカーディガンを重ねて羽織り、髪を振り立てるようにして、鮮やかに整える彼女を、沢木は目で追った。明らかに、彼女は意志を持った生物だ。そのことは、彼を苛立たせると同時に、恍惚とさせた。

「君の望みは——何なんだ？　ピューリッツァ賞かい」

キッチンへ向かおうとしていたダナは、立ち止まって答えた。

「ジャーナリストである前に、私は人間なのよ——個人的に、とても知りたいことがある、ただ、それだけ。あなたに話すかもしれない——いえ、たぶん、話すわ。でも、いまはまだ、準備ができていない」

「もう一つだけ……君は、〈密約〉のことを、すぐに記事にするつもりなのか」

「それなら、簡単だわ」ダナは、きっぱりと言った。「答えは、ノーよ。あのディスクだけでは、確証にならないもの。原文の存在を摑むことが先」

ダナの口調に、いくぶんか上気したところがあるのを、沢木は聞き逃さなかった。密約の、何らかの手掛かりを、彼女は摑んでいるのか。

「『ポスト』には話すのか？　君の知り得たことを、すべて？」

それには答えず、ダナは、静かに部屋を出た。

沢木は、彼女が、〈密約〉のことをすぐには記事にしないと言ったことに、ほっとしていた。記事になれば、中国側が不利に追い込まれる。もちろん、イギリス側も、多少の非難を受けることは、覚悟しなければならないだろうが。

だが、『ポスト』に——メイミ・タンに話すのは、まずい。ダナに、メイミの実像を、告げるべきだろうか？　メイミが、じつはラングレーの人間だと知ったら、ダナは考えを変えるだろうか。

淹ればなのコーヒーの、香ばしい匂いが漂《ただよ》って来た。ローストの具合がほどよい感じだ。

そのとき、固い床に陶器が落ちて、割れる音が響いた。

——ダナ？

沢木は、跳《と》び上がった。襲われたのか、と思ったときには、体がもう部屋を半分、出ていた。

キッチンに、無傷の彼女を見たとき、彼は心《しん》から安堵した。彼女は、立ちすくみ、足元には、粉々《こなごな》に割れたエインズレイのカップが散っていた。イギリスの上流家庭で、よく見かける柄《がら》だ。

ダナは、ぼんやりとした顔で、握り締めていた『インターナショナル・ヘラルド・トリビューン』を沢木に差し出した。彼女を驚かせた記事が、ここに載《の》っているのは疑いもなかった。さほどボリュームのない記事の見出しに、彼は目を落とした。

〈トロントで、中国移民が変死——海を渡ってやって来たチャイニーズ・マフィアの仕業《しわざ》か？〉

何行も読まぬうちに、殺された男の名が目に飛び込んで来、沢木は呻《うめ》いた。

カナダで死んだ男——それは、黄永富《ウオンウインフー》だった。

狙撃

妙な監禁だった。

アディールは、ベル・エアの自分の家にいるような気がしていた。温水の五〇メートル・プールに、見事なインテリア・デコレートの施《ほどこ》された天井の高い部屋。よく冷やされたシャンパンに、季節の花で溢《あふ》れんばかりの花籠。この家の持ち主は、きっと『アーキテクチュラル・ダイジェスト』に、家の写真を載《の》せているに違いない。かなりの資産家であることは確かと、彼女は見ていた。

ひとつの部屋に閉じ込められるというでもなく、広い邸宅の、どこに行くのも自由だった。コレクションといっていい、無数の彫刻やタピストリー、絵画に陶器。どこにでもついて来る見張りの男たちの存在さえ忘れてしまえば、快適なヴァカンスと思えるかもしれなかった。

明るいプール・ハウスのなかで、アディールは赤と白の縞《しま》の寝椅子に寝そべっていた。そんな気分ではなかったが、ほかにしようがない。彼女は目を閉じて、焦《あせ》りそうになる自分を抑《おさ》えた。

アメリカを発《た》つ予定が、明後日に迫っている。

——西条は、私を探してくれているかしら？　たぶん、必死に探しているだろう。この取引きに、彼だって賭けているのだから。ただ、時間がない。チャンスがあれば、逃げ出したい――でも、どうやって？

見張りの男は、二人。電話を脇に置き、彼女から数メートル離れた椅子に、並んで掛けていた。アディールをここへ連れてきた男たちとは、違う。たぶん、見張りのためだけの要員だろう。やや太めのマッチョと、のっぺりとした優男《やさおとこ》。アディールは、勝手に、太めの男をピーター、優男をポールと名付けていた。彼ら以外に、人を見かけたことはないが、広い屋敷のどこかには、誰かいるのかもしれない。

男二人が見張りでは、どちらかを、そこらにある重い花瓶で殴って逃げ出す機会を作るというわけにはいかない。

唯一、見張りが一人になるのは、午後五時からの、ほんの二〇分ほどの間だけだ。

この三日間、ピーターはきまって毎夕五時に、どこかへ食事を調達に行く。運んで来るのは、豪華な邸宅で食べるには情《なさ》けないファスト・フードだ。酒だけは、高級なものが、バーにふんだんに用意されているのが、アンバランスだった。

見張りがポール一人だけになるときは、彼らは必ず、このプール・ハウスにアディールを軟禁した。ここは、外から鍵がかかる造りになっている。ピーターは、ポールとアディールをプール・ハウスに閉じ込めて、外に出て行くのだ。

夜は、アディールは完全な密室に閉じ込められる。二人の男は、交代で眠っているようだった。

いったい、どうするつもりなんだろう？　もう三日も、無為《むい》に私を、ここに置いておくなんて、何者にせよ、あまり手際《てぎわ》がよくない。

アディールは、優雅に寝そべりながら、薄目をあけて、男たちの様子を窺《うかが》った。彼らはあまり口を利《き》かない。ピーターは、トム・クランシーのペーパーバックを読んでいる。CIAの人間だからかしら？　それとも、ただのフリーク。ポールのほうは、任天堂《にんてんどう》のものらしいポータブル・ゲームに余念がない。

不意に、携帯のコール音が、プール・ハウスに響いた。誰かが、男たちに指示を出しているのだろう、一日に数度、電話は鳴った。男たちは、いつもきまって、イエスかノーでしか答えなかった。ポールが出て、ぼそぼそと低い声でのやりとりが数分続き、電話は切れた。

「何なの？」アディールは体を起こし、しどけないドレスの裾からまっすぐ伸びている、日焼けした長い脚を組み替えながら、男たちに、ニッコリと話しかけた。

ほとんどの場合、二人は、きまり悪そうに目を逸《そ》らし、沈黙を守る。彼らは、アディールとの間に、然《しか》るべき距離を保っていた。上の指示を守る人種。

だが、いまは、ポールが口を開いた。

「明日は、あんたに、ここを出てもらう」

「どこへ行くの？」

「話しに行くんだ」

「誰に？　何を？」

それ以上は、彼は答えなかった。

現在いる場所は、たぶんロスの郊外だ。明日中には、ロスからワシントンに向かわないと、西条と二人で準備した計画には間《ま》に合わない。ここを離れたら——どこか遠くへ連れて行かれたら、アウトだ。

——今夜、やってみるしかない。うまくできる自信はないけど、いちかばちか。

賭けるだけの——やるだけの意義はあるはずだ。

心のなかで、彼女は、ずっと昔に撮《と》った映画のシーンを思い出していた。その頃、彼女は名もない脇役で、いつも回されるくだらない役を、懸命にこなしていた。

一生懸命だったわ。東洋系というだけでハンデがあった。だから、皆が嫌がる役でも構わなかった。思い出すのよ——あのときの、ぞっとするようなシーンを。体を張ってまで取った役、忘れるはずがないわ。

——夜にそなえて、コンディションを完璧にするのよ。

アディールは、再び寝椅子に横たわり、いつの間にか軽い寝息を立て始めていた。

邸宅から、そう遠くないプライベート・ヴィラでは、二人の男がジャクージにつかっていた。

森に囲まれた贅沢なヴィラは、一戸一戸にプールと中庭がついた隠れ家ふうの造りで、姿を隠したいときや、内密の会談にはもってこいの場所だ。

利用客のほとんどは、互いしか目に入らないカップルで、人目を避けたい組も多く、棟同士は上手に隔《へだ》てられていた。

ジャクージは、絶えず涌《わ》き出す泡のせいで白く靄《もや》っていた。

「支局長は、明日、出張から戻る」

スイムウェアを着けた体を、浴槽に沈めながら、フランク・ローリンソンが言った。

「ようやく、肩の荷がおりるな」

もう一人の男、リチャード・フェイガンは、水泡が腰にうまく当たるよう、体の位置を少しずつずらした。

「上官への報告なしに、ことを運ぶのは、骨が折れる――とくに、VIPが関係する場合は、なおのことだ」

フェイガンは、自分がオスカー女優に、銃を突きつけたことを思い浮かべた。

「あんなことをして、本当に構わなかったのか？」

「もちろんだ。この件は、報奨ものだぞ」ローリンソンは、満足げな笑みを浮かべた。「大物の二重スパイが懸命に追っていた獲物《えもの》を手に入れたんだ。いままで、陰で動いていた甲斐《かい》があった」

二人は、CIAの同僚だった。

「しかし、あのメイミ・タンが、中国の工作員だったとは……。支局長は、卒倒しかねないな」

フェイガンは、感心してみせた。実際彼は、ローリンソンが、なぜこんな大きなヤマを嗅《か》ぎあてたのか、訝《いぶか》しんでいた。毎週末に作成する「情勢報告」のレポートさえ満足にやらないので有名な男なのに。

ローリンソンは、支局員のなかでも、図抜けて家柄のいい男だった。ある議員のコネでCIAに就職したという噂さえ、聞いたことがある。フェイガン自身も、まあ誇れる家系だった。子どもの頃から、ローリンソンとはパーティでよく会う間柄《あいだがら》だ。

いまでも、ローリンソンの情報源は、もっぱらパーティでの噂話で、そのために、彼のいい加減なレポートは、上の上まで閲覧される。信憑性《しんぴょうせい》よりも、話題性に満ちているのだ。そんな彼が、支局長どころか、長官までも震撼《しんかん》させかねないような情報を摑んだのが、フェイガンには不思議だった。

「まったく、たいした話だ。ネタもとは、どこなんだい」

ローリンソンは、顔についた水滴を片手でぶるんと拭《ぬぐ》うと、得意げに耳をひくつかせた。

「発端は、とある淑女の嫉妬心さ」彼は、自分の功を語るのが、嬉しくてたまらないようだった。「女のジェラシーほど、怖いものはないな。相手が憎しとなれば、ちょっとの容赦《ようしゃ》もなしだ。徹底的に叩く気になるんだな。『ポスト』の、メイミ・タンのいるセクションでは、ちょっとした権力争いが行なわれているんだ。デスクの座を巡ってね。候補の一人がメイミ、そしてもう一人は、目端《めはし》のきく気の強い女というわけだ」

ローリンソンは、心地よさそうに首を回し、くつろいだ姿勢をとった。

「出世したい一心、というわけか？」

「たぶん、メイミのほうは、デスク争いはポーズだろう。にもかかわらず、気の強い女は、メイミのあら探しに夢中になった。彼女は、持ち前のジャーナリストの腕で、いろいろ掘り返した。調べていくうちに、メイミ・タンがカンパニー（CIA）の人間だということを突き止めた」

「だが、カンパニーというだけじゃ、出世の妨《さまた》げにはならないだろう。会社のトップは、知っているはずだ」

「そのとおり。しかし、彼女は……ジュディス・デューアは諦《あきら》めずに、メイミの周囲を、こっそり掘り返しはじめたんだ。すると、驚くことに、彼女の期待どおりのものが出て来た。まず第一に……」ローリンソンは、上気した顔でジャクージを出ながら、続けた。「メイミの使っているエージェントが、トウキョウで変死するという事件があった。ジュディスは、この事件を見逃さなかった。死んだ男はアラン・ウィルトンという若者で、この若いエージェントは、メイミの配下のまま、オクスフォードに遊学しており、インフォメーションをメイミに送っていたらしい」

「その男は、東京で、誰に殺されたんだ」

「事件は、ジュディスが突っつき始めるまで、うまくうやむやになっていた。アランの死の現場に、日本人外交官がいたとかで、局はこの事件を、派手に調べたりはしていない。いずれは調べるだろうが、すぐには、ことを荒立てたくなかったんだろう。ところが、ジュディスは、彼を殺したのがチャイニーズ・マフィアであることをあぶり出した」

フェイガンは、浴槽のなかで、真っ赤になりながら、右手を差し出すと、親指と人差し指で円をつくり、残りの指を真っすぐに伸ばし、揃えてみせた。チャイニーズ・マフィアの、あるグループの暗号で、組織の一員であることを示す動作だ。三本の指を真っすぐに伸ばすのは、三人の先人に敬意を払うためらしい。

ローリンソンは、苦笑《にがわら》いしながら言った。

「女の嫉妬心が恐ろしいのは、それからだ。ジュディスは、大胆にも、ある仮説を立てたんだ。もちろん、メイミを悪者にする筋書きでだ。彼女は、こう考えた。〈メイミ・タンはアランが送ってきた情報のなかに、局に知れては都合の悪いものを見つけた。だから、彼を始末した〉」

「いやはや」

「ジュディスは、どうしても、メイミを引きずり降ろしたかったんだろう。その、無謀ともいえる仮説の上に立って、彼女はトウキョウの華僑社会を中心に、執拗《しつよう》といってもいいほどの調査を続けた」

「どんな女なんだ？　そこまでの根性があれば、局にスカウトできるぞ」フェイガンが、まぜっ返した。

「お嬢様育ちの、とびきりのブロンドさ」

ローリンソンの答えを聞いて、フェイガンは、二人がどんな関係か、およそ見当がつく気がした。

「ジュディス・デューアにとって幸運だったのは、嫉妬深い彼女が、メイミのデスクに入って来るファクスのほとんどを、盗み見していたことだ。もちろん、メイミは用心深く情報源を隠していたが、ジュディスはしつこかった。送られて来たファクスをそっくりコピーして、暗号解読の専門家に回すということまで、やってのけた」

「まさに、スパイはだしだな」

ローリンソンは、うなずいた。

「メイミは、編集部では、アジア情勢の専門家だ。香港や中国、日本からの通信があるのも、珍しくはない。だが、そんななかに、どうしても妙だというものが何通かあったらしい。結局、ジュディスは、メイミがどこかから指示を受けているのではないか——たぶん中国から——と、確信するに至った。その一方で、ジュディスは、メイミ・タンが、現在手をつけていることまで嗅《か》ぎ回り始めた。香港に、メイミが女性ライターを送った意味をジュディスは訝《いぶか》しんだ。そして、その目的が究極的には、ゴルトシルト家の首を締めることにあるということまで、探り出したんだ」

ざぶん、と音を立てて、フェイガンも、水滴を滴《したた》らせながら、ジャクージを出た。彼は話のなかの女の執拗さに、少々のぼせていたのかもしれない。

「ジュディスは、しかし、メイミがなぜ、ゴルトシルトを締めつけようとしたかは、わからなかった。ただ、ゴルトシルト家の本拠がイギリスで、さらに、アランがイギリスで活動していたことを考え合わせると、どうやら何かが出てきそうだと睨《にら》んだ」ローリンソンは、タオルを使い、海島綿《シーアイランドコットン》のローブを着ていた。「だが、そこから先は、彼女だけでは埒《らち》があかない。誰か、専門家の助けが必要だ、と彼女は考えた。そこで、ジュディスに白羽の矢を立てられたのが、この俺だ」

少々自嘲ぎみに、彼は言った。「ジュディスとは、長いこと、お互いにうまく使い合ってきたんだ……情報を仕入れ合う相手としてね。彼女の記事に、ずいぶん協力したし、逆に、こちらのレポートにも、彼女の情報は役立った。だが、俺は、カンパニーに属していることだけは、彼女に明かしていなかった。だが、彼女はとっくに知っていたんだよ」

二人は、ジャクージから、涼風漂うテラスに出た。

飲み物をつくりながら、ローリンソンは話を続けた。「それから先は、リチャード、君も知っているとおりさ。電話と無線の盗聴、メイミの尾行、局の情報網を使った、中国側の動向調査……そして、獲物がかかった。予想以上の展開だ。映画界の大物までが、このケースには、関わっているんだ」

「長官は、喜ぶぞ。最近、自信をもって大統領に提出できる情報がなかったらしいから。大統領は、中国を、アジア外交の要《かなめ》と考えているんだ。中国が、CIAに女スパイを潜入させていたことは、格好の牽制《けんせい》材料になるからな」フェイガンは、クルーグが満たされたグラスに、満足げに口をつけた。「だが、アディールが持っている〈文書〉とは、いったい、何なんだ？　ゴルトシルト家に関わるものなのか？　中国側は、彼女の持っているそれを、奪いたがっているんだろう？」

「わからん。それを訊くために、アディールにご足労いただいているんだ」

「しかし、勝手に拘束して、まずくなかったのか？　彼女は、有名人だからな」

「仕方ない。支局長が、肝心《かんじん》のときに留守なんだ。アディールは、エージェントから、長期休暇をとった。海外にでも行かれたらかなわん。まあ、それも明日までだ。明日は、支局長が戻る。

彼を通じて、すべてを長官に報告してもらう。アディールを正式に拘束して、訊問するんだ」

フェイガンは、心のなかで、こっそり呟いた。

――支局長は、この男を信頼していないからな。だから、いつもレポートを斜め読みしてるんだ。彼の動きを、放置し、冷ややかにしか捉《とら》えていない。まあ、それでも、今回ばかりは驚くだろうな。俺たちは、一躍スターだ。

ローリンソンは、早くも、二杯めの飲み物を作り、酒の響きが混じりはじめた口調で言った。

「ジュディス・デューアは、ことを公《おおやけ》にしてもいい瞬間が来るのを、手ぐすねひいて待っているよ。もう、予定稿さえ書いているらしい。同僚の不祥事の、華々《はなばな》しいスクープを手土産《てみやげ》に、堂々、デスクにおさまる腹づもりなのさ」


女は、腕時計を見た。獲物が半ブロック先のレストランに入ってから、もう四〇分が経過している。

目立たない白のフォードのなかで女は待った。時計が示すよりもずっと長く、待ち続けている気がした。冷たい笑みが女の頰に浮かぶと、口角が、やや不自然に引き攣《つ》れた。彼女の獲物が、素人《しろうと》っぽい尾行者を連れていることがおかしかった。対象と同じ店に入って行った東洋人の男を、女は嗤《わら》った。日本という国は、外交官に対して特殊な訓練を行なっていないのだろうか？

女のほうは、やるべきことのツボを心得ていた。その気になれば、人を殺すことは簡単なのだ。正直なところ、彼女は十分に、その気になっていた。

メイミ・タンは、お定《き》まりのぬるい青島《チンタオ》ビールをオーダーしていた。ダナの目には、メイミは、すこぶる上機嫌に見えた。『ポスト』で記事を編集しているときと同様に、彼女は、てきぱきとメニューから食事をピックアップし、うまい具合にそれを並べ替えた。

「デザートは、杏仁豆腐《シンレンドウフ》を食べる？　それとも、杏仁酥《シンレンスウ》？」

「――椰子蛋撻《イエッタンター》をいただくわ」

ダナの流暢《りゅうちょう》な発音を聞くと、メイミは、ふと気づいたように言った。

「ごめんなさい――香港から帰ったばかりなのに、中華はなかったわね」

「とんでもない」ダナは、言った。「広東料理は好きよ。それに、香港もね」

メイミは薄く笑い、ダナに、ぬるいビールを注《つ》いだ。

「連絡がなかったから、あなたが九龍《ガオルン》の雑踏に迷い込んでしまったんじゃないかと心配してたのよ」

「たしかに、スリリングな街ね。いろんな意味で」ダナは言った。「おかげさまで、私は大丈夫だったわ」

ダナの言葉に、メイミは、以前にはなかった僅《わず》かな刺《とげ》が混じっているのを感じた。何かを知ったのだろう――あるいは、何かを、疑っているのだろう。

「銀行は、どうだったの？」

天気の話でもするかのようなさりげない口調で、メイミは訊ねた。

「あなたの見込みどおりだったわ」ダナも、同じように、あっさりと言った。「上海香港銀行は、疑いもなく、真っ黒」

「確証が取れたってこと？」

「アッタカモシレナイシ、ナカッタカモシレナイ」ダナは、日本語で呟いた。

「それは――どういう意味？」

「日本の新しい諺《ことわざ》よ。イエス、そしてノーという、象徴的な意味なの。かの国のプリンスのおっしゃったジョーク」

メイミは肩をすくめた。「どこかの通信社の記事で見たことがある気がするけど……それで、結局？」

「確証は、私の目の前を掠《かす》めた、ってところなの。たしかに、上海香港銀行の不正を示す資料はあった。私は、それをいったん、手にしたの。けれど、すぐに失《な》くしてしまった。簡単に旅の顛末《てんまつ》をまとめれば、そういうこと」

「あなたのコラムの癖ね……まとめるのはすごく速いけど、省略のしすぎよ」

「それもそうね」ダナは、笑いながら、目をこすった。昨晩は、一睡もしていない。沢木が眠ってしまったあと、彼女は久しぶりに、ひと仕事したのだ。

「凄いリストを見たわ……」声をひそめて、ダナは囁いた。「あなたに聞いてたとおりだった。世界中で悪人と目されている人間のほとんどが、上海香港銀行に、非合法の預金を持っているの。それに関連する、膨大な収支記録もあったわ。あのボリュームじゃ、コンピュータでなければ、管理できないわけだわ」

「じゃあ……ファイルを見つけることはできたのね？」

「そうなの。銀行への侵入は成功して、データをフロッピー・ディスクにコピーして持ち出すことができたわ。だけど、うまくいったのは、そこまで。銀行を出て、三〇分もしないうちに、ディスクは私の手から消えた」

「ということは……銀行側に、ディスクを取り戻されたの？」

ダナは、かぶりを振った。

「わからない。私達は、待ち伏せされて、襲われたの。でも、私は、襲ったのは銀行側ではないと思っているわ。銀行側が私達の計画を事前に察知していたとしたら、襲ったりせずに、侵入を未然に防ぐはずでしょ。襲撃はプランを知っていた者の仕業《しわざ》だわ。とにかく何者かが、ディスクを持ち去ったの」彼女はそう言うと、大きく息を吐いた。「それがすべてよ。取材は、失敗だわ」

「何を弱気になってるの」メイミは、『ポスト』の編集者らしく、あきらめないふりをして見せた。「あなたは、リストを見たんでしょ？　覚えてないの、名前や、口座や、そのほかの……」

「記憶で書けというの？　無理だわ。曖昧《あいまい》でお話にならない。それに、そんな貧弱な根拠で、ゴルトシルト家に太刀《たち》打ちできるはずがないのは、あなたがよく知っているじゃない」

「この取材を、続ける気にはならないってわけ？」

メイミは、やんわりと探りを入れた。

「そうね……よく考えてみたいの。考えてたよりもずっと危険なのよ。なんといっても」ダナもまた、試《ため》すように相手の顔色を窺いながら言った。「身近に、死人まで出ては……考え直さざるを得ないわ」

「何て言ったの」メイミは、ごく自然に眉をひそめた。

「死人……あなたも知っている人が、死体になったの」

ダナは、ジャケットの胸ポケットから、縮小コピーして折畳んだ『インターナショナル・ヘラルド・トリビューン』の記事を取り出し、メイミに差し出した。

「彼よ」

メイミは、さっと記事に目を走らせ、顔色を変えた。

「黄《ウォン》……?」

言ったきり、彼女は絶句した。瞬間、瞳が開き、続いて、ダナに答えを求める表情になった。

——これも、芝居なのだろうか? ダナは判断しかねた。職業柄、各紙を念入りに読んでいるメイミが、この記事に気づかなかったということがあるだろうか?

筋書きの一つとして、メイミがウォンに、ディスクを奪わせたという可能性もあるのではないかと、ダナは考えていた。もともと、彼はメイミに紹介された男だ。ラオのプランを熟知していた彼なら、計画が成功した帰途を襲うことは容易だ。

ウォンがカナダで死んだことを知るまで、ダナは、彼を香港の総領事公邸から脱出させたのは、劉日月《ラオヤアユッ》かもしれないと考えていた。ラオがウォンに言い含めて、ディスクを再び取り戻す手段を講じるのではないかと思っていたのだ。

だが、それならウォンは香港にいるほうが自然だ。カナダのトロントで、しかも死体となっているとなると、メイミが彼にディスクを奪わせ、口封じをしたという想像が、にわかに真実味を帯びて来る。沢木から聞いた事実が、それを裏づけている。

——メイミは、CIAの局員なのだ。

それは、妙にしっくりダナの胸に落ちた。彼女の底知れぬ情報網、ポーカーフェイス、的確な指示。すべてが納得できた。

CIAは、何らかの事情であのディスクが欲しかったのかもしれない。だから、複雑な方法でディスクを奪い、実行犯のウォンを闇に葬《ほうむ》りさったとも思える。ただ……CIAがそんなに簡単に、人を殺すだろうかという点は、疑問だった。ダナのイメージのなかのCIAは、もっとインテレクチュアルな組織だ。

ダナは、メイミを見つめ続けたが、不自然な点を見つけることはできなかった。

「——ウォンは、あなたと一緒じゃなかったの？」驚きさめやらぬ声で、メイミは言った。「連絡がないとは思っていたけど、まさか……」

「ここには、他殺と書いてあるわ。殺されたのよ。ディスクのせいで。そうとしか、考えられない」

「だとしたら、調べる必要があるわね。——ウォンとあなたは、いつ別れたの」

調べるですって？　正義漢ぶってるの？　それとも、本気で？　メイミの真意を測ろうと、ダナは言ってみた。

「私たち、香港の日本領事館に拘束されていたの」今度は、メイミは驚かなかった。

――知っているんだわ。

そう思いながら、ダナは続けた。

「誰かに襲われたあと、日本人の外交官が通りかかって、私たちを保護してくれたの」本当のことだけを言うつもりはなかった。「ウォンは、そこからいなくなったというわけ」

「――それから？」

「それだけだわ。帰国して、今朝、この記事に出くわしたの。もしかすると、あなたなら、ウォンが殺されなくてはならなかったわけを、知っているんじゃないかと思ったわ」

「私が……なぜ？」

「この取材の指示を出したのは、あなたよ、メイミ」ダナは、わざとかまをかけた。「ウォンの死に、ゴルトシルトが絡《から》んでいるとは思わない？　ぜひ、教えてほしいわ。あなたが、上海香港銀行の不正を、どこで聞きつけたのか。それがゴルトシルトの資金源となっていることを、なぜ知ったのか」

「いくらあなたにでも、情報源は明かせないわ」メイミは、にべもなく言った。

「ウォンが死んだのに？」ダナは詰め寄った。

メイミは、一方でダナの話を聞きながら、目の隅に、東洋系の男の姿を意識していた。ダナが定刻どおりに現われて、十数分のうちに来店した男。

——あの男は、李《リー》が話していた、日本の外交官だ。ダナは、彼の尾行を承知しているに違いない。彼女は、やはり、香港で、ゴルトシルト家と上海香港銀行に関する別の何かを知ったのだ。万が一、それが〈密約〉にまつわることだったら——彼女は、リーが言ったとおり危険な存在だ。持ち前の探究心で、すべてを明らかにしようとするだろう。日本政府が彼女に絡んでくるとなると、事態は、ますます混乱する。早急に、ダナを何とかする必要がありそうだった。

気になることは、もう一つある。急いで調べ始めたダナの経歴に、ひっかかる点があったのだ。アメリカ国内の、ダナの記録は、一〇年前までしかない。彼女は、どこか別の国から米国にやって来たのだ。

そこまで考えて、メイミ・タンはダナの将来に決断を下した。そうと決まれば、いまは適当に話題を切り上げることだ。

「ウォンは死んだのよ——なぜなの？」ダナは、まだ繰り返していた。

「私にとっても、それは謎よ。調べるほかないわ。さっきも聞いたけれど、このテーマでの取材を……もちろん、ウォンの件も含めて続ける気はあるの？」メイミは、人の死に冷淡ではないが、真相はそれ以上に大事であると考える、一徹なジャーナリストを装《よそお》った。「取材を続けてくれるなら、できるだけの資料は用意するわ」ビジネスライクに、彼女は言った。

ダナはダナで、はっきりとメイミに対する信頼を失っていた。彼女が『ポスト』でなく情報機関のために働いているのが、明白に読み取れたからだ。

——私が、調べてみせるわ。ダナは、ラオの言った言葉に望みを繋《つな》いでいた。彼は〈密約〉

も、失ったディスクも、手に入ると言った。なぜだか、その言葉を、彼女は信頼していた。どうしてラオにそこまでのことができるのかを考えると、背筋が寒くなったが、信じる心を奮《ふる》い立たせた。

——それに、サワキがいる。

知っていることのすべてを、彼に話す決心を固めていた。

あらためて顔を上げ、ダナはつよい視線を彼女に向けた。

「取材は、続けるわ。だけど、原稿ができるまで連絡はしない。資料は、家に送っておいて」そう言って、彼女は席を立ち、メイミに背を向けた。

——かわいそうだけど、連絡しないじゃなくて、できないのよ。皮肉にもね。

心のなかで、メイミ・タンは呟《つぶや》いた。テーブルには、山のような料理が残っていた。

チャイニーズ・レストランの扉が開くと、標的の、すらりとした姿が、女の視界に戻って来た。

お誂《あつら》えむきに、獲物は一人で出て来た。だが、適当な時を措《お》いて、男が追って来るだろう。その前に、刑を執行できるだろうか？　女は、すばやくあたりを見回した。

人通りは、途絶えている。

ゆっくりと、静かに、車を始動させた。

銃を取り出し、銃を握ったままハンドルを支える。サイレンサー付きの三八口径は、別の人間が犯した未解決の事件に使われたいわくつきのものだ。それを言うなら、車とて同じだった。その種のものを扱う人間を、女は心得ていた。

怪しまれぬ程度にスピードを上げながら、窓の開閉ボタンを押すと、左の窓がジーッと音を立てて下がった。

左前方を歩いて行くターゲットの背中が、急にズーム・アップしたように感じる。照準を合わせる調子がいいときの証拠だ。頭、心臓、脊椎《せきつい》——三つの目標のどれかを貫《つらぬ》けば、対象に致命的なダメージを与えることができる。だが、動いている車からでは、三発の銃弾を続けて的中させることは難しい。車が対象から九メートル以内、できれば三メートルに限りなく近い状態になったとき、まず、慎重に後頭部を撃《う》ち、続いて、脊椎を狙《ねら》う。二発の銃弾が、相手を地に斃《たお》すだろう。

銃は両手で構えるべきだという考えが、女の脳裏《のうり》には染《し》みついていた。右肘《ひじ》でハンドルをうまく支え、左肘を窓枠について、上体を窓からやや乗り出すように安定させると、銃は、しっかりと両手で支えられる。その姿勢を保ったまま、少しずつ、アクセルを踏み込んだ。唇を噛み、縮《ちぢ》まっていく対象と車の距離を測る。

——三〇、二〇、一五、一〇。

瞬間、女は呼吸をとめ、限りなくゆっくり引鉄《ひきがね》を絞った。

沢木は、慄然としてその場に凍りついた。

額から下の血が一気に降下して、コントロールできなくなった身体を無理に動かし彼は脱兎《だっと》のように駆け出した。

ダナ――ダナ！

ダナの身体は、白のフォードに追い越されざま、舗道にくずおれていった。

弾《たま》が風を切る、乾いた短い音。銃を手にした、ブロンドの痩せた女。タイヤを悲鳴のように軋《きし》らせ、スピードを上げて走り去る車。

一部始終が、彼の目の前で起こっていた。

――にもかかわらず、何一つできなかったのだ！

あたりを揺るがす、咆哮《ほうこう》にも似《に》た叫び声が自分の喉から出ているということに気づかないほど、彼は動転していた。

気がつくと、荒い息を吐《つ》きながら、地面に俯《うつぶ》せに横たわったダナを見下ろしていた。右耳のあたりの髪が、赤黒く濡れている。鮮血が、彼女の衣服に赤く散り、大きな染《し》みが、腰のあたりにも広がっていた。ぐったりとなった身体を、そっと起こそうとすると、微《かす》かに、呻き声がした。

――息がある！

「ダナ」

沢木は、万感の思いを込めて、呼んだ。

喉の奥から絞り出したような、息とも声ともつかぬ音を、数秒おきに、ダナは唇から洩らした。

――早く、早く彼女を！

周りには、人垣ができはじめていた。時ならぬ男の咆哮に、数人の弥次馬が集まっていた。遠くで、救急車のサイレンが鳴っていた。

女の運転する冷凍用のトレーラーには、かちかちに凍った牛肉や豚肉の代わりに、白いフォードが一台、積まれていた。襲撃時刻から僅《わず》か五分後には、女は近くのモーテルで、トレーラーのエンジンをかけていた。警察が付近を捜査する頃には、フォードは市内のどこにも見当たらない。

――手応《てごた》えは、たしかにあった。死刑は、執行されたのだ。

少しばかり手元が狂ったことを、女は知っていた。舗装の歪《ゆが》みのせいで、ほんの僅かハンドルに力が加わり、フォードの車体が揺れた。だが、銃弾は、たしかにダナ・サマートン、いや、マーラ・シェリダン――どちらでもいい、その名で呼ばれている女の身体に、めり込んだ。彼女は血を流し――二度と還《かえ》らない。

女は、空港に向かっていた。車は、空港の駐車場に放置する。数週間して、フォードが発見されたとしても、それはそれでかまわなかった。その頃には、もう、アメリカにはいないのだ。

――まだ、仕事が、残っている。

それを終えれば、真に憩《いこ》える時間が戻ってくる。昔の――昔のように。

夜のプール・ハウスは、贅沢だった。この家の持ち主は、プール・パーティを催《もよお》すのが好きなんだわ、とアディールは思った。スポット・タイプの間接照明が、いくつも据《す》え付けられ、小さなバーや、テーブルを照らす。ドーム型の天井はガラス張りで、月の輪郭《りんかく》がはっきり見えた。

用意されていた水着は、派手だし、サイズが合っていなかった。誰かの女友達のものだろう。とくにブラは、ぶかぶかだった。パーティの彩《いろど》りとしては、もってこいの女性が着るような代物《しろもの》だ。が、そんなものを着ても、女優の身体の線の美しさは失われなかった。とくに脚は、彼女の年を、男たちに忘れさせる曲線を描いていた。

そのしなやかなカーヴを、アディールは惜《お》し気もなく、水のなかに隠した。たっぷり張られた水が、そうとわからないくらいに温められ、心地《ここち》よく全身を包む。たとえ監視付きだとしても、一人きりで泳ぐのは爽快だった。

すべての種目を、むらなく泳ぐことができたが、なかでも、平泳ぎのフォームは非の打ちどころがない。いつ泳ぐ芝居をオーダーされてもいいように、優雅に泳ぐトレーニングを欠かしていない。アディールの泳ぐシーンは、吹き替えの必要がないのだ。

与えられたシーンは、できるだけ自分で演じる。泳ぐだけではなく、ジャンプしたり、転がったりも得意だ。そういったことのすべてを、若い頃、必要に迫られてこなしてきたのだ。いままでも、アクションは好きだ――だが、実戦で役立つかどうか、試したことは、まだ、ない。

水面に、長い腕で輪を描きながら、彼女は見張りの男たちの様子を、時折窺った。

マッチョのピーターが、籐《とう》の椅子から腰を上げた。食事を調達に行く頃合なのだ。ピーターは、優男のポールに、二言《ふたこと》三言《みこと》、声をかけた。ファスト・フードに付いて来るサラダのドレッシングをどれにするかとか、そんなことに決まっている。

ピーターは、上着を引っかけると、鍵をじゃらじゃらといわせて、プール・サイドを歩いて行った。彼は、アディールとポールを残して、プール・ハウスの厚く頑丈《がんじよう》な扉に、外から鍵を掛ける。一人になった見張りに、何か起こっても、アディールを外には出さないためだ。陽光が惜しみなく入る嵌《は》め込み窓は、二重の防弾ガラスで、滅多《めつた》なことで割れたりはしない。

相棒が行ってしまうと、プール・ハウスに残った男は、習性のように立ち上がり、扉に鍵が掛かって、内側からは開かないことを確かめた。

ほんの二〇分もすれば、相棒は戻って来る——空腹も、それまでの辛抱《しんぼう》だった。それにこのお守《も》りも、今夜限りなのだ。

お決まりの籐椅子に腰を降ろした男は、退屈な時間を潰すため、また任天堂のゲーム機に見入りはじめた。

アディールは、ゆっくりと平泳ぎを続け、少しずつ、プールの最深部に向かった。いちばん深いところは、四メートルはある。この数日で、プールの構造が、くまなく頭に入っていた。

静かに泳ぎながら、そのじつ、心臓が、口から飛び出しそうだった。彼女に与えられた持ち時間は、僅か十数分。その間に、最高の演技をしなくてはならない。観客は、たった一人にもかかわらず、テイク・ツーはあり得ないのだ。緊張が、表情を固《かた》くする。

いけない……悪い兆候だ。監督に怒鳴られる最悪のでき、その前兆。

精神を、集中しよう——よかったシーンを思い出すんだ。とくに、あの、海でのカットを……。

最高潮のとき、私でない誰かが、いつも舞い降りる。たまらない恍惚感とともに、私は別人になる。

そのときを、アディールは静かに待った。しだいに、彼女の表情から固さが消え、さらに、喜怒哀楽の表情筋《きん》が、微動だにしなくなった。その、無の瞬間を見透《みす》かしたように、ディレクターがいつもキューを出すことを、彼女は知っていた。

不意に、彼女の身体が、不自然に水のなかに沈んだ。

水音も、呻《うめ》きも、微《かす》かだったにもかかわらず、その動きを、男は本能的に感じとった。違和感が、彼の顔をプールに向けさせた。

水面が波立ち、アディールの鼻だけが天に向かって苦しそうに上下した。助けてという言葉は、聞こえない。ただ、雌《めす》の動物が交尾のときにあげるような、切れ切れの唸りが低く響いた。

——溺《おぼ》れている！

男は、ゲーム機を投げ捨てた。

泳ぎには自信があるほうだった。ためらわずプールに飛び込んだのは、そのせいだ。目標目がけて、抜き手を切った。

プールの底が、思いのほか深いことに、男は気づいた。ある箇所を境に、飛び込み台の真下のようにがくんと窪《くぼ》んだ部分があり、アディールの身体は、その深みで、すでに水中三メートルまで沈みかけている。潜《もぐ》りは得手《えて》とは言えなかったが、水を掻《か》くようにして、男も深みに潜って行った。

意識を失った女の身体に、彼は手を伸ばし、引き寄せて抱えた。

水中に、半ば漂っていたアディールが、魚が跳ねるようにいきなり身を翻《ひるがえ》したのは、その瞬間だった。

ぎくっとして、振り解《ほど》こうとした瞬間、女が自分の頭を抱え込もうとしていることに気づいた。

アディールは、同時に、狙いすましたように、男の胸部を蹴った。こうすれば、肺から否応《いやおう》なしに酸素が吐き出されることを、彼女は知っていた。

男は、呻き、口と鼻孔から、大量の泡を吹いた。続いて、もがきはじめた。先手を取られたものの、力を振り絞り、無我夢中で抗《あらが》った。

それからは、まさに死闘だった。

水の抵抗で、力の差が半減するとはいっても、やはり男と女だ。しかも、アディールはすでに水中で、長い時間を費《つい》やしている。

男はアディールの手首を摑《つか》み、一気に左に捻《ひね》った。アディールはしかし、そのまま腕を曲げ、肘で男の喉元を突き上げた。

二人は組み合ったまま、水中を、下方へと落下し、互いに、相手に抗おうと、やみくもに手足をバタつかせた。

頭を狙ったアディールの拳《こぶし》は、空《むな》しく逸《そ》れた。胸が水の圧迫で、潰れんばかりに痛い。

——男は、まだ余力を残しているのだろうか？　このまま、私は死ぬのだろうか？

五臓六腑《ごぞうろっぷ》が、死に瀕して、危険な信号を発している。底知れぬ恐怖が襲った。

無意識に、彼女は水を掻《か》き、水を蹴った。男は、目を剝《む》き、上体をのけ反《ぞ》らせ、なおも向かって来た。

再び、すさまじい勢いで、二人の身体はもつれた。水を呑み、沈み、摑み合い、また沈んだ。

——長い刻《とき》が経った。

波立っていたプールの水面に、鏡のような静寂が戻っていた。

しかし、無音の世界は、永遠には続かなかった。遠くから、男の戻ってくる足音が響いてきた。

やがて、カチリ、と鍵の回る音がして、プール・ハウスの扉が開いた。マッチョ・マンは、食料のたっぷり入った袋を抱えていた。女優の見張りは、今日で終わる。最後の晩餐《ばんさん》に、彼は、いつになく買い物を張り込んでいた。だが、所要時間は、一分もオーバーしていない。きっかり二〇分で、彼は戻って来たのだ。

プール・ハウスに、一歩踏み込んだとたん、異様な静寂に気づいた。

プール・サイドには、誰もいない。

——では、プールには？

水面に目を移した男の顔に、驚愕の表情が貼りついた。

水のなかには、男と女が沈んでいた。肺のなかまで水が入った、二つの死体。髪だけが藻《も》のようにゆらゆらと揺れている。男も女も半裸だった。女優だった女の乳房が、無残にも剝き出しになった白さが、ショッキングな事実を容赦なく突きつけていた。

マッチョ・マンの瞳孔は、大きく開いた。手にしていた紙袋が大理石の床に落ち、買ったばかりのドリンクが、ゆっくりと流れ出した。彼は、パニックに陥《おちい》っていた。予想だにしない事態だった。

——女優が、死んだ！

ショック状態のまま、太った男は、プール・ハウスを飛び出した。これは、彼の手に負える仕事ではなくなっていた。拘束していたあの女は、ビッグ・スターだ。

仕事の依頼人たちが、すぐ近くのヴィラに潜んでいることを、男は知っていた。彼らなら、なんとかするに違いない。雇われた俺達と違って、あいつらは、首謀者だ。しかも、ＣＩＡなんだ。

闇のなかへ、男は駆け出して行った。

演技

劉日月《ラオヤアユツ》は、最新テクノロジーの粋《すい》を集めたコンピュータ・ルームに座っていた。彼は、珍しげに、周囲を見回し、時折、いかにも愛《いと》しいものに触れるように、ディスプレイやセット・アップされたキーボードを、細い指で撫でた。

四台のモニターに、CD-ROMから読み出した映像が大きく映《うつ》し出されている。公文俊成が組みあげた、飛行ルートのシミュレーションが動いていた。

モニターは、ラオがこれまでに目にしてきたもののなかで、解像度も色のクオリティも、最高の映像を映し出していた。画面のなかの風景は、手を伸ばせば届きそうなほどだ。モニターの面は、どう処理したのか、映り込みがゼロに近く、そのせいで、画面と実空間との境界は透明に見えた。

「このシステムは、ハイパーソニック特製なんでしょうか?」

香港訛《なま》りの強い、しかし丁寧な英語で彼は公文俊成に訊ねた。

「そうです——一部、IBMの部品を使っていますが」公文は答えた。

「画質が、パーフェクトですね」ラオは、歌うように言った。「凄いリアリティだ。もちろん、このモニターのことですが」

「開発中のモニターを試用しています。――私達の間では、仮に、透明モニターと呼んでいるものです」

ハイパーソニックは、電子産業といってもコンピュータより家電中心のメーカーだ。なかでも、テレビの画像に関しては、膨大な蓄積がある。その蓄積を生かして、大手コンピュータ・メーカーと提携し、モニターの技術を供給し続けていることは、有名だ。

だが、素晴らしいのは、モニターだけではなさそうだった。ひとわたり、ラオが機器を見渡した限りでは、ハイパーソニックは、コンピュータ業界でも十分に太刀打《たちう》ちできる技術を持っていることが明白だった。

「いいんですか――こんなものを、模造業者なんかに見せて?」悪戯《いたずら》っぽく、ラオは言った。

「来月には、このモニターがアジア市場に並んでいるかもしれませんよ」

「社長が、あなたをここにお通しするようにと命じたのです」公文は言った。「それに」彼はニッコリして言った。「その製品は、まだ完成品ではありません。あと数度の、バージョン・アップが必要なんです」

「それは残念」

ラオは、いかにも惜しそうに、モニターを眺めた。

「西条が、すぐに参ります」そう言って、公文は部屋を出た。

モニター上で進行する仮想のフライトを、ラオは見つめ続けた。画面は、大小二つに分割されていた。大きいほうの画面には、見渡すかぎりの海原と流れる雲が再現されている。点々と、島影が現われては消える。小さい画面には、マップが表示され、緯度や経度、高度を含む、一〇ほどの数字が、点滅しながら恐ろしい速度で変化している。

——大陸だ。

航空図には、日本海、朝鮮半島、渤海《ぼっかい》、中国東北地方と、華北地方の一部が現われていた。

ラオは、暫《しばら》くモニターに見入った。

「気に入りましたか」

振り向くと、スモーキーグレーのシャツにブルーのゆったりしたカジュアル・パンツを身に着けた壮年の紳士が立っていた。

「もちろんですとも」

魅力的な笑顔を、彼はハイパーソニックのトップに向けた。

「天才のお眼鏡《めがね》に適《かな》ったとは、嬉しい」西条も破顔した。「あなたのことは、公文から聞きました。彼は、当社きってのエンジニアだが、どうやら、あなたにぞっこん惚れ込んだらしい。できることなら、一週間でも話していたいと言っています」

「望むところです——ただし、よくよく注意しないと、大事な製品の秘密を盗み出すかもしれませんよ」

「願わくば」西条は、面白そうに言った。「オリジナルよりも、いいものには仕上げないでいただきたいですな」

お互いを試すように、二人は対峙《たいじ》した。

ややあって、西条が口を切った。

「困っていることがあります」静かで、率直な口調だった。「あなたにお願いするより、ほかない」

ラオは、言った。「ここまで私を送って来た都築という日本の外交官が、言っていました。――私が香港で行なっていた違法行為のペナルティを、西条さん、あなたと相談するべきだと。だが、あなたは問題事を抱えていて、それを私に解決してほしいという。つまり、こう理解してよろしいのですか？　私があなたに力を貸せば、違法コピーの件はノーペナルティになると？」

「あなたさえ、その条件でよければ」

ラオは、珍しく、考える目になった。細い指を、彼は胸の前で浅く組み合わせた。

「西条さん――あなたの問題は、この国に関係することなのですね？」

ラオは、再び、モニターに目を向けた。中国大陸の航空図は、さらにクローズ・アップのものに変わっていた。渤海湾、華北《かほく》平原、軍都《ぐんと》山脈、太行《たいこう》山脈。赤くポインタが点滅しているのは、北京だ。

「そうです」西条は、応じた。

「だとすると、お話を伺わないことには、お答えしかねます。ご承知のように、私のビジネスの拠点は、香港です。中国の動静は、香港で活動する私にも、影響が大きいのです。イエスというためには、それだけの根拠が必要です。そして、それに伴《ともな》う報酬も」

「ごもっともですな」西条は、腹を括《くく》っていた。どのみち、賭けるしかないのだ。こうしている間にも、刻一刻と、時間は過ぎていく。

「かいつまんで申しましょう。私は、ある人物を介して、中国政府と大きな取引きをするつもりなのです」

「政府と？」

「中国の、一二億というマーケットは、家電を手掛ける私どもにとっては、大きな魅力です。いや、いまや、ビジネスのどの分野でも中国市場をめぐる競争は激化しつつあるというのが本当でしょう。欧米のメーカーも含めて、熾烈《しれつ》な争奪合戦が始まっています。そのなかで、私たちハイパーソニックが、特権を得るチャンスが訪れたのです。交渉しだいでは、政府の関わる多くの職場や学校、その他の機関に、優先的にハイパーソニック製品を購入させることさえ、夢ではありません」

ラオは、ご馳走《ちそう》を前にした猫のように、切れ長の目を、さらに細めた。

「よほどの交渉材料を、お持ちのようですね——政府の弱みを？」

「材料は、あります」西条は、きっぱりと言った。「だが、それが何かは、お話しできません。とにかく、それを携《たずさ》えて、私は中国に向かうつもりなんです」

「それで、お困りのこととは？」ラオは、嬉しそうに見えた。難題が好きなのだ。

「材料は、さまざまな手合いから狙われています。推測では、動いているのは、中国の諜報機関、ＣＩＡ——ひょっとすると英国も」

「驚きですね。ちょっとした国際スパイ合戦だ。そんな大問題に、私がお役に立てるんでしょうか？」彼は、ちっとも驚いてなどいないように見えた。

西条は、続けた。

「材料は、ちょっとした荷物なんです。私はそれを、ノーチェックでアメリカから持ち出し、ノーチェックで中国に入国するために、自家用機で明晩、飛び立ちます」

「ずいぶん簡単におっしゃいますね。ビッグカンパニーのプレジデントが、単独で、国際間の無許可飛行をするというのは、私には、かなり無謀な話に聞こえますが」

「むろん、それなりに工夫はするのですよ。あなたも専門家だから話は早いが、簡単に言えば、われわれは、管制と軍のレーダーと連動したコンピュータのデータに、手を加える準備を整えたわけです。だが、そこで問題が派生した」

西条は、顔を曇らせた。

「公文は、私の飛行ルートに合わせて、ほとんどの国のシステムに侵入し、データ改竄《かいざん》を可能にしました。だが、肝心《かんじん》の中国を、彼は甘くみていた。中国民用航空総局の、北京管理局、つまり、北京周辺の空港の管制を司《つかさど》る部署のシステムにはアクセスできたのだが、空軍には入り込めていない」

「中国の軍事情報は、ああ見えて、なかなか洩れにくいのですよ。公《おおやけ》の情報が、極端に少ないですから」

「だが、あなたなら可能だ」

ラオは、肩をすくめた。「かもしれませんね」彼は、あっさりと、自分にその能力があることを認めた。「報酬しだいでは」

謎めいた目を、彼は西条に向けた。

西条は、ラオが条件を口にするのを待った。

——違法コピーは、もちろん不問だ。そのうえに……金だろうか？　この状況では、何億かは、覚悟せざるを得ないだろう……。

ラオは、ずばりと言った。

「大陸でのビジネスには、私も興味があります。どうでしょう？　ハイパーソニックが中国政府と無事に契約を取り交わした後に発生する、中国での事業は、わがラオ・ワールド・オペレーションとの合弁という条件では？」

西条は、一瞬、あっけにとられた。彼は、目の前にいる艶《なま》めかしい若者を、改めてしげしげと眺めた。

目に、挑発するような光が宿《やど》り、唇に、含み笑いが浮かんでいる。

——何を、バカな……。

危うく、そう言いかけた西条は、ふと気を変えた。

——この男は、大化けするかもしれない。

西条と相対した男のたたずまいには、気負いも、衒《てら》いもない。広い額に、眉は晴れ晴れと涼しく、顔は生気に溢れ、魅力がある。これまで交際してきた男たちと比べても、出色ではないのか？

つき合いのある財界人や政治家の顔を、思い浮かべてみても、この男のように、カリスマ性を感じさせる者は稀《まれ》だ。

広い中国を取り仕切るには、膂力《りょりょく》とともに独裁者のような魅力が要求されるだろう。あの国の、歴代の皇帝や、支配者がそうであったように。

奇妙なことに、西条は、彼に心中を語りたい気持ちになっていた。

「私は、中国が好きなんですよ」

ぽつんと、西条は言った。

「たしかに、ハイパーソニックの製品を、大量に捌《さば》ける、一二億という市場は、喉から手が出るほど欲しい――だが、それだけで、憑《つ》かれたように動いているわけではないのです。私の希望は、中国の人たちとともに、優れたものを創ることなんだ」彼は、静止したモニターの、大陸の画像に目を据《す》えていた。「中国は、東洋の頭脳であり、底知れぬ可能性を秘めた国だと、私は思う。西洋的合理主義とは違う理《ことわり》があり、計があり、策がある。東洋的な知恵のなかから、必ず、常識を超《こ》えた製品が、いくつも生まれるでしょう――東洋にアイデンティティを持つ者の一人として、私はそれを世界に誇りたいと思う」

ラオの澄んだ目が、優しく西条に向けられた。

西条は、話を続けた。

「中国大陸に、ハイパーソニックが強固な足場を築けば、それができます。私は、けっして日本製品を押しつけるためだけに、中国政府と取引きしたいのではない――中国という国が連綿と持ち続けている文化への憧《あこが》れと羨望が、私のなかにあり、それを生かす技術を、ともに考えたいという願いが、根底にあるのです。もし中国が、画一的に西洋化の道を辿《たど》れば、私の憧れは消えてしまう。あまりうまくない喩《たと》えだが」

言いながら、思い出すような顔になった。

「太極拳《たいきょくけん》や、気功というのがあるでしょう。風のような流れ、動物のしぐさを真似た自然な動作、地球の持つパワーと自分を一体にしようとする気持ち……まさに誇るべき、独自の文化ですよ。中国人の早朝の健康法といえば古来、これだった。だが、つい先日の報道では、ジャズダンスふうの、リズミカルなダンスが流行《はや》りだしているとか。それを聞いて、昭和三十年代から、日本でラジオ体操という奇妙なものが広まったことが、オーバーラップしました。皆が、メトロノームに合わせたように、画一的な動きをすることをよしとするようになってしまった。各人のリズムが違うことは、とても素晴らしいことなのに。私は、それを、一二億の人々に、広く知らせたいのです。ハイパーソニックのハードとソフトで、それが実現できる。彼らとともに考え、技術を提供していくことによって。その礎《いしずえ》を、私は築きたい」

「それで、腑《ふ》に落ちました」ラオは白い歯をちらと見せた。

「何がです?」

「あなたが、世界的に有名な社長でありながら、自らあの国に向かうというわけが。あなたは、危険に向かっているのではない――夢に向かっているのですね?」

真に屈託ない笑みが、西条の顔に広がった。

この、たっぷりと水気を含んだ男のような才能こそ、彼が望んだものなのかもしれなかった。模倣し、時を読み、しなやかに相手に添う——ラオは、東洋的な呼吸そのものだった。

同時に、西条は、夢を持つもう一人のことを考えていた。アディール。彼女もまた、かの国に希望を託している。もしも、明日までに彼女を探すことができなかったら？

暗澹《あんたん》と沈む気分を振り払うように、彼はラオに向き直った。

「ここから先は、パートナーとして話す……それでいいかね？」

口調も、彼を認めたものに変わっていた。

ラオは、優雅に一礼した。鶴が、つと首を下げたときのように、礼は鮮やかだった。

都築健太郎は、ハイパーソニックのラボから、大使館への帰途についていた。劉日月を、ラボまで送り届けた都築は、その時点で、任務をほぼ、全《まっと》うしていた。あとは、香港に帰り、ハイパーソニック社長の西条とラオの間で交わされた取り決めを、本省に向けて、報告書にしさえすればよい。

安堵感から、軽い鼻歌が出た。大使館所有のヴァンは、完璧に手入れが行き届き、ドライブは快適だった。

——もっとも、西条は、ラオとの取引きの一から十までを、外務省に打ち明けはしないだろう。

西条が、ラオとの会談への都築の付き添いを拒《こば》み、二人だけでの密談を望んだことから、それは予想できた。

本省でも、そこまで嘴《くちばし》を挟むつもりはなかった。もともと、このコピー業者の調査依頼は、ハイパーソニックの側から出、通産省経由で回ってきたものだからだ。直接の被害者が納得し、曲がりなりにも解決の形がついた以上、報告書は、形式にすぎない。都築は、西条が用意したもっともらしい解決策を、レポートに書き込むことになるだろう、と思った。

ラオが今後、香港に戻ってどうなるかといった類《たぐい》のことも、もはや、都築の関知するところではなかった。彼のことだから、なんとか自分で道を見つけるだろう。

カーラジオを聞こうと、ダッシュボードの下に手を伸ばしたとき、無線が鳴った。

「都築さん？」

沢木だった。声に、急《せ》いた響きがあった。

「ラオは、どこです？」

都築の返事を待たず、沢木は訊ねてきた。そのため、交信が、瞬間乱れた。都築は、マイクを握りかえた。

「何かあったのか」

それには答えず、沢木は重ねて訊いた。

「ハイパーソニックのラボの、所在地を教えてください。彼は——ラオは、そこに行っているんですね？」

ラボの所在地は、一般には非公開になっている。種々の研究成果を、産業スパイから守るためだと、都築はハイパーソニック側から説明を受けていた。

沢木の口調からすると、何か切迫した事態に直面したのかもしれない。雰囲気に気圧《けお》された都築は、反射的にラボのアドレスを口にしていた。

言ってから、嫌な予感が背中を走るのを感じた。

〈無線では、聞かれて困ることは話すな〉

省員の鉄則が、脳裏《のうり》を過《よぎ》った。だが、一企業のラボの所在地は、徹底して守るほどの国家的機密ではないと思い直した。それに、企業秘密を盗んだ主犯格は、いま、そのラボにいるではないか。

「なぜ、ラオを探しているんだ？」

叫ぶように、都築はマイクに問いかけた。

残念なことに、その問いは、沢木の耳には届かなかった。彼は、とっくにスイッチを切っていたからだ。

水底に沈んだアディール・カシマの唇から、ふつりと泡が洩れた。

それが合図だったかのように、女優は、ぶるんと大きく身震《みぶる》いし、水のなかで瞬《まばた》きもせず見開いていた瞳を、二、三度、しばたたいた。

水死体の演技は、大成功を収めていた。

——少なくとも、昔よりはうまく演《や》れたはずだわ。

ゆっくりと、水面を目指す肢体には、生気が蘇《よみがえ》っていた。

駆け出しの頃に摑んだ水死体役は、もっと酷《ひど》かった。マフィアに殺され、冷たい海に沈む女。ダイバーが偶然、水底に漂う死体を発見するという設定で。そのときは、脚に錘《おもり》までつけた——バカげた監督の、意味のないリアリズム。無名の女優は、水圧と呼吸の苦しさに耐えかねて顔を歪《ゆが》める度に、演技をやり直さなくてはならなかった。半ばサディスト的にさえ思える監督の、カットの声が響くまでが、永遠の長さにも思えた。

だが、その芝居や、それに類した——溺れるとか、殺されるとかいった——シーンを幾つも撮《と》ったおかげで、少なくとも難局を一つ、乗り切ることができたのだ。

水から上がったアディールは、彼女を引き立ててくれた名脇役のほうを振り返った。

ぞっとしない光景だった。プールに沈んだ男の蒼《あお》黒い顔には、まるで表情がない。男を殺すことはさすがに気が咎《とが》め、彼女は息を失った男を、プール・サイドまではとりあえず運んだ。だが、男は、たぶん死んでいる。そうでなくとも、すぐに死ぬだろうと、彼女は思った。

そのことに躊躇《ちゆうちよ》している余裕は、アディールにはなかった。身体にまつわる死の匂いを振り払うかのように、彼女は肌についた水滴を、素早く払い落とした。

二つの死体に驚いて、プール・ハウスを飛び出して行った男が戻らぬうちに、ここを出なければならない。

先刻まで固く閉ざされていた扉は、慌てて出て行った男が開け放したままだった。死んでしまった人間を閉じ込めるのに、鍵は要《い》らない。動転した男が、無意識のうちに典型的な行動をとったことは、アディールにとってラッキーだった。

男が、もっと気の利《き》く人間だったら、即座に死体をプールから引き揚《あ》げようとするか、息を確かめようとする可能性もあった。

そのときには、最悪、死体のふりをやめ、別のシナリオに切り替えなくてはならなかった。

彼女の用意したもうひとつの筋書きは、こうだ。

男が、死体を引き揚げる、あるいは死体の生死を確かめるためには、プールに入らざるを得ない。男が水に入ったのを見計らって、自分は、急いでプールの逆サイドに向かって泳ぎ始める。死体の一つが泳ぐという異常事態に、男が気づいたときには、プールを出ていることができるだろう。

もちろん、男は慌てて追ってくるに違いない。そのとき、アディールがこれも映画の現場で得た知識が、役に立つはずだった。

——水と電気。

水のある撮影現場では、この組み合わせによって不幸な事故が起こらぬよう、細心の注意を払う。それは、カメラマンたちの感電死がスタッフの間で、伝説のように語り継《つ》がれているからだ。

その逸話は、ときによって、老化したシールドがプールに浸《つか》っているのに気づかず、腰まで水に浸って撮影をした巨匠という話であったり、脚を滑らして、持っていた変圧器とともにプールに落ちた新進写真家の話であったりしたのだが、きまって、〈水際ではコード類に細心の注意を払うこと〉というベテランスタッフの教訓で締め括《くく》られていた。

アディールは、その知識を応用するつもりだった。通電したコードの片端を引きちぎり、プールに放つ。このプール・ハウスのバー付近に、間接照明用のコードが何本か走っているのに、彼女は目をつけていた。

水は、優秀すぎる伝導体となり、プールに浸っている男は、よくて気絶、悪ければショック死するところだったのだ。

少なくとも、二つ目のシナリオを採用しなくてすんだことに、アディールは僅かな慰めを感じた。

だが、他人の生死にかかずりあっている余裕は、いまの彼女にはなかった。誰かが戻ってこないうちに、できるだけこの邸から離れておきたい。

再び身震《みぶる》いし、あらんかぎりの力を呼び起こすと、彼女はロッカールームに走り込み、いままで舞台で経験したどんな早変わりよりも素早く着替え、また走って飛び出した。

――とにかく、外へ。

エントランスを出、長い庭を抜ける。門扉《もんぴ》のところまで来ると、五〇〇メートル先に道路が見えたのでほっとした。

――あそこなら、車が摑まる。

道路までの僅かな道のりを、限りなく長く感じながら、アディールは走り続けていた。

「航空宇宙工業部……ですか？」

公文俊成は、信じ難《がた》いことを聞いたというように、眼鏡の奥の瞳を大きく見開いた。先刻まで、キーボードの上を自在に動く劉日月の優雅な指先にあてていた視線を、彼は、手の持ち主の、端整な顔に向け替えた。

「そのとおりです」ラオは、その視線をさらりと受け流して答えた。

「まさか……」外された公文の視線は、あてどなく流れた。「そのセクションは、中国空軍の、武器や装備を計画し、製造する部門ですよね？」念を押す口調は、意外さに打ちのめされたという思いに満ちていた。「あなたは、そのメイン・コンピュータに侵入できるというんですか」

公文が八方手を尽くしても見つからなかった、中国空軍レーダーへの糸口を、彼は、いとも簡単に手中にしているというのだ。

ラオは、ディスプレイに現われるコードを眺めては処理し、チェックし、端末に指示することを繰り返していた。ハイパーソニックのオリジナル・ディスプレイは、たいそう彼の気に入ったようだった。目を細め、彼は甘い声を唇から洩らした。

「ラオ・ワールド・オペレーションには、優秀な社員と、遊軍がいるのですよ」

話の飛躍に、公文は訝《いぶか》しげな顔になった。

「たしかに、それはそうでしょうが」

「とくに優秀なのは、いわゆる〈太子党《タイツートン》〉という若者たちです」

「太子党?」耳慣れない言葉だった。「話によく聞く、華僑の互助組織のようなものですか? 幇《バン》とか、党《トン》とかいう……」

「いえいえ」ラオは笑った。「太子党は、組織ではありません。一部のエリート青年たちを指《さ》して言う言葉です。流行語の一つと言ったほうがよいでしょうね」

「エリート?」

「中国生まれ、中国育ちの、特権階級の子弟たちですよ。あなたもご存じのように、中国では、共産党の幹部や政府高官が、いまだにあらゆる面で幅を利《き》かせています。市場経済化で、その傾向は、鈍化するどころか、むしろ拍車がかかっているんです。あの国では、人脈、すなわち権力者との『関係《クアンシー》』が、事業を成功させる要《かなめ》ですから、権力者の懐《ふところ》はつねに袖《そで》の下で潤《うるお》っているわけです。当然、その子弟は高い教育を受けます」

「彼らが、太子党ですか」

「彼らの多くは、海外留学などで十分な知識を得たあと、国に戻り、親のコネで、しかるべき職の、しかるべき地位を得ます。だが、なかには、いったん外の空気を吸ってしまうと、国に戻りたがらない者も出てきます。留学先の国に居《い》つく者も多いが、どっちつかずの者は、香港でぶらぶらしている。彼らは、国に戻ることと、外国に出ることの損得を測りかねています」

「迷っているんですか……思想的に?」

「いや、もっとドライですよ。どちらがビジネス・チャンスが多いか、見極《きわ》めようとしています。私の社では、まあ、そんなわけで、中国から頭脳流出している人材も雇っているのです」

ラオは、淀《よど》みなく話しながらも、一瞬も作業を中断しなかった。時折、鋭い視線が画面上を走った。

「これから、その遊軍の一人の端末を呼び出します」

香港に回線を繋《つな》ぐらしかった。

「香港経由で、航空宇宙工業部のコンピュータに入ります。そこから、軍のレーダーからの報告を受信する端末に、プログラムを侵入させます」

ラオは、手短に言った。技術的な解説は公文には無用だった。代わりに、彼はなぜ香港の端末を経由して侵入しなければならないか、説明を加えた。

「遊軍は、アメリカで電子工学を学んだ若い女性で、共産党幹部の子弟です。彼女には、兄が一人おりますが、こちらも優秀な科学者です。彼のほうは、博士課程を終えた後、国に戻って職に就《つ》いています。勤務先は、国務院の航空宇宙工業部です。しかも、自宅に端末を置いている、限られた人間の一人です」

公文は、呆気にとられて、目の前の、ほっそりとした美男を見つめた。この男の、底知れぬコネクションの、これはほんの一端にすぎないのかもしれない。

「そんな……国務院の人間が、簡単に国防情報を洩らすなんて。しかも、共産党幹部の身内が」

「太子党の多くは、親にはけっこう批判的ですよ。それに、先刻、言ったはずですよ――中国では、何事も『関係』が第一だと」

公文に横顔を見せたまま、ラオは唇を綻《ほころ》ばした。

「驚いたな」メルセデスのギアをサードに入れながら、青年は言った。「ヒッチ・ハイクしてるアディール・カシマを、僕が拾《ひろ》ったなんて、誰が信じるだろう？」

シルク・ウールの、深いブルーのシャツにシルク・ニットのタイ。『エスクァイア』から抜け出てきたような格好にもかかわらず、彼の口調には、西部訛《なま》りが色濃かった。あきらかに、芸能人慣れしていない。

女優の頭髪が、生乾《なまがわ》きというよりずぶ濡れに近いことに、彼は何の不思議も感じていないようだった。あるいは、気づいていても、口に出すのは失礼だと思っていたのかもしれない。

アディールは、何台かの車をやり過ごし、大学の駐車許可証をつけたメルセデスを選んだのは正解だった、と思った。この種の車の所有者の八割方は、ヒッチ・ハイカーに暴力をふるう柄《がら》ではない。そして、運転者が男性なら、女にめっぽう弱いという特徴を備えている。

青年は、いろいろ質問したくて、うずうずしていた。以前に観《み》たことのあるアディールの代表作を、いろいろ思い浮かべ、気の利いたところをみせるにはどう切り出すかを、考え、言いかけては、止めた。

結局、彼が最初に選んだ質問は、ごく平凡なものだった。

「どこに向かいますか……ベル・エアの自宅ですか？」

アディールの自宅は、ベル・エアの奥にある、広壮な邸宅だ。内装のすばらしい、たしか三〇以上のそれぞれに贅を凝《こ》らした部屋がある……彼はメディアのどこかで、このオスカー女優の家を見たことがあった。このまま彼女を送って行けば、あの豪華な家を、実際に見ることができるかもしれないと、期待に胸をふくらませた。

アディールから、答えは、なかった。

ふと見ると、女優は、おし黙って、サイド・ミラーを見ていた。青年が、何気なくバック・ミラーで後方を窺うと、さっきまではいなかった後続車が見えた。前面にスモークを貼ったミツビシだ。

「気になりますか」

「そうね……少し」アディールは答えた。「最近、妙なファンがつきまとっているの。嬉しいけど……熱心すぎるの。おわかりかしら？　女優にも、プライベートな時間が必要なのよ」アディールは、うんざりというように首を振り、青年を熱っぽい瞳で見つめた。

「あの車、なんだかそれらしいのよ」

答える代わりに、青年はアクセルを踏み込んだ。女優と一緒に、活劇気分になれるチャンスなんて、滅多にない。

違反切符なんて、この珍しい経験に比べれば何でもなかった。車の性能と運転技術が折り合うぎりぎりまで、彼は、スピードを上げた。ミツビシは、途中まで追う素振《そぶ》りを見せたかと思えたが、やがて視界から消えた。

「間違いだったみたい」

車が追ってこないのを確認すると、アディールは、ほっとしたように呟いた。

おやおや、スターは少々、お疲れぎみだ、と青年は思った。彼は、はじめての小規模な学会のために、都市に出る途中の研究医だった。

顔色が、ずいぶん悪いぞ。それに、一種の強迫観念にとり憑《つ》かれているらしい。

「ここは……どのあたりなのかしら」

よほど重症なのか？　車がサン・ディエゴ・フリーウエイに入り、ロスに向かっていることもわからないなんて。

「ルート5ですよ……あなたは、サン・ディエゴにいたでしょう」

「サン・ディエゴ？」

「あのあたりに、お友達の別荘でもあるんですか？」

この質問も、彼女の耳には届かなかったようだった。だが、疲れ切っていたはずのアディールの表情に、急に力が漲《みなぎ》ってきたので、彼は驚いた。

「いま、何時かしら」

女優が、時計をしていないことに、そのとき、初めて気づいた。

「午後七時です」

「ロスには、何時に着くかしら」

「順調にいけば、あと二時間くらいかな」

「急いでくださる」アディールは、甘えるように言った。「ビヴァリー・ウイルシャー・ホテルに行っていただきたいんだけれど」

――ワオ！　なんてゴージャスなんだ！　あのホテルには、『プリティ・ウーマン』でジュリア・ロバーツが使ったスイートがあるんだぞ。今日はまったく、記念すべき日になりそうだ。

「ベルトをしっかり締めてください」

彼は再びアクセルを踏み、メルセデスは、ほかの車の間を、優雅に縫《ぬ》って行った。


「ダーク・ブルーのメルセデスだ」

東洋系の男が、車載の無線機に向かって低く告げた。

「ルート5を、市内に向かっている。現在はオレンジ・カウンティにさしかかる頃だ。全要員に知らせてくれ。そう、間違いなく彼女だ……例の別荘近くに着いたとたんに見かけた……ドライバーは何者か不明だ。彼女には傷をつけず、目立たぬように保護しろ。質問は一切、不要だ。それから……ワシントンに飛んだ李《リー》上司に、即刻報告しろ」

MAO

ダナ・サマートンを撃《う》った二発の銃弾は、いずれもごく僅《わず》かのところで、急所を逸《そ》れていた。

ダナの耳は、半分ちぎれていたが、弾が頭の右半分を直撃するよりはましだということを、沢木はしぶしぶ、認めないわけにはいかなかった。腰のほうはもっとひどく、たぶん脚を一生、引きずるかもしれない。

大使館に、彼は戻っていた。ダナは、大使館が緊急時に利用する日本人経営の救急医院に入れられており、付き添いは徒労だった。集中治療回復室は、患者にとって最良の状態に保たれ、入室は禁止されている。外からの菌による感染症は、傷よりも恐ろしい。抗生物質の効《き》かない菌が増えてきていることを、沢木も知っていた。

体内から、怒りと愛と疑問が、交互に湧き上がっていた。

彼女を撃ったのは、誰なんだ？　考えられる可能性は、山ほどあった。

メイミ・タンの指示とも考えられる。あのチャイニーズ・レストランにダナが訪れることを、もっともよく知っていた人物は、約束を取りつけたメイミ自身だ。襲撃者を待機させるのは、彼女なら容易だっただろう。ダナが撃たれた直後、沢木はメイミを探したが、彼女はレストランから姿を消していた。

上海香港銀行絡みという線もある。銀行をハッキングした三人のうち、カナダで黄永富が殺されている。同じ理由で、ダナが狙われたのかもしれない。ウォンが殺されたのはトロント最大のチャイナタウンだ。上海香港銀行の子飼いのならず者が潜んでいてもおかしくない。ウォンを殺した者、あるいはその仲間が、今度はダナを標的にしたのは、想像に難《かた》くない。

そう思うのは、ダナが意識を失う寸前に、劉日月《ラオヤアユッ》の名を、何度も口にしたからだ。

ラオは、ハッキング・グループのうち、ただ一人、襲われていない。ダナは、残ったラオの安否を気遣《きづか》おうとしたのか？

大使館でのやり取りで、ラオは〈密約〉や不正行為の証拠について、妙に自信ありげな託宣をダナに与えている。彼女はその背景を沢木に訴えようとしたのか。

さらに、もっとも気になるのは、ダナが口にした、もう一人の人間の名だった。

——〈チャー……リー〉

しだいに譫言《うわごと》めいていく、切れ切れの呟きのなかに聞いたその名は、沢木を愕然とさせた。

あらためて思い出す必要もない……公式記録を持たない、イギリス情報部員。一〇年前にロンドンで起きた火事と同時に、姿を消したという謎の人物。コードネーム〈チャーリー〉で呼ばれる工作員。

ダナの口から、その名が出たのは、とても偶然とは思えなかった。

彼女は〈チャーリー〉を知っている。

だとすると、ダナが、ロンドンの事件の関係者である可能性は高い。火事で焼死したローレンス・アボットとともに、写真に収まっていた女は、やはり、彼女なのか？

とすれば、襲撃者は〈密約〉をめぐる渦中の組織の、いずれとも考えられる。ゴルトシルト家の刺客、中国の情報部……いったい幾つの組織が動いているのか——沢木は、問題の規模を掴みかねていた。ダナは、例の事件の織り成す複雑な線のどこかに、絡まっているのだろうか？

ラオは、彼女が事件の関係者と知ったうえで〈密約〉を盗み出すのを手伝ったのかもしれない。もし、そうなら、彼の目的はどこにあるのだ——？

どうしても、彼に会わなくてはならない。

早急に、ラオと話す必要がある。彼もまた謎を構成する不透明分子なのだ。野放しにすると、何をするかわからないのは、ダナでなく、ラオのほうなのかもしれない。

焦燥感が、沢木を駆り立てていた。

「沢木君」

低い声に振り向くと、在米の中堅参事官、篠山《しのやま》武《たけ》志《し》が、蒼ざめた面《おも》持ちで立っていた。

篠山は、大使館内の通信専門家だ。秘匿するべき外交データさえ、コンピュータによって電送されることが主流となった現在、通信内容の保全は、高度な暗号技術に頼るところが大きい。大使館のシステムは、外務省独自の暗号アルゴリズムを施《ほどこ》した回線装置を使用し、さらに、送受者は、暗号帳を使ってメッセージをやり取りしている。暗号化された通信文を平文に戻す職務の、束《たば》ね役的な存在がこの男だった。

「――何か？」

沢木は、思わず篠山の顔を見直した。彼の顔には、どこか不可解な事象に圧倒されたような、茫然とした色があった。

「君と二人きりで話す必要があるんだ――ひじょうにデリケートな問題で」

「構《かま》いませんよ。だが、できるだけ手短に願います」

沢木は、苛々《いらいら》とした様子を隠さずに言った。できれば、すぐにでも、ラオを摑まえに飛び出したかったのだ。

篠山は、沢木の無礼にも気づいていなかった。彼の心を、ほかの何かが占《し》めているのは確かなようだった。

「とにかく、ここではまずい――一緒に来てくれ」

篠山は、黙って沢木を廊下へ導《みちび》き、奥まった専用エレベータへ向かった。

〈例の部屋〉だな、と、沢木は見当をつけた。特に秘したい会話が、館員の間で行なわれる場合のために、ある一室が特別に充《あ》てられていた。この部屋だけは、徹底的な盗聴防止が、毎日、念を入れて行なわれている。調度品は一切なく、カーペットはおろか、空調や、通気孔さえない。

篠山は、そこで話すつもりらしかった。

エレベータで地下に降りると、殺風景な廊下に、二人の警備員が立っていた。彼らは、とっくに見知っているはずの篠山と沢木に、ＩＤカードの提示を求め、続いていくつかの機器で、所持品とボディのチェックを行なった。

所持品といっても、沢木は、空手《からて》だったし、篠山はといえば、資料らしい紙を握りしめているきりだった。沢木の見たところ、その紙は、コンピュータのプリンタ用紙だったが、篠山があまりにも強く握ったためか、かなりの皺《しわ》になってしまっていた。

警備員は、二人の資格に満足すると、ドアロックを解除して一礼し、扉を開いた。

十分に防音の施されたドアが、篠山と沢木をなかに残して閉じてしまうと、待ちかねたように篠山が口を開いた。

「君にわかるか……これが、何だか？」

丸めたプリンタ用紙を、彼は巻物を解くように広げながら、沢木に示した。

「わかりません」沢木は、正直に言った。「でも、見当ならつきます。通信文でしょう……本省からの？」

篠山が通信担当官であることから、それは誰もがある程度推量できることだった。言わずもがなだが、言わぬよりはましというだけのことだ。

用紙に印字《プリント》されているのは、どこの国のものともつかぬような記号と、数字の羅列にすぎなかったが、篠山には、その意図するところが理解できるのだろう、と沢木は妙な感心をした。

篠山は、沢木の顔を、穴のあくほど見つめた。それから、首を振り、溜息を吐《つ》いた。

「知らないようだな」

彼は言い、用紙の上の細かな印字を再び確かめるように、しげしげと眺めた。

「私にはどうしても信じられないんだ……なぜ、こんなことが起こったのか」篠山は、冷静さを保とうと努《つと》めているように見えた。「この通信文は、君宛《あ》てに入って来ているんだ」

「私に……？　本省からですか」

本省の木島調査局長が、〈密約〉に関する情報、あるいは指示を、沢木に送ってくる可能性はあった。だが、篠山は言下《げんか》にそれを否定した。

「本省からではない――だから問題なんだ」

「では、ロンドンから？」

ロンドンには、美女大量焼死事件と、ゴルトシルト家の調査を、沢木から引き継いだ巌谷がいる。その巌谷からの連絡ということだろうか。

「いや」篠山は、それにも首を振った。「省内からではない」

沢木は、はっとして目を見開いた。

「まさか……」

「発信は、外部からだ」篠山は、すぐに言った。「こんなことは前代未聞《ぜんだいみもん》だ。われわれの通信方法にのっとって、外部の何者かが、この大使館の端末に、これを送り込んだ」語尾が、僅《わず》かに震えた。長年かけて組み立ててきた日本外務省の暗号通信システムが、外部の侵入者に破られた。その現実を、直視せざるを得ないのだ。

「発信者は、不明なんですか」

「君は知っているんじゃないか」通信担当官は、詰問口調になっていた。「君に宛てたものだ。少なくとも、発信者は君を知っているだろう」

沢木の頭は、すでにこの問題を巡って、忙しく動き出していた。

――こんな離れ業《わざ》ができるのは、あの男だけだ。コンピュータ端末への侵入が専門で、数字に滅法《めっぽう》強い、得体の知れない男。

「見当はつきます」

「いったい――」

「その前に――」沢木は、話を遮《さえぎ》った。「そこに、何が書かれているのか、話してください」

「説明する」篠山は、短く言った。「平文にすると、短いものだが、こうだ。『〈T・T・MAOの密約〉は、二月十三日午前六時、アディール・カシマ、西条亮とともに北京へ発《た》つ……M・S』」沢木の表情を、彼は窺《うかが》った。「それに続けて、空港の名前がある」篠山は、ワシントン郊外の小空港の名前を口にした。「心当たりがあるか……この発信者に――そして、ここに書かれていることに？」

――妙だ。発信者は、M・S？ラオなら……劉日月なら、イニシャルはY・Rだ。ラオでないとするなら、ダナ・サマートンだろうか？　いや……そうだ、マーラ。ダナのもうひとつの名前は、マーラ・シェリダンだ。〈M・S〉。――では、彼女が？　しかし、彼女は撃たれて、いまは意識がない。

「これを受信したのは、いつです」

「まだ一〇分も経っていない」

沢木は混乱した。病床のダナが、これを発信できるとは思えなかった。

それ以上に沢木を混乱させ、驚かせもしたのは、通信文の内容だった。

「そこにある二つの名前だが」篠山が、せっつくように訊ねた。「有名人の名だが、本当に当人たちを指しているのか？　それとも、それも暗号か、単なるジョークなのか」

――アディール・カシマ。

――西条亮。

国際的に有名なオスカー女優・アディールの名に、こんな場面で出会うのは、唐突すぎた。沢木にしても、スクリーンでしか見たことのない、およそ別世界の人間だ。〈密約〉を、彼女が所有……？　いや、ただの同姓同名の人間かもしれない。

しかし、西条亮のほうはどうなのだ？　ここに登場した〈西条〉が、あの、世界のハイパーソニックのプレジデント、西条亮であるとしたら？　空港という言葉が、それを裏づけていた。西条は、個人でジェットを操縦する資格を持つ、数少ない経営者なのだ。

沢木は、西条に香港で会っている。

香港――またしても、香港だ。あのとき、商用で香港を訪れたと、彼は沢木に話した。たしか……香港の衛星放送局に、映画のソフトを売るということだった……待てよ、映画？　オスカー？　そうか、そうだ、アディール・カシマのオスカー受賞作は……ハイパーソニックの出資だ。アディールと西条亮は、顔見知りで当然なのだ。

――それに、ラオだ。ラオはいま、どこにいる？

「何てことだ」沢木は、叫んだ。「奴は、ハイパーソニックに行ったんだ」

篠山は、わけがわからないという顔で、沢木を見た。沢木は、言った。

「本省に指示を仰《あお》ぐ必要があります」

「そうすべきだろうな。いずれにせよ、君の調査に関わることだ。私が口を出すべきではないのかもしれない。だが、端末への侵入者は別だ。できることなら捕えて、経路を割り出したい。もし、君の意中の人物が該当者なら、しかるべき手段をとる必要がある」

「わかりました」

篠山は、手にした用紙をヒラヒラさせて、つけ加えた。「本省との連絡には、もうこの暗号は使えない。緊急用のサブがあるから、それを使ってくれ」

沢木がうなずき、ドアに向かいかけると、背後から、通信担当官は、引き止めるように声をかけた。

「もしよければ、一つだけ教えてほしいんだが……この文中の、〈T・T・MAO〉ってのは、いったい何なんだ？」

沢木は、振り向き、首を横に振ったが、胸のなかでは、それに答えていた。

――毛沢東《マオツォトン》《Mao Tu-tung》。

「何てことだ」

外務省情報調査局局長、木島堅持が自宅の端末で受けた、沢木からの報告は、彼を唸らせるに余《あま》りあった。

送られてきた通信文が、取るに足らない悪戯《いたずら》であることを、彼は強く念じたが、一方で事実だった場合の対処をも迫られていた。発信者が〈毛沢東の密約〉の存在を知っている以上、見過ごしにできるはずがなかった。

木島は、端末上で〈重要〉ファイルを一つ、開いた。たちまち、いくつかの名前と、緊急の場合の連絡先が、画面に表示される。信頼できる部下たち、官房長、外務審議官、外務次官、外務大臣。それに、数本のホット・ライン。リストをひと渡り眺めて、彼は顔をしかめた。

〈毛沢東の密約〉を、ハイパーソニックの西条亮が、北京に運ぶ――それが事実だと仮定して、どう処理するのが最善なのか。

経済的な日本支配を、密《ひそ》かに画策しているゴルトシルト一族の頭を押さえつけるには、彼らが喉から手が出るほど欲しがっている、〈密約〉の入手が必要だ。香港の将来を左右する、一枚の原文が。

為替市場には、ここ数日、不穏な気配が渦巻きだしていた。円は、不自然なまでに買われ続け、日銀の介入も焼け石に水というありさまだ。株も下げを続けている。うわべは綺麗に取り繕《つくろ》われているが、木島には、いよいよゴルトシルト家がその牙を剝《む》き出すのがはっきりと感じとれた。経済操作の陰に、彼らのブラック・マネーが蠢《うごめ》いている。放置すれば、日本経済が破綻《はたん》をきたしかねない。〈密約〉だけが、その決定的な歯止めになるはずだった。

その原文を、西条が所持しているのが事実とすると、外務省としては、彼に協力を、つまり〈密約〉の供出を打診するのが、まず第一だ。だが、問題は、西条が文書を北京に運ぼうとしているらしいことだ。中国政府もまた〈毛沢東の密約〉を、どうしても取り戻したいと願っているのだ。

北京に向かう西条の目的は、おそらく中国政府とのビジネスにある、と、木島は推測していた。

〈密約〉が中国側に戻れば、香港は予定どおり、何の支障もなく一九九七年に返還される。中国政府は、一度摑んだ経済的隆盛の端緒を、放したくないのだ。いま、香港という基盤が揺らぐことは、中国にとっては、最大のダメージになる。西条は、それを防ぐことのできる大きな手土産と引き換えに、中国全土で、ハイパーソニックの優遇を得るつもりに違いない。だが、現在日本が置かれている苦境を知れば、西条が考えを変え、〈密約〉を外務省の管理下に置くことを承諾してくれる可能性はあった。あるいは、時間さえあれば、多少、荒っぽい手を使っても、西条に密約を提供させることができるのかもしれなかった。一企業の利益と、国の利益を秤《はかり》にかければ、どちらが重いか、木島にとっては考えるまでもなかった。

――時間。

木島は、そこに思い至ると、深く長い息を吐いた。

どんな手段を取ろうにも、時間がなさすぎる。西条が米国を発つというその時刻が迫っていた。現地に急行させた沢木が、ぎりぎりで間《ま》に合うかという瀬戸際なのだから、日本にいる木島が、いくらあがいても役に立たないのだ。

さらに、このケースでは、アメリカと連携するわけにもいかなかった。木島には、西条はおそらく、米国を密出国するつもりではないかと思えた。彼が離陸を予定しているという空港は、国際空港ではない。なのに、西条はそこから北京に向かうという。にわかには信じ難《がた》いが、何らかの方法で手筈《てはず》を整えているのだろう。世界的企業のトップが密出国を企図したとなれば、一大センセーションが巻き起こる。そのうえ、アメリカ側に〈密約〉の存在を知らせることになりかねない。アメリカ側には、何一つ洩らすことができないのだ。

暗い部屋のなかで、再び端末のＶＩＰリストを、最初からスクロールした。この面々に今すぐ事情を知らせることはできる……だが誰が役に立つというんだ？　逆に、その過程で情報洩れがないと、なぜ断定できる？

結局、木島は、リストを終了させた。ディスプレイは、もう何も映し出していない。

釈明は、事が起きてからでいいと、彼は肚《はら》を決めた。

沢木よ、間に合ってくれ。

木島は、これまでに手元に集まっていた材料を、すべて沢木喬に伝えていた。

ロンドンの巌谷は、大量焼死事件のロンドンと香港での調査結果を報告してきていた。そのレポート、そして、西条亮とアディールに関して、できる限りかき集めた資料。

沢木が、西条のアメリカ出国を思い止《とど》まらしさえすれば、仕切り直す自信はあった。その一方、最悪のシナリオさえ、頭に浮かぶ。万が一、西条の機がどこかの国に、領空侵犯で撃墜されでもしたら、密約は海に散り、日本を代表する企業人の、理由不明の愚行が喧伝《けんでん》されるだろう。

木島は、運を天に任《まか》すかのように、容赦なく進む時計を、いつまでも見ていた。

東洋系の男は、ビヴァリー・ウイルシャー・ホテルのロビーで一五分待った。

スイートの一つに、アディール・カシマがチェック・インしたことはわかっていた。

彼女が、ロビーで連れの若い男と別れ、ホテルのフロント主任らしい、若い赤毛の女に付き添われて部屋に向かったのを、男は確認していた。アディールはここの常連らしく、女性スタッフは、彼女の姿を見るなり、下にも置かぬ様子を見せた。

彼女をここまで連れてきた若い男は、アディールと名残り惜しそうに別れると、周囲に気を配《くば》るでもなくホテルを出てしまったので、どこの組織のものでもないと、男は断じた。念のため、別の要員がメルセデスをマークしている。さらに、ホテルの通用口にも一人。女優の拘束は、もはや実行されたに等しいと彼はほくそ笑んだ。女を一人、かどわかすくらいは、ものの数にも入らない。

アディールを部屋まで送って行った赤毛の女性スタッフが、ロビーに戻って自分の業務に就くのを見届け、男はエレベータを上がって行った。女優は、ついに一人になったのだ。

ボーイのふりをして、ドアをノックする気はなかった。いまの彼女は、すべてを警戒しているに違いない。ドアを開けようという気にはならないはずだ。それはそれで、構わなかった。ディジタル・ロックでも、アナログ・ロックでも、数十秒で開ける自信があった。

もちろん、その自信は、つねに、彼を裏切ることがなかった。続き部屋の錠前は、あっという間に、ごく微《かす》かな音を立てた。ドアの隅に指を立てて、そっと力を加えると、五センチほどの隙間があいた。

ありがたいことに、部屋の主は、物音に気づいていないらしい。耳を澄ますと、TVからニュースが流れているのが聞こえた。さらに大胆に、男はドアを押した。TVからの音声の合間《あいま》に、僅かだが、人の気配があった。

奥の部屋だ――男は、見当をつけた。物音を立てぬよう、身体を部屋に滑り込ませ、死角になっている壁に貼りつく。

掌《てのひら》に入る小型スプレーを、握り直した。一見、携帯用ムースの容器に見える缶には、漢方の処方で製造した、きわめて強力な麻酔薬を封じ込めてある。欧米の情報部は、このレシピをけっして当てることができないだろう。幾種もの植物が、絶妙に作用しあって最大の効果を発揮するのだ。女優は見る間に深い眠りにつき、気づいたときには、見知らぬ場所にいることになる。

男は、身構え、静かに機会を窺《うかが》った。不意を突くには、相手が動いているときのほうがよい。動作中の人間は、周囲に対する注意力が少なくとも一割程度は落ちると、彼は信じていた。

女が、動く気配がし、やおら、男は奥の部屋に駆け込んだ。

ところが、そこで、彼の目論見《もくろみ》が狂った。なかにいた女は、まるで、彼の侵入を知っていたかのように、油断なく構えていた。

しかも、驚いたことに、その女は、アディール・カシマではなかった。

男は、とっさの判断で、持っていたスプレーをポケットに隠した。

「やっぱり、いらっしゃったの」赤毛の女がくすくす笑っていた。「あなた、どこの局のレポーター？」

「失礼、部屋を間違えたようだ」

「部屋は合ってますわよ」楽しそうに、女は言った。「アディールを訪ねてみえたんでしょ」

男は、気づいた。この女は、アディールを担当していた、ホテルのフロント主任だ。だが、彼女はロビーに戻ったはずだ……。女の背格好と、すらりと均整のとれた身体つきを、彼は無遠慮に眺めた。何とバカな！　アディールは、この女と入れ替わったんだ！

「お気づきのようですわね」フロント主任はニッコリと、彼に微笑みかけた。「あなたでもう何人めになるかしら……ご存じなかったの？　アディールは、しつこいマスコミを避けるために、たびたび、この手を使うんですのよ。私に似せたヘア・ウィッグを、いつも置いてあって……でも、最近の記者の方って凄いのね。FBIかCIAなみに、ドアのキーを……」

話の後半を、男はもう聞いていなかった。北京語で悪態をつきながら、彼は、弾《はじ》かれたように部屋から飛び出して行った。

劉日月《ラオヤアユッ》は、時計を見ながらコーヒーを飲んでいた。

「こちらは、すべて順調ですよ」

公文はうなずいた。ラオのほうに問題がないのはわかっていた。彼の顔は曇っていた。問題が解けないのは、公文のほうだったからだ。

アディールの選んだパスフレーズが、最後の課題だった。

公文は、しかめ面のまま、首を振った。

「見つけられない」

文書を封じ込めた〈殻《カプセル》〉を開ける、魔法の一節に、女優は、いったいどんな言葉の組み合わせを選んだのだろう？

主演映画の科白《せりふ》か？　恋人達や監督達の名か？　あるいは、何か警句のようなものかもしれない。言葉も、組み合わせも無限にあった。一人の女性の心中を解き明かし、彼女の心を捉《とら》えたフレーズを的中させることは、電子工学技術者の能力外なのだ。

「パスフレーズがわからなければ、プランは中止ですね？」ラオは公文に訊いた。

「そうせざるを得ないかもしれませんが、社長が何とおっしゃるか……」彼は答えながらキーを叩いた。一〇秒と間《ま》をおかず、コンピュータが、電気的に合成されたアディールの声で、入力したフレーズを復唱する。だが、大きなテーブルの中央に据《す》えられた〈殻〉は、微動だにしなかった。腱鞘炎《けんしょうえん》になりそうなくらいに、キーを叩き続けているにもかかわらず、成果はゼロなのだ。

ラオは、再び時計を見た。夜が明けかけていた。西条が出発の時間に定めた時刻は、二時間後に迫っている。

「そろそろ、ミスター・西条に決断を仰《あお》いだほうが賢明ではありませんか」

「計画を諦《あきら》めることを、社長に勧《すす》めるのですか」

「無限の語群のなかから、唯一のパスフレーズを探すのは、砂浜のなかでたった一粒《ひとつぶ》の砂を探すに等しい……そうではありませんか？」

「しかし……」

「別の考え方もありますよ」ラオは言った。

「ほかの……？」

「例えば、〈殻〉を、そのまま中国側に渡すとか」

「そのまま……つまり、開かないままでですか？」公文は、意外だという表情でラオを見た。キーを叩く指は、止まっていた。「それでは、あちらは納得しないでしょう。内容が確認できないことには。それに……直接、アディールが中国に赴《おもむ》くことが、交渉の条件になっているようですよ」

「そうですか……では、残念ですが、諦めるほかなさそうですね」ラオは、納得していなかったが、ひとまず、自分の意見を取り下げた。珍しく、心底落胆した表情になった。

そのとき、西条が慌《あわ》ただしく入室してきた。「アディールの足跡が摑めた」ひと息に、彼は言った。

「本当ですか」公文は立ち上がった。

瞬間、希望を取り戻しかけた公文は、それを聞くと、再び肩を落とした。

「彼女は、ロスだ」

「間に合いません……いま彼女がロスだとすれば、予定の時刻には遅れすぎる」

　彼がさまざまな機関に忍び込ませたプログラムは、時限型で働くようにセットされている。いまさら変更は効《き》かなかった。この段階で可能なのは、中止のみだ。その中止の措置をとるにも、ある程度の時間は必要だった。タイム・リミットまで、もう一時間を切っている。ロスからワシントンまでは、空路でも五時間はかかるのだ。

「そうだ」公文は、顔を上げた。「彼女自身がいなくても、パスフレーズさえわかれば、技術的には、〈殻〉を開けられます。彼女はロスの、どこにいるんです？　話さえできれば……彼女の選んだフレーズを聞くことさえできれば、計画続行は可能ですよ」

「そうしたいのはやまやまだが、無理だ」西条が言った。「ロスのビヴァリー・ウイルシャー・ホテルのフロントが言うには、彼女が立ち寄ったのは数時間前ということで、しかも、すぐに姿を隠したと言うんだ。行き先は、告げずじまいだったそうだ」

「ビヴァリー・ウイルシャー・ホテル？　なぜ、そこから情報が出て来たんです」

「アディールのエージェンシーに、ホテルから連絡が入ったんだ。私は、アディールを探すにあたって、念のため、彼女のマネジャーにも声をかけておいた。もちろん、込み入ったことは伏せ、新しい映画の仕事という名目で、昼夜を問わず、大至急アディールに連絡したいということにしておいた。エージェンシー側は、アディールが休暇を取ったと信じているから、彼女の常宿をはじめ、アディールが泊まりそうなホテルに、彼女が現われたら知らせてほしいと頼んでおいたらしい。ビヴァリー・ウイルシャーは、彼女のよく行くホテルの一つだそうだよ」

「もっと早く、彼女が現われると同時に連絡してくれれば……」公文は、恨《うら》めしげに呟《つぶや》いた。

「せめて、電話で話せれば……数時間も後でなく」

「ホテル側は、すぐにアディールのマネジャーに連絡したらしいが、あいにく、彼は、その時間は『電波の届かないところにいた』そうだ」

「くそっ、こんなときに！」公文は、苛立《いらだ》たしさに堪《た》えかねて、デスクを叩いた。その間抜けは、たぶん女とシケ込んでいたに違いない。

「唯一の救いは」西条の声にも、疲れが見えていた。「彼女が死んだり、傷ついたりはしていないことが確認できたことだ。それに、彼女は一人だったそうだ。姿を隠したのも、どうやら自由意志らしい」

「しかし、自由だったら、なんとか連絡を取ろうとするはずだと思いますが」それまで黙っていたラオが言い、そのとたんに、電話が鳴り出した。

三人は、顔を見合わせた。

すぐに、公文が電話を取り、残りの二人にも聞き取れるよう、スピーカーホンのスイッチを入れた。

「もしもし」

「公文さん？　警備室です」

公文にとっては耳慣れた、ラボの警備主任の声が、拡声器から流れてきた。

「ああ」落胆が、声に出た。電話は、内線だったのだ。「君か。どうした」

「こちらのモニターに、不審な侵入者がキャッチされました」

「何だって」

公文は、気色《けしき》ばんだ。

「外庭の柵を乗り越えてきたもようです。B棟の入口に向かっています」

公文達がいる部屋は、B棟の地下にあった。彼は、パニックになりかけた。何者かがすでにこの大事を嗅《か》ぎつけたのか？　組織的な訓練を受けている者が襲ってきたとしたらとても防ぎきれない。彼は、電子工学のスペシャリストであって、要人警護の専門家ではない。それどころか、自分の身を守れるかどうかも怪しかった。

「何をしているんだ！」公文は叫んだ。「ここには社長がおられるんだぞ！　早く対処してくれ」

「いま部下が二人、急行しています」警備主任の口調が、公文にはやけにのんびりと感じられた。それもそのはずで、警備主任は、この部屋で行なわれていることなど、全く知らないのだ。単に、公文と社長、それにアジアからの技術者の会議だと思い込んでいる。それが歯痒《はがゆ》くて、彼は怒鳴った。

「この部屋に、そいつらを絶対、絶対に入れるな！」

「即刻、取り押さえます」警備主任の口調が、急に引き締まった。「武器を使ってもよろしいですか」

「もちろんだ、何でもいい、取り押さえてくれ、頼む」

電話の向こうで、主任が部下に、その旨を慌てて、トランシーバーで伝えるのが聞こえた。続いて、主任は公文に言った。

「先刻のモニターの映像を、そちらにお送りします」

急いで公文は、壁に嵌《は》めこんだ防犯用モニターのスイッチを入れた。警備室の映像は、必要があれば、どれでも自由に、この部屋でも見られるシステムになっている。画像がはっきりと形になるまで、一秒はかからない。

だが、その僅かな時間の間に、乾いた二発の銃声が、どこか上方で響いた。

瞬間、室内を緊張が走った。西条は蒼ざめ、ラオは薄い唇を真一文字《まいちもんじ》に引き結んでいる。モニターが像を結ぶと同時に、三人は無言のまま、画面を凝視《ぎようし》した。モニターの画面は四分割され、四台のカメラが四方向から撮《と》った侵入者の姿が映し出されていた。

全員が、息を呑んだ。

カメラ・アングルのせいで、侵入者は、カメラの隅を掠《かす》めただけだったが、映っていたのは、あきらかに女だった。

「停《と》めろ」

震える声で西条が言い、公文は急いでモニターを操作して、対象がいちばんよく見えるポイントで画像を静止させた。続いて、横顔の映像を選んで、ズームをかける。モニター一面に画像が拡大し、粒子がいったん粗くなったのを、公文は、連結したコンピュータで、できる限り補正した。

女の顔が、ピント合わせのように、ぼやけたり濃くなったりし、ついにくっきりと浮かんだ。

西条は、動物のようなくぐもった唸《うな》り声をあげた。

「何てことだ」公文は、呻いた。

女は、髪型を変え、サングラスをかけ、見たこともないような化粧を施《ほどこ》してはいるが、注意すれば、スクリーンでなじみ深い表情が見てとれる。

「これは、アディール……」

——では、いまの銃声は？

不吉な想像に、公文の唇が歪《ゆが》んだ。間髪《かんはつ》を入れず、繋《つな》がったままの電話に向けて、彼は怒鳴った。

「止めろ！　止めるんだ！　銃は使うな」

彼女が万が一、傷つきでもしたら……いやもう、遅いかもしれない。

「どうしました？」

公文の異常な口調に、警備主任は驚いた。

「止めてくれ。彼女は、客人だ」

「大丈夫です」主任は、何でもないように言った。「いまのは、威嚇《いかく》だけです。当たってませんよ。われわれは、丸腰の女性相手に、そこまで荒っぽくありません。新しいモニターの映像を見ますか？　いま、ちょうど入口付近のカメラが現場を捉《とら》えたところです」

ほぼ瞬時に、モニターが、B棟のエントランスを映し出した。屈強な二人の警備員に挟まれるようにして、アディール・カシマが、そこにいた。女優は、防犯カメラの一つに気づくと、サングラスを外し、顎をやや上げて、思いきりそれを睨みつけた。

モニター越しに睨まれた形になった男たちは、われを忘れて、思わず画面に吸いつけられた。

こんな場合にもかかわらず、彼女のショットはあでやかだった。

「美しいひとだ」

ラオが言い、西条は安堵の吐息とともに言った。

「計画は、予定どおりだ——急いで、空港に向かおう」


「劉日月をキャッチしました」

香港総督は、ロンドンのゴルトシルト男爵に告げた。

「ラオ——？　銀行を——ハッキングした男だな」

「さようです」

「どこに——いたのかね」

「ワシントン郊外です、サー」

「見つけたのは——チャーリーか？」

「いいえ」総督は、ちょっと言葉を切った。手柄《てがら》には、多少なりとも、もったいをつけたかった。「われわれです」

総督は、男爵の色よい反応を期待したが、電話の向こうには声がなかった。彼は、しかたなく先を続けた。

「われわれは、ラオと交流のありそうな香港の電子工学技術者に、網を張っておりました。ご存じのように、香港の通信サービスを独占的に提供している『香港テレコム』には、われわれの権威は絶対です。なんといっても、現在のところわが政庁からフランチャイズを得て運営しているわけですから。国際通信サービスを担当する、傘下の『香港テレコム・インターナショナル』に手を回し、回線をチェックしていたのです」

「そこに――ラオが？」

「確かです」

「通信の内容は？」

「不明です」

「不明？　なのに――なぜ、それが、ラオからだとわかるのかね」

「ラオの通信パターンを、われわれは、いままでにいくつか入手しました。いずれも、解読不可能なコードによって送られていますが、共通の傾向がありますから、技術者が見れば、それと知れます」

「なるほど――では、なぜ、通信を受けた者を――質《ただ》さないんだ」

「彼女は無理です」

「彼女――女なのか？　なぜ無理なんだ」

「彼女は、中国共産党の高級幹部の娘なんです。下手《へた》な手出しは、この問題を表沙汰にすることになりかねません」

再び、沈黙があった。

「ラオという男――ただのハッカーとは――思えぬ――なぜ――中国高官の子弟と連絡を――取ったのか。居所《いどころ》が知れたからには――さっそく処置――せねば」男爵は、言った。

ゴルトシルト家の北米ネットワークは、マフィアのそれのように、密だった。ロンドンからアメリカの分家に、さらに下部組織にと指令は伝えられ、全《まっと》うされる。

「――場所を知りたい――正確に」

「回線からアドレスを割り出すのは、きわめて困難でした。ですが、われわれは――」

「能書きはいい」男爵は、総督の手柄話を冷たく遮《さえぎ》った。「問いに――答えろ」

総督は、こんどはアドレスを手短に告げた。だが、こうつけ加えることだけは忘れなかった。

「情報によれば、そこは日本のある電機メーカーの覆面研究所とのことです」

「何だって!」

男爵は、急に声を荒らげた。

「まさか――それは、ハイパーソニックだというのか?」

自分の情報が引き起こした男爵のパニックに、総督のほうが驚いた。

「なぜ、ご存じなんです?」

男爵は、昂《たか》ぶった調子で言った。

「中国側上層部に――潜《ひそ》ませている者から――連絡が――あったばかりだ――アディール・カシマの――背後には――その日本企業のトップが――ついていると。ラオは、そこに――いるのか」

「間違いなく」

「とすれば――そ奴は――〈密約〉にも関わりが!?」男爵の調子はますます激した。「捕らえるんだ――すぐに!」彼は叫んだ。

その数分後には、男爵の指令が大西洋を渡ってアメリカに伝わり、さらにその十数分後には、ゴルトシルト家の下部組織に属する、選《え》り抜きのならず者三人が、ハイパーソニックのラボに向かうセダンに乗り込んでいた。

挾撃

公文俊成を一人残し、西条、アディール、そして劉日月の三人は、小回りの利《き》くヴァンでラボを出た。公文が残ったのは、ラボで、西条の大胆不敵な国際間無許可飛行をバックアップするためだ。複雑きわまりないコンピュータ・プログラムを動かすには、ラボに備えつけの、大容量のハードウエアを用いる必要があるのだ。

西条亮は、アディールを助手席に、ラオを後部座席に乗せた小型ヴァンを、これ以上ないと言っていいほどスムーズに走らせた。

「うまいものだ」

ラオが、感想を述べた。古めかしい小型ヴァンは、ハイパーソニックのものでも、もちろん西条の個人所有でもない。ローカル空港の駐車場に乗り捨てておくのにぴったりの、はやく言えばポンコツだ。だが、西条は、車に残った僅《わず》かばかりの性能を、余《あま》すところなく引き出していた。

「彼は、レーサーでもあるのよ」

ラオを振り返り、アディールが言った。「プレジデントは、ライセンスのコレクターなの。無線に、船、航空機、クルマ……」

突然プランに加わってきた香港人のこの美男を、彼女は、訝《いぶか》しく思わないわけではなかったが、ラオの助けがなければ計画は進まなかったと、西条に説明されてみると、致し方なかった。彼も、北京に同行するのだと、アディールは西条から説明を受けていた。といっても、中国側との交渉のテーブルに、彼もつくということではない。あくまでも、それはアディールの役割だと、西条は言った。

ラオは、正規の手続きを踏まずにアメリカに来ており、このままでは香港に戻れない。彼の本拠地は、香港だ。近く西条やアディールと共同事業をするとしても、現在、香港で手掛けている仕事の始末が必要だと、彼は言った。彼をワシントンに連れてきた日本の外務省が、いずれ何とか彼を香港に戻すつもりかもしれなかったが、この機に乗じて北京に渡り、陸路から香港に戻ったほうが速い、と言うのだ。中国から香港へ、非合法に入るつてがラオには多くあった。香港政府が彼を血眼《ちまなこ》になって探している理由を、ラオは西条にすべて告げたわけではない。話す時間もなく、またそのつもりもなかった。ただ、アメリカへの入国が、正規の方法に拠《よ》るものでないことを告げただけだ。

――この男は、信頼できるのだろうか？

アディールは、バック・ミラーで、後部席のラオをそっと窺《うかが》った。

象牙のように艶《なま》めかしく白い額《ひたい》。彼は、西条の運転技術に関する彼女の言葉にうなずくでもなく目を閉じ、微動だにしない瞼《まぶた》は何も語っていない。

アディールは、その表情に、どこか馴染《なじ》みがある気がした。そして気づいた。これに似た表情とは、つねに出会っている。監督の顔だ――スタッフには計り知れないことを企《たくら》んでいるときの。映画は、数々の断片を組み合わせてできるジグソーパズルのようなものだ。スタッフは、場面場面で能力を最大限に発揮するが、その紡《つむ》ぎ合わせ方は、監督のみぞ知るところなのだ。俳優は、うまく駆《か》けられるかどうかは別にして、監督の駒《こま》にすぎない。西条と私は、この男にとって、駒なのだろうか？　まさか。

ふと、不安に駆られて、アディールは、脇でハンドルを握っている西条を見た。プレジデントは、損になることはしない男だ。ラオという男が、計画のマイナスになるのなら、西条が行動をともにするはずがない――そう考えて、彼女は自分を納得させた。どのみち、もう走り出しており、後戻りはできないのだ。

西条は、ワシントン近郊の、小さな空港をめざして走っていた。エアラインが入っておらず、ビジネス機や個人機が主に利用するそのローカル空港には、管制塔がなく、管制官は配置されていない。離着陸する航空機は、飛行場情報放送と呼ばれる無線から、気象情報やトラフィック情報を得るのだ。当然、管制官による目視《もくし》のチェックはなく、都合の悪い出発を隠すには、もってこいだった。

小型機のターミナルに、一九人乗りの高級ビジネス・ジェット、ダッソー・ファルコン900Bを、西条は駐機させている。

ハイパーソニックは、日本でダッソー社の販売代理をしている。それもこれも、西条の趣味が高じてのことだったが、そのつてで、彼自身、ファルコンの旧モデル10を所有し、操縦に慣れていた。

空港に駐機させている900Bは、もちろん西条の所有ではなかった。テキサスの、某私企業オーナーの持ち物を、借り主を隠してリースしたものだ。そのオーナーは、ファルコンを買うほどのスーパー・リッチにもかかわらず、さらに金を儲けることに貪欲で、所有機をただ遊ばせておくことを嫌った。彼は、借り主については多くを詮索《せんさく》しなかったが、巨額のリース料を含めた、たくさんの条件を出してきた。曰《いわ》く、賃貸料は先払いで振り込む、飛行中の責任はいっさい負わない、整備は借り主側負担……。

実際の借り手がハイパーソニックの西条亮で、自分の目的のために、ファルコンを、最新技術で徹底的に使い易《やす》く改造したと知ったら、オーナーは地団駄《じだんだ》踏んで悔《くや》しがることだろう。

車は、山間《やまあい》にさしかかっていた。牧草地と林が、交互に現われ、勾配が急になるにつれて、集落が遠ざかっていく。右手の谷は、見る間に深くなった。丘陵の上にある空港までは、あと四、五キロ、斜面をS字に縫《ぬ》うような林道が続くのだ。

一瞬、異状に気づくのが遅れたのは、下り勾配の急なカーブを大きく右に曲がった正面が、逆光で見えにくくなっていたからかもしれない。

一台の車が、道を横切る形で前方を塞《ふさ》いでいた。

「クソッ！」

西条は叫んだ。避けようにも、右は谷、左は崖だ。ほぼ同時に、銃を構えた小柄な男達が目に入った。車の陰に二人、崖の中腹に一人。全員が、東洋人だろう。おそらくは——中国系。

待ち伏せとわかっていながら、西条はブレーキをいっぱいに踏み込むしかなかった。この距離と速度では、道を遮《さえぎ》っている車の横腹に激突するか、停《と》まるかだった。前方を、彼はひたと見据《みす》えた。

車体が、大きく揺れた。車輪が、悲鳴のような摩擦音を立てる。ヴァンの鼻先が、相手の車にのめり込む寸前に、西条はステアリングを右に切った。車は尻で大きく弧《こ》を描くように前輪だけで四五度回り、さらに跳ねながら四五度回転した。遠心力が倍加し、アディールとラオは、否応《いやおう》なく内壁に叩きつけられた。ヴァンは、相手の車と僅《わず》か数センチのところで平行になって停まった——かに見えた。東洋系の男達が、銃口をこちらに向けた形で駆け寄って来るのを見ながら、西条は怒鳴った。

「伏せるんだ！」

アディールとラオが、慌てて屈《かが》み込むと同時に、西条は、急ハンドルを切ったまま再び凄い勢いでアクセルを踏み込んだ。ヴァンの車体は、ほぼ一回転して、逆走の体勢に入った。そのまま、車は猛然と前へ飛び出した。

背後で、立て続けに銃声が響いた。車の後部に、霰《あられ》が当たるような軽い破裂音があり、音よりは重い衝撃が車体を揺らす。男たちが何ごとか喚《わめ》く中国語らしき怒号は、そのたびにかき消された。

西条は構わずに、加速を続けた。その効果は、幸運なことに、ほどなく現われた。ヴァンは、驚異的なスピードで最初のカーブを曲がり、銃弾から逃れつつあった。

後部座席に伏せていたラオが、つと頭を上げた。

「伏せてろ、死にたいのか！」

西条はバック・ミラーに向かって言った。が、鏡のなかのラオは、落ち着き払い、平生《へいぜい》の顔色を保っていた。

「殺すつもりはないようですよ」

「どういうことだ？」

「叫んでました――『狙《ねら》え、狙え、タイヤを撃て』と。それに失敗したからには、たぶん車で追って来るでしょう」

西条は、サイド・ミラーを確認した。まだ後続車の影はない。

「連中、何者なんだ？　あの中国語は――広東語か？」

「そうだけど、訛《なま》りがあるわ」アディールが、身を屈めたまま、言った。「英語みたいな」

ラオは、周《まわ》りにはそれとわからないほどうっすらと、目を細めた。女優が自分と同じくらい中国語を解することに気づいたのだ。

「彼らの言葉は、ちょうど――そう、チャイナタウンに住んでる、米国在住の香港華僑みたい」

アディールの見立てはたぶん、そう外《はず》れてはいない、とラオは思った。中国広東省の人々の広東語と、香港のそれはかなり違う。生活習慣や環境の差が、言葉に差異をもたらしたのだ。同じように、海外に居を構える香港華僑にも、独特の癖がある。

「あいつらが――中国政府の回し者なら、北京語を話しそうなものだけど」

「いや、だからといって、北京の手の者でないとも限らない。こちらの支局のものなら、米国訛りがあってもおかしくない」

襲って来たのは中国側だろうか？　それともイギリス側か？　それにしても彼らは、どうしてこの道を通ると知ったのだろう？

西条は、後部座席のラオをそっと窺《うかが》った。さっきまで信頼を寄せていた若い天才に対して、微《かす》かな疑いが生じていた。

——この男は、先刻まで、ハイパーソニックの端末を自在に使っていた。その過程で、密《ひそ》かに誰かと連絡を取ったこともあり得るのではないか？

「ロスで私を尾《つ》けてた連中と、同類かも」アディールが、体を起こしながら、眉をひそめた。「気づかなかったけど、ワシントンまでずっと尾けてきたのかもしれないわ」

たしかに、そうも考えられた。尾行者が複数だとすれば、無線を使って先回りすることもできるだろう。だが、ふと浮かんだラオへの疑いが、完全に消えたわけではなかった。

ヴァンの速度は、山道では限界というまでに上がっていた。西条が、器用にステアリングを操《あやつ》っているおかげで、車体はぎりぎりのところで路面にとどまっている。

「どうするつもり？」アディールが訊いた。「このままでは、目的地から遠ざかる一方よ。しかも、急速に。彼らから逃げることはできそうだけど、空港に行くどころじゃないわ」

「いや」西条は答えた。「もうしばらく行くと、目立たない間道《かんどう》があるんだ。空港に通じている」

「しばらくって？」

「約二キロ先」

「でも――」

「追いつかれはしないと思う。彼らは、われわれが逃げ戻ると推測しているだろう。まさか、好んで動きのとりにくい悪路にそれるとは思うまい」

「楽観的すぎるとは思うけど、他に道がないってわけね」

西条は肩をすくめた。その間にも、ヴァンは賞賛に価《あたい》する速度で、曲がりくねった林道を抜けていた。

――間道まで、あと五〇〇メートル。

西条は、後続車がないことを、再び確認しながら、大きく緩《ゆる》いカーブを曲がった。

突然――少なくとも、西条には突然に見えた――対向車が目に入った。

はっと気づいた瞬間、慄然とした。対向車と見えたのは、先刻同様に、道を塞ぐ車だった。車の左右には――銃を持った東洋人。悪いことに、先程よりもしっかりと、こちらに狙いを定《さだ》めている。今度は、アクロバット走行は無理だった。

「どうやら、挟《はさ》み撃《う》ちってことみたい」

アディールが、放心したように呟《つぶや》いた。

ヴァンは、ぴんと張り詰めた緊張感のなかで、ゆっくりと停まった。

「来るわ」

アディールは、膝の上のバッグを持つ手に無意識に力をこめた。

東洋人の一人が、ヴァンを目指して足早に近づいて来た。濃いサングラスで目の表情を覆《おお》ってはいたが、顔の印象は端整だった。肩幅が広く、ゆるやかに仕立てられた趣味のいいスーツを通しても、鍛《きた》えられた体の線が窺える。手に握られた拳銃は、男の掌《てのひら》のなかでいっそう油断なく光っていた。

——この男は、下《した》っ端《ぱ》じゃない。

西条は、仕事柄、指示する側の人間を見分けることには長《た》けていた。

男の足は、ヴァンまで約三メートルのところでいったん、止まった。サングラスに隠れて定かではなかったが、アディールには、男がヴァンのなかの人物を品定めしているように見えた。さらに——気のせいか、男が、瞬間、何かに驚き、戸惑ったような気がした。男の視線が自分を素通りし、後部座席のラオに注《そそ》がれ、それと同時に、ラオが身体を動かした気配を感じた。

彼の注意を惹《ひ》いたものを確かめようと、アディールは後ろを振り返った。

男は、車とほんの一メートルのところまで近づいて来ている。西条が、男を見据えて罰当たりな言葉を吐いたのが聞こえた。抵抗したら危険で、数十秒後には、ヴァンのドアを開けざるを得ないだろうことも判っていた。アディールが振り返ったとたん、後部座席のラオは、動いていた動物が敵を感じたときのように、ふっ、と気配を消した。

だが、次の瞬間、アディールの視線は、ラオから逸れた。

見えたのだ。

後方から、恐るべきスピードで、先刻の車が追って来ていた。

続いて、全員が、そのことに気づいた。カーブを切るタイヤの摩擦音が、緊迫した空気を切り裂《さ》いたせいだ。

「車を出せ！」

突然、ラオが叫んだ。

叫びにこもったある響きが、西条の五感を突き動かした。自分でも思いがけぬまま、西条はアクセルを深く踏み込んでいた。

瞬時にして、ヴァンはその出力を、最大限にあげていた。

はじまった！　乾いた爆発音が、連続して谷間に響いた。アディールは、座席に伏せる寸前に、スーツの男の銃口が炎を吹くのを見た。射手たちは、いっせいに撃ち始めた。

前方の待ち伏せ隊と、後方の追手からの弾丸が、入り乱れて間断なく発射される音が続いた。

そして――男たちの怒号。

数発を、車体にくらいながらも、ヴァンは前進した。

西条の左前方に、間道への分岐点が見えてきた。弾《はじ》かれたように、彼はその方向に向けてハンドルを切った。細い脇道に入ることは追われる者にとって自殺行為に等しかったが、そのときの西条には、一時的にでも弾を避けられるという頭しかなかった。前へ、少しでも前へ。

「信じられない――妙だ」

しばらく経って、西条がそう呟いたのと、遠ざかる銃声にアディールが気づいたのは、ほぼ同時だった。

「誰も追って来てない」

後方に、後続車の気配はなかった。アディールは、恐る恐る、頭を上げた。

「空港に、先回りするつもりなんじゃない？　彼らが私達の意図《いと》を知っているとしたら……」

「いや、そうじゃない。何かが妙なんだ」

「どういうこと？」

「この車は、撃たれてない」

「何言ってるの、穴だらけじゃないの」

彼女の座席からも、車の側面にいくつかの弾痕が残っているのが見えた。

「たしかに、何発か当たった。しかし、正確に言えば、撃ちはしたが、狙ってはいなかったんだ」

「あなたも気づきましたか」ラオが言った。「奴ら……」

「そうなんだ」西条は、バック・ミラーのラオと目を見合わせた。「あいつら、互いに撃ち合ってた」

「何ですって？」

「撃ち合ってたんですよ」ラオが説明した。「前方と後方からわれわれを挟んだ二組が、われわれを素通りして、お互いを」

「つまり、彼らは——二組は、仲間じゃないってこと？」

「というよりも、対立した者同士じゃないですか」ラオは、普段にもまして平然という様子で言った。「推測ですが——双方とも〈密約〉を狙《ねら》っている敵同士が、思わぬところでハチ合わせしたのでは」

「だからかどうか」西条が続けた。「二組とも、この車を、相手の攻撃から、かばっているように見えた。でなければ、いくら運がよくても、あの場から無事には逃げられなかっただろう」

「獲物に傷をつけたくなかったんじゃありませんか？　何者にせよ、〈密約〉の原文を手に入れたければ、結局、われわれから詳細を聞き出すしかないでしょう。鍵を握る者を殺してしまっては、元も子もない」

本当にそうだった。敵は知らないはずだが、もし、いまアディールの身に何かがあったなら、原文は〈殻《カプセル》〉に封じ込められたままになってしまう。永遠にとは言わぬまでも、彼女が決定したパスフレーズをコンピュータに解かせているうちに、一九九七年がやってきてしまうだろう。その意味で、本当の鍵は、いまだに彼女の胸のなかだけにあった。アディールは、いよいよのときまで、それを自分だけのものにしておくつもりなのだ。彼女がそれを口にするのは、中国の最高指導者と彼らの取引きが上首尾《じょうしゅび》にいったとき——そのときだけなのだ。

「どっちにしても、彼らは結局、両方とも敵なんでしょ」彼女は言った。「きっと、いま頃はどっちかがどっちかに勝ってるわ。決着がついたら、また、追って来るわよ」

「祈ろうじゃないか」空港へ向かって、最後の四キロを走り抜けながら、西条が言った。

「願わくば、彼らが共倒れになってくれていますように」

西条の願いに反して、事は、すでに決していた。

柔らかいスーツの男は、相手の最後の一人が、がくんと地表にくずおれるのを、とっくに見定《みさだ》めていた。

死んだ東洋人たちは、華僑社会では知られたゴルトシルト・マフィアだと、男の部下が顔を確認して告げた。

だが、男は、その報告を、うわの空で聞き流していた。逃げ去ったヴァンを、追おうともしていない。

スーツの男——新華社通信に属する中国国務院特別工作員・李竣敏《リーシユンミン》——は、まだ、わが目を疑っていた。

——ヴァンの後部座席にいたのは、たしかに〈彼〉だった。

見間違いではない。その証拠に〈彼〉はサインを送ってきたではないか？

女のような指をしたしなやかな手が、空中に白く描いた素早いメッセージは、リーの目のなかで、鮮やかな残像となっていた。天・地・人を意味する三本の指で行なう暗号、三指訣《さんしけつ》に精通した、ごく僅かな者だけが伝授される、一陣のつむじ風のような動作。

〈彼〉はそれによってリーを制《とど》め、その場にすくませた。凄絶な気が迸《ほとばし》り、リーの顔は瞬間蒼《あお》ざめ、続いて突然、血が昇ったように赤くなった。

──お前の役目は、もう終わった。

そんな声が、どこからともなく聞こえた気がした。

標的の至近距離に〈彼〉が張りついている以上、リーの出る幕がないのは明らかだった。追うことは、不必要なのだ。

銃撃戦が嘘のように鎮《しず》まった林道に、陽炎《かげろう》が立ち上っていた。

リーは、唐突に、現実に立ち戻った。早急にやらねばならぬことが、文字どおり、目前に転がっていたからだ。

つねに変わらぬ声で、彼は部下に命じた。

「こいつらを始末するんだ──万が一発見されても、チャイニーズ・マフィア同士の抗争に見えるように」

空港には、人気《ひとけ》がなかった。トラフィックは少なく、フライト予定のないビジネス機達が、手持ち無沙汰といった態《てい》で格納庫に繋がれている。

もっとも、誰かが西条たちのグループを見掛けたとしても、それは問題にならない。軽装にサングラスといったいでたちが、プレジデントや女優という肩書を、周囲からは見えにくくしてくれていた。アディールは、例の赤毛のヘア・ウィッグをまた着用していたし、歩き方をすっかり変えていたので、彼女のかなりのファンでも、それとはわからないほどだった。万が一、誰かが駐車場に放置された穴だらけのヴァンに不審を抱いたとしても、その頃には、この空港から飛び立ったファルコンの消息は、公文のプログラムのおかげで、コンピュータから跡形《あとかた》もなく消えていることになる。

三人は、周囲に気を配りながら、早足で小型機ターミナルに向かって行った。

ダッソー・ファルコンの、細魚《サヨリ》のように細長い機体が視界に入って来ると、皆、少なからずほっとした。何はともあれ——乗ってしまえば、何とかなる。

ファルコンは、本来の国籍記号と登録番号を、すっかり描《か》き換えられていた。ナンバーから、機が追跡されないようにとの用心だ。

「大きいのね」

アディールは、安堵《あんど》したように言った。彼女は、何となく、四～五人乗りの小型機を想像していたのだ。

「機の内装しだいで一九人まで乗れる」

西条は、足をさらに速めながら、注意深く機の周囲を見渡した。

——ここには、まだ手が回ってないらしい。

いまになって、西条はかすかな身慄《みぶる》いを感じていた。狙われ、追われる立場となった実感が、冷たい汗になって掌を湿らせた。空を飛ぶ前に、こんなにも胸騒ぎを感じるのは、ライセンスを取って以来、初めてだった。

西条は、並んで歩いているラオの顔を、ちらりと見やった。涼《すず》やかな目が、ひたと見返してきた。薄い唇から、この男にしては珍しく白い歯がこぼれた。微笑《わら》ったのだ。その笑みは、西条の理解を超《こ》えていた。恐れることを忘れたかのような笑みに、西条は、ふっと羨望に似たものを感じた。若さへか、器量へか——だが、その羨望の念が、かえって西条の弱気を払拭《ふっしょく》した。自分も、やらずに、どうする。少なくとも、まだ老いぼれる年ではない。長い間、さまざまなビジネス上の困難を戦い抜いてきた自負が頭をもたげた。それに、空の上では、機長となってリーダーシップを取るべきは自分なのだ。

もう、すぐそこに近づいたファルコンのほうに向き直りながら、西条は、ふっと視線の角度を変えた。

何かが動いた。

そこで、先刻の悪夢が再び立ち現われるかに見えた。男——おそらく東洋人の、背の高い男が機体の向こう側から忽然《こつぜん》と姿を現わし、機の前に立ちはだかったのだ。西条はたじろぎ、その場に凍りついた。

そのときには、アディールも、ラオも、歩を止め、同じ男を凝視《ぎょうし》していた。

西条は、ゆっくり近づいて来る男の顔を見分けようと、目を細めた。

緊張が、一瞬にして、疑問に変わった。男に、見覚えがあった。

「君は……」

沢木は、三人の男女が近づいて来るのを、半ば幻《まぼろし》を見るように眺めていた。

西条亮が、沢木に気づき、驚いたようにこちらを見た。その脇に、劉日月の顔がある。さらに、素晴らしい脚線美の女性——変装してはいるが、オスカー女優のアディール・カシマに違いない──が、じっとこちらを見ていた。

いまでは、沢木はこの女優の別名を、いくつか挙《あ》げることができた。二、三の偽名。そして、たった一つ、持って生まれた名も。イギリス駐在の巌谷が、ロンドンと香港で行なった調査に加え、本省の木島の手元に集まった米国内での調査報告が、アジアの歴史的事実と絡まり、巨大なジグソーパズルに、手掛かりを与えつつあった。

だが、像はまだ、薄い霧のなかにいるようで、はっきりと結ばれていない。西条が、ラオが、絵のなかでどんな位置に置かれているのか、確かめる必要があった。

「あなたを、止めなくてはなりません」

西条に向かって、沢木は静かに言った。

彼が何者であるかを理解した西条が、瞬時にしていくぶんか緊張を解き、経営者の顔つきに戻ったのが、沢木には看《み》てとれた。

「沢木さん──でしたね」早口で、西条が言った。「外務省のご用件は、もう済んだと思っていたが……とくに、このラオ君のことでしたら」ラオを顧みて、西条は続けたが、狼狽《ろうばい》を隠しきれていない。「コピー製品問題の決着は、もう、ついています。君の同僚の都築さんという方のご教示のうえで」言いながら、沢木の用件は別にあると察しはじめたことが、声の苦《にが》さでわかった。「申し訳ないがわれわれはひじょうに急いで……」急《せ》いた語尾が、掠《かす》れた。

「北京に行くんですね」たたみかけるように沢木は、言った。「ひじょうに急いで」

「何を突然、わけのわからんことを」

温厚な経営者が、居丈高《いたけだか》に怒り始めるところを装いかけたが、真を衝《つ》かれた昂奮に裏返りかけた声は、十分に疑いを呼んだ。

「ここは、国際空港じゃないぞ。ここからは米国内にしか飛べないんだ。われわれは、ヴァカンスで、北米観光飛行に……」

「毛沢東の密約はどこです？」

「毛……沢……!?」

西条は、喉に何かが詰まったかのように、大きく喘《あえ》いだ。

普段の彼なら、ポーカーフェイスなどお手のものだったはずだ。だが、意表を衝くことの連続に、混乱を抑《おさ》えきれていない。下唇をわななかせながら、沢木の顔を見つめた。

「あなた方が、持ってる」

沢木は、三人の顔を、かわるがわる見較《くら》べた。

アディールが、たまりかねて何か言おうとした。彼女は、この見知らぬ東洋系の闖入者《ちんにゅうしゃ》の出現に、昂《たか》ぶっていた。

そのアディールを、ラオが遮った。

「彼は、外交官です――」

女優の顔に、驚きが走った。

「外交官？　どこの？」

る。

「日本人？」

沢木は、西条に英語で話していたのだ。それに、東洋のどこの国の男ともとれる容貌をしてい

「日本です」

アディールは黙った。同じ外交官でも、イギリス人や中国人に待たれるよりはましだった。もしそうなら、即座に危険を意味するのだ。

この問題は、日本政府には無関係なのに、と、彼女は苛立たしく思った。余計なお世話だわ。

一方、西条は、事態の収拾法を、目まぐるしく探っていた。目の前の男が、密約の存在を――おそらく内容をも――知っていることは明らかだった。単にこの場を言い逃れようとしても、無理なのだ。しかも、先刻の襲撃者たちの生き残りが、いつ追いついて来るか知れない。そうなれば、元も子もありはしない。

――時間がないのだ。

西条は空を仰《あお》ぎ、アディールを、次にラオを見た。

――お委《まか》せします。

ラオの目は、そう言っていた。女優は、顔をしかめた。

「われわれは、追われている」

西条は、ぴしっと言った。沢木は、戸惑った。西条の全身に、無意識の裡《うち》にこもった、尋常ではない緊迫感に圧《あっ》された。

「急がねば、囚《とら》われる——すぐ、ここを発《た》たなければ」

沢木は、彼らが駆け足に近い状態でファルコンを目指していたのに、いまさらのように気づいた。

「悪いが、話している暇はない。そこをどいてくれ」

「そうはいきません」

西条の顎が僅かに上がって、力を行使してでも、という気持ちが過《よぎ》ったのを感じ、沢木もまた、それに備えた。

だが、そのまま二人は動かなかった。対峙《たいじ》したまま、迅《はや》いやりとりがあった。

「密約は、政府にとっても必要なんです。そのわけを聞いてください」

「そんなものは持ってない」

「あなたは追われていると言った。なぜです？」

「君には関係ない」

「日本の浮沈に関わっても？」

「何だと——いや、聞いてはいられない」

「ゴルトシルトの企《たくら》みのすべてを、あなたは知らない」

「何のことだ」

財閥の名を聞き、ちらりと、西条の顔に不安が差した。

「日本だけではない。彼らは、東洋を狙っているんだ」

「……!?」

沢木が何を言い出したのか、すぐには呑《の》み込めなかった。本当だろうか？　西条は、迷った。が、刻《とき》が迫っていた。公文の立てたプランを実行するには、航空機を、ある程度正確に運行することが必要だ。誤差は見込んでいるにしても、大幅なズレは危険だった。

前進しようとする西条の気配を制して、沢木は言った。「もし、このまま発つというなら、外交官として、米国空軍に連絡を取ります。ある航空機をマークし、スクランブルをかけてもらうように」

「脅《おど》しか」

「そんなことは、僕もしたくない――話を聞いてもらいたい」

「だめだ」焦《あせ》りに、躊躇《ためら》いが混じってきた。

「何をするにも、時間がない。機を出さねばだめだ。君の言ってる〈何か〉が、もしあるとしても、それが危険にさらされるんだぞ」

西条は、必死の形相《ぎょうそう》になっていた。密約はやはりここにあると識《し》った沢木も、同じく、必死だった。

「では――」沢木が、夢中で言った。「僕も乗る。乗って話す」

一瞬の沈黙があった。

あらゆる可能性を検討して、互いに、いまはそれしか妥協点を見出せないことに気づくまで、数秒とかからなかった。

気持ちは決まっていたが、西条は念を押すように、アディールを見た。

「反対だわ」苦々《にがにが》しい口調だった。「でも、仕方ないのね？」

彼女の気持ちの奥底に、最終的な鍵は自分が握っており、プランの変更は許さないという揺るぎない意志があるのを、西条は感じた。誰も、彼女の予定した結末を曲げられない。だからこそ、妥協に応じたのだ。

西条は、ラオにも目を向けた。

「かまいません——私は、彼に借りがあります」

そうとなれば、一秒も惜しかった。身振りで、西条は全員を促《うなが》した。


ジュディス・デューアは、彼女の言葉を借りれば、〈そう広くない〉高層コンドミニアムの、〈何も見るべきものがない〉自室にいた。

とはいうものの、四〇畳以上は優にあるリビングには、現代美術コレクションと、ジュディスが祖母の世代から受け継いだクラシック・スタイルの家具が、高名なキュレーターの手によって、贅沢な間《ま》をとってレイアウトされている。ハウス・ミュージアムとでもいうべき部屋の一隅に、ジュディスは英国調の書斎まで造り、十九世紀ジョージアン・スタイルの重役ふうデスクに、数種類の最高速システム機器やモニター、モデムが積み上げられていた傍《はた》から見れば結構このうえない環境も、ジュディスにとっては不満だらけだった。机についた、一〇〇年以上前のほんの僅かなキズさえ、彼女は嫌っていた。完璧こそ、デューア家の掟《おきて》だった。

それでも、少なくとも、今日の彼女の目に机のキズは入っていない。もっと重要な関心事があったのだ。

最初、ジュディスは、これ以上ないほど不機嫌だった。

フランク・ローリンソンの顔が浮かぶと、彼女は、この優雅な部屋には到底似つかわしくない悪態をついた。

――生き証人と証拠を逃がすなんて！　メイミ・タンを引きずり下ろすのに、もってこいの切り札を！

ワシントン・ポストの花形記者が、中国政府の大物スパイだったという最高のスキャンダルの証拠。それは、オスカー女優の持つ謎の文書だった。ヨーロッパ最大の財閥と、中国政府の双方が、喉《のど》から手が出るほど欲しがっている文書。

女優のアディールを、CIAが問い詰めることで、その全貌があきらかになる――はずだった。ジュディスは、歯嚙みした。

そのスクープ記事を手土産に、ジュディスはデスクに――あわよくば、その上に――昇進し、メイミはスパイの罪を問われて地に墜《お》ちるという、〈完璧〉な脚本が、いまや、泡と消えさっていた。

女優の所在が、いまもって不明ということも、ジュディスを苛立たせた。奇妙な誘拐の顚末《てんまつ》を、女優に口にされ、調べられでもしたら、こちらの尻に火がつきかねない。善良な一市民でもあるスターを、確証もなく監禁した、間抜けなCIA局員と、それを煽《あお》った女性記者。もう少しで、水死人まで出すところだった――フランクの雇った男が、奇跡的に蘇生したから事なきを得たようなものの――週末の三流紙には、格好のネタだわ。

メイミ・タンの動静も、不気味だった。メイミは、急な休暇を取り、社に出ていない。

私の画策《かくさく》に、もし気づいたのだとしたら……？

そう考えると、首筋がざわっと総毛《そうけ》立った。何といっても、メイミはプロの情報部員なのだ。女一人を始末するくらい、わけないに違いない。

――何とかしなければ。

デスクと同時代の、柔らかなクッション付きチェアに凭《もた》れ、考えることに集中した。

いちばんいいのは、文書の内容はぼかしたまま、概略の記事を、すぐにでもどこかの新聞に載《の》せてしまうことだ。メイミがスパイであること、ゴルトシルト家と中国政府に何らかの確執があり、ある文書を奪い合っていることを公表してしまう。メディアで公《おおやけ》になれば、必ず追随して調べるものが出て来、メイミの実像が暴《あば》かれるだろう。

が、『ポスト』をはじめとした一流紙は、裏の取れていない記事など載せない。国家やフェイマス・ピープルに関わる一大事であれば、なおさら憶測ではすまなかった。

さらに、障害はまだある。欧米のマスコミ人の間では、もはや常識のようになっているあるハードルがあった。ほとんどのマス・メディアでは、〈ゴルトシルト家の関連記事〉がタブーなのだ。

ゴルトシルト家が、多くのメディアに絶大な支配力を持っているという、にわかには信じ難い噂は、内部では、厳然たる事実として語られ、受け容《い》れられていた。彼らは、数世紀をかけて、巧妙な網を張り巡らしている。著名な新聞社、出版社のオーナーや重役の系図を遡《さかのぼ》れば、例外なしに、二〇〇年以内にゴルトシルト家にたどりつく。血縁の及ばない、一握りの社には、金融機関やスポンサーを通して、圧力がかけられる。

意に染《そ》まない記事があっても、彼らは露骨なやり方はしない。その代わり、記事のうちのあるものは、〈穏やかな言いまわし〉や〈別の視点からの見方〉を要求され、あるものは、〈紙面の都合〉や〈企画の変更〉で削《けず》られる羽目《はめ》になる。

『ポスト』とて、例外ではなかった。ジュディスも、会社の上層部に、ゴルトシルト家の監視役が潜んでいるという話を聞いていた。さらに、彼女の直属の女ボス——マギー・クイン編集長——が、喜んで彼らのお先棒を担《かつ》いでいるという噂も、耳にしていた。

だからといって、どんな記事でも、絶対に潰せるというわけでもないことも、彼女はわきまえていた。ここは、彼らの影響力が最も大きいヨーロッパでなく、広いアメリカだった。ゴルトシルト家に頭を抑《おさ》えつけられたくない勢力も、一方に存在している。例えば、CIAなどの政府機関が、決定的な証拠を検証した場合などは、それを揉み消すのは不可能だ。

もし、アディールが逃げ出さず、CIAが〈文書〉を押収していたら、『ポスト』は、このスクープを、間違いなく掲載したはずだ。社内のゴルトシルト派は影を潜め、マギー・クインは失脚して、その代わりをジュディスが務める――彼女は、そんな構図まで描いていた。

ところが、現状では、そんな展開は望むべくもない。マギー・クインに、そんなヨタ記事を、と鼻で笑い飛ばされるのがオチだ。よしんば他のメディアに持ち込んだとしても、結果は似たりよったりだろう。

自分の追い込まれた窮地に、ジュディスは頭を抱えた。このままでは、八方塞《ふさ》がりだった。

――どうすれば？

このまま、惨《みじ》めな負け方をするのは、デューア家の誇りが許さなかった。

彼女は、唇を噛み、長い間デスクの上の一点を見つめていた。

数十分か――数時間か――もしかすると、数分後だっただろうか。彼女の瞳孔が、はっと開いた。と同時に、顔全体に生気が戻り、唇に、冷たく華《はな》やかな笑みが浮かんだ。

思いついたのだ――事態を打開できるかもしれない方法を。

ジュディスは立ち上がり、ひらめきの枝葉を伸ばそうとした。

――うまく、いくかもしれない。

一時間後、彼女は自分の持てるコネクションのすべてを動員して、数十本の電話を立て続けにかけた結果、ある人物の極秘ナンバーを入手していた。

彼――あるいは、彼女なのかもしれない――は、電話回線の中でしか会うことのできない人物だった。いわゆる、〈その道の達人〉だ。アメリカ国内に住んでいるのかどうかさえ、定《さだ》かでない。ヨーロッパか、カナダか、あるいは南洋のある島のコテージなのか、とにかく、ジュディスにはまったく理解できない仕掛けで、ごく単純なホーン・ナンバーに、端末からいくつかのキーを加えると、そこに繋がるらしかった。

三三回の呼出し音を数えて、ジュディスはいったん電話を切り、再び同じ操作を繰り返した。と、耳慣れないトーンが数秒続き、無音が一〇秒。

「ゴ用件ハ？」

ボイス・チェンジャーを通したような、金属的な音声が返ってきた。

ジュディスは、彼女の希望を述べた。とてつもない要望だったが、〈達人〉の答えはイエスだった。結局、デューア家の財力がものを言った。

喜ばしい応答が続いた結果、彼女は満足して受話器を置いた。興奮で、顔が紅潮していた。

——明後日には、世界各国の新聞に、この記事が載るんだわ。

〈達人〉は、『UPIサン』と『AP通信』のデータを操作できる、と確約した。いずれも、世界各国の主要メディアにニュースを配信する大手通信社だ。ゴルトシルト家のしがらみを持たぬ国々でなら、このスクープは間違いなく流れる。さらに、それが逆輸入されて大反響を呼ぶ。

『UPIサン』や『AP通信』で、記事がチェックされ、ハネられてしまうのではないかというジュディスの懸念《けねん》は、まったくの杞憂《きゆう》だと、〈達人〉は言った。彼（彼女？）は、配信ルートの途中に入り込み、記事を差し替えると言うのだ。通信社で発信した正規の記事が、受信側ではいつのまにか、ジュディスの記事に代わっているというわけだ。テレックスや、端末への侵入は、受信側の極東や中東の国では、比較的に容易である、という説明に、ジュディスはほくそ笑んだ。

署名原稿にするわけにはいかないから、スクープを、自分の手柄にできないのは残念だったが、この際、仕方がない。記事が公表されさえすれば、結果はジュディスの勝ちだ。中国絡みのスキャンダルは、とくに東洋では話題を呼ぶだろう。

――メイミ・タンもこれまでだわ。

ジュディスは、記事の内容に手を入れ、最高の仕事に仕上げるために、いそいそとワード・プロセッサーに向かった。

だが、彼女は、知らなかった。中国政府とゴルトシルト家が奪い取ろうと競《きそ》っている〈文書〉が、どんなに大きな歴史的意味を持っているかを。この問題が、単なるスパイ事件ではないばかりか、明らかになれば、中英関係を大きく左右することを、知らなかった。知らず知らずのうちに、自分が危険なボタンに手をかけていることに、ジュディスは、気づいていなかったのだ。

エドゥアール・ドゥ・ゴルトシルトは、いまや、あからさまに不興《ふきよう》を表明していた。彼は、一族があんなにも欲した〈東洋の真珠〉が、彼らの掌《てのひら》からするりと滑り落ちようとしていることに、やりきれない怒りをおぼえていた。

アジアをわがものとする戦略のためには、香港という拠点を手放してはならない。香港は、東洋を意のままに操るための、ゴルトシルトの拠点なのだ。

彼の厳しい視線は、ゴルトシルト・ロンドン家の当主、ルパートに向けられた。

「それで——結局、失敗したと？」

「手の者が——三人——死にました」

ルパート・ドゥ・ゴルトシルト男爵には、いまもって、手練《てだれ》の手下たちの死が、なぜお互いの内輪揉《うちわも》めとして片づけられたのか、わからなかった。女優と大企業の社長、それにコンピュータ・マニアという、戦いには素人《しろうと》の三人が、なぜ、プロフェッショナルなゴルトシルト・マフィアの手から逃れられたのかも、謎だった。

「〈毛沢東の密約〉の行方《ゆくえ》を、また見失ったのだな？」

「——いいえ」ルパートは、一族の厳格な父のようなエドゥアールが、自分の答えをひとことも聞き洩らすまいとしていると感じた。「たしかに——彼らが空港を目指して——いたこと以外——彼らの行方を示す手掛かりはありません。おそらく——自家用機でどこかに——発ったとしか。——しかし」

「しかし？」

「われわれには——まだ機会が——残っています——最後の——最大の——機会が」

数秒の沈黙があった。ルパートは、一族の長《おさ》が、彼の言葉を慎重に値踏みしていることを、強く意識した。

「確かなのだろうな？」エドゥアールは、鋭い目で念を押した。

「彼らがいま——どこにいようと——それは問題——ではない——のです。明日——北京に——

少なくともアディールが現われることは――確実ですから」

中国側に潜む、ゴルトシルトの情報源は、アディール・カシマと中国最高幹部が〈取引き〉する場所と時間を摑んでいた。〈密約〉の所在が、そのとき以上にはっきりしているタイミングはない。アディールがどうやって、その場所に足を運ぶのかが、中国側にもわかっていないというのは妙だが、中国側の長老は、そこで待つという。

「二つの可能性が――あります」

「二つ」エドゥアールは、反復した。

「一つは――〈チャーリー〉」

「死から蘇《よみがえ》った情報部員、か？」

「〈チャーリー〉は――すでに北京に――入っているはずです」

「はず、とはどういうことだ？　報告は入っておらんのか」

入ってはいるのです、と、男爵は胸の裡《うち》で答えた。ただし、こちらの求めに応じてではない。香港から姿を消して以来、チャーリーからの連絡は一度きりだった。しかも、イギリス情報部の高官宛に入ったその伝言は、限りなく短かった。

――黄《ウオン》ナル男カラ、上海香港銀行ノ不正証拠トナルディスクヲ回収シタ。次ハ北京ヘユク。

男爵は、経緯を略し、結果だけを族長に告げた。

「あ奴は――着実に成果を上げて――おります。われわれには及びもつかぬ――方法で、〈密約〉をも奪回する――可能性があるのです」

「ふむ――おぼつかぬが、ないことではないな」チャーリーの風評は、エドゥアール・ドゥ・ゴルトシルトの耳にも届いていた。「それが一つ、だな？　だが、二つめは、もっと確実な方法なんだろうな？」

男爵は、うなずいた。

「われわれの情報源が――長老にもっとも近い者が――〈密約〉をすり変えます」

第4部
密約
—中国・北京（ペキン）

ファルコン・ビジネス・ジェット機は、給油地ミシガンを飛び立ち、すでに一時間が経過していた。

ファルコンの内装は、富豪の持ち物にふさわしく、リッチで快適だ。機内の客席部分は三つのラウンジに分かれていて、そのすべてがいつでも使えるように調《ととの》えてある。機体の前方部分《フォワード・ゾーン》には、二脚ずつテーブルに向き合った四脚の〝スリーピング・スウィーベル〟、つまりリクライニングによってベッドにも使えるゆったりとしたチェアが配され、中央部分《センター・ゾーン》はダイニング・ルーム、後方部分《リアー・ゾーン》はやはりベッドになる三人掛けのソファと、向き合わせの二脚のアーム・チェアが置かれ、客席にも寝室にもなるつくりだ。だが、今回のフライトでは、前方の、たった四つのシートしか使われていない。アディール・カシマ、劉日月、沢木喬。乗客席には、その三人だけだった。

そこへ、西条亮がコクピットから戻ってきた。彼は、パイロットがいちばん気を使う離陸を待って機を自動操縦に切り替え、沢木の話を聞くためにフォワード・ゾーンの客席についたのだ。機体の姿勢やコクピットの音を気づかいながら、西条は沢木を促し、会話を英語で行なうようにとも、つけ加えた。

「話してもらおうか」

西条は、地上にいたときよりも、ずっと落ち着いていた。追われる者の、切迫した表情は消えており、好きな機体を思うままに操《あやつ》っていることで、幸せそうにさえ見えた。

沢木は知るよしもなかったが、このファルコンには、ハイパーソニックの優秀な技術者公文俊成の手で、テクノロジーの粋《すい》を凝《こ》らしたシステムが搭載されていた。西条は手動で離陸を行なったが、実際には離陸から着陸まで、ほとんどパイロットが手を触れずに航行することができる。飛行情報と機体情報がコンピュータによって管理され、自動操縦装置に連動する最新のフライト・マネジメント・システムを、公文はさらに改良していた。

フライト・マネジメント・システム（FMS）は、現行の最新旅客機では、視界ゼロでも、コース・高度を管理できる三次元システムが主流だが、さらに時間もマネジメントできる四次元システムが、ロッキード社によって実用段階まできている。四次元システムでは風の情報をコンピュータが常時チェックし、目的地に一分以内の誤差で到着することまで可能なのだ。公文の施したシステムは、さらに、特殊センサーで他機との安全な距離を保ち、ニアミスを避ける機能も付加され、その上さまざまな点で改良を加えたシステムだった。この技術も、やがてはハイパーソニックの利益となるだろう。だが、現段階では、途中までロッキード社の技術を応用しているところに問題がある試作システムだった。

それでも、機は順調に、夢のような飛行を続けている。

西条が、小型機で北京までの飛行を決意したのも、このシステムあってのことだった。ワシントンから北京までは、約一万一一〇〇キロ前後ある。飛行時間にすると、二度の給油を含めておよそ一日近い航行となり、交代要員なしの、つまり副操縦士のいない違法フライトは、肉体的にきつい。彼は、徹夜は厭《いと》わないし、体力、気力ともに絶対の自信があったが、万が一ということがある。急な心臓発作や脳梗塞などは、誰にでも起こり得るリスクだ。FMSは万が一のための安全弁でもあった。

パイロットが、機器の監視に専念できる環境のおかげで、ようやく西条は一息吐《つ》いていた。

「順序だてて、話してくれるかね——この機に乗ってしまったからには、君も、そう慌てる必要はない。話す時間は、たっぷりあるだろう」西条は、沢木に向かって言った。

沢木は、西条の口調に、かすかな皮肉の響きを聞き取った。外交官が密航機に同乗してしまったことにだろうか？　あるいは、機内では沢木が手も足も出ないと見て、優位を感じたあらわれかもしれない。

——ラオも女優も、この話を聞いている。

それを意識しながら、沢木は話しはじめた。

「一九七六年九月九日の、午前零時《れいじ》十分。中国で、ひとつの巨星が、ついに墜《お》ちました——このことを、龍が天に昇ったと言う者もいれば、赤い皇帝が逝《い》ったと言う者もいます——毛沢東が、中南海《チュンナンハイ》の「二〇二」という住居で他界したのです。八十二歳と十カ月でした」

中国共産党創設者の一人で、後に国家主席となった毛沢東は、死の数年前から衰弱し、最後の数ヵ月は、昏睡状態にあった。

人々は、彼の功績を讃《たた》えた。晩年は衰えたとはいえ、毛主席が国を造り、統治し、君臨したことを、当時一〇億を数える国民の、誰もが知っていた。

だが、その毛が、歴史の裏側に置いてきた〈忘れ物〉のことは、ごくひと握り――数名の、〈長老〉と呼ばれる共産党はえ抜きの大幹部しか知らされていなかった。〈長老〉達は、毛主席の、このあまり有難くない置き土産を、時折気にかけたものの、解決は先延ばしにしてきた。彼らは、当時すでに老境に入っていたし、毛亡きあとは、例の四人組や、文化大革命の後始末に忙しく、それどころではなかったのだ。

「置き土産の持つ意味の、とてつもない重要性に、大幹部たちが気づき始めたのは、鄧小平の打ち出した開放路線が軌道に乗り始め、米中外交関係が成立した後――一九八〇年代初頭の頃でした。毛の死後、五年近く経ってからです」

ちょうどその頃、アヘン戦争以来、中国がイギリスに「貸した」形の香港が、俄《にわ》かにそれまでとは違った輝きを放ち出した。

一九七〇年代から、英系企業集団が、香港をアジアの金融センターとすべく力を入れ、総督府がそれを後押しした結果が、如実《にょじつ》に現われ始めていたのだ。一九七三年に、為替管理が撤廃されて以来、そのメリットに惹《ひ》かれた各国の金融機関が、競《きそ》って進出し、七〇～八〇年代香港は、まさに黄金成長期ともいうべき時代を迎えていた。

中国にとって、香港は、軽視できない外貨獲得窓口になり、さらに、西側の経営ノウハウや情報の集積拠点となりつつあった。

「香港の繁栄を聞くたびに、大幹部たちは顔をしかめました——いずれは中国に還《かえ》る運命の香港に、イギリスがこれほどまでに力を注ぐ理由を、知っていたからです。彼らは、毛を恨《うら》んだことでしょう」

沢木の話すところの、毛の置き土産こそ、いま、アディールが所持している〈毛沢東の密約〉だと、西条にはわかっていた。彼が目にした〈密約〉の原文には、租借期限の切れる一九九七年以降、香港は中国からイギリスに主権を移し、正式にイギリス連邦の一員となることが明記され、中華人民共和国の代表たる毛沢東のサインと捺印《なついん》があった。国際条約の形式が、しっかり整っている書類だ。

毛沢東が、密かに、香港をイギリスに渡す約束をしていた。歴史を覆《くつがえ》す、ショッキングな事実だ。中英両国が、血眼《ちまなこ》になってこの原文を入手しようというのも、尤《もっと》もだった。

——しかし。

西条は、ふと気づいた。

——中国にとっては圧倒的に不利な取引きを、毛は、なぜ取り決めたのだろう？

が、ここで沢木はそのことには触れなかった。その代わりに、彼は、中国の歴史を、さらに一〇〇年以上遡《さかのぼ》った。

「――ことのすべては、アヘン戦争から始まっているのです」

「アヘン戦争？」

西条には、意外だった。すべては毛から始まった、と解していたのだ。「ゴルトシルト家は、もちろんご存じですね？」沢木は、訊《たず》ねた。

「知らぬ者はないだろう――ヨーロッパで、いや、世界でも指折りの財閥だ。由緒《ゆいしょ》もあり、一族で巨万の富を有するが、一方では、黒い噂も絶えず囁かれ続けている。数世紀にわたる一族の来歴は、栄華とともに、それを築くための謀略に満ちているとも聞く」

「ゴルトシルトの噂のなかに、アヘン戦争に関するものを聞いたことがありませんか」

「私は、さほど歴史には詳しくない。とくに歴史の裏面には。現代の――ビジネスの裏面なら、多少は知識があるが」

「では――東インド会社のことは？」

「それはもちろん――知っている」

アヘン、阿片《アーピエン》、Opium《オピウム》――。

罌粟《けし》の麻薬が、蟻地獄のように、人を絡めとって離さないことに、誰が初めに気づいたのだろう？

罌粟の未熟な果実に、人は、容赦《ようしゃ》なく小刀を突き刺す。まだ固い実は、しくしくと、ミルクのような涙を流す。禁断の乳は、陽《ひ》に焦《こ》がされて粉となり、やがて自分を刺した人間へ復讐を行なうのだ。

生アヘンには、数パーセントから数十パーセントのモルヒネが含まれている。さらに、モルヒネからヘロインを作ることができる。いずれも、麻薬の代表的な存在だ。服用すると、万事を放擲《ほうてき》せずにおられないほどの強烈な多幸感があるため、習癖になりやすく、連用することで、依存症から慢性中毒になる。禁断症状はすさまじく、中毒者は、薬を手に入れるためには手段を選ばなくなる。薬欲しさに、自分の尿まで呑む常用者の話は、作り事ではない。

このアヘンを、十八世紀後半から十九世紀中ごろにかけて、中国に積極的に持ち込んだ元凶が、東インド会社であることは、史実として知られている。東インド会社は、当時イギリスの植民地だったインドでアヘンを生産し、この麻薬を中国に売りつけ、その代価として莫大な銀を得た。

「東インド会社を、陰で操《あやつ》っていたのは、ゴルトシルト一族です」

沢木は、きっぱりと言いきった。ゴルトシルト家に関しては、外務省のこれまでの調査で、かなりの部分がわかっていた。

「東インド会社の大株主の一人は、ゴルトシルト家の姻戚です。ゴルトシルト家は、ロンドンの邸宅に、東インド会社の中心人物を招き、つねづね、密談していました。招いたというよりも、実際には、招集です。幹部を集め、指示を伝《こ》えた……」

「金儲けの指示かね？　一族の財力を肥やすために？」

企業家として、西条はこの話をさほど不思議に思っていない。麻薬に限らず、武器なども、手っ取り早い輸出商品だ。

「それもあるでしょう。だが、彼らの真の狙いは……」沢木は、一拍おいて言った。「アジアの覇権を握ることでした」

まさかと思った。だが、沢木は、誇張ではないと前置きして、話を続けた。

ゴルトシルト一族が、アジアにおける最初のターゲットに中国を選んだのは、人口一〇億を超《こ》す大国であるという魅力に加えて、当時の清《しん》王朝が末期にさしかかり、弱体化していたことに目をつけたからだ。

断末魔の清朝に、ゴルトシルトは、アヘンを武器に襲いかかった。彼らにもたらされた麻薬は、瞬《また》く間に中国全土に蔓延して人身を蕩《とろ》かし、街の治安を悪化させ、清朝を疲弊《ひへい》させる結果となった。

たまりかねた清朝は、ついにイギリスに対して抗議し、双方の合意なしに英船積載のアヘンを没収し、処分に踏み切る。

が、イギリスは、それで黙るどころか、逆に攻勢に出た。理不尽にも、アヘン戦争を仕掛けたのだ。

当のイギリス国内でも、禁制の麻薬を売りつけるための不当な戦争に、反対する国民の声は、高かった。

にもかかわらず、アヘン戦争が強行されたのは、英国議会の採決で、九票という僅差で、賛成論がまかり通ったからだが、ここでも裏で暗躍したのは、ゴルトシルト一族、そしてアヘン貿易で巨万の富を成した、ユダヤ貿易商のカッスーン一族だった。

カッスーン一族は、やはりゴルトシルトの姻戚に当たる。付言すれば、この一族の或る男が、後に、設立直後の上海香港銀行の大株主となっている。

「結果として、清王朝は、アヘン戦争に敗れました。香港の割譲《かつじょう》は、その戦果です」

沢木は、話しながら、以前に同じような話をしたことがあるのを思い出した。

――オクスフォードの教室だ。

タリア・キーファ助教授の質問に答えて、香港の歴史を辿《たど》ったあのとき……だが、あのときは、歴史に秘められた、もう一つの顔は、知るよしもなかった。

ファルコン機の外を、暮れかけた雲が流れていく。沢木と西条の横顔にも、長い陽差しが金色の影を落とした。

第一次アヘン戦争で、香港島はイギリスに割譲され、アロー号事件と呼ばれる第二次アヘン戦争の結果、九龍《ガオルン》地域も割譲された。

ゴルトシルトとカッスーン一族は、香港という、願ってもない東洋への足がかりを得、その地に基盤を築き始めた。

いっぽう、中国本土では、アヘン戦争後、清朝が衰弱し、その機に乗じて、イギリスのみならず、ドイツ、ロシア、アメリカ、日本といった国々が、互いに利権争いを繰り広げていた。そんななか、外国勢力の侵略に抗しようという革命勢力も現われて、十九世紀末の中国は、混迷をきわめた。

「ゴルトシルトは、そんななかでも、手を拱《こまね》いてはいませんでした。混乱を利用し、香港周辺の英領租借地を、大幅に拡大する協約を清朝と正式に結んだのです。これが、一八九八年六月九日の——今から九五年前です——香港拡張専門協約です。この協約に、租借期限の九九年が盛り込まれました」

——あと四年。

沢木は、残された歳月を数えた。

香港が中国に戻る、一九九七年七月一日という日を、世界が注目している。

「彼らは、ここで、一つの計算違いをしました」

「計算違いと言うと?」西条は訊ねる。

「租借期限を限ったことです。未来における九九年は、とても長く感じられたのでしょう。また、当時は中国の国力も弱く、体制も混乱しかけていましたから、より良い条件でいつでも新たな条約を結び直せると思ったのかもしれません」

「なるほど」西条は、妙に感心した。「それまでも二回、いわば契約更新しているわけだから、二度あることは何とやら、か」

沢木は、うなずいた。

「一つ、聞きたいんだが」西条が、自分から疑問を口にした。彼は、しだいに話に引き込まれていた。

「ことの経緯からいって、香港の租借は、どう見ても不平等条約に見えるんだが、一世紀にもわたる間、中国側に、条約を覆《くつがえ》す機会はなかったのかね？」西条の質問は、ある意味で核心を衝《つ》いていた。「清朝が結んだ、不利な条約なのに、後継政府は、それを見直さなかったのだろうか」

「そこなんです――」沢木は言った。

時代は、第二次世界大戦直後にとぶ。

大戦後の中国では、新たな国の主導権を争って、二人の指導者が率《ひき》いる、二つの国内勢力が拮《きっ》抗《こう》していた。

蔣介石の、国民党。

毛沢東の、中国共産党。

大戦中は、団結して外国勢に対していた二つの党は、再び袂《たもと》を分かち、激しい鍔《つば》迫《ぜ》り合いを繰り広げていた。

戦いに勝ち、新中国を建国するのはどちらか――、一〇億余の人口が、争いの行く末《すえ》を案じていた。

が、当事者である中国人以上に、成り行きに気を揉んでいた者がいた。

ゴルトシルト一族である。

どちらが勝っても、指導者が決まって、国が落ち着けば、香港の租借問題が蒸《む》し返される。何とか、その前に布石を打っておかなければならなかった。

当初、蔣介石を優勢とみたゴルトシルトは、すでに彼に接近を試みていた。労を執ったのは、カッスーン家である。

カッスーン財閥は、ゴルトシルトの中国・アジア戦略の尖兵《せんぺい》となっていた。上海を拠点に、中国における利権――鉱物資源の開発権や鉄道事業の管理権――をむさぼらんとしていた。もちろん、投資も、回収も、上海香港銀行を通じていたことは、言うまでもない。カッスーンが、第二次世界大戦前に中国利権で得た富は、当時の価格で五〇億ドルにものぼったという。ゴルトシルトの企《くわだ》ては、成果をあげ始めていたのだ。

このカッスーンが、中国でパートナーに選んだのは、浙江《せっこう》財閥の宋《そう》一族だった。宋家の長男は、国民党幹部の宋子文《そうしぶん》。妹の宋美齢《そうびれい》は蔣介石夫人だ。カッスーンは、宋家を通じて蔣介石を籠絡《ろうらく》することに、ほぼ成功していたと言ってよい。

ゴルトシルトは、まず、大戦中から、蔣に話をもちかけた。

香港の租借期限が来たら、香港を英国領にするという約束を、結んでくれないか――？

早く言えば、香港を譲り受ける〈密約〉を蔣に迫ったのだ。

虫のいい話であった。

その頃には、ゴルトシルト一族は、九九年という租借期限が短すぎることに気づいていたし、彼らの丹精のおかげで、香港は、有用な貿易基地に生まれ変わりつつあった。

蔣介石は、〈密約〉に、内心はやぶさかではなかったかもしれない。ゴルトシルト側は〈密約〉を結ぶ交換条件に、国民党への全面的な支持を提示していたからだ。

――が、しかし。

第二次大戦中は、〈密約〉を結ぶには、いかにも時期が悪すぎた。アメリカが口を挟んだこともあって、イギリスは、門戸開放の名の下《もと》に、多くの中国利権の返還を余儀なくされた。天津《ティエンチン》と広州にあったイギリス租界《そかい》は返還せざるを得ず、領事裁判権、沿岸貿易権などの特殊権益を解消させられた。

唯一、イギリスが固執したのは、香港問題だった。

こと香港に関しては、イギリスは、徹底して譲歩しなかった。第一次大戦後、一九一九年のパリ講和会議でも、一九二一年のワシントン会議でも、イギリスは、香港の領有を一貫して正当化してきた。

ゴルトシルトは、東洋戦略の拠点を手放すつもりが、さらさらなかったのだ。

蔣介石は、結局そのとき、もちかけられた〈密約〉話には乗らなかった。その代わりに彼は、香港返還を強く迫ることをもしなかった。戦争のほとぼりが冷《さ》めた折を見て、ゴルトシルトの条件を呑もうと思っていたのだ。

歴史の表《おもて》では、蔣介石のこんな回想が残っている。

われわれはついに、九竜問題を暫時タナ上げする形で、事態を収拾する決心をした。九竜問題だけのために、新条約がフイになり、さらには連合国の団結にヒビが入ることがないよう、譲歩したのである。

(『蔣介石秘録』14「日本降伏」、サンケイ新聞社)

「〈毛沢東の密約〉以前に、幻の〈蔣介石の密約〉があった――!?」

西条は、驚きを禁じ得なかった。

ゴルトシルト一族の、数世紀をかけた東洋への野望。気の遠くなるような、周到な、そして執拗《しつよう》な征服への構図。

沢木の描きつつある歴史の裏絵は、西条の想像を超えていた。

アディールも、ラオも、身じろぎもせず、会話に聞き入っていた。

お互いに言葉も交《か》わさず、相手のほうを見ずにシートに掛け、音楽を聞くときのように目を閉じている。

そのくせ、相手の聞き方が、不思議に自分と同じようであることが、感じとれていた。話に驚いている様子がないのだ。沢木の言葉を口に含み、反芻《はんすう》しているようなところがあった。

ただし、見た目には、二人の様子はたいそう違っていた。ラオは、冷たい玉露《ぎょくろ》をほんの少量、喉で転がすようにうっとりと、くつろいでさえ見える。それと対照的に、アディールは、得体の知れない液体を、恐る恐る嚥《の》み下すときのように蒼ざめ、時折、膝の上のバッグに入った〈殻〉を握りしめる。

確かなのは、二人とも、けっして眠らないだろうということだけだ。目を閉じてはいても会話を委細洩らさずに聞くために、神経は張り詰めている。

機の外は、夜になっていた。静かな緊張感が、空気を柔らかく締めつけて、アディールは、少し息苦しさを感じた。

「蔣介石とゴルトシルトの取引きは、結局、お流れになりました。国共内戦で、蔣の率《ひき》いる国民党の敗色が濃くなってきたからです。そこで……」

「蔣がだめなら毛、と彼らは考えた？」

「まさしく、そのとおりです」

「節操がない奴らだ」

西条は、吐き捨てるように言った。しだいに、彼らに対する反感が募《つの》っていた。

「だが、中国共産党は、そう簡単に奴らの思いどおりにはならんだろう？　ゴルトシルトの目的が利権だとすれば、共産党の理想は、それと対極的なところにあったわけで……そもそも、資本主義の権化《ごんげ》のようなゴルトシルトとは合わんじゃないか。それに、今度は、交換条件になるようなものは……」

ないだろう、と西条は沢木を見た。

「それが、あったんです」

いよいよ、毛沢東の話だ。

国民党に勝利し、蔣介石を台湾に追いやった毛沢東は、一九四九年十月一日、天安門広場で、中華人民共和国の成立を宣言した。

新中国が、ここに誕生した。

「ここまでの歴史を眺めれば、誰もが首を傾《かし》げるはずです――中国共産党が、中国建国後も香港返還を求める発言を、ついにしなかったことに」

西条が、長い吐息を洩らした。「不思議には思っていた。毛沢東が、なぜ中国に不利な約束を結んだのか……」

問わず語りに、西条は〈密約〉の所在を識《し》っていると認める形になっていた。それはすなわち、この機で密約が運ばれているということでもある。

「毛は、表向きは不平等条約の撤廃を求める発言をしましたが、そのじつ、香港に関しては別の道を選びました。ゴルトシルトの持ちかけてきた〈密約〉を、彼は呑んだ」沢木は、続けた。

「もちろん、見返りがあった。そのバーター条件こそ、中国政府が、絶対に知られたくないタブーなのです」

「……！」

「中国政府が、何としてでも〈密約〉の存在を世界に匿《かく》したいのは、そのためです。彼らは、おそらく、〈密約〉のためなら何でも投げ出すでしょう。また、そこが、逆に言えばゴルトシルトのつけ目でもある。イギリス側の手に〈密約〉が渡った場合、ゴルトシルトは、中国に対して、相当に優位に立てることになる」

「その……交換条件とは？」

「新しい中国の承認です」

西条は、唸《うな》った。企業トップらしい計算能力が素早く働いて、双方の損得勘定が、いちどきに読めた。

——毛は、生まれたばかりの中国と、香港を秤《はかり》にかけたのだ。

「えらいことだ……えらい……」

西条は、呻《うめ》くように言った。

国民党に討ち勝ち、革命に勝利したとはいっても、革命政権が国家となるには、諸国の承認が必要だ。

中国共産党は、必ずしも各国の支持を受けていたわけではない。とくに西側諸国は、共産政権を危《あや》ぶんでいた。

政権を安定させるためには、一刻も早く、当時の強大国の承認を得ることを、一九四九年の毛沢東は、必要としていた。

イデオロギーの近い、ソ連と東欧諸国。

植民地政策に飽きあきした一部のアジア諸国。

建国後、すぐに中国を承認したのは、これらの国々。いずれも、世界の主流とは言い切れないメンバーのみだった。

抜け目のないゴルトシルトは、この機につけ込んだ。

当時のイギリスは、まだ大英帝国の面影《おもかげ》を残した強国だった。

そのイギリスが、率先して、中華人民共和国を承認する。ゴルトシルト一族は、毛の前に、そんなお誂《あつら》え向きの条件を提示したのだった。その代わり、九九年の租借期限が切れても、香港は還《かえ》さない。

そのときの毛にとって、この話は、悪くないどころか、飛びつきたくなるほどの好条件だった。

中国全土の平定が、ちっぽけな香港を手放すだけで、得られるのだ。

さらに、ゴルトシルト家は、毛の『面子《メンツ》』にさえ、配慮を申し出た。

いよいよ租借期限が一五年を切るまで、この〈密約〉の存在は秘匿する。その時点で、あらためて中英間で新しい合意があったことにすればよいではないか——。あなたが生きている間は、香港は、やがて還《かえ》って来ると、人民には、思わせておけばいい……。

まさに、悪魔的な囁きだった。

西側の列強が、中国を正式に認める態度を表明することは、できたばかりの中国にとって、国際的に絶大な意味があったのだ。

毛は、熟考のうえ、決断を下した。

「〈毛沢東の密約〉は、こうして調印に至ったのです。そして、歴史の裏側へと潜《もぐ》った――」

中華人民共和国中央人民政府外交部

周恩来部長閣下

大ブリテンおよび北アイルランド連合王国政府が、中華人民共和国中央人民政府の成立に伴う情勢の推移を検討した結果、中央人民政府がすでにほとんど中国領土の大部分を、有効的に支配している事実を知りましたので、本日この政府を中国の法律上の政府と承認しましたことを、閣下にお伝え致します(以下略)

アーネスト・ベヴィン

大ブリテンおよび北アイルランド連合王国政府外務大臣

一九五〇年一月六日

(『移りゆく都市国家香港』中嶋嶺雄著、時事通信社)

西側先進諸国のなかでは、イギリスは、まさに先頭を切って、中華人民共和国の承認を行なった。

以来、一九八二年までの三二年間、正式な中英外交交渉の場で、香港問題が語られたことは一度もない。

「ゴルトシルトにとっても、願ってもない結果となりました。なぜなら――この取引きで彼らは不平等条約のそしりから、解放されることまで企図していたからです」

西条は、舌を巻いた。

「たしかに――新政権が香港を英国に譲渡すると新たに約したとなれば、こんどは立場がフィフティ・フィフティだ……他国に口を挟まれる筋《すじ》はない……」

ゴルトシルトは、したたかだった。彼らは香港が、やがては英国連邦に組み込まれることを前提に、あの都市を金融王国に変えようと、力と金を注いだのだ。東洋のスイスのような――。

いまさらのように、西条は〈密約〉の持つ重みに打たれていた。アヘン戦争から今日までを結ぶ、謀略の鎖。

いったんは行方《ゆくえ》を失っていたその鍵が、いま、このファルコンのなかにある。

〈密約〉がイギリス側の手に渡れば、彼らは確実に、この条約を正当と主張し、香港の主権を争おうとするだろう。一九九七年の返還は、少なくとも先延ばしになる。それは、とりもなおさず、香港を足場に急速な経済発展を遂《と》げようとしている中国にとっては、取り返しのつかぬダメージになる。

さらに、新生中国の誕生が、じつは、資本主義の権化である財閥との裏取引きで保証されていたという経緯《いきさつ》が明るみに出れば、中国共産党にとってはこの上ない恥辱となり、汚点となる。

西条は、しばし茫然と、虚空《こくう》を眺めた。

「わからない……」しばらくして、呟いた。彼は、沢木に目を向けた。「君は、何のために——いや、日本は、何のために、〈密約〉に関わろうとする？　そもそも、なぜ外務省が、この問題に、首を突っ込もうとするんだ？　現在のところ、その答えに価《あたい》する話は出てこないようだが」西条は、一瞬、間を置いた。「まさか」彼は訊いた。「単に中英どちらかの国から、濡れ手で粟《あわ》の利益をせしめようとしているわけじゃあるまいね」

自分が、まさにそうしようとしていることを、西条は忘れていた。

「それでは恐喝ですからな」

沢木は、きっと口を引き結んだ。

「そうではない。これは、防衛です」彼は、主張した。「ゴルトシルトのアジア攻勢は、歴史のなかの読み物ではない。それは終わっておらず、いま、この瞬間も、昼夜を問わず、続けられています——しかも、矛先《ほこさき》が突きつけられているのは、龍の首だけではない」

「では……」

「彼らが、いまもっとも目の敵《かたき》にしているのは、わが国——日本です」

沢木は述べた。ゴルトシルトが、上海香港銀行に蓄《たくわ》えた、ブラック・マネー。その資本をもとに、彼らが日本をターゲットに行なった、数十年間にわたる、意図的な市場操作。ゴルトシルトが近未来に日本で経済恐慌を引き起こそうとしている、証拠の数々を。

一九八五年、先進五ヵ国蔵相会議への口出しで、プラザ合意を執拗《しつよう》に実現させ、極端な円高を演出したこと。その後、日本が沈まないのに業を煮やして、機関投資家を操り、不要な金融商品を次々と生み出して株式市場を不安な状態に導《みちび》き、一九九〇年には裁定《さいてい》取引きでバブル崩壊を導いたこと。さらに、いまでは産業の空洞化を誘っていること。

そのなかの幾つかは、経済界に籍を置いている西条にも腑《ふ》に落ちるものだった。どうしても解明できなかった市場や要人、国際政治の動きに、すっきりと説明がつく。

西条は、考え込んだ。

「だが、なぜ日本を？」

その疑問は、沢木が、以前に抱いたものと同じだった。いまは、沢木にはそれが解けていた。ロンドン駐在員、巌谷の報告に詳しかった。

「彼らがもっとも恐れているのは、日本と中国が、これまで以上に親密になることなのです」

「日本と……中国」

「ゴルトシルトは、東洋で、あらゆる利権を自らのものにしたいという欲求に取り憑《つ》かれています。そのためには、相手となる国家の基盤は、弱いほうがいい。相手国内に、できるだけ災《わざわ》いの種を植えつけたい」

「それで？」

「日本は、いま、なんといっても、安定しています。アジアのなかで、総合的にみて」

「それは、確かだ」

「ゴルトシルトは、中国に、日本のように安定してほしくない」

ほおっ。

西条は、納得の息を吐いた。初めて、僅かながら笑みが浮かんだ。

「たまらんな……ハイテク中国人が、一二億もいると考えると」

言葉とはうらはらに、西条の声は弾《はず》んだ。

――四〇〇〇年の歴史が生んだ、そしてまだ失われぬ東洋の叡智《えいち》と、素晴らしい商才を持った人々に、日本の経験、技術と柔軟性が加わったら。

夢のような、極東交差点。

パワフルな、東洋の明日。

「ゴルトシルトは、そうなる前に、日本を叩きたかったのです」

沢木は、自分が、出せる手札を、とりあえず西条の前に並べ終えたと感じた。

「――外務省は、ゴルトシルトの日本攻略を封じるために〈毛沢東の密約〉に関与したいのです」

彼は、そう結んだ。

西条は、対戦相手に妙手を指された棋士のように、長考に入った。

「キャンセルだって⁉　いったい、どういうことだ！」

ハイパーソニック宣伝部担当重役は、血相を変えて、電話にしがみついていた。

「ですから……」電話の向こうの相手は、冷《さ》めた声でもう一度、告げた。「そちら様のCMを、お断わり申し上げるということです」

「バカな！　放送予定は、明後日だぞ！　契約違反じゃないか！」

「何と言われても仕方がない。できないものは、できません」

電話の男、香港スターTV社長の林《リム》は、クライアントに向かい、開き直ってそう言うしかなかった。

彼にしたところで、大スポンサーであるハイパーソニックが、初めて出稿してくれた、巨額予算のCMを、なぜ直前になって香港スターTVが断わらなくてはならないのか、皆目、見当がつかなかったのだ。違約金を、たっぷり取られるだろう。もう二度と、CMは入らないに違いない。

――こんなに気前がいいスポンサーは、二度とつかないな。

リムは、顔をしかめた。

ハイパーソニックから安く買いつけられる予定だった、ソニック・ピクチャーズの映画ソフトの話も、これでお流れだ。

だが、仕方がない。

「とんでもないことだ！　今回のCMは、西条社長じきじきの采配だぞ！　それを、中止などできるわけが……」

相手は怒鳴り続けていたが、リムはみなまで聞かずに電話を切った。いくら責められても、彼の一存では、どうにもならないのだ。西条社長は、香港スターTVの放送圏に、有難いくらい興味を示してくれていた。スターTVが、中国のかなり広い区域で受信できることに関心を示し、中国はこれから期待できる市場だからと、一日でいちばんいい時間帯のCMを買ってくれたのだ。

にもかかわらず、リムは、この願ってもない話を、非常識なやり方で断わらなくてはならなかった。

――天の声に、逆《さか》らうことはできない。

絶対服従が、掟《おきて》なのだ。

外部の人間には、到底理解できない、龍の絆《きずな》。網の目のように張り巡らされた糸は、ときに個の利益を縛るが、いつか必ず、報《むく》いをもたらす。天に対し、地に跪《ひざまず》いて契《ちぎ》りを結んだものは、およそ、上を犯さぬ。上に逆らえば、功は顕《あらわ》れない。

リム如き階級では、およそ会うことも叶《かな》わぬ存在の厳命とあらば、叛《そむ》くことは、死に等しかった。たとえこの一事で、リムが引責辞任ということになっても、龍の網はどこかでリムを拾ってくれる。悪いようにはしない。だが、背を向ければ……。

――龍の眼が、どこかで見ている。

リムは、はっきりと、そう感じていた。


ファルコンは、依然として、どこの国のレーダーからも消えたまま、シベリアの山中深くにランディングした。ここは、ハイパーソニックの支社の関係する土地で、自家用機用の滑走路が設けてある。

ふたつの理由で、西条はここを中継基地に決めていた。

一つは、給油。

ファルコン900Bは、ビジネス機のなかでは航続距離が七八四〇キロと長く、無着陸で大西洋横断もできる。まして、四人しか乗っていないので、軽い分燃料消費が減り、飛行距離が伸びるのだが、ワシントンから北京の、約一万一一〇〇キロを飛び続けるわけにはいかず、ミシガンとここ、二度の燃料補給が必要だった。

もう一つは、ラボに残してきた公文との連絡。飛行経路や時間に変更はないか、システムに異常はないか……交信を、無線ではなく、基地に備えつけた、暗号装置のついた端末で行なうためだ。

沢木の申し出を検討するにも、いいタイミングだった。地上でなら、全員が互いに顔を合わせて、話ができる。それぞれの意見が――とくに、アディールの結論が――どう出されるか。

小さなヴィラふうの建物に、三人を待たせて西条が給油を済ませ、戻ったときには、部屋にコーヒーの香りが漂《ただよ》っていた。気を利《き》かせたラオが、あたりの備品を、適当に見つくろったものとみえる。

ラオは、部屋の一角に置かれた、ハイパーソニック特製のコンピュータ・システムを、例のごとく興味深げに眺めていた。沢木とアディールは、淡いライトの下のコーヒー・テーブルに向かい合っていたが、眼を合わせようとしていないように見えた。

そのアディールが、西条の顔を見るやいなや、言った。

「この人、どうしたいっていうの」顎で、沢木を差し示す。「〈密約〉を、渡してほしいとでも言う気？ だったら、無理だわ。これは、いまは私の私有物なのよ。外務省かなんだか知らないけれど、横からしゃしゃり出てくるのは、お門《かど》違いじゃないかしら」

「まあまあ」西条は、なだめた。無理もないが、アディールはいつもよりナーバスになっているようだ。あと一歩のところで自分の夢が御破算《ごはさん》になってしまう恐怖に、とらわれているのだろう。「聞いてみようじゃないか」

ゴルトシルトが日本を標的にしていると聞いたために、西条は沢木の話を聞いてみる気になっていた。ハイパーソニックも、日本という基盤が——母体があっての企業だ。何より、西条はやはり日本人だった。

が、沢木は、話す代わりにまず、訊いた。

「あなた方は〈密約〉を手に、北京に向かっています。——ということは、取引きは、中国政府と行なうんですね？　ゴルトシルトではなく」

「そのつもりだ」

「だが、取引きの手としては、もし中国が条件を呑まなければ、この密約をゴルトシルトに渡すという脅しを使っているわけですね？」

「まあ、そんなところだ」

「では、中国側が本当に条件を呑まなかった場合は？」

西条は、答えに詰まった。沢木は、重ねて訊いた。

「そうしたら、今度はゴルトシルト側と交渉しますか？」

「それは……」

「それは、ないわ。絶対に」アディールが、やけにきっぱりと言った。

「そうだな。ない」西条も歩調を合わせた。

彼女は最初から、イギリス側の手に密約を渡すことはしないと言い張っていた。

西条は、彼女が東洋系であることが、イギリス側に与《くみ》しない理由だと推《お》し測《はか》っていた。さらに、アディールの目的は、中国にあってイギリスにはない。彼もまた、イギリス側との交渉は念頭になかった。ハイパーソニックの望みは、中国市場だったからだ。ゴルトシルトの企《たくら》みを聞いたからには、なお、彼らに利することなどしたくなくなっていた。

「それなら、問題の一つは解決です」沢木が言った。「ゴルトシルト家に、絶対に密約を渡さない。とにかく、それが最低の線ですから」

「その点は、いまのところ請《う》け合えるな」西条は、認めた。

社長の気持ちが、反ゴルトシルトに近いところまでいっているのを、沢木は感じた。

「あなた方の目的を教えてもらえますか」さらりと、彼は訊いた。「〈密約〉と引き替えに、中国から何を手にするのです？」

西条の返答を、彼は待った。

「私のは、簡単至極《しごく》だ」答えは、淀《よど》みがなかった。彼は沢木を見た。「ハイパーソニックが、中国の家電市場で、圧倒的優位を保証されること――その一事に尽きる」

口にしながら、西条は、企業の論理が、国家をとりまく歴史観のなかでは、ひどく卑小に思えることに、今更のように気づいていた。

「彼女の――アディールのほうは？」

問題は、そちらだった。西条の条件が、ハイパーソニックの利益に関連するものであることは、予想に難《かた》くなかった。だが、女優のほうの目論見《もくろみ》が、沢木には読めていない。彼女の出自《しゅつじ》を考え併《あわ》せて、彼なりの予測をたてることはできたが、全くの見当違いの可能性もある。いずれにせよ、いまはまだ、それを口にするときではない気がした。

西条は、答えなかった。彼女の思いは、彼が語るべきことではない。代わりに、慎重に彼女のほうを見た。

沈黙が、部屋を包んだ。ラオさえも、部屋の隅で聞き耳を立てていた。

「話す必要ないでしょ」やがて、アディールは、視線をかわした。「ごちゃごちゃ訊く前に、そっちの言い分を言ったらどう」

主導権はこちらにあるのよ、と言わんばかりだった。

「わかりました」沢木は、深追いせず、本題に入った。「私にも――日本にも、その話に一枚嚙《か》ませてほしいんです」

窮余の一策だった。むろん、正攻法ではない。むしろ、禁じ手と言えるかもしれない。上司の木島情報調査局局長が聞いたら、卒倒するかもしれない。

アディールは啞然《あぜん》とし、西条は面白そうに口元を綻《ほころ》ばした。

「一枚――嚙む？」

「アディールさんの条件が何かは、聞かなくてもかまいません。違法だの、密航だのといったことも、今後一切、外務省は問わない。ただ、あなた方が中国側に出す条件に、もう一つ、加えてもらいたいということです」

「条件て――どんな？」意外そうな表情のままで、女優が訊ねた。

「中国政府と、非公式な会談を持ちたいんです」

「――会談ですって？」

「互いの外交代表が、定期的に話し合いを持つ」

「何のために？」

「対ゴルトシルト防衛協定を結ぶために」

――ほう。

西条は、膝を叩いた。彼の気持ちに、この妙手が、しっくりきたからだ。が、アディールは……？

彼女の唇が、わなわなと震《ふる》え、目頭《めがしら》があっという間に膨《ふく》らんだ。

——これは、駄目か？

そう思いかけた瞬間、アディールは、くるりと背を向けた。

「なんだ」

肩の向こうから、途切れがちに、意外な答えが返ってきた。「なんだ……そんなこと……それなら……かまわないわよ」

「いいのか？」西条は、念を押した。アディールは、窓のほうを向いたまま、はっきりとうなずいた。

「私の条件に、影響するわけじゃないもの。だけど——私たちが承知したって、中国側がどう考えるかは、知らないわよ」

それは、そのとおりだった。西条も、アディールも、中国側がすんなりと交渉に応じるという確信はない。

「中国系の男達に襲われたのよ、私達」

「そうなんだ」

西条が、沢木に向き直り、空港付近で待ち伏せされた経緯を、手短に伝えた。

「彼女の言うとおり——けっして歓迎されているとは思えないな」

たしかに、そうだ。だからこそ、原文を〈殻〉に閉じ込めたのだし、こうして、表玄関ではないところからかの国に向かっている。さらに、香港スターTVから、衛星放送の時間を買い、まさかのときには、ハイパーソニックの新製品CMの代わりに、〈密約〉に関する事実が要約されて、中国を含むアジア各国に流れる手筈《てはず》になっている。

そこに思い至って、西条は、ふと、あることに気づいた。

「そうなると――あれは、まずいな」彼は、眉をしかめた。

〈密約〉の存在を、衛星放送で世間に晒《さら》してしまうことは、ゴルトシルト一族に有利に働く。香港を、永久に返さなくてもいいという条約に、毛沢東が署名しているのだから、それが公《おおやけ》になれば、イギリス側の正当性を裏書きする結果になってしまうのだ。

いまとなっては、それでは、いかにもまずい。

万が一、中国側がこちらの要求を蹴った場合でも、放映をさせないよう、公文への指示を変えるべきだろうか――西条は迷った。衛星放送は、こちらの重要な手持ち札だったし、切り札が少なくなることは、それだけ、危険が増すことなのだ。

西条のその想《おもい》を、ラオの切迫した声が、遮《さえぎ》った。

「社長――これは――!?　これを見てください」

コンピュータ・モニターに、抽象画のような画像が浮かび上がっていた。

西条は、時計を見た。

予定の時刻だった。公文からの連絡に違いない。

全員が、機器の周辺に集まり、ディスプレイを覗《のぞ》き込んだ。西条がある組み合わせでキーを叩くと、画像が、瞬時にして脈絡のない記号に変化した。さらにキーを叩くと、こんどは、意味のある文字に変換された。公文は暗号解読をおそれて、暗号ソフトウエアをさらに改良し、画像データに圧縮した情報を組み込んできたのだった。

読み進むうち、西条の顔色が変わった。

香港スターTVが、一方的にCM契約をキャンセルしてきたことを、通信文は告げていた。

何者かが、プランを嗅《か》ぎつけた可能性が濃厚だった。そうでなくて、こんな急展開はあり得ない。

それにしても、誰が……どこから知ったのだ？　中国側か、ゴルトシルトか。洩れたのは、社内の誰かからか、それとも……？

——計画ヲ続行シマスカ？

こちら側の驚きや疑念をよそに、画面では文章が点滅して、公文が早くも判断を求めてきていた。

——計画ヲ続行シマスカ？

全員の顔を、西条はひと渡り、見渡した。

どの顔にも、答えが読めない。

「中止だ——中止しよう」

彼は、これまで何度も、よく似た分岐点に立ち会ってきていた。ビジネスの世界では……こんな状況下の前進は、自殺行為だ。

「予想外の出来事が、見逃すには多すぎる。もちろん、計画に完璧ということはない——だが……行く道を待ち伏せての襲撃、沢木君の闖入《ちんにゅう》、突発的な放映キャンセル……不穏な要素が入り込みすぎている」

「でも……〝長老〟との会見予定は、明日なのよ」

アディールが、力の入らない異を唱《とな》えた。彼女も、強行には不安があると感じているのだ。

「延ばすんだ——仕方がない。時間はかかるが、計画を練り直すしかない」

「また、あと半年か一年はかかるわ」

日時から逆算してプランを組み、機械的なシステムを構築し、準備するのに、公文が心血を注いでも、それだけかかったのだ。

「やむを得まい——幸いなことに、〈密約〉は、まだわれわれの手にあるのだから、交渉はやり直せる」

「狙《ねら》われる確率は、いままでの比ではないわ——それどころか、一瞬も油断できない。敵は、私達に気づいたらしいもの」

それもたしかだった。この先のリスクを考えると、西条は迷った。

西条は企業人として、アディールは女優として、名の知れたＶＩＰなのだ。存在や予定を隠すことは、実質的には不可能に近く、彼らを狙おうと思う者にとっては、格好の標的だった。事実、アディールは、おそらくどこかの情報部員らしい男たちに監禁されていたではないか。これからの一日、一日が、その繰り返しになるとしたら――？　しかも、相手はプロなのだ。ボディガードを何人雇っても、防ぎきれるものではない。

前進も、危険。

後退も、危険。

――計画ヲ続行シマスカ？

画面は、点滅を続けている。

沈黙を、ラオが破った。

「できますよ」彼は、言った。「スターTVの許可がなくても、同じ衛星を勝手に使えばいいじゃないですか」

「――何だって」

意外な提案に、皆、肝《きも》を潰《つぶ》した。

「衛星放送も、通信である以上、ハッカーの網から逃れることはできません」

「できるのか――今から？」西条の口調に、期待がこもった。「公文君と連絡をとりましょう

――彼に、方法を伝授します」

――計画ヲ続行シマスカ？

西条は、答えを出した。キーボードの♯《シャープ》キーを押すとき、珍しく、彼の指が震《ふる》えた。

――続行。

結論が、瞬時に海を越えた。

フライト・マネジメント・システムは、ファルコンを、機械らしく隙のない正確さで予定コースに誘導し、機は巡航速度を保ちながら、中国領空に進んでいた。

コクピットには、西条と、ラオがいる。西条の眠気を防ぐために、沢木と交代で、コクピットに入ることにしたのだ。

だが、西条は、塵《ちり》ほどの眠気も感じていなかった。逆に、眼は段々に冴《さ》えてくる。

客席の二人も、まんじりともしていなかった。アディールの頬が、雑誌や画面でのプロフィールよりも、細って頼りなげに見える。いまなら、憂愁に満ちた女性が主役のロマンス映画に適役だ、と沢木に思わせるほど、彼女には艶《つや》があった。極度の緊張が続いたわりに、肌に疲れがない。見かけよりも、ずっとタフな女性なのかもしれなかった。

操縦席の西条は、計器に神経を集中していた。

渤海湾の入口に、機はさしかかっている。

二月十四日の、朝になっていた。

もうすぐ、シミュレーションで見たのと同じ中国大陸が、霞《かす》んだ雲の向こうに姿を現わすだろう。

――大きな国だ。

領土の総面積が、約九六〇万平方キロ。東西に約五〇〇〇キロ、南北に約五五〇〇キロの広大な国は、一二ヵ国もの国と国境を接する極東交差点でもある。

その大きさと、その肥沃《ひよく》さゆえに、多大な人口を持ち、世界の趨勢《すうせい》を左右する国——。目覚めゆく獅子を、ゴルトシルトの檻《おり》に入れてはならない。ゆっくりと、静かに、獅子は立ち上がるべきなのだ。

遙かな空の彼方《かなた》、大陸の方向に、獅子が頭をもたげるさまを、西条は空想のなかで視《み》ていた。

そのとき——まさにその方向に、何かが動いた気がして、西条は眼を凝《こ》らした。

雲が動き、霞《かすみ》の晴れ間を、ちらと何かが掠《かす》めた。

——鳥？

雲は動き続け、黒い影はすぐに消えた。

が、再び。

——違う！

パイロットの熟練した眼は、こんどは見誤らなかった。

機体だ！

西条の見たものは、すぐにラオにもわかるほど大きくなった。

「戦闘機だッ」

西条が叫ぶと同時に、かの機が明らかに翼を振るのが見えた。領空侵犯を咎められているのだ。

(——航行中の航空機に告げる。——ここは中華人民共和国領空域だ。ただちに、貴機の国籍と識別を告げよ。——貴機は、すでに領空を侵犯している。——応答せよ)

西条には、軍用機がこう告げているのがわかった。

そのときには、近づいて来る戦闘機が、中国最新機の西安《シーアン》B－7によく似た攻撃機であるのもわかった。航空ショーの写真で、見かけた型だ。

呼びかけてきたのが、領空パトロール用の哨戒機ではなく、爆撃機能まで備えた攻撃機であることが、この遭遇が、けっして偶然の産物ではないことを示唆《しさ》していた。明らかに、ファルコンはマークされていたのだ。

威嚇するように、攻撃機は翼を振り続けている。

(何をしている！　応答せよ！)

領空侵犯を隠すために、レーダーを誤作動させる公文のシステムが、作動しなかったのか――？　そうは思えなかった。西条は、混乱した。

攻撃機は、旋回を始め、ファルコンの後方に回ろうとしていた。

こちらも翼を振り返すか、足を出すかして恭順の意を表さない限り、撃墜が待っている。

突然、鈍い破裂音がしたと思うと、操縦席の窓を閃光と白く尾を引く煙が掠《かす》めた。威嚇射撃だ。

(繰り返す。国籍と識別を――直《ただ》ちに告げよ。さもなくば――)

その瞬間、西条の背中を、ぞくっと冷たいものが走った。混乱のなかで、彼は思い至っていた。

――あのシステムのなかで、中国空軍のレーダー操作部分を担当したのは……したのは……。

隣席のラオを、西条はぼんやりと眺め、続いて愕然とした。怖《お》じ気《け》が全身に広がった。彼の唇に、依然として笑みが浮かんでいたからだ。満足げな笑みが……。

かくして、ファルコンは、翼を振り、斜め前方を誘導する西安B－7によって、北京に連行された。

東洋

目隠しを外されたとき、そこがどこだか、沢木には、すぐにわかった。以前にも、彼は何度か、そこを訪れたことがあったからだ。

西条やアディールも、知っているはずだ。中国人のみならず、外国人観光客にとっても、おそらく北京でこれほど馴染《なじ》み深い場所は、他にないだろう。

いまでは誰でも——ツアー客さえも——この部屋に入り——〈彼〉を——仰《あお》ぎ尊ぶことを許されている。

〈彼〉の顔色は、蠟《ろう》人形のように白い。双眸《そうぼう》は、縫《ぬ》い合わされたように固く閉じられている。それも道理で、十七年も前に、〈彼〉はこの世の人ではなくなっているのだ。

——赤い皇帝の墓。

天安門広場の南端、毛主席記念堂、拝礼の間。

一九七六年に記念堂ができて以来、毛沢東の遺体は、ここに祀《まつ》られている。どんな処理が施《ほどこ》されたのか、水晶の柩《ひつぎ》に安置された遺体は、眠らせてあるだけのように生き生きと見えた。血のように赤い五星紅旗《ごせいこうき》が、遺体の胸から下をくるんでいる。

微《かす》かに、花の香りがした——水晶の柩を取り囲む、とりどりの献花が匂うのだ。死してなお、毛沢東は玉座にいる。

ある意味では見慣れた拝礼の間に、いま、観光客の姿はない。非公開の時間なのだ——もちろん。おそらく、記念堂の正面入口では人民解放軍の兵士が、つねと変わらぬ様子で警備にあたっているに違いない。ただし、今日の兵士は、ただの見張りではなく、鍛《きた》え抜かれた精鋭だろう。入口を死守せよとの、厳命を受けて……。

精鋭というなら、この部屋にいる数名の兵士も同様だろう、と沢木は思った。

拝礼の間を取り囲む巨大な柱の、それぞれに、軍服姿で銃を携えた兵士が一人ずつ。全員が微動だにせず、唇を一文字に引き結んでいる。淡いスポット・ライトに浮かび上がる毛の柩を背に、さらに屈強そうな兵士が四人。その四人を脇に従える形で、白髪に白髭の老爺が——彼だけは軍服ではない——ゆったりと陶製の椅子に腰かけていた。彼の左には、笑みを浮かべた白皙《はくせき》の美男——劉日月《ラオヤアユツ》。

「ようこそ——天安門へ」老爺が、しわがれた声で切り出した。はっきりした英語だ。「予定どおり——お約束の時間ですな」

「手ぐすね引いて、待っていたというわけか？　この男が——ラオが、スパイだったんだな」西条が、相手を睨《にら》みつけて言った。

「人聞きの悪い」長老は、気にするふうもなく、言った。「わしはこの子を、お迎えに上がらせた。それだけですぞ」

「情報が、すべて洩れていたんだ。香港スターTVに手を回したのも、空港近くでの待ち伏せも、皆……」

「衛星放送の件なら、おっしゃるとおりです。しかし、危ないところでした……香港からの越境放送を取り締まらなかったのは、われわれの政策の盲点でしたな。幸いにも、スターTVの社長は、この子の配下の配下……だったから、事なきを得たものの」

「配下……？」

「この子はまだ若いが、〈洪門会《ハンモンカイ》〉の頭目《とうもく》ですじゃ。〝日月大哥《ダアケ》〟と呼ばれておる」

——洪門会。

沢木は、その組織に関する知識を、瞬時に思い浮かべた。

中国系社会最大の秘密結社、洪門会。その来歴は、遠く清朝時代に遡《さかのぼ》る。満州《まんしゅう》人によって建国された清朝に抗した革命勢力を核とした一大組織で、後に孫文《そんぶん》の辛亥《しんがい》革命を支援し清朝を覆《くつがえ》し、中国民族の国を建てる原動力になった結社だ。

洪門会は、その後も列強や日本の侵略を民間レベルで防衛する地下組織として、連綿と続いた。中国民族は外圧に屈しないという姿勢を、彼らは取り続けたのだ。

中華人民共和国が誕生して半世紀近くを経たいまも、中華思想をアイデンティティに、華僑世界に深く潜行した洪門会ネットワークは、国や政治体制を超《こ》えて、政治活動や投資資金の融通など有機的な相互扶助を果たしているという。

記憶に残ることでいうなら、世界を震撼させた天安門事件のとき、北京高校自治連合の指導者だったウアルカイシら民主運動家を海外へ脱出させたのも洪門会だ。逆に裏面を見れば〝稼げる国〟への密航者の世話役もまた、彼らである。

――ラオが、洪門会のリーダー？

香港で聞いた、ラオがシンジケートと繋《つな》がっているという噂や、コピー商品を東南アジアに売り捌《さば》いた販売網も、そうとなれば何の不思議もない。

「だが、空港付近での待ち伏せ――あれは違う」沢木の想《おもい》を、長老の声が破った。「初めの待ち伏せは、ゴルトシルトの雇った男達じゃ。次のは――わしの部下で、李《リー》という情報部員の小隊ですがな」

「やっぱり」西条は言った。「あそこで捕まえるつもりだったんだ」

「それも当たっていないのう。保護が目的だったのじゃから。危害を加える気は、毛頭なかった。その証拠に、李はあんた方を撃っていない――ゴルトシルトの手下を、撃ちはしたがな。李は彼なりに動き、ロサンゼルスからワシントンに飛んだアディールさんを、空港から尾行していたのじゃ。タイミングが合えば、李があんた方をここに連れて来たはずだ。だが、李は、この子があんた方とともにいるのに気づいたのじゃな。この子の指示で近くに敵が迫っているのを知り、援護したというわけじゃ」

「ラオの指示だって？ おかしいじゃないか」西条が言った。「ラオはあの、銃を持った東洋人と、口などきいていないぞ。彼は、私達と車に乗っていた。私は、彼が何か言うのを聞いていない」

「符牒があるのじゃ。会員のみに通じる、身振りの暗号がな」

長老は、右手を胸の前に掲《かか》げ、人差し指と親指で円を作ると、残りの指をまっすぐに伸ばして数秒、おいた。続いて、目にも止まらぬ迅《はや》さで、指の組み合わせを、幾とおりにも変えてみせた。

「三指訣《さんしけつ》と言いましてな――便利な手語《しゅご》なのじゃ」

アディールは、あのとき、ヴァンの後部座席に、奇妙な動きを感じたことを思い出した。あれは――ラオの指が風を切った気の動きだったのだ。

「洪門会と、ゴルトシルト家には、いわくがありましてな」長老は、続けた。「洪門会はゴルトシルトを、宿敵と見做《みな》しておりますじゃ。話せば、長いことになる――歴史の綾《あや》のなかで」

長老は、その長い話を、かいつまんで告げた。

洪門会の結成当初の目的は、打倒清朝にあった。漢人にとって異民族の清王朝を転覆させ、漢人の手に国を取り戻す――ことを旨《むね》としていたのだ。

ところが、皮肉にも、清朝を弱体化させるにあたって、大いに役立ったのは、ゴルトシルトのアヘン攻勢だった。アヘンの蔓延《まんえん》により、清政権は揺らぎ、やがて、孫文の指導した辛亥革命によって命脈を断たれる。このとき、暗躍したのは、ほかならぬ洪門会員だ。愛国的な彼らは、孫文の手で、中華人民による政権ができたことを喜んだ。だが、そのとき、彼らは知らなかったのだ――アヘンがもたらされる意味も、孫文という人物が、ゴルトシルトにひじょうに近い人物だったということも——知らなかった。

孫文の政権下では、アヘンが溢《あふ》れた。事実上、アヘンを容認していたからだ。洪門会はゴルトシルト——孫文——アヘンの関係に気づかなかったばかりか、自らアヘンの売買にまで手を染めた。打倒清朝が果たされ、会が目的を失った、魔の時期だった。アヘンは金になったし、華僑は商売が好きだった。

その後、孫文の地盤を継承した蔣介石の国民党とも、洪門会の蜜月は続いた。権力と結合したブラック・アソシエーションに近い役割までを、洪門会が果たしていたのも、事実である。浙江財閥の宋家とも、会は関係を密にしていた。

が、そこで、衝撃的な事実が判明した。蔣介石が、ゴルトシルト家と交《か》わす寸前までいった、〈蔣介石の密約〉の詳細を、洪門会の幹部が聞き及んだのだ。

洪門会は、中華の繁栄を願いこそすれ、ヨーロッパの一財閥のために働いているわけではない。まして、香港という領地を〈密約〉によって彼らに渡すことなど、けっして、できはしない。

ゴルトシルトという名は、それ以来、洪門会の宿敵となった。会に見放された蔣介石は最盛期の権勢を失い、しだいに失速していった……。

そして、中国共産党が、共産政権の国を建てる。

洪門会は、国の基盤ができたことに安堵はしたが、現政権とは、さほど密接に繫がっていない。それは、会員たちの多くが、やはり商売のできる土壌を好んでいるからだ。共産党のなかにも、会員がいないことはないが、多くは海外に居を移し、華僑世界をつくると、そこで世界のマーケットを動かし得る商売に励んでいる。彼らは、そこでも、ゴルトシルトと激しい鍔迫《つばぜ》り合いを繰り広げている……。


「そんなところに、〈毛沢東の密約〉の存在が浮かび上がってきました」

劉日月が、口を開いた。

「私の叔父が……」

「この子の叔父というのは——毛沢東の甥《おい》なのじゃ」と、長老。

沢木は、息を呑んだ。西条とアディールは——これもまた、絶句している。

毛沢東の甥の存在は、沢木も知っていた。

——毛遠新《マオユアンシン》。

毛沢東の実弟・毛沢民《マオツォミン》の息子。晩年の毛の世話をし、毛の馴染《なじ》み深い、湖南《こなん》方言で話した男。

悪名高き四人組に最も親しかったために、毛の死後逮捕され、一九七六年以来、投獄されている——たぶん、いまは五十代半ばになっているはずの——毛の甥。

ラオは、その毛遠新のゆかり……。つまりは、毛沢東の遠縁にあたる。

「毛遠新は、世間を騒がせた政治犯じゃ。彼との面会は、長いこと禁止されておった……その理由は、表向き四人組との共謀ということになっておる。が、そのじつ、拘禁の理由は、もう一つあった。晩年の毛から、遠新は〈密約〉の委細を聞き出しておったのじゃな」

同じく詳細を知る党の長老たちは、遠新の口を封じる意味もあって、彼を世間から隔離した――長老は、そう説明した。

「じゃがのう。この子が、黙っておらんかった。若くして、この子はいつの間にか、洪門会の頭目におさまっておった……統率力は、毛沢東の血筋かもしれんな。叔父の遠新の拘禁に、この子は不審を抱くようになり、会のルートを使って、さまざまな手練手管《てれんてくだ》を繰り出してきおった。わしらは、とうとうそれに音《ね》をあげ、彼に実情を話す羽目《はめ》になったのじゃ」

西条にも沢木にも、ラオにあの手この手で攻められたら敵《かな》わない、という長老の気持ちは実感できた。

「話を聞くと、この子は即決した……会の総力を挙げて、わしらと一致協力し……彼の精魂を傾けて……ゴルトシルトから、香港を取り戻すことをな」

ぷつりと、長老は、言葉を切った。

暫《しばら》く、沈黙があった。

「これを……」

ラオが、いつ取り出したのか、赤い裂《きれ》の包みを両手で捧《ささ》げ持ち、胸の前に掲《かか》げた。ラオの手元を、全員が、息をつめて見守った。彼は、包みを左手に持ち替え、袱紗《ふくさ》を扱うように、流れるような手つきで裂を解いた。

ちらと、金属性の輝きが見え、続いて〈殻《カプセル》〉が、姿を現わした。

「これを、開けてくださいますね……アディールさん」

穏やかな物言いのなかに、ぴしりと芯《しん》があった。

が、女優は——怖《お》じていなかった。

昂然と頭を上げ、長老と、ラオを見返す。顔を屹《き》ッと起こしたまま、無言で、前に一歩踏み出したかと思うと、舞台の花道を進むような足取りでラオに歩み寄り、彼の手から、奪うように〈殼〉を取った。

アディールの両掌《りょうて》に、〈殼〉は、吸いつくように、ぴたりと収まった。

「開けることに異存はないけど——」沈んだ光沢《こうたく》の金属を、彼女は、撫でた。硬《かた》い、硬い超合金の——〈殼〉。「まだ、私達の条件を聞いてないでしょ？　まさか、聞かずに済ますつもりじゃないわよね？」

言いながら、少しずつ後ずさり、ラオから数メートル離れた。

ラオは、その切れ長の眼をぴたりと〈殼〉に据《す》えたまま、動こうとしない。

じりじりと、皆が女優の動きを追った。

〈殼〉を握るアディールの両手に、微かに力がこもった。指先が、いまにも〈殼〉の秘密を解こうとするように、柔らかく緩《ゆる》んだ。

が、次の瞬間、女優は、誰もが思いもよらなかった行動をとった。

瞬息の迅《はや》さで、彼女はいきなり、〈殼〉を摑み——勢いをつけて上体を右に捻《ひね》りながら右手を斜め後方に、高く振りかぶった。

瞬間、座はあっけにとられた。

女優は、すごい勢いで弾《はず》みをつけ、〈殻〉を投げた……いや、投げはしない……投げる直前の構えでそのまま、彫像のようにぴたりと静止した。華奢《きゃしゃ》な体に思いがけぬ筋肉が動いて、像は、よく訓練された投手の、投球直前のモーションに見えた。

そのときには、何人かがアディールの意図《いと》を察していた。

――投擲《とうてき》の的！

彼女が狙いを定めたその先を、彼らは識《し》った。そして、蒼《あお》ざめた。

――水晶の柩。

そこには、なにものにも代え難《がた》い、中国の至宝が、静かに安置されていた。

聡《さと》い兵士が、さっと銃を構え直す。即座にいくつもの銃がそれに倣《なら》い、銃口がアディールに集中した。

瞬時にして、ホールは緊迫感に満ちた。

「あなたがたの答えによっては、これを投げるわ」張り詰めた空気を裂《さ》いて、女優の声が響いた。「この〈殻〉は、適度に重いし、特殊な超合金で、とても硬いの。水晶くらいなら、粉々《こなごな》に砕《くだ》ける」

アディールの言葉はそこまでだったが、彼女が言わなかったことまで、全員が読み取っていた。

――あろうことか、彼女は毛沢東の遺体に傷をつけてやると脅しているのだ！

仄《ほの》かなライトのもとに浮かび上がっている柩は、その気で見れば格好の標的に見えた。アディールの狙いは、遺体の顔あたりにつけられている。柩が砕け、悪くすれば——中国の偉大な建国の父の顔が潰《つぶ》れる。

兵士たちは、色をなした。

彼らの偉大な指導者が、辱《はずかし》められようとしているのだ。夥《おびただ》しい殺気の輪が、彼女を包囲していた。

その空気を読んで、女優が言った。

「私を撃てば——〈殻〉はこのまま、開かずじまいよ。仮に、このまま〈殻〉を爆破するか溶《と》かすとしても、その場合、なかの書類が本物だって、誰が確認できる？　私がどこかに、本物を匿《かく》しているかもしれないわよ。それに」ここからは、兵士にも容易に理解できる、流暢《りゅうちょう》な北京語だった。「私を撃ったら、何発かは毛主席に当たるわよ」

そのとおりだった。めったな発砲は、それこそ水晶を砕き、彼らの崇拝する父に傷をつけかねない。困惑が、兵士の気を削《そ》いだ。

「やめなされ」

僅《わず》かに緩んだその間合をとって、長老がさらりと言った。彼は、つと立ち上がると、年に似合わぬ放胆さで、すっとアディールとの間を縮《ちぢ》めた。

「やめなされ——宋家の娘よ」

ぴくりと、女優の背が慄《ふる》えたのを、西条と沢木は見た。

西条は呟き、当惑して眉をひそめた。長老が何を言わんとしているのか、理解できないでいた。

「宋家の……娘？」

——やっぱり、西条社長は知らなかった！

沢木は、機内で彼に話す機会を失った、もう一つの秘録が、ここで顕《あらわ》れようとしているのを知った。長老の一言が、女優の素姓を看破していた。

「やめなされ」三度《みたび》、長老は言った。「そういきり立たずとも、話はできる——〈条件〉とやらをな。あんた方お三人の。じゃが」そう言って、彼は西条と沢木を一瞥《いちべつ》した。「わしはもう、このお二方のお申し出は耳にしておりますぞ」

「聞いている？　そんなわけが……」

ない、と言いかけて、西条はラオの存在に気づいた。機内での会話の一部始終は、彼から長老に、委細洩らさず伝えられているに違いなかった。

「ハイパーソニックに、中国全土での優先的な販売権を与えること……日本外務省と、対ゴルトシルト防衛協定を結ぶための協議を持つこと……いずれも、中国政府はやぶさかでない」

長老は、一人称の代わりに中国政府という言葉を使うことで、これがオフィシャルな見解であることを明確にしていた。

「当初、政府は懸念しておった……〈密約〉にハイパーソニックが関わっているのを知ったときから……これは、ある意味で、日本帝国主義の再来ではなかろうかと。もちろん、経済的な意味でじゃが――ハイパーソニックは、製品によって中国市場と中国の富を寡占しようとしているのではないかとな」

無理はなかった。中国にとって、日本に搾取された苦しみ・痛みは忘れようもないものなのだ。

「だからこそ、政府は調べた……情報部員や洪門会の配下を使ってな。産業スパイに見せかけて、御社《おんしや》の内情を探らせてもおったのじゃ。だが、さらにいい機会に恵まれた。日月が――この子が、うまく西条さん、あんたと会うことになった。日月は、お得意のネットワークとやらを通して、ハイパーソニックの技術者が、中国空軍のシステムに詳しい者を探していることを嗅《か》ぎつけた。そこで、自分に関する情報を、さりげなく流したわけじゃ。西条さん、あんたはどのみち、外務省の引き合わせがなくとも、この子に会う手筈《てはず》だったのじゃ。そのうえで、この子は情報提供と引き替えに、自分もうまい話に一枚嚙《か》ませろと申し出て、あんたの腹を探ろうとしたんじゃよ」孫の自慢でもするように、長老は述べ立てた。ラオは、ちょっと困ったように西条を見て言った。

「私は――私は知りました。西条社長が――ハイパーソニックという企業が――日本製品をこちらに押しつけようとしているわけではなく、中国の人間とともに、東洋的な呼吸を持ったものを創《つく》ろうと考えていることを」

「この子は、言ったのじゃ――ハイパーソニックは、中国にとって、理想的なパートナーになるだろうと」

アディールの右手にこもっていた気が、目立たないが、僅かに抜けていくのを、沢木は感じていた。が、それに気づいたというふうも見せずに、長老は続けた。

「日本の外務省が絡んできたのは、政府にとっては予想外で——しかも、面倒じゃった。そこの——沢木さんとか言ったかの？ あんたは、上海香港銀行が秘匿していた、密約に関する覚え書を読んでしまったのじゃな。ハイパーソニックに対する以上に、政府は警戒感を募《つの》らせた。日本に、わが国の弱みを握られたくはないからのう」長老は、ラオを見た。彼は、そうだと言うようにうなずいた。

「ですが——数週間、外務省に拘束されるうちに、私は、日本もゴルトシルトに関する厄介事《やっかいごと》を抱えているのに気づきました。ひょっとすると、歩調を揃えられる部分もあるのではないかと……」

沢木は、あっ、となった。

「それでは……省に西条さんの出立《しゅったつ》を報《しら》せた電子通信文は……やはり君が!?」

ラオは、黙ってうなずいた。

「中国政府は、日本側の手に〈密約〉を渡すわけにはいかなかった——けれど、意向を聞く気がないわけではないのじゃ。共通の敵を持つことから言ってもな。日月は、絶妙なタイミングで通信文書を流したと言えるのではないかな」

——すべてが、計算されていた！

沢木は、顔色を失いかけた。通信文を受け取った沢木が、空港へ向かうことを、ラオは企図していた。自分がラオの意図にのって動いたことに、気づかされたのだ。

が、すぐさま、ラオが言った。

「機内でのあなたのお話は、じつにみごとに、わが国とゴルトシルトの綾を描ききっていました……われわれが知らない事実も、あなたの話は明らかにした……ゴルトシルトが、わが中国だけでなく、長大なスパンでアジア支配を目論《もくろ》んでいることもわかりました。外務省の調査力には、感服です。それに、私には、予想できました――ほかでもないあなたなら、東洋的な『和』で問題の解決をはかろうとするだろうと」

――中国人は、どこまでも相手の『面子《メンツ》』を立てようとする。そうと知りながらも、沢木は自分の表情が和《やわ》らぐのを感じた。

「経緯《いきさつ》はともあれ」長老が言った。「中国政府は、日本と対ゴルトシルト戦略を練るテーブルにつくことを承諾するという結論に達しておる。となると……これで、お二方のいわゆる〈条件〉は、満たすわけじゃの？」

長老の言葉は、穏やかだった。

「もちろん、これは正式な書面にしてお渡しするつもりじゃ。異論はありませんな？」

誰も、言葉はなかった。だが、その沈黙は、否定を意味していなかった。

アディールの右手が、いまだに高く掲《かか》げられたままながら、さらに力を失うのを、沢木は見た。

その機を逃さず、長老は再び、つい、と歩を進め、大きな声で言った。

「残るは、あんただけじゃ。何しに戻ったのじゃ……宋家のお人よ?」

アディールの背が、小刻《こきざ》みに慄《ふる》えていた。

「先刻から、いったい何のことを……?」

西条が、茫然と呟く。

女優の腕は、少しずつ下へ下へと下がり、やがてすべてを放擲《ほうてき》するかのように、ふっと落ちた。


——浙江財閥の宋家。

中国の近代史を語るうえで、この財閥一家のありようは、欠かすことができない。彼らは、ある一時期、中国を裏から動かす真の支配者であるといえた。

宋家の隆盛は、十九世紀末、アメリカ人宣教師に仕《つか》えた宋耀如《そうようじょ》という男が、出版社を興《おこ》して成功したことから始まる。

実力者となった宋耀如は、ある政治家に共鳴し、後援をするようになった。

その政治家が——孫文である。

宋耀如には、いずれもアメリカに留学させた三男三女があったが、彼は、そのなかから孫文の側近で、やはり財閥出身の孔祥熙《こうしょうき》に長女の宋靄齢《そうあいれい》を、孫文自身には次女の宋慶齢《そうけいれい》を嫁《とつ》がせた。

さらに、三女の宋美齢《そうびれい》は、蔣介石に嫁がせた。このとき蔣には前夫人がいたが、政治的な戦略から、夫人と別れて資金力と名声のある宋美齢と再婚した経緯がある。

宋家と、ゴルトシルト姻族のカッスーン財閥は、中国利権をむさぼるための盟友であり、莫大な利害をともにする間柄だった。のちに革命家となった宋慶齢を除く一族——とくに長姉の靄齢と、三女の美齢——は、蔣介石とともに、親欧米の姿勢を明らかにし、権力者の持てる力をふるって、私財を肥《こや》したとされている。

宋王朝とさえ言われるほどに権勢を誇り、大陸を意のままにせんとした宋家だが、蔣介石の落日が訪れると、同家もまた力を失っていった。

蔣介石が国共内戦に敗北し、台湾に逃れるころには、靄齢と一族はニューヨークにある宋家の邸に逃れていた。後に、美齢も台湾在住を経て、渡米している。

宋家の三姉妹のうち、共産主義に共鳴した慶齢は大陸に残り、一九八七年に歿《なくな》った。が靄齢、美齢は晩年をアメリカで過ごした。靄齢は一九七三年にニューヨークで没したが、姉妹のうちではただ一人、子に恵まれた。美齢は——いまだ、存命で、九十代半ばである。

「あんたは——宋靄齢の娘が生んだ子じゃな？　正式な子ではないが……宋一族がアメリカ暮しをするようになってから、アメリカ人の男との間にできた娘じゃ」

「……！」

西条の顔に、驚愕が貼りついた。

女優は、首を屹《き》ッと起こしたまま、微動だにしていない。目は、大きく瞠《みひら》いているが何も見ていない。ただ、天から落ちて来る何者かの声を聴いているようだった。

「美しい眼じゃ――西洋人が理想とする東洋の女の眼。眦《まなじり》が、上に向かって思いきった弧を描き、下瞼《まぶた》はふっくらと……血筋かのう、靄齢や美齢に似ておるの」

アディールの顔立ちは、ほとんど西洋人のそれだったが、長老の言うように、眼元《めもと》は切れ長で、憂いを湛《たた》えていた。

西条が、呻《うめ》いた。

「しかし……そんなことが……」

アディールが宋家のゆかりの者なら、ゴルトシルトとは浅からぬ縁を持つのではなかろうか。その彼女が、中国側と交渉をしようとするのは、理屈に合わない。なぜ、彼女は……？

長老は、ホールじゅうに浸《し》み通る声で、たたみかけた。

「何が目的なのじゃ……!?　祖母たちのように国を裏切り、窮地に陥《おとしい》れるつもりかッ」

女優の下瞼が僅かに膨《ふく》らみ、眼元が潤《うる》んだ。と、見る間に、頬につ……と光る軌跡が落ちた。

「――そんな気は、ないわ」

掠《かす》れ声が、溜息とともに、くぐもって落ちた。

「私を見て」

「何じゃと」

「私の顔よ……どう見える？　いみじくも、さっき、おっしゃったわね。眼元が東洋ふうとか、何とか？　どうなの？　私は、西洋人？　それとも、東洋人なの」女優の口調はしだいに、激しさを増した。

「私は……私には、宋家なんて、どうでもいいことだわ。私は、アディール。私は、女優だわ。そうでしょう？　さもなければ、ただの中国系の三世にすぎないのよ」

ダナ・サマートンは、腰のあたりに、燃えさかる火の鏝《こて》を捺《お》し当てられたような熱さを感じていた。

熱い……熱い。

灼《や》ける……スタジオが……モデルが……！

私は……死ぬの？　熱いわ……息が……できない！　苦しさに全身がよじれ、ダナは、やみくもに体をのけ反《ぞ》らせた。

煙……煙が！　倒れる……何かにつかまらなくては……ああ、落ちる……何かが……。

突然、彼女は驚愕に身を引き攣《つ》らせた。出し抜けの――衝撃。

ローレンス！　なぜ、ここに!?

ローレンス！　まさか！

底知れぬ恐怖に、彼女の意識は、いったん暗闇に落ちた。

長い、静寂が過ぎる。

そして、再び――熱感。

あれは……誰？

あの……黒い塊《かたまり》……倒れ……。

再び、ショックが昏睡中の患者の体を貫《つらぬ》いた。

……チャーリー！

「『アジア人は無表情だ』って言葉を知ってる？」アディールは、怒りのこもった口調で言った。「ハリウッドでは、しょっちゅう聞くわ――キャスティング係も、プロデューサーも、いつも、口を揃えてこう言うの。『アジア人は無表情だから、この役には向かない』ってね。代わりに、どんな役がつくかって？　それは、わかりきったことだわ。クリーニング店の店員か、チャイニーズ・レストランのボーイ、運がよければ、そこの主人ね。さらにラッキーなのは、空手が得意で論語を説《と》く老師のような大役が舞い込んできたときよ。もっとも、そのときにはもう年だから、役者としては先が短いのが玉にキズ。おまけに、BGMは相も変わらず、一つ覚えの銅鑼《どら》で、看板の漢字は意味不明のインチキ・オリエンタル・ランゲージってわけ」

彼女は、続けた。

「それでも、最近では、嬉しいことに、違う役もあるのよ――ハイテクビジネス戦士。この役には、無表情がうってつけだっていうのが、彼らの意見よ。まあ、BGMは、やっぱり銅鑼なんだけど。つまり――ここ最近、ハリウッドにおけるアジアのプレゼンスは、飛躍的に増大した――けれど、結局は小道具にすぎないの」

抑圧された感情が、一気に噴出したかのように、アディールは饒舌《じょうぜつ》だった。

「アジアの人口は、世界の半数を占《し》めているのに、映画の世界では、人間扱いされていない。ハリウッドでは、東洋系は、永久にマイノリティなのよ。いいえ――このままでは、映画のなかだけでなく、誇りをもつべき人たちまで、自分をマイノリティだと思い込んでしまうの――映画というメディアに洗脳されて」

「あんたは、何を――」

「世界中の女達は、なぜ白人女性のプロポーションに憧《あこが》れるの？　なぜ、突き出た額と高い鼻が理想的なの――？　映画で見たからなのよ。繰り返し、刷《す》り込まれるの。欧米人は美しい恋を語り、詩を語る。では、インディアンは？　チャイニーズは？　メインストリームで成功している話など、聞いたことがないでしょう？」

彼女は、そこでひと息つき――そして、言った。

「巧《たく》みな洗脳だわ……知らず知らずのうちに観客すべてに、白人至上主義がインプットされる……その元凶をつくったのは――ゴルトシルトにほかならないのよ」

長老もラオも、凝《じ》っと彼女の言葉を聞いていた。

「彼らは、ハリウッドを牛耳《ぎゅうじ》っているわ。ご存じとは思うけれど、映画を、国の一大娯楽にまで育てあげたのは、彼らの資本だわ。アメリカ人の夢のなかにまで入って行くのは、僅かひと握りのある一族の思想なの」

「けれど、宋家は、彼らとは昵懇《じっこん》のはずじゃろうが」

アディールは、首を振った。

「さっきは、宋家なんてどうでもいい、と言ったけど、本当は違うかもしれないわ」

「どういう意味かの」

「祖母……靄齢も、宋美齢も、ある意味ではこの国を——中国を本当に愛していたのよ。彼女たちが、映画を好んだことは、有名じゃなくて？　三姉妹は、映像のなかの欧米に憧れていた——彼女たちは、全員が留学経験者よ。留学先は、一九〇〇年代初頭のジョージア州。異人種蔑視がどんなにひどかったか、想像に難《かた》くないわ。中国では、甘やかされた上流のお嬢さんでも、アメリカではただの『賢《かしこ》い中国人の娘』。いいえ……『賢いけれどしょせん中国人の娘』だったのね。そこで、彼女たちは現実に直面したのだと思うわ——祖母たちは、欧米の価値観のなかでの中国と対面した。それは、あまりにも醜く、汚れて見えた。ショックのあまり、姉妹は国に帰ると、国のシミをすぐさま洗いあげようとした——真っ白にね。でも」

アディールは、そこで溜息を吐いた。「真っ白にはならなかったわ。彼女たちは、気がつかなかったの——もともと、国の生地は、美しい生成《きな》り色だったのよ」

長老の、皺《しわ》だらけの喉の奥から、音ともつかぬ音が洩れた気がした。宋姉妹と同じ時代を生きた革命の士には、同様の葛藤があったのかもしれない。

「気づかないまま、姉妹は国を漂白さえしようとしたの——ゴルトシルトは、そんな一家に接近し、煽《あお》り立てた。姉妹は資本の力で、国を変えようとした。美齢は蒋介石を表に立てて、中国を塗り替えようとしたわ。姉妹のうち慶齢は、中国共産党の側についたけれど彼女だって、革命という形をとって、国を変えたいと思っていた点では同じよ」

アディールの声に、しみじみとしたものが流れた。

「宋家の人々が、美しい生成りの色に気づくまで――長い、長い時間が必要だった。あるものはこの世を去り、世代は代わった……宋美齢は、いつも母に昔語りをしたと言うわ……蔣介石の晩年の話……彼が、すんでのところでゴルトシルトと結ぶところだった〈密約〉の話までも」

手にした〈殻〉を、彼女は、しっとりと撫《な》でた。繊細な象牙色の指が映《は》え、沈んだ金属を、こうこうとした彩《いろど》りに変えていた。

アディールは憶《おも》った。宋家の血に、異国の血が混じることを許されず、生《な》さぬ子として隔《へだ》てられた昔を。それに向き合うため、ハリウッドを変えてやろうとあがいた青春を。

「私は、辿《たど》り着いた――私のなかに流れる血を、満足させるための方法に。私は――ゴルトシルトの息のかからない映画を、世界に届けたいと思った――けれど、私一人の力では、到底、無理だった。そんなとき――これが、私の手のなかに落ちてきた」

アディールが、蔣介石が結びかけた密約の話を伝え聞いていたのであれば、〈毛沢東の密約〉を手にしたとき、その意味を、たちどころに理解できたとしても不思議ではない、と沢木は思った。それに、中国語は彼女にとって、半分母国語なのだ。

「このなかに入っているものが、いまでは中国の趨勢《すうせい》を左右するんだわ」彼女は掌中《しょうちゅう》の〈殻〉を撫でた。

「言いなされ」長老の声から、怒気は消えていた。「何が望みなのじゃ」

女優は、ひたと長老に眼をあて、一言《ひとこと》で言った。

「中国電影製片公司、それから中国電影合作製片公司を所有したいの」

瞬間、長老は皺に隠れがちな眼をぱっと開き、続いてラオと眼を合わせ、二人は破顔した。

「それだけかの？」

「一切」

「本当に？」

中国では、年間約一五〇本の映画が制作されている。国産フィルムは中国電影製片公司の、香港や台湾との合作は、中国電影合作製片公司の二国営企業の管理下で作られているが、その両方の制作権限を、彼女は要求しているのだ。

「中国製の映画を、確実に二十一世紀のメインストリームにしてみせるわ。そうするべきだし、もちろん、そうできるのよ。世界最大の観客を相手に。正々堂々と、アジアを語り、その才能を満喫できる作品を創るの。いずれは世界に配給し、ハリウッドを凌駕《りようが》する日が来るわ。東洋には、彼らが逆立《さかだ》ちしても敵わない物語が、いくつもあるじゃないの。東洋人はソフトウエアに弱いなんて話は、ゴルトシルトが振りまいた大嘘だわ」

西条は、初めてこのプランをアディールから打ち明けられたとき、そのスケールに唸《うな》らされた。彼女は、中国に、世界的な映画の本拠地をつくりあげようとしているのだ。現在東南アジアで最大の映画生産地といえば、香港だが、一九九七年の中国返還を睨んで、シンガポールが映画産業を誘致しようという動きもある。検閲の厳しい中国側の体制のもとでは思うように映画を制作できないのではないかという懸念を、先取りした動きだった。

だが、中国側がその気になりさえすれば、アディールの言うように、一大映画帝国を築きあげることも、夢ではないのだ。

——中国には、映画上映機関が約二〇万ある。現在、都市部の映画観客が延べ一八億はいる——。

映画会社を傘下に持つ西条は、正確な数字を把握していた。知識人といえる層がまだ三、四割と言われる現状でのこの動員数は、計り知れない可能性を示唆《しさ》している。

アディールが制作を司《つかさど》り、完成作品をハイパーソニックが流通させる——機器ももちろん、それにつれて伸びる。ハリウッドで培《つちか》ったハイパーソニックの技術は、制作の面でも大いに寄与できるだろう。

そして、その映画では、当然のことながら東洋人は小道具ではなく、マジョリティなのだ。

「アディールさん」沢木が、疑念を口にした。「それでは、あなたは、ゴルトシルトとは完全に、反対の立場ということですか……宋家の血筋ではあっても？」

外務省の調査書で、アディールの出自を眼にしたとき、真っ先に彼の頭に浮かんだのは、ゴルトシルトと宋家の繋がりだった。

「わしらの懸念も、そこじゃった」長老が言った。「日月も、あんたの頭のなかまでは識《し》りようがないからの。なにせ、宋家はこの国とはなにかと因縁《いんねん》の尽きぬ一家じゃ」

女優は、眼を閉じ、いやいやをするように首を横に振った。

「そのつもりなら——ように彼らと交渉しているわ」

長老の眼元は、しだいに和らぎ、孫娘でも見ているように緩んだ。微笑のまま、きっぱりと言ってのけた。

「映画のことは、承知しよう」

——ほ。

西条とラオが、同時に安堵とも感嘆ともつかぬ無声の気を吐いた。

「ただし、あんたが宋家の血を引くことは、伏せる。わが国には、彼らにおもしろくない気持を持つ者も少なくないのじゃ……それで満足かの?」

彼女は、老人を見つめた。

老人も、女を視《み》た。

二人の間に、ただ通う感情があった。

互いの眼の底に、同じ国の過去と未来が去来していた。身体のどこかに、同じように目覚めかけた龍が棲《す》みついている者の眼。

毛沢東の亡骸《なきがら》の前で、周囲のだれもの胸にことりと音を立てて、刻《とき》の音が落ちた。

ややあって、長老は、ラオに向き直って言った。

「書類を、これへ」

ラオがそれを受けて、一人の兵士に合図を送ると、兵士は一本の石柱の陰にあるボタンを押した。

たちまち、拝礼の間と北の間を結ぶ扉が開き、控えていた女が姿を現わした。女の背後には一抱えほどもある円卓が運び込まれている。

磨かれた机の上には、書類と筆記具が整然と並べられ、あたかも国と国との交渉ごとの本調印のような雰囲気を醸《かも》し出していた。

が、近づいて来る女の顔を見て、沢木は愕然とした。

メイミ・タンは、つかつかと長老の前に進み出た。

「ご苦労」長老が言い、彼女は頭を下げた。

「彼女をご紹介する必要があるのかな？」

沢木のただならぬ様子に気づいた長老が訊いた。

「そいつ――」沢木はメイミを凝視《ぎょうし》し続けた。「その女は、CIAの情報部員だ」

女は、唇をきっちりと引き結び、微動だにしなかった。沢木のほうを見さえしない。

「違いない」長老は、言った。「たしかに彼女はCIAに所属しているのじゃ……しかし、一方ではわれわれの部員《エージェント》でもある」

「では……〈モグラ《モール》〉？」

西条が呟いた。沢木は、その間も女から目を離さなかった。

「そう――メイミ・タンは、われわれがCIAの深部に潜《ひそ》ませたモールじゃ。いまでは、なんでも有名なジャーナリストでもあるようじゃが……」

「彼女は、国際法に詳しいのです――とくに条約に」ラオが言った。「〈毛沢東の密約〉の原文検証のために立ち会わせました」

その説明にも、沢木の表情は和らがなかった。

「ダナ・サマートンは撃《う》たれた――この女と会った直後にだ」声に、憤《いきどお》りと猜疑《さいぎ》がありありと窺《うかが》えた。

ラオが、ぴくりと長い眉を上げた。

「ダナが……撃たれた？」

「撃たれて四日になる。命は取り止めたが、腰を貫通して、重傷なんだ」

話しながら、苦痛に、沢木は顔を歪《ゆが》めた。

「何てことだ！」同情が、ラオの顔に浮かんだ。「知りませんでした――ダナが……」

長老が、メイミを質《ただ》した。

「知っていたのかね」

「はい」無表情に、しかし躊躇《ちゅうちょ》なく、彼女は答えた。「報告の機会がありませんでしたが、ダナ・サマートンは私と昼食を摂《と》ったあとで何者かに撃たれたもようです。あいにく、私は、その後すぐにワシントンを発《た》ちましたので、事後調査までには至りませんでした」

「われわれが関係しておるのか？」

「李竣敏《リーシュンミン》の指示で、彼女の動向を調べ始めた矢先でしたが、それだけです。当方の意図ではありません」

淡々と、メイミは告げた。

「ダナの出向く先を知っていたのは、この女だけなんだ」沢木は言った。「場所も――時間も、知っていた」

メイミ・タンは、反論しなかった。ただ黙って、長老の正面に立っていた。

「私が情報部と連絡を密にしていたら」ラオが悔やんだ。「ダナはそんな目に遭《あ》わずにすんだかもしれないのに」

「仕方なかろう」長老が言った。「情報部は洪門会とは別に、ことを進めていたのじゃから……それに、展開は急じゃった。日月といえども、身体が二つはない」彼は、再び立ち上がり、沢木に向かって深々と腰を折った。

「わしに免じて、この場は気持ちをおさめてくださらんか。その方を撃ったのは、敵対勢力である疑いが濃いと、わしは思うが、沢木さんがわれわれをお疑いなら、隅々まで調べてみることをお約束しますじゃ。いまは、そのときでない――大義が、個に勝《まさ》る一刻じゃ」

その言葉の理に、沢木は、胸を衝《つ》かれた。

たしかに、ダナを撃った者が、ゴルトシルト側でないとは言い切れなかった。気づかぬうちに尾行されていたのかもしれない。事実、いまのいままで、沢木はメイミをCIAサイドだと、誤って信じ込んでいたではないか？

「――潮《しお》どきのようね」それまで黙っていたアディールが、沈黙を破って凛《りん》と張った声を出した。「さあ、どの書類にサインすればいいの？」

そう言って、さっと円卓に向かった彼女に西条も続いた。

しばらくは、書類を繰《く》る音と、ペンが紙の上を辷《すべ》る音しか聞こえなかった。

合意文書は、あらゆる角度から見て完璧だった。沢木、西条、アディールは、それぞれの書類を再確認しあい、質問を交《か》わし、遺漏のないことを得心した。

アディールは、サインの最中も、なお慎重に〈殻〉を守っていた。空《あ》いている左手で、懐中に抱える形をとっている。

書類が整えられたのを見計らって、長老が促《うなが》した。

「それでは――〈彼〉の置き土産を、返していただけますかな」

彼は、死してなお国を揺らす旧友の見事な柩を、目で指し示した。

「これでようやく、毛の気懸かりもなくなろうというものじゃ。わしも、あの世ではさぞかし歓迎されるじゃろう」

アディールはうなずくと、鈍く輝く〈殻〉の肌に、両の掌がぴったりと吸いつくように握り直し、ゆっくりと立ち上がった。

開封

兵士に守られて座している長老のほうに向かって歩きながら、彼女は言った。

「以質剤結信止訟……信按指」

北京語だった。

――質剤《しつざい》を以《もつ》て信を結び、訟《しょう》を止《とど》む。按指《あんし》を信《しん》とす。

長老は、訝《いぶか》しげに女優を見た。脇に控えていたラオに解を求める。「彼女は何を言っておるのじゃ……合意文書に押捺《おうなつ》したこちらの指紋に、不備でもあったのかの？」

ラオも、首を傾げた。

沢木は、はっと気づいた。

「――『周礼《しゅらい》』だ」

彼は呟き、こんどはそれを聞き取ったラオが、唸《うな》った。

アディールは、〈殻〉を開けるためのパスフレーズに、中国語を使ったのだ。それも、古典の一節を組み入れている。

口ずさんだのは、世界最古の書といわれる『周礼』のある部分で、読み解けば以下のような意味となる。

質剤（割り符のような竹や木の札――当時の契約書にあたる）を作って、売手と買手が信を結び、訴訟にならないようにしなさい。

アディールは、この後に「信按指」と組み合わせており、これは、

按指（指紋）があれば信用証拠である。

と解す。彼女は、このシチュエーションを考慮に入れて、希望を込めた言葉を選んだのだ。自身の掌紋が、取引きの鍵となることを望んで。

「指紋が、欧米で個人認識の方法として認められたのは、十九世紀も終わりになってからなんですって」アディールは、その日初めてニッコリと微笑んだ。「中国では、それより一〇〇〇年も前にわかってたのよ。いまでこそ電子技術で、こんな照合をして得意がっているけど」自分の手元を、彼女は覗き込んだ。

つられて、皆、固唾《かたず》を呑んだ。

――一九九三年二月十四日、午前九時三〇分。

公文がセットした掌紋と声紋の照合時間はあと三〇分、残っている。

アディールは、掌を〈殼〉にあて、パスフレーズもすでに唱《とな》えた。

三つの条件が、すべて揃った。

――あ。

誰かが、喉から息を洩らす。

それまで継ぎ目の見えなかった〈殼〉が、いつの間にか、きれいに真っ二つに割れ、なかから黄ばんだ条約書がのぞいていた。

彼女は、軽い足取りで長老に近づき、ひょいと腰を屈《かが》めると、もはや何の執着もないと言わんばかりの手つきで、〈毛沢東の密約〉を〈殼〉ごと手渡した。

長老は、大きく一つ、息を吐いた。〈殼〉に収まるよう、細かく折り畳んだ羊皮紙を丁寧に開いていく。

「おお」彼は言った。「間違いなく、主席の署名じゃ」ためつすがめつ、眺め回したあと条約書をラオに渡した。

彼は、条約書を丹念に読むと、微笑を浮かべ、こんどはそれをメイミに回した。「早速《さっそく》検《しら》べてもらいましょう」

「承知しました」

条約書を持って、次の間――〈松の枝の間〉に彼女が下がり、扉《とびら》が閉まった。

そのとたん、長老とラオは、突如として慌《あわ》ただしく動いた。

――と。

ラオの指示で、凄まじく迅《はや》い、一陣の風が起こった。一呼吸の間に、数人の兵士が、メイミがたったいま入っていった扉を、音もなく取り囲んでいた。

そのときにはもう、ラオ自身がスイッチか何かに触れたのだろうか、彼の背にしている壁に沿って、大きく薄いモニターが天井から降りて来ていた。

「何なの——どういうこと」

アディールが小声で言い、眉をひそめながら、モニターを見上げた。メイミ・タンが条約を手に、部屋の中央のテーブルに座るところが映《うつ》っていた。

「監視カメラが、つねに〈松の枝の間〉に備えつけてあることを、彼女は知っています」ラオはモニターに、ちらと目を向けた。「だが、彼女が位置を熟知している二台の他に、今日だけ小型のCCDカメラが隠されていることは知らない」

モニターの下方に、小さな二つの分割画面が出ていた。これが常設のカメラの映像なのだろう。

メイミ・タンが、彼らにとっても疑いの対象であることを、沢木は知った。

メイミは、それとない程度に、しかし油断なく、常設のカメラからは自分の動作が死角に入る席に掛けていた。

さほど大きくないデスクの上には、申し訳程度の文献が置かれている。彼女は、子細らしく特大のルーペを取り上げ、用紙の点検を始めた。

鮮明な画面を、幾つもの眼が、喰い入るように見つめた。

不審な気配は、全くなかった。モニターのなかのメイミは、時折文献を繰《く》っては、条約書に目を戻すことを繰り返していた。

だが、やがて、アディールが指摘した。

「おかしいわ――彼女の視線……繰り返し同じところを見ているみたい。あれは――きっと、芝居よ」

誰の眼にもわかる異変が起こったのは、その数秒後だった。

メイミは、条約書を、〈殻〉に入っていたときのように、小さく折り畳み、左手でつまみあげた。そのうえで、紙の折り目を検査すれば何かがわかるとでも言うように、右手に持ったルーペで、しげしげと観察した。

そのとき、条約書を持った左手が、常設のカメラから、完全な死角に入った。時間にすれば一秒にも満たない、ほんの一刹那《せつな》、モニター下部の二画面からは、メイミの左手は切れて見えなくなった。

――だが。

隠しカメラの映像は、彼女の企《たくら》みを、余すところなく映し出していた。

その瞬間、〈モール〉は彼女の技量の素晴らしさを、期せずして証明してみせていた。熟練したマジシャンのように――彼女は左手をごく軽く振り下ろし、スーツの長袖《ながそで》に書類を辷《すべ》り込ませると、返す動作で袖を振り上げ――何か別の折り畳んだ紙を、瞬時に掌中に戻したのだ。

「……むっ」長老の眼が、厳しく吊《つ》り上がった。

メイミの左手は、すでに常設のカメラの視野に戻っていた。先刻と何も変わっていないように見えた。折り畳まれた紙を、こんどはゆっくり、彼女は開いていった。開き終わると、ルーペを再び、条約書に近づけ、条文を見る。隠しカメラの映像がなければ、ただ羊皮紙を折り畳み、戻しただけに見えたに違いなかった。

「うまいものですね」ラオは、囁くように言った。「ああいう指を使った芸当は、コンピュータが逆立ちしたって敵いっこない」彼は、心から羨《うらや》んでいる口ぶりだった。できれば自分でも、いつか試してみたいと思っているのかもしれない。

ややあって、画面のなかのメイミは、調べはとっくに、ついたという顔で、デスクから立ち上がった。彼女は、この上なく満足げに見えた。それもそのはずで、すり替えは、苦もなく終わったのだった。

〈モール〉は、足取りも軽く、拝礼の間に通じるドアに向かった——彼女の微笑みを、凍りつかせるドアへと。

裏切りを、自らの行動で証明してしまったメイミ・タンは、二人の屈強な兵士に挟まれ腕を取られて、立っていた。もちろん、訓練を積んだ情報部員である彼女の、ふいの攻撃に備えて、残りの兵士がつねに銃口を彼女のほうに向け続けていることは、言うまでもない。

先刻にもまして、彼女の唇は固く引き結ばれていた。

「ゴルトシルトの仕事を請《う》け負っておったのじゃな？」

長老は、ずけりと言った。

「このところ、情報が筒抜けじゃった。明らかに、上層部しか識《し》らぬことまでもが」仰向《あおむ》いて嘆息した。「まさか、三重スパイとは」

CIAに放ったはずのモグラは、その実《じつ》、ゴルトシルトと通じていたのだった。恭《うやうや》しさを演じていた先程までとはうって変わって、ふてぶてしさを露《あら》わにしながらも、薄気味悪いほど冷静に、メイミはおし黙っていた。沈黙は、諜報の世界で、まず第一に守るべき掟《おきて》なのだ。

長老も、くだくだしく行状をあげつらうことは省《はぶ》いた。どんな過程で、女がそうなったにせよ、結果は、先刻見た事実に尽きるのだという諦観があった。

ラオが兵士に指示し、メイミから二通の条約書を取り上げたそのときだけ、彼女は悔しそうに唇を歪《ゆが》めた。

二枚の紙は、瓜《うり》二つと言っていいほどだった。ゴルトシルト家には何らかの模写があったのだろう。それを元に、複製したものと思われた。

「よくできている」言うが迅《はや》いか、ラオはいきなり、一枚を引き裂《さ》いた。

部屋じゅうが、あっけにとられた。

「複製です」落ち着き払ったラオの声が、拝礼の間に響いた。「それにこちら——本物の〈密約〉も」彼は、条約書を毛沢東の柩の前にかざした。「もはや、不要です。ここで——主席の前で、燃やしてしまいましょう。われわれの不安は、煙とともに消え去ります。焼却こそが、ゴルトシルトの手から永久に、そして完全にこれを奪う方法です」

「そうとも」長老は、同意した。「主席の前で、禍々《まがまが》しい条約を葬《ほうむ》り去るのじゃ」

「では」

ラオが動きかけたそのとき、北の間の扉から、思いもよらぬ侵入者の、ぞっとするような声が響いた。

「そうはさせない！」

衝撃が、室内を走った。

声の方角を振り返った者が見たものは、マグナムの銃口だった。大理石の柱で、半身をガードしながら、一分《いちぶ》の隙もなくそれを構えているのは——華奢《きゃしゃ》なつくりの女だった。足下に、ウージ・サブ・マシンガンも一梃《ちょう》、横たわっているのが見えた。

豊かな金髪が、背中まで流れている。サングラスで眼の印象は隠れていたが、頬が削《そ》げ異常なほどに痩せているのは確かだった。そして——けっして若くない。

沢木喬は、背筋が凍り、肌が粟立《あわだ》つのを感じた。ワシントンで、ダナを撃って逃げた女を、いま、彼は間近に見ていた。

間違いなく、白いフォードで走り去った女だった。怒りがこみあげた。だが、彼の持つすべての知識と技能を合わせても、いま、この状況では、何の役にも立たないのだ。沢木は、かつてない吐き気を覚えた。

「——動いたら、毛を」

凍るような声で、女は宣言した。その言葉どおり、マグナムはこの上ない精確さで、毛の骸《なきがら》の頭部に狙《ねら》いをつけていた。

銃器の破壊力をもって、言葉どおりのことが起これば、アディールが〈殻〉を投げると脅したときとは較べものにならないくらい、ダメージは大きい。主席の顔が傷つくどころか、恐らくは復元も不可能なほど微塵《みじん》に、死体の上半身は吹き飛ぶだろう。

金縛《かなしば》りにあったように、誰も、ぴくりとも動かなかった。

「その女に〈密約〉を渡すんだ」

メイミ・タンに条約書を渡すよう、しわがれた声で、女侵入者はラオに命じた。

——どうやって、入り口を突破したのだろう?

沢木は考え、メイミが手引きをしたに違いないと思った。——とすると、女はメイミの部下なのか?

その間にも、ラオが、仕方なしに条約書をメイミに渡すのが見えた。

彼女は勝ち誇った顔で、引きむしるようにラオの手から羊皮紙をもぎ取り、金髪の女に向かって、ぴんと張り詰めた空気のなかを、ゆっくり歩き始めた。

——香港が、遠ざかって行く。——東洋の未来が、悪魔の手に渡っていく。

沢木の頭に、ひらめきが走ったのは、そのときだった。

——そうだ。そうに違いない。

きっかけになったのは、金髪の女の、しわがれた、男のような声だった。

沢木は、自分の勘に賭けた。

メイミ・タンが、柩と女の、ちょうど中間にさしかかった瞬間、沢木は大声で叫んだ。

「チャーリー！」

名前を呼ばれた一瞬の戸惑いが、女の完璧な姿勢を揺るがせ、銃口が、ほんの僅か、ぶれた。

すべてが、同時に起こった。

ラオが指を立て、兵士たちの、サイレンサー付きサブ・マシンガンが、いっせいに焔《ほのお》の舌を伸ばした。

霊廟《れいびょう》は、稲妻に満ちた。

女のマグナムも、火を吹いた。

白い閃光が、霊廟を、横に切り裂《さ》いた。容赦なく、巨大な弾丸は主席の柩に向かっていた。沢木は、絶望的な恐怖に眼を瞠《みひら》いた。

すでに、メイミは斃《たお》れ、金髪の女の身体にも、幾つもの穴があいていた。が、毛主席の遺体に向けて発射されてしまった弾丸は、誰にも止めることができなかった。信じ難いことに、女の――チャーリーの――狙いは、寸分も狂っていなかったのだ。

水晶の[illegible]砕け、赤い皇帝の顔が、一瞬にして破裂した肉塊と化すのを眼にし、沢木は言葉も、思考も断たれ[illegible]

毛沢東は、死に[illegible]れてしまったのだ。

本物

沈黙を破ったのは、劉日月だった。彼は、メイミ・タンの死体に歩み寄り、その手から条約書を拾い上げた。

すぐさま、ラオはそれを引き裂き、デスクに歩み寄ると、ライターで端に火を点《つ》けた。

羊皮紙は、獣の焦《こ》げる匂いを発しながら、燃え上がって灰皿に落ち、ただの燃え滓《かす》になっていった。

沢木は、茫然と、それを見ていた。

あわあわと、燃え残りの陽炎《かげろう》が立ち昇った。

〈密約〉は、虚空の彼方《かなた》へと、消えた。

だが、その代償はあまりにも大きかった。この国の人々は、もう彼らの偉大な指導者を再び仰ぐことはできないのだ。

毛の魂魄《こんぱく》が、こんな形で、最後に敵の手から〈密約〉を守ったのかもしれないと思いながらも、現実的に言えば、毛の遺体損傷の責任は、自分にあるのだ、と沢木は自分を責めた。

柩の前に、ラオは佇《たたず》んでいた。

その顔を見て、沢木は啞然《あぜん》とした。

——してやったりという笑顔だった。

沢木が見た彼の笑顔のなかで、最高に華《はな》やかで、匂うように艶《なま》めかしかった。

長老が、言った。

「もう、いいじゃろう」

ラオがうなずくと、長老は破壊された柩に向かって顎をしゃくり、兵士たちに命じた。

「それを下げて——新しいのを持ってくるんじゃ」

軍服姿の兵士たちは、一糸《いっし》乱れぬ統制ぶりを見せつけた。数人がかりで、彼らは瞬《また》く間《ま》に柩を台座から下ろし、ある者は、跳ねた血糊《ちのり》や、床にまで散った肉片の後始末を開始した。

沢木たちは、呆気にとられて、目前の出来事を眺めた。

数分もしないうちに、新しい柩が運び込まれてきた。水晶製の柩には、中国共産党の党章、中華人民共和国の国章、人民解放軍の軍章が刻まれている。さらに、そのなかには——毛沢東が——先刻と寸分違わず——安置されていた！

「影武者です」ラオは言った。「ただし、死体の」

「一二億もの民には、似たものが多くての」長老が、楽しそうに言った。「あと何体か、つねに用意してあるのじゃ。この記念館を公開にしてからはずっと、まさかの用心にのう」

二の句が継《つ》げなかった。ラオが、さらにびっくりすることを言ってのけたからだ。

「偽物は、それだけじゃありませんよ」彼は、懐中から、得意げにあるものを出してみせた。

それを見て、沢木は卒倒しそうになった。

彼の手には、さっきアディールが開けたはずの〈殼〉が納まっていた。

「わが国の電子工学技術も、捨てたものではない」

「すると……さっきのは」西条が、喘《あえ》いだ。「偽物なのか？」

ラオはうなずいた。

「ハイパーソニックのラボに、私たちが潜《ひそ》ませた、ハリー・ブラックバーンという優秀な技術者がおります。彼が、公文君のキャビネットから〈殼〉の仕様書を見つけ、それを基《もと》に同じものを作成させました」

「だが、掌紋や、パスフレーズは、どう設定したんだ？　公文も、アディールが何を鍵にしたかは知りようがなかった。なのに、先刻アディールは、偽の〈殼〉を開けたじゃないか」

「簡単です」ラオは明かした。「偽の〈殼〉はどんな掌紋でも、どんなパスフレーズでも開くんですよ。つまり、何も設定してないんです」

「すると……なかの〈密約〉も？」沢木は訊ねた。

「公文君の仕様書とともにあったディスクに、文書の写真データが入っていたのを幸いに、条約の専門家に復元させた作り物です。この〈殼〉に入っているのが本物です。われわれには、取り出すことができません。今度こそ本当に、彼女に開けていただかなくては」

ラオは、アディールに、恭《うやうや》しく〈殼〉を差し出した。

西条は、慌《あわ》てて時計を見た。

「まずい！」

彼は、悲痛な声で叫んだ。

「十時を過ぎてしまった。もう〈殻〉は開かない。公文は、殻の開く時間を限ったんだ！ 設定は、午前四時から午前十時までなんだ……」

皆が、ぴんとこない顔で立ちすくんだ。

いまさら、〈殻〉が開かないなんてことがあるだろうか？ 時間が、少々オーヴァーしたくらいで？

「落ち着いて」

それまで黙っていた女優が、間髪《かんはつ》を入れず言った。彼女は、スラックスの尻ポケットから、しわくちゃになった紙を取り出した。

「これが本物よ」

こんどは、ラオが眼を丸くする番だった。

「飛行機のトイレで、出しておいたの」

ラオに歩みよると、彼女は、それを彼に渡した。

渡してしまうと、アディールは元の場所には戻らず、金髪の女のむくろに近寄った。彼女は身体を屈《かが》め、物言わぬ女の顔から、サングラスを取り去った。

女の顔には、正視できないようなひきつれと火傷《やけど》の跡があった。

「どこかで見たことがある顔だわ」

彼女は呟いた。
羊皮紙を焦がす独特の匂いが、部屋に再び漂い始めていた。

エピローグ

世界中の主要紙に、奇妙な配信記事が掲載されたのは、その翌日だった。

全く、おかしな話だった。配信元の二大通信社、APとUPIの両社は、揃って会見し、こんな記事を流した覚えはないと、釈明させられる羽目《はめ》になった。配信記事が入れ替わってしまった原因は、徹底調査中であるとも述べた。

だが、多くの読者は、その記事の具体性を真実と思い込んだ。事件の舞台となったアメリカでは、記事の真偽《しんぎ》を巡って、追加取材合戦が始められていた。

この日を楽しみにしていた『ポスト』記者ジュディス・デューアの前には、かき集めた各紙が散らばっていた。

ジュディスは顔を覆《おお》い、がっくりと肩を落としていた。どうしてこんなことになってしまったのか、皆目、見当がつかなかった。

彼女が手配し、世間を騒がすつもりだった、ゴルトシルト家と中国政府の確執という記事はおろか、〈スパイ〉メイミ・タンの、メの字も出ていない。

代わりに載《の》っているのは、思わず、目を覆いたくなるような内容だった。

見出しを思い出し、彼女は今朝何回目かの吐き気を覚えた。そこには、こうあった。

〈ポスト紙記者がCIA徴募部長を恐喝・職員の氏名洩れる――未成年の男娼をおとりにした疑惑も〉

ジュディスは、自分がはっきりと名指しされている記事を、ヒステリックに破った。自分が何を言っても、もう誰も信じてくれないだろう。『ポスト』のキャリアも、これで終わりだ。画策《かくさく》のために、彼女が仕事を依頼したネットワークの〈達人〉の電話は、すでに通じなくなっていた。〈達人〉に、劉《ラオ》というごく親しい中国人ハッカーの友人がいたことが、彼女の不運だったのだ。

ジュディスは、旅の荷物をまとめ始めた。記事の真偽を、誰かが確かめに来る前に、どこか南の島へ行こう。ほとぼりが冷めるまでそこで過ごすのだ。幸か不幸か、金だけはふんだんにあった。

結局、私には、怠惰で豪華な半生しか残されていないのだ、と彼女は溜息をついた。

沢木喬は、ようやく松葉杖をついて歩けるようになったダナ・サマートンの家に、招かれていた。

ダナ――沢木はいまでは、彼女の本名がマーラ・シェリダンであることを知っていたが、相変わらず彼女をダナと呼んでいた——は、自分がよくなっていることを示すために、わざわざ玄関まで沢木を迎えに出ていた。ふたりは笑《え》みを交《か》わし、沢木は彼女の手を握りしめた。ダナは、生来の美しい金髪と碧《あお》い眼を、いまは隠さなかった。明るい陽《ひ》ざしに、髪は素晴らしい輝きを放っていた。

部屋に入ると、沢木は言った。

「いい話と、悪い話があるんだ」

ダナは、沢木を真っすぐに見た。

「悪い話から聞かせて」

「——タリア・キーファが死んだ」

「おお」

ダナは言い、瞑目《めいもく》して、胸の前で手を組んだ。「きっといまごろは、ローレンスにすべてを報告しているだろう」

——一〇年前。

ロンドンのスタジオで焼死した英国外務省員のローレンス・アボットは、ダナの当時の恋人だった。

その頃のダナは、大手化粧品メーカー『マリー・クヮント』の広報セクションで働いていた。

一九八二年八月のある日、彼女は新製品キャンペーンの新しいモデルを選ぶために、担当者として『ブラザー&ブラザー』のスタジオに出向いた。

フォトグラファーは、気鋭のデヴィッド・デイ。ダナは、少し遅れてスタジオ入りしたため、モデル達の大勢待機しているメイク・ルームで、初対面の彼を待っていた。火事が発生したのは、デイがモデルを検分に来た直後だった。

ダナが、出口に殺到するモデル達の最後にメイク・ルームを出たのは、たぶん、幾分かは残っていた担当者としての責任感からかもしれなかった。だが、かえってそれが幸いした。モデル達のうちの一人――そのモデルは、たった一人、ダナと同じ金髪をしており、彼女の印象に、強く残っていた――が、ひどく冷静にこの事態に対処するのを、ダナは見た。モデルはダストボックスのビニール袋を頭からかぶり、エヴィアンを衣服に振りかけていた。

ダナも、迷わず、そうした。

あとは、なりふり構わず、走った。先を行く金髪の美女を、追う形になった。

やがて、階段に折り重なった人垣に辿《たど》りつくと、金髪の女が、突破口を作ろうと必死になっているのが、ビニール袋ごしにぼんやりと見えた。背中から、炎が迫ってきていた。ダナのかぶった袋のなかには、もう酸素がなく、彼女は息を止めて、ビニール袋を剝《は》ぎとった。

人々が折り重なった間を、金髪のモデルがすり抜けていくのが見えた。

――私も！

ダナは、モデルが通った反動で小さくなってしまった隙間に、身体を差し込んだ。だが、人垣は重く、彼女は窒息寸前だった。もうだめだ、と思いかけたとき、ふわり、と身体が軽くなった。後ろから、誰かがダナを押していた。同時に、天の恵みのようにダナは誰かに引っ張られた。

彼女は、人垣を抜けて、ふと振り返った。知っている人間の声がした気がした。

そして、愕然となった。

人垣のなかに、シャルロッテ・ベイカーが倒れていた。

ダナは、シャルロッテを知っていた。恋人のローレンスが、〈チャーリー〉と呼ぶ女だった。

彼女の特殊な任務のことも、ダナは聞いていた。ヨーロッパで最高の特別工作員なのだということも。

ローレンスは、シャルロッテの並み外れた技量に、敬意を払っていた。だが、一方で、ダナは、彼から、〈チャーリー〉には別の面で困らされているとも聞いていた。〈チャーリー〉が、ローレンスに過度の愛を抱いていること、そして――彼の恋人のダナを異常に憎んでいること。

助けるべきだと思った――しかし、苦しさは頂点に達していた。一人の男性を争う女性の嫉妬だったかもしれないし、ローレンスから聞いたことが、影響してなかったとは言えない。いずれにしても、ダナはそのとき、自分を取ったのだった。

「ローレンスもあのスタジオにいたなんて、思いもしなかったのよ」ダナは、しゃくりあげた。

「きっと、あのとき私を押してくれたのが彼だったんだわ」

「もう、自分を責めないほうがいい」

沢木は、彼女の涙を、そっと指で拭《ふ》いた。

「チャーリーは、君を撃《う》ち抜いた。彼女は、君がローレンスを見捨てたと思い込んでいたんじゃないかな。だから、異常なまでに君を憎んだんだ」

「私、チャーリーは生きているかもしれないと、いつも思っていたの。生きていたらきっと私を恨《うら》んで、殺しかねないと思った。だから、本当の自分を表に出すのが怖くて、髪を染めたりしたんだわ。新聞記事に、重傷者がいると出たとき、直感があったの。なぜか、チャーリーが――彼女がいつか、追って来る――そんな気がしていたの」

「チャーリーは、ごく最近まで、文書を持ち去ったのも君だと誤解していた――本当はアディール・カシマだったのに」

「私の命の恩人だわ――ダヴィナは。でも、まったく気づかなかった。あの金髪のモデルが、大女優になっていたなんて」

二人の間では、もう何度も交わされた会話だった。いつか、一族の伝説になる日が来ると、沢木は信じていた。

「タリア・キーファは、いまごろ兄に、密約が元の持ち主に返ったと告げているだろう」

沢木は、ダナの気持ちを引き立てるように言った。ローレンスはイギリス外務省員だったが、ゴルトシルト家の支配には批判的だったのだ。

「さあ、悪い話は終わりだ」沢木は言いながら、後ろ手に隠していた包みを取り出した。

「今度は、いい話のほう――ビッグ・ニュースがあるんだ」

ダナは、沈んだ気分を振り払うように、進んで、笑顔をつくった。

「どんなこと？」

「ラオから君に、プレゼントだそうだ」

沢木は、包みを彼女の胸に押しつけた。ラオと聞いて、ダナの顔が、現金なくらい明るく変わっていた。

「なにかしら」

「開けてごらん」

薄い包みに、丁寧にパッキングされた緩衝材《かんしょう》を開くと、なかには一枚のフロッピー・ディスクが入っていた。

「彼らしいものね」

二人は、ダナの端末のディスクドライブにフロッピー・ディスクをセットした。

画面は、すぐに起動し、メッセージがあらわれた。

――有能なジャーナリスト、ダナ・サマートン氏へ。

次に、太陽と月のマーク。

「このマークは何かしら」

「きっと、彼のサインさ……日月《ヤアユッ》を洒落《しゃれ》たんだろう」

続いて、画面が変化した。

「これは……」

ダナは、目を見瞠《みは》った。上海香港銀行の不正取引きのデータが、そこにあった。取引き明細、架空口座名と本人の照合リスト……すべてが、香港で見たそのままの形で、ディスクに収められている。

「ウォンに盗《と》られたはずのデータだわ」彼女は驚いた顔のまま、不思議そうに沢木を見た。「ウォンは、カナダでチャーリーに見つかって殺されたんでしょ? ディスクはチャーリーを経由して、ゴルトシルト側に返ったはずだわ。コピーなんかは、しなかったし……ラオは、いったいどこからこれを手に入れたのかしら」

「ラオは、きっと君がそう訊くだろうって言ってたよ」沢木は、言った。「訊かれたら、こう答えてくれってさ……〝上海香港銀行でカメラマンに化けて床を這《は》いずりまわったのは、何のためだと思う?〟」

彼女は笑った。

「ねずみを捕《と》るため、かしら?」

「これでも一流ライターかね」沢木は茶化した。

ラオは、床を這《は》っているケーブルから、直接信号を取り出し、撮影機材に見せかけた携帯型の端末に、情報を取り込んでいたのだ。

いつかラオが言ったことが、ダナの耳に蘇《よみがえ》ってくる。

――請け負ったビジネスを、完了させなかったことはありません。
蓮《はす》の花がぱっと開くような微笑《ほほえ》みを、彼女ははっきりと思い出していた。

＊

『ポスト』の著名ジャーナリスト、メイミ・タンの死は、休暇で中国に旅行中、不慮の事故で亡くなったと、小さく報じられた。

＊

財界の黒幕・故芝田京三《しばたきょうぞう》の隠し財産、九〇〇億円が香港へ輸送される直前に没収され、追徴金を課せられたのは、『ポスト』紙上で、上海香港銀行の不正追及キャンペーンが始まるのと時期を同じくしていた。「芝田事件」は、上海香港銀行と要人との裏取引きを裏付けるものとして、大きく取り上げられ、香港金融市場に大きな打撃を与えた。

＊

一九九三年十一月、中国政府は個人用の衛星放送用パラボラアンテナを、厳しく規制する方針を打ち出した。香港および周辺国から、情報が垂《た》れ流しの状態になるのを避けるためである、と政府は見解を述べている。

著者注・この作品はフィクションであり、登場する人物および団体名は、実在するものといっさい関係ありません。

解説（四六判より）――十年に一人の新人出現！　今年度日本小説界最高の収穫

文芸評論家　関口《せきぐち》　苑生《えんせい》

真にすぐれた小説というのは、どこか、いわく言いがたいオーラのようなものを放っているものである。その作品を手にした瞬間に稲妻のごとき啓示を受け、読者はまるで磁力に吸い寄せられるかのように、作品世界へと引きずりこまれてしまうのだ。

しかし――言うまでもないことだろうが、それほどの〈力〉を持った小説など、そう滅多にお目にかかれるものではない。まして、新人作家の作品となると、十年に一度あるかないかだろう。だが、その十年に一度あるかないかの作品を、今、わたしたちは目《ま》のあたりにしている。

そう、これは断言してもいい。本書は、そして本書の作者である服部真澄《はっとりますみ》は、十年に一度の――超弩《ど》級の作品であり、超弩級の新人と言ってよい。これほどの力強さを持った新人作家の出現は、わたしが知る限りでは高村薫《たかむらかおる》以来のことである。

たとえば、秀逸なスパイ・スリラー、あるいは感動的な謀略小説は、ある点で手品師のトリックに似ているところがある。手品師が仕掛けのタネから観衆の眼をそらすように、作者は読者の注意をアクションや事実関係で惹《ひ》きつけておき、背後の陰謀や虚構を最後まで手の内に隠しておくのである。そのことがまた、信じられないような出来事だが、信じざるを得ない物語にする原動力といえるものなのだろう。服部真澄は、これがデビュー作とはとても思えないほどに、そうした術に長《た》けている。

しかも、恐怖、疑惑、嫉妬、陰謀、そして殺意――作者は、それらの感情を意のままに操《あやつ》りながら、緻密《ちみつ》なサスペンスの世界を構築していくのだ。この圧倒的な筆力と構成力。瑞々《みずみず》しい感覚と興奮は、たちまち読者を虜《とりこ》にしてしまうに違いない。まさに恐るべき新人と言ってよいだろう。

物語の骨子は一九九七年の香港《ホンコン》返還問題にまつわる謀略だ。英国と中国の間でこの問題が持ち上がったのは、一九八二年、当時の首相サッチャーが北京《ペキン》を訪問した際のことである。当初、英国は香港を返すつもりがまったくなかったことは、当時の報道を見ても明らかであった。しかしなぜかその二年後、英国はそれまでの強気の姿勢をあっさりと崩《くず》し、ほとんど無条件で返還することに合意したのであった。その経緯をはっきりと指摘できる専門家は今にいたるもいない。はたして、両国の間でいかなる取り決めがあったのか、はたまた何らかの密約があったのか？　それとも、他の理由が……？

本書は、この現代史の謎ともいうべき香港返還問題に真っ向から挑み、歴史の闇に沈もうとしている陰の部分にスポットライトを当ててみせたのである。かつては、あれほどまでに尊大で、強気に迫っていた英国がかくも弱気になった理由――そこに一通の〈文書〉が介在していたとしたら……。かくて、この文書をめぐって英、中、米、日の四ヵ国が激烈な争奪戦を繰《く》り広げることになる。

それにしても、これは従来の日本のフィクションのスケールを超《こ》えた壮大なドラマである。確かに、表面的には国際謀略という衣装をまとってはいるけれど、その根底には登場人物たちそれぞれの国家に対する思慕が描かれている。だが、作者の視点は、さらにその先を見つめているようだ。つまり、民族という枠《わく》を外《はず》した世界における東洋、そして日本のアイデンティティーを描こうとしているかのようにも思えた。

最後にもう一度言っておこう。

本書は、今年度の日本エンターテインメント界最高の収穫である、と。

一九九五年七月

解説――〝状況〟を正確に捉《とら》える希有《けう》な作家

文芸評論家　関口《せきぐち》苑生《えんせい》

香港《ホンコン》をめぐる「一九九七年問題」に関しての中国と英国の確執、関係は、周知のことだろうが十九世紀半ばに勃発《ぼっぱつ》したアヘン戦争にさかのぼる。そのことは本書の中でも語られているが、ここでざっとおさらいをしておくと――一八四〇年、アヘン戦争で清《しん》朝を打ち破った英国は、一八四二年、南京《ナンキン》条約を締結し香港島を割譲地として領有する。続いて一八五六年に起こったアロー号事件（英国船籍の国旗を中国官憲が引き下ろした事件）に乗じ、英国は再び武力を行使、一八六〇年、北京《ペキン》条約を締結。今度は九龍《クーロン》半島の南端部を手中に収める。さらに一八九八年、香港の防衛と保護を口実に、清仏戦争や日清戦争で疲弊していた清朝に対して香港拡張専門条約を認めさせ、ニュー・テリトリー（新界）や周辺の島々の九九年間の租借権を勝ち取ることになる。

覇権主義に凝《こ》り固まった英国が、この三つの不平等条約をもってして、これまで一五〇年の長きにわたって香港を植民地として支配し続けてきたのである。

ところが一九八二年、英国と中国の間で香港の返還問題が交渉の場に持ち出されるや、世界中の誰もが驚いた意外な展開となっていく。英国は、当初、ニュー・テリトリーだけは租借期限が切れるが、南京条約・北京条約の有効性を強調し、香港島と九龍半島南端部は永久割譲地と主張。租借地のみは返還するが、割譲地は英国の主権が継続されるものとの立場で交渉の場に臨んでいた。

そのことは『サッチャー回顧録』（石塚雅彦訳、日本経済新聞社）にも詳しく触れられており、歴代英国首相としては史上初めて中国を訪問したサッチャーは、

「われわれの交渉の目的は、香港島の主権と引き換えに、将来かなりの期間、香港全体を引き続きイギリス政府が管理することを求めるというものであった。これが、香港の政治家たちや経済界の指導者たちにいく度も相談して得た結論で、これは彼らにとっても一番納得のいく解決法であった」

と述べている。しかし、九月二十二日の趙紫陽《ちようしよう》首相との会談では、

「趙首相は開口一番、中国が主権については妥協せず、香港全体――島も新界も――の主権を遅くとも一九九七年には回復させるつもりであることを明確に述べた」

と英国の思惑はあっさりと拒否され、二十四日の鄧小平《とうしようへい》との会談では、

「会談の途中、彼はその気になれば中国はその日のうちに香港に入り、占領することもできるといった。私は、確かにそうできるだろうし、私には止めることはできないといい返した。そして、それは香港の崩壊をもたらし、世界はイギリスから中国に統治が変わったことで何が起こったかを見るであろうと述べた」

という、一触即発の危機的状況にまで話し合いがもつれていたのである。

双方ともに、これほどまでに強気になれる根拠はどこにあったのか。

サッチャーの側は同じ一九八二年の春に起きたフォークランド紛争の勝利がある。この年、アルゼンチンが英国の領有する西大西洋の小島フォークランド島を一方的に軍事制圧するという事件が起きたのだ。サッチャーはただちにアルゼンチンに対し戦端を開き、同島に上陸作戦を敢行、見事にこれを奪回して勝利に導いたのである。〝鉄の女〟の面目躍如であった。この機敏かつ強硬な対応で、サッチャー人気は一気に高まってもいた。

サッチャー自身も、

「一九八二年に私が極東を訪れた頃には、フォークランドでの勝利の結果、世界でのイギリスと私自身の地位は変わっていた」

と回顧録の中で述べている。一方の鄧小平も、文化大革命時の危機を乗り越え、華国鋒《かこくほう》との権力闘争にも勝利して間もない時期であった。ここで妥協したり、譲歩したりすればたちまち国内の政敵に叩かれるのは、火を見るよりも明らかだったのだ。

石川羅生の『1997香港・中国大衝突』（総合法令）によれば、サッチャーとの最初の会見で、英国側の原則論を聞いた途端、鄧小平は激怒して、

「香港島や九龍半島の割譲は誰と決めたのか。腐敗した清朝政府とではないのか。今は清朝政府ではない。そんなことを言うなら、東陵（西太后《せいたいこう》の墓）へでもどこでも行って、（清朝政府役人の）

墓の蓋《ふた》を取って彼らと話せばいい」

と一喝したという。

ともあれ、最初はお互いに一歩も引かない構えを見せていたといっていいだろう。政治の世界の交渉事は、巧《たく》みな駆け引きを繰り広げながら、あるいはカード（切り札）をちらつかせながら、それぞれに「落としどころ」を見据えているものだ。しかしこの場合は、どちらも譲れない相当に困難な交渉であったことは間違いない。

だが、二年後の一九八四年、英国はあれほどの強気の姿勢を忘れたかのように、あっさりと中国側の要求に答えることで合意したのであった。

その二年の間に一体何があったのか？　これが本書の〈核〉をなすテーマである。ちなみに『サッチャー回顧録』には、その間の事情はほとんど何も書かれてはいない。いや、正確に言うと表面的には書かれているが、それはまったくもって政治家特有の、通り一遍たる綺麗ごとの内容でしかない。

幾分かの誇張を交えて言えば、〝現代史の謎〟といっていいだろうこの疑問を、服部真澄は見事なるエンターテインメントに仕立ててみせたのである。

しかも、驚くべきことに服部真澄はこれが正真正銘のデビュー作であったのだ。こうした「謀略」ものを小説にする場合、読者を引っ張り込むにはまず謀略の中心にある謎――言葉を換えて言えば、大がかりなハッタリが重要な要素となる。その点では、本書は誰もが知っていること

――香港返還という世界的な話題に、実は隠された謎があったというテーマを織り込むことで、読者の興味を魅《ひ》くことに成功している。そうしたテーマを見つけ出す能力も作家には必須の条件だろうが、もちろんそれだけでは商品にはならない。そこに、何らかの味つけがあって初めて、小説としての面白さが生まれてくるのである。たとえばそれは、登場人物たちのキャラクターであったり、プロットであったり、エピソードであったりする。それともうひとつ。作者が意図していたもの以上の、プラスアルファの効果が――それはほとんど明確なる言葉にはできないものなのだが、そんなある種いわく言いがたい要素が、読者の心を摑《つか》む場合もある。

たとえば本書の場合、ここに登場する人物たちはみな――アディールを筆頭に、チャーリー、沢木《さわき》、ダナ、西条《さいじょう》……といずれもがアイデンティティーを探し求めている人物である。自分は何者であるのか、自分は何をすべきなのか、自分の本当の姿は何なのか。日々流れていく日常の中で、彼らは表面には出さずとも、心の裡《うち》では常にそのことを思い悩んでいる。それを作者は、あからさまに描くことはせずに、彼らの行動を通して読者に知らしめす工夫を凝らしていくのだ。そこから生まれてくる効果は、こうしたアイデンティティーは個人の問題のみならず、国家、そして民族という問題にも繋《つな》がっていくのだと気づかせていくのである。

さらには、本書で描かれる権力構造には、かつての「冷戦」時代に、一体何が起こって、何が起こらなかったかを示唆する状況が描かれている。パワーポリティクス、力の論理をもって対立、抗争していた東西間の体制である。東西の陣営でそれぞれが権力政治を展開し、その一方で陣営内では覇権的支配の秩序を維持するという、二重の力の論理が存在していたことがここで示唆されるのだ。と同時に、自由主義と共産主義という、政治経済体制の原理の善悪をめぐる価値観の熾烈《しれつ》な衝突までが展開されていく。

本書を最初に読んだとき、わたしが驚きとともに強烈なる衝撃を受けたのは、まさにこの点であったのだ。ただ単に、面白い謀略小説を書く新人作家が現われた、というだけではここまで褒《ほ》めはしなかっただろう。小説作法上の技巧などという問題は、書いていくごとに上達するものだ。その点についてはまだまだ服部真澄は発展途上にある。しかし、この作者は確実に〝状況〟を正確に捉《とら》える眼があると確信したのである。

これが十年に一人の超逸材と、大いなる自信を持って推薦した根拠でもあった。

この意見は、今にいたるも変わってはいない。服部真澄は——性差別的な言い方になるかもしれないが、女性にしては珍しく、大状況と小状況の違いを肌で感じている、希有《けう》な作家なのである。

そんな彼女の姿勢と能力は、続く第二作の『鷲《わし》の驕《おご》り』、最新作の『ディール・メイカー』(ともに祥伝社)にもいかんなく発揮されている。加えて、エンターテインメントの神髄《しんずい》とも言うべき、物語作りの冴えもはっきりと窺《うかが》える。

お世辞でもなんでもなく、大いなる飛躍が望める作家と信ずる所以《ゆえん》である。

一九九八年十月

（この作品『龍の契《ちぎ》り』は、平成七年七月、小社ノン・ノベルから四六判で刊行されたものです）

一〇〇字書評

切り取り線

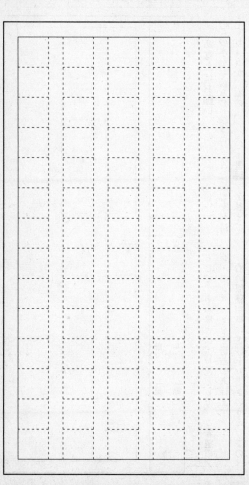

本書の購買動機（新聞名か雑誌名か、あるいは○をつけてください）

＿＿＿＿新聞の広告を見て	雑誌の広告を見て	書店で見かけて	知人のすすめで

住所

なまえ

年齢

職業

あなたにお願い

この本をお読みになって、どんな感想をお持ちでしょうか。右の「一〇〇字書評」を私までいただけたらありがたく存じます。今後の企画の参考にさせていただきます。

あなたの「一〇〇字書評」は新聞・雑誌などを通じて紹介させていただくことがあります。

そして、その場合は、お礼として、ご希望のノン・ポシェットを2冊差しあげます。

右の原稿用紙に書評をお書きのうえ、このページを切りとり、左記へお送りください。

〒101-8701 東京都千代田区神田神保町三―六―五
九段尚学ビル　祥伝社　☎(三二六五)二〇八〇
ノン・ポシェット・ノベル編集長　加藤　淳

NON POCHETTE

◆「ノン・ポシェット」創刊のことば

ノン・ポシェットは、ノン・ブック、ノン・ノベルの姉妹シリーズです。しかし、ポケットなり、ポシェットなりに楽に入る小さな判型、また既成のノン・ブック、ノン・ノベルから生み出されたという事情からいっても、むしろ両シリーズの子どもと申せましょう。

両シリーズの数ある本の中から、豊かな心、深い知恵、大きな楽しみに満ち、年月を経ても色褪《いろあ》せない「現代の古典」となるべきものばかりを厳選したつもりです。どうか親版のノン・ブック、ノン・ノベル両シリーズ同様、このノン・ポシェット・シリーズをご愛読いただき、進んでご意見、ご希望を編集部までお寄せくださるよう、お願いいたします。

昭和六〇年八月一日

NON・POCHETTE編集部

●ノン・ポシェット―NPN656

龍の契《ちぎ》り 長編国際謀略サスペンス

平成10年10月30日 初版第1刷発行

著者 服《はつ》部《とり》真《ま》澄《すみ》

発行者 高木昌幸

発行所 祥《しよう》伝《でん》社《しや》
東京都千代田区神田神保町3-6-5
九段尚学ビル 〒101-8701
☎03（3265）2081（販売）
☎03（3265）2080（編集）

印刷所 堀内印刷

製本所 ナショナル製本

ISBN4-396-32656-4 C0193

祥伝社のホームページ・http://www.shodensha.co.jp/